СОВРЕМЕННАЯ ПРОЗА

Людмила Улицкая

КАЗУС КУКОЦКОГО

ЭКСМО
2003

УДК 882
ББК 84(2Рос-Рус)6
У 48

В оформлении обложки использована
репродукция работы *П. Филонова*

Улицкая Л.

У 48   Казус Кукоцкого: Роман. — М.: Изд-во Эксмо, 2003. —
448 с.

ISBN 5-04-005667-2

Писательница Людмила Улицкая не нуждается в представле-
нии — она давно завоевала признание читателей и на родине, и за
рубежом. Ее книги переведены на многие языки мира, она —
обладательница престижных премий, и самое главное — у нее есть
своя преданная читательская аудитория.

И вот новый роман Улицкой, над которым она работала несколько последних лет. Несомненно, это произведение зрелого
мастера, который помещает свое повествование не только в границы близкого нам времени и наполняет сюжетами и реалиями
недавнего прошлого, но и выводит его за пределы бытийного
пространства в поисках смысла человеческого существования.

УДК 882
ББК 84(2Рос-Рус)6

ISBN 5-04-005667-2

Истина
лежит на стороне смерти

Симона Вайль

лобка, обсаженного желтоватым газоном кембриджской трав...
еуном поднятся к маленькому перешагнуть черу гор
Косметически наложенной шов — не знал, что для сл...
старался, поднятся к маленькому, легко с глубокой
воронкой пункту и пройдя сам разбежавшиеся и р...
собрали грузди по шелковистой дороже вернуться
к наблюдающим елке...

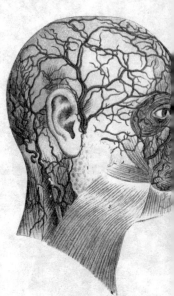

ЧАСТЬ ПЕРВАЯ

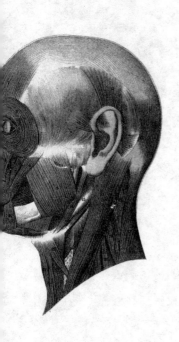

Девочка с серыми волосами, с поворотом головы ОБИА нагляма — вытавшицей семейной крушения

1

С конца семнадцатого века все предки Павла Алексеевича Кукоцкого по мужской линии были медиками. Первый из них, Авдей Федорович, упоминается в письме Петра Великого, написанном в 1698 году в город Утрехт профессору анатомии Рюйшу, у которого за год до того под именем Петра Михайлова русский император слушал лекции по анатомии. Молодой государь просит принять в обучение сына аптекарского помощника Авдея Кукоцкого «по охоте». Откуда взялась сама фамилия Кукоцких, доподлинно не известно, но, по семейной легенде, предок Авдей происходил из местности Кукуй, где построена была при Петре Первом Немецкая слобода.

С того времени фамилия Кукоцких встречается то в наградных листах, то в списках школ, заведенных в России с Указов 1714 года. Служба после окончания этих новых школ открывала «низкородным» дорогу к дворянству. После введения табели о рангах Кукоцкие по заслугам принадлежали «лучшему старшему дворянству во всяких достоинствах и авантажах». Один из Кукоцких упоминался в списках слушателей доктора Иоханна Эразмуса из Страсбурга, первого западного врача, читавшего в России среди прочих медицинских дисциплин «бабичье искусство».

С детства Павел Алексеевич испытывал тайный интерес к устройству всего живого. Иногда — обычно это случалось перед ужином, когда образовывалось неопределенное, незаполненное время, — ему удавалось незаметно пробраться в отцовский кабинет, и он, замирая сердцем, доставал со средней полки шведского, с тяжелыми выдвижными стеклами шкафа три заветных тома известнейшей в свое время медицинской энциклопедии Платена и располагался с ними на полу, в уютном закутке между выступом голландской печки и шкафом. В конце каждого тома помещались раскладные фигуры розовощекого мужчины с черными усиками и благообразной, но сильно беременной дамы с распахивающейся для ознакомления с плодом маткой. Вероятно, именно из-за этой фигуры, которая для всех — никуда не денешься! — была просто голой бабой, он и скрывал от домашних свои исследования, боясь быть уличенным в нехорошем.

Как маленькие девочки без устали переодевают кукол, так и Павел часами собирал и разбирал картонные модели человека и его отдельных органов. С картонных людей последовательно снималось кожаное одеяние, слои розово-бодрой мускулатуры, вынималась печень, на стволе пружинистых трахей вываливалось дерево легких, и, наконец, обнажались кости, окрашенные в темно-желтый цвет и казавшиеся совершенно мертвыми. Как будто смерть всегда скрывается внутри человеческого тела, только сверху прикрытая живой плотью, — об этом Павел Алексеевич станет задумываться значительно позже.

Здесь, между печкой и книжным шкафом, и застал его однажды отец, Алексей Гаврилович. Павел ожидал нахлобучки, но отец, посмотрев вниз со своей огромной высоты, только хмыкнул и обещал дать сыну кое-что получше.

Через несколько дней отец действительно дал ему кое-что получше — это был трактат Леонардо да Винчи «Dell Anatomia», литер А, на восемнадцати листах с двумястами сорока пятью рисунками, изданный Сабашниковым в Турине в конце девятнадцатого века. Книга была невиданно роскошной, отпечатана в трехстах пронумерованных от руки экземплярах и снабжена дарственной надписью издателя. Алексей Гаврилович оперировал кого-то из домочадцев Сабашникова...

Отдавая книгу в руки десятилетнего сына, отец посоветовал:

— Вот, посмотри-ка... Леонардо был первейшим анатомом своего времени. Лучше его никто не рисовал анатомических препаратов.

Отец говорил еще что-то, но Павел уже не слышал — книга раскрылась перед ним, как будто ярким светом залило глаза. Совершенство рисунка было умножено на немыслимое совершенство изображаемого, будь то рука, нога или рыбовидная трехглавая берцовая мышца, которую Леонардо интимно называл «рыбой».

— Здесь, внизу, естественная история, зоология и сравнительная анатомия, — обратил Алексей Гаврилович внимание сына на нижние полки. — Можешь приходить сюда и читать.

Счастливейшие часы своего детства и отрочества Павел провел в отцовском кабинете, восхищаясь изумительными сочленениями костей, обеспечивающими многоступенчатый процесс пронации — супинации, и волнуясь чуть не до слез над схемой эволюции кровеносной системы, от простой трубки с тонкими включениями мышечных волокон у дождевого червя до трехтактного чуда четырехкамерного сердца человека, рядом с которым вечный двигатель казался задачкой для второгодников. Да и сам мир представлялся мальчику грандиозным вечным двигателем, работающим на собственном ресурсе, заложенном в пульсирующем движении от живого к мертвому, от мертвого — к живому.

Отец подарил Павлику маленький медный микроскоп с пятидесятикратным увеличением — все предметы, не способные быть распластанными на предметном стекле, перестали интересовать мальчика. В мире, не вмещавшемся в поле зрения микроскопа, он замечал только то, что совпадало с изумительными картинками, наблюдаемыми в бинокуляре. Например, орнамент на скатерти привлекал его глаз, поскольку напоминал строение поперечно-полосатой мускулатуры...

— Знаешь, Эва, — говорил Алексей Гаврилович жене, — боюсь, не станет Павлик врачом, голова у него больно хороша... Ему бы в науку...

Сам Алексей Гаврилович всю жизнь тянул двойную лямку педагогической и лечебной работы — заведовал кафедрой полевой хирургии и не прекращал оперировать. В короткий отрезок между двумя войнами, русско-японской и германской, он одержимо работал, создавая современную школу полевой хирургии, и одновременно пытался привлечь внимание военного министерства к очевидному для него факту, что грядущая война изменит свой характер и начавшийся только что век будет веком войн нового масштаба, нового оружия и новой военной медицины. Система полевых госпиталей должна была быть, по мнению Алексея Гавриловича, полностью пересмотрена, и главный упор надо делать на скоростную эвакуацию раненых и создание централизованных профилированных госпиталей...

Германская война началась раньше, чем ее предвидел Алексей Гаврилович. Он уехал, как тогда говорили, на театр военных действий. Его назначили начальником той самой комиссии, о создании которой он так хлопотал в мирное время, и теперь он разрывался на части, потому что поток раненых был огромным, а задуманные им специализированные госпитали так и остались бумажными планами: пробить бюрократические стены в довоенное время он не успел.

После жестокого конфликта с военным министром он бросил свою комиссию и оставил за собой передвижные госпитали. Эти его операционные на колесах, устроенные в пульмановских вагонах, отступали вместе с недееспособной армией через Галицию и Украину. В начале семнадцатого года артиллерийский снаряд попал в хирургический вагон и Алексей Гаврилович погиб вместе со своим пациентом и медсестрой.

В том же году Павел поступил на медицинский факультет Московского университета. В следующем его отчислили: отец его был ни много ни мало полковником царской армии. Еще через год, по ходатайству профессора Калинцева, старого друга отца, заведующего кафедрой акушерства и гинекологии, его восстановили в студенчестве. Калинцев взял его к себе, прикрыл грудью.

Учился Павел с той же страстью, с какой игрок играет,

пьяница пьет. Его одержимость в занятиях создала ему репутацию чудака. В отличие от матери, женщины избалованной и капризной, он почти не замечал материальных лишений. После смерти отца, казалось, уже ничего нельзя было потерять.

В начале двадцатого года Кукоцких «уплотнили» — в их квартиру вселили еще три семьи, а вдове с сыном оставили бывший кабинет. Университетская профессура, кое-как выживавшая при новой власти, ничем помочь не могла — их всех тоже изрядно потеснили, да и революционный испуг не прошел: большевики уже продемонстрировали, что человеческая жизнь, за которую привыкли бороться эти прогнившие интеллигенты, копейки не стоит.

Эва Казимировна, мать Павла, была привязана к вещам и бережлива. Она втиснула в кабинет почти всю свою варшавскую мебель, посуду, одежду. Почтенный отцовский кабинет, когда-то просторный и деловой, превратился в складское помещение, и, сколько ни просил Павел избавиться от лишних вещей, мать только плакала и качала головой: это было все, что осталось у нее от прежней жизни. Но продавать тем не менее все же приходилось, и она постепенно расторговывала на толкучке свои несметные сундуки с обувью, воротничками, салфеточками, обливая каждую мелочь слезами вечного прощания...

Отношения матери и сына как-то охладели, расстроились, и еще через год, когда мать вышла замуж за непристойно молодого Филиппа Ивановича Левшина, мелкого начальника из железнодорожников, Павел ушел из дома, оставив за собой право пользоваться отцовской библиотекой.

Но ему редко удавалось добраться до материнского дома. Он учился, работал в клинике, много дежурил и ночевал где придется, чаще всего в бельевой, куда пускала его старая кастелянша, помнившая не только Павлова отца, но и деда...

Ему уже исполнился двадцать один год, когда мать родила нового ребенка. Взрослый сын подчеркивал ее возраст, и молодящаяся Эва Казимировна страдала. Она дала Павлу понять, что присутствие его в доме нежелательно.

Отношения между ним и матерью с этого времени пресеклись.

Через некоторое время медицинский факультет отделился от университета, произошли перестановки. Умер профессор Калинцев, и на его место пришел другой человек, партийный выдвиженец, без какого бы то ни было научного имени. Как ни странно, Павлу он благоволил, оставил на кафедре в ординатуре. Фамилия Кукоцких в медицинском мире была известна не менее, чем фамилия Пирогова или Боткина.

Первая научная работа Павла была посвящена некоторым сосудистым нарушениям, вызывающим самопроизвольные выкидыши на пятом месяце беременности. Нарушения касались самых малых капиллярных сосудов, и интересовали они Павла по той причине, что он тогда носился с идеей воздействия на процессы в периферических областях кровеносной и нервной системы, считая, что ими легче управлять, чем более высокими разделами. Как и все ординаторы, Павел вел больных в стационаре и принимал два раза в неделю в поликлинике.

Именно в тот год, осматривая на поликлиническом приеме женщину с регулярными выкидышами на четвертом-пятом месяцах беременности, он обнаружил, что видит опухоль желудка с метастазами — один очень заметный в печень, второй, слабенький, в область средостения. Он не нарушил ритуала осмотра больной, но дал ей направление к хирургу. Потом он долго сидел в кабинете, не приглашая следующую пациентку, пытаясь понять, что же с ним такое произошло, откуда взялась эта схематическая цветная картинка вполне развитого рака...

С этого дня открылся у Павла Алексеевича этот странный, но полезный дар. Он называл его про себя «внутривидением», первые годы осторожно интересовался, не обладает ли кто из его коллег подобной же особенностью, но так и не напал на след.

С годами его внутреннее зрение укрепилось, усилилось, приобрело высокую разрешающую способность. В некоторых случаях он даже видел клеточные структуры, окрашенные, казалось, гематоксилином Эрлиха. Злокачественные изменения имели интенсивно лиловый оттенок, области активной пролиферации трепетали мелкозернистым багровым... Зародыш с самых первых дней беременности он видел как сияющее светло-голубое облачко...

Бывали дни и недели, когда «внутривидение» уходило. Павел Алексеевич продолжал работать: смотрел больных, оперировал. Чувство профессиональной уверенности не покидало его, но в душе возникало тонкое беспокойство. Молодой доктор был, разумеется, материалистом, мистики не терпел. Они с отцом всегда посмеивались над увлечениями матери, то посещавшей великосветские посиделки со столоверчением, то предававшейся мистическим шалостям с магнетизмом.

К своему дару Павел Алексеевич относился как к живому, отдельному от себя, существу. Он не мучился над мистической природой этого явления, принял его как полезное подспорье в профессии. Постепенно выяснилось, что дар его был аскетом и женоненавистником. Даже слишком плотный завтрак ослаблял внутривидение, так что Павел Алексеевич усвоил привычку обходиться без завтрака и первый раз ел в обед или, если во второй половине дня был поликлинический прием, вечером. Что же касалось физической связи с женщинами, то она на время исключала какую бы то ни было прозрачность в наблюдаемых больных.

Он был хороший диагност, его медицинская практика, по сути, не нуждалась в такой незаконной поддержке, но научная работа как будто просила помощи: сокровенная судьба сосудов хранила тайны, готовые вот-вот открыться... Так получилось, что личная жизнь вошла в некоторое противоречие с научной, и, расставшись со своей пунктирной привязанностью, хирургической сестрой с холодными и точными руками, он мягко избегал любовных связей, слегка побаивался женской агрессивности и привык к воздержанию. Оно было не особенно тяжким для него испытанием, как все, что происходит по собственному выбору. Изредка ему нравилась какая-нибудь медсестричка или молоденькая врачиха, и он прекрасно знал, что каждая из них придет к нему по первому же слову, но «внутривидение» было ему дороже.

Свое добровольное целомудрие он вынужденно защищал — он был одинок, по нищенским понятиям того времени богат, в своей области знаменит, может, не красавец, но мужественен и вполне привлекателен, и по всем этим причинам, из которых хватило бы и одной, каждая женщина, приметив его слегка заинтересованный взгляд, начинала такой штурм, что Павел Алексеевич едва ноги уносил.

Некоторые его коллеги-женщины даже полагали, что в нем есть скрытый мужской изъян, и связывали это с самой его профессией: какие могут быть влечения у мужчины, который каждый день по долгу службы шарит чуткими пальцами в сокровенной женской тьме...

2

Кроме фамильной приверженности медицине, была еще одна своеобразная родовая черта у мужчин Кукоцких: они добывали себе жен, как добывают военные трофеи. Прадед женился на пленной турчанке, дед — на черкешенке, отец — на полячке. По семейному преданию, все эти женщины были, как одна, сумасбродными красавицами. Однако примеси чужой крови мало меняли родовой облик крупных, скуластых, рано лысеющих мужчин. Гравюрный портрет Авдея Федоровича руки неизвестного, но явно немецкой выучки художника, хранимый и по сей день потомками Павла Алексеевича, свидетельствует о силе этой крови, проводящей вдоль времени семейные черты.

Павел Алексеевич Кукоцкий тоже был женат военным браком — скоропалительным и неожиданным. И хотя его жена Елена Георгиевна не была ни пленницей, ни заложницей, увидел он ее впервые в ноябре сорок второго года в небольшом сибирском городке В., куда была эвакуирована клиника, которой он заведовал, на операционном столе, и была она в таком состоянии, что Павел Алексеевич прекрасно отдавал себе отчет — жизнь женщины, лица которой он еще и не видел, находится не в его власти. Доставили ее по «Скорой помощи» и поздно. Очень поздно...

Среди ночи Павла Алексеевича вызвала его заместительница Валентина Ивановна. Она была прекрасным хирургом, знала, что и он ей вполне доверяет, но здесь был какой-то особый случай. Чем — она и сама не смогла объяснить. Послала к нему на квартиру, подняла и попросила прийти. Когда он вошел в операционную, держа на весу подготовленные к операции руки, она как раз проводила скальпелем разрез по обработанной поверхности...

Он стоял за спиной Валентины Ивановны. Его особое зрение включилось само собой, и он видел уже не операционное поле, над которым трудилась Валентина Ивановна, а все целиком женское тело, редкой стройности и легкости позвоночник, узковатую грудную клетку с тонкими ребрами, несколько выше обычного расположенной диафрагмой, медленно сокращающееся сердце, освещенное бледно-зеленым, согласно с мышцей бьющимся прозрачным пламенем.

Он видел — и никто бы не мог понять этого, никому не смог бы он объяснить этого странного ощущения — совершенно родное тело. Даже затемнение у верхушки правого легкого, след перенесенного в детстве туберкулеза, казалось ему милым и знакомым, как очертание давно известного пятна на обоях возле изголовья кровати, где ежевечерне засыпаешь.

Посмотреть на лицо этой молодой и столь прекрасно устроенной изнутри женщины было как-то неловко, но он все-таки бросил быстрый взгляд поверх белой простыни, покрывающей ее до подбородка. Заметил длинные коричневые брови с пушистой кисточкой в основании и узкие ноздри. И меловую бледность. Но чувство неловкости от разглядывания ее лица было столь сильным, что он опустил глаза вниз, туда, где полагалось быть волнистой укладке перламутрового кишечника. Червеобразный отросток лопнул, гной излился в кишечную полость. Перитонит. Это было то самое, что видела и Валентина Ивановна.

Слабое желтовато-розовое пламя, существующее лишь в его видении, с каким-то редким цветочным запахом, чуть теплое на ощупь, подсвечивало женщину и было, в сущности, частью ее самой.

Еще он видел, как хрупки тазобедренные суставы из-за недостаточной выпуклости головки бедра... Собственно, близко к подвывиху. Да и таз такой узкий, что при родах можно ожидать растяжения или разрыва лонного сочленения. Но матка зрелая, рожавшая. Значит, однажды обошлось... Нагноение уже захватило обе веточки яичников и темную встревоженную матку. Сердце билось слабенько, но в спокойном темпе, а вот матка излучала ужас. Павел Алексеевич давно уже знал, что отдельные органы имеют отдельные чувствования... Но разве можно такое произнести вслух?

Да, рожать тебе больше не придется.... — он не догадывался еще, от кого именно не придется рожать этой умирающей на глазах женщине. Он встряхнул головой, отогнав призрачные картинки... Валентина Ивановна, расправив виток кишечника, добралась до червеобразного отростка. Все было полно гноя...

— Все чистить... Все убирать...

Не вытянуть. Проклятая профессия, подумал Павел Алексеевич, прежде чем взять из рук Валентины Ивановны инструменты.

Павел Алексеевич знал, что несколько флаконов американского пенициллина было у Ганичева, начальника госпиталя. Был он вор и торгаш, однако Павлу Алексеевичу обязан... Но даст ли?

3

Первые несколько дней, пока Елена не умирала, но и не вполне была жива, Павел Алексеевич заглядывал к ней в закуток палаты, отгороженный ширмой, и сам делал уколы пенициллина, предназначенного для раненых бойцов и дважды у них украденного. Она не приходила в сознание. Там, где она находилась, были говорящие полулюди-полурастения, и был какой-то сюжет, в котором она участвовала чуть ли не главной героиней. Заботливо разложенная на огромном белом полотне, она и сама чувствовала себя отчасти этим полотном, и легкие руки что-то делали, как будто вышивали на ней, во всяком случае, она чувствовала покалывание мельчайших иголочек, и покалывание это было скорее приятным.

Кроме этих заботливых вышивальщиков, были и другие, враждебные, кажется, немцы и даже, может быть, в форме гестапо, и они хотели не просто ее смерти, а даже большего, худшего, чем смерть. При этом что-то подсказывало Елене, что все это несколько призрачно, полуобман и скоро кто-то придет и откроет ей настоящую правду. И вообще, она догадывалась, что все с ней происходящее имеет отношение к ее жизни и смерти, но за этим стоит нечто гораздо более важное, и связано это с готовящимся открытием окончательной правды, которая важнее самой жизни.

Однажды ей послышался разговор. Мужской низкий голос обращался к кому-то и просил биохимию. Женский, старушечий, отказывал. Биохимия представлялась Елене большой стеклянной коробкой с цветными звенящими трубочками, которые соотносились таинственным образом с тем горным пейзажем, в котором все происходило...

Потом и пейзаж, и цветные трубочки, и нереальные существа разом исчезли, и она почувствовала, что ее постукивают по запястью. Она открыла глаза. Свет был таким грубым и жестким, что она зажмурилась. Человек, лицо которого показалось ей знакомым, улыбнулся ей:

— Ну вот и хорошо, Елена Георгиевна.

Павел Алексеевич поразился: это был тот случай, когда частное оказывалось больше целого — настолько глаза ее были больше остального лица.

— Это вас я там видела? — спросила она Павла Алексеевича.

Голос ее был слабенький, совсем бумажный.

— Очень может быть.

— А Танечка где? — спросила она, но ответа уже не слышала, снова поплыла среди цветных пятен и говорящих растений.

«Танечка, Танечка, Танечка», — запели голоса, и Елена успокоилась: все было в порядке.

Через некоторое время она окончательно вернулась. Все стало на свои места: болезнь, операция, палата. Внимательный доктор, который не дал ей умереть.

Приходила Василиса Гавриловна, с бельмом на глазу, в низко, до самых бровей повязанном темном платке, приносила клюквенное питье и темное печенье. Два раза приводила дочку.

Доктор навещал сначала по два раза на дню, потом, как ко всем, подходил только во время утреннего обхода. Убрали ширмочку. Елена теперь, как другие больные, начала вставать, доходила до умывальника в конце коридора.

Три месяца продержал ее Павел Алексеевич в отделении.

Елена в то время снимала угол за ситцевой занавеской в гнилом деревянном домишке на окраине. Хозяйка, тоже с виду гнилая, была на редкость вздорная. До Елены она уже прогнала четверых съемщиков. Сибирский город, в котором до войны набиралось едва пятьдесят тысяч, ломился от эвакуированных: военный завод, в конструкторском бюро которого работала Елена, медицинский институт с клиниками и два театра. Если не считать бараков для заключенных в близком пригороде, никакого человеческого жилья за годы советской власти в городе не строили. Люди, как кильки в банке, забивали каждую щель, каждую норку.

Накануне выписки доктор приехал в Еленину квартиру на казенной машине, с шофером. Хозяйка испугалась подъехавшей машины и спряталась в чулан. Открыла на стук Василиса Гавриловна. Павел Алексеевич поздоровался — ударило запахом помоев и нечистот. Не снимая тулупа, он сделал три шага, откинул занавеску и мельком заглянул внутрь их бедняцкого гнезда. Таня сидела в углу большой кровати с большим белым котенком и смотрела на него испуганно, но с интересом.

— Быстренько собирайте вещи, Василиса Гавриловна, на другую квартиру переезжаем, — сказал он неожиданно для самого себя.

Оставлять трудную больную после того, как она чудом выкарабкалась, в такой помойке было невозможно.

Через пятнадцать минут хозяйство было уложено в большой чемодан и узел, Таня одета, и три девицы, включая молодую кошку, сидели на заднем сиденье автомобиля.

Отвез их Павел Алексеевич к себе. Клиника занимала старый особняк, квартира Павла Алексеевича находилась в том же дворе, в пристройке. Когда-то здесь была людская и кухня для дворни. Теперь восстановили большую печь — готовили еду на больных, — помещение перегородили и Павлу Алексеевичу отвели две комнатки с отдельным входом. В одной из комнат он и поселил теперь эту семью. Свою будущую семью.

В первый же вечер, оставшись одна с Танечкой — Елена должна была выписаться только назавтра, — Василиса, помолившись по обыкновению, легла рядом со спящей девочкой на жесткую медицинскую кушетку и первая из всех догадалась, к чему все клонится... Ах, Елена, Елена, при живом-то муже...

В своих подозрениях Василиса Гавриловна утвердилась на следующий же день, когда Елена, перейдя двор, впервые вошла в дом к Павлу Алексеевичу. Она была слаба и прозрачна, улыбалась как-то смутно и растерянно, даже немного виновато. Но ни для подозрений, ни для упреков в тот день не было у Василисы Гавриловны никаких оснований — появились они несколько дней спустя. Удивления достойно, почему эта старая девушка, не имевшая ни малейшего опыта в отношениях с мужским полом, так чутко уловила любовные вибрации при самом их зарождении.

Весь февраль стояли лютые морозы. В квартире Павла Алексеевича сильно топили, впервые за несколько месяцев женщины отогрелись. Возможно, это сухое дровяное тепло, по которому стосковались женщины, подогревало Еленино чувство, во всяком случае, она испытывала к Павлу Алексеевичу любовь такого градуса, которого прежде не знала. Брак ее с Антоном Ивановичем, с высот нового знания о любви и о самой себе, казался теперь ущербным, ненастоящим. Она отгоняла от себя маленькую, неясную мысль о муже, откладывала со дня на день минуту, когда надо будет самой себе сказать все честные и печальные слова, и все это усугублялось еще и тем, что почти полгода не было от Антона писем, и сама она уже месяц как не писала ему, потому что не могла теперь сказать ему ни слова правды, ни слова лжи...

В половине шестого утра Павел Алексеевич приносил с госпитальной кухни ведро теплой воды — немыслимая роскошь, как в иные времена ванна, полная шампанского, — и ждал за дверью, пока Елена вымоется. Потом мылся сам, приносил второе ведро для Василисы Гавриловны и Танечки, подбрасывал дров в печку, которая топилась у них почти непрестанно. Василиса сидела во второй комнате, пока оба они не уходили на работу: делала вид, что спит. Елена знала, что Василиса ранняя пташка и свое молитвенное бормотание начинает среди ночи.

Не выходит, потому что не хочет стать свидетельницей безобразия, догадывалась Елена. И улыбалась. Поутру она чувствовала себя особенно счастливой и свободной. Она знала, что по дороге к заводу все потихоньку начнет меркнуть, а к концу дня от утреннего счастья не останется и следа — чувство вины и стыда усиливается к вечеру, и пока Павел Алексеевич не обнимет ее ночным крепким объятьем, оно не пройдет...

Павлу Алексеевичу исполнилось сорок три года. Елене было двадцать восемь. Она была первой и единственной женщиной в его жизни, которая не отгоняла его дара. После того, как она впервые провела ночь в его комнате, он, проснувшись в предутренней тьме, со щекотной косой, рассыпанной по его предплечью, сказал себе: «И хватит! Пусть я никогда не увижу ничего сверх того, что видят все другие врачи. Я не хочу ее отпускать...»

Дар его, хоть и был женоненавистником, для Елены, как ни странно, сделал исключение. Во всяком случае, Павел Алексеевич видел, как и прежде, цветовое мерцание, скрытую жизнь внутри тел.

«Вероятно, и ОН ее полюбил», — решил Павел Алексеевич.

Извещение о смерти Елениного мужа, Антона Ивановича Флотова, пришло через полтора месяца после того, как она впервые осталась ночевать у Павла Алексеевича. Похоронку принесли утром, когда Елена уже ушла на завод. Василиса выплакалась за день — Антона она не любила и теперь себя особенно корила за эту нелюбовь.

Вечером она положила перед Еленой извещение. Та окаменела. Долго держала в руках желтоватую зыбкую бумажку.

— Боже мой! Как жить-то теперь? — Елена указала пальцем на крупную, негнущимися писарскими цифрами написанную дату смерти. — Число видишь какое?

Это был тот самый день, когда она впервые осталась у Павла Алексеевича.

Широкая спина Павла Алексеевича в ладном хирургическом халате с тесемками на мощной шее успела к этому времени совершенно заслонить собой весь мир и погибшего Антона с прохладными глазами, жестким ртом на худом лице, совершенно лишенном мягкого славянского мяса.

С этой минуты любовь ее к Павлу Алексеевичу была навсегда приправлена чувством неисправимой вины перед Антоном, убитым в тот самый день, когда она ему изменила...

Василиса увидела в этой цифре другое — миновал сороковой день.

— Ни мне помолиться, ни тебе повдоветь, — заплакала Василиса.

Через несколько дней Василиса запросилась в отпуск — одна из ее таинственных отлучек, о которых она скорее уведомляла, чем просила. Елена, много лет проживши с Василисой, прекрасно знала об этой ее особенности — вдруг исчезнуть на неделю, две или три, а потом так же неожиданно вернуться, — на этот раз отпустить ее не смогла: в конструкторском бюро, где она чертила своей легкой рукой рабочие чертежи для улучшенной коробки передач улучшенного танка, отпусков никому не давали. К тому же законы военного времени не предполагали экскурсий по стране, да и с Таней сидеть было некому...

4

Проницательный во многих отношениях Павел Алексеевич, при всей своей погруженности в профессиональное, врачебное дело, достаточно трезво оценивал и общечеловеческую жизнь, которая вокруг него проистекала. Он, разумеется, пользовался своими привилегиями профессора, директора большой клиники, но от него не укрывалась бедственная жизнь его медперсонала, нехватка еды даже в родильном отделении, холод, недостача дров, медикаментов, перевязочных материалов... Хотя все то же он наблюдал и до войны, но теперь откуда-то возникла идея, что после войны все изменится, станет лучше, правильней...

Возможно, что сама его медицинская профессия, постоянное, почти ставшее бытовым, прикосновение к огненной молнии — острой минуте рождения человеческого существа из кровоточащего рва, из утробной тьмы небытия, — и его деловое участие в этой природной драме отражались на его внешнем и внутреннем облике, на всех его суждениях: он знал не только о хрупкости человека, но и о его сверхъестественной выносливости, далеко выходящей за пределы возможности других живых организмов. Многолетний опыт показывал, что адаптивные возможности человека намного превышают таковые у животных. Интересно, пытались ли исследовать эту проблему совместно медики и зоологи?..

«Совершенно уверен, что ни одна собака такого не выдержит, что выдерживает человек», — усмехался он про себя.

Павел Алексеевич обладал важнейшим качеством ученого — умением задавать правильные вопросы... Он внимательно следил за современными исследованиями в области физиологии и эмбриологии и без устали поражался неутомимому и даже несколько мелочному закону, определяющему жизнь будущего человека еще в утробе матери, в соответствии с которым каждое улавливаемое событие происходило с великой точностью — не до недель и дней, а до часов и минут. И этот часовой механизм работал столь точно, что ровно на седьмые сутки каждый зародыш, представляющий собой шаровое скопление единообразных клеток, расщеплялся на два листка, внутренний и внешний, и с ними начинали происходить удивительные вещи — они прогибались, отшнуровывались, выворачивались, образовывали узелки и пузыри, часть поверхности уходила внутрь, и все это повторялось с невиданной точностью, миллионы и миллионы раз подряд... Кем и как даются команды, по которым разыгрывается этот невидимый спектакль?

Высшая безымянная мудрость заключалась в том, что

из одной-единственной клетки, образованной из малоподвижной и слегка расплывшейся яйцеклетки, окруженной лучистым венцом фолликулярных клеток, и долгоносого, с веретенообразной головкой и спиральным вертлявым хвостом сперматозоида с неизбежностью вырастает человеческое существо, полуметровое, орущее, трехкилограммовое, совершенно бессмысленное, а из него, повинуясь все тому же закону, развивается гений, подонок, красавица, преступник или святой...

И как раз потому, что он знал очень много, собственно говоря, все, что к тому времени было известно об этом предмете, он представлял себе гораздо лучше остальных, из какого космического варева выныривает каждая Катенька и каждый Валерик.

В отцовской библиотеке было множество книг по истории медицины, и он всегда любил следы этой милой древности: радовался, изумлялся, иногда смеялся над фантастическими суждениями своих давно умерших коллег, будь то древнеегипетский жрец, первый в мире профессиональный анатом, или средневековый умелец, делающий кровопускание, кесарево сечение и удаление мозолей за ту же плату.

Еще в юности запал в него текст письма вавилонского жреца и врача Бероса, в котором тот объяснял своему ученику, что вот уже тридцать лет, как звезда Тишла вошла в созвездие Сиппару, и мальчики с тех пор рождаются более крупными, более агрессивными, и ручки их как будто держат копье...

«Неудивительно, — пишет далее врач, — что последние десять лет идут непрестанные войны — эти мальчики-бойцы выросли и не могут быть пахарями. Надо думать, хранительница Ламассу переписывает таблицы судеб».

Павел Алексеевич справился тогда по немецким справочникам, кто же эта Ламассу, переписывающая судьбы поколений. Оказалось, богиня плаценты. Поразительным было это обожествление отдельных органов и чувство космической связи земли, неба и человеческого тела, совершенно утраченное наукой в новые времена. И в самом деле, было интересно — если отбросить эти трогательные суеверия, — есть ли у поколения какое-то общее лицо, единый характер? Только ли социальные факторы определяют характер поколения? А может, правда, влияние звезд, или питания, или состав воды... Ведь говорил же учитель самого Павла Алексеевича, профессор Калинцев, о «гипотонических» детях начала века... Он описывал их как вялых, слегка сонных младенцев, с мягонькими мешочками под глазами, с полуоткрытыми ртами и ангелически расслабленными ручками... Как же, наверное, они были не похожи на теперешних, с крепко сжатыми кулачками, с подогнутыми пальцами ног, с напряженными мышцами. Гипертонус. И поза боксера — сжатые кулачки защищают голову. Дети страха. Они, пожалуй, более жизнеспособны. Только вот — от чего они защищаются? От кого ждут удара? Что бы сказал об этих детях вавилонский ученый Берос, жрец богини Ламассу?

Размышления об этих испуганных детях уводили Павла Алексеевича в другую область: думая о судьбах близких ему людей, он обнаруживал, что почти все они тоже уязвлены страхом. Большинство скрывали какой-то постыдный факт происхождения или родства, либо, не в силах скрыть, жили в постоянном ожидании наказания за несовершенные преступления. Помощница его Валентина Ивановна происходила из богатейшей купеческой семьи, другой коллега нес в жилах, как чуму, скрытую половину немецкой крови, у регистраторши клиники брат эмигрировал в восемнадцатом году, Елена, только что появившаяся в его жизни, призналась, что родители ее погибли в лагерях, а сама она чудом спаслась от этой участи благодаря бабушке, удочерившей ее накануне переселения родителей на Алтай. Оказалось, что даже Василиса Гавриловна, совсем простая женщина, жила с какой-то своей замысловатой тайной. У каждого было о чем смолчать, каждый ожидал разоблачения.

С началом войны этот неопределенный, почти мистический страх немного отпустил, сменившись другим, более реальным страхом за жизнь ушедших на фронт мужчин. Их убивали настоящие и вековечные враги, немцы, и эти воюющие и погибающие на фронте мужчины защищали не только свою родину, но в какой-то степени они защищали свои семьи от прежних, довоенных страхов: бдительные органы как будто немного подзабыли о богатых бабушках, слишком образованных дедушках и родственниках за границей. Пришедшие в дом похоронки делали всех равными в горе. Сиротство, голод и холод уравнивали в правах детей погибших солдат и погибших арестантов. Теперь будущее у всех людей было связано с победой, и дальше нее не простирались их мечты. Почти безмолвная, в шепоте и потрескивании прогорающих поленьев начавшаяся между Павлом Алексеевичем и Еленой любовь захватила их настолько полно, что оба они откладывали неизбежные размышления о будущем: им еще не было страшновато.

5

Павел Алексеевич удочерил Таню сразу же после женитьбы и, как говорила Василиса, «принял ее на сердце». В этой «своей» девочке как будто сошлись все те тысячи новорожденных, которым помог он при появлении на свет: вытащил, вырезал, спас от асфиксии, черепной травмы и других повреждений, которые нередко случаются при родах.

Но чужие дети были минутными. На них тратились великие силы и труды, а потом они исчезали, и Павел Алексеевич почти никогда не видел этих мальчиков и девочек в ту пору, когда они начинали улыбаться, изучать свои пальчики, радоваться узнаванию родных лиц, сосок, погремушек. Уже в первые часы жизни нового существа Павел Алексеевич умел замечать проявление темперамента — сильную волю или пассивность, упрямство или лень. Но более тонкие черты человеческой личности не проявляются обычно в первые дни, когда дитя отдыхает после титанической работы рождения и перехода в новое существование. Он многое знал о чужих младенцах, но ничего — о ребенке в своем доме. Открытие оказалось изумительным.

Тане едва исполнилось два года, и по возрасту Павел Алексеевич мог быть ей дедом. Сердечное восхищение ею, которое он испытывал, имело налет стариковского умиления всем тем новым, что происходит с ребенком и никогда не происходит со взрослыми. То он замечал складочку на запястье, то ямку на пояснице, то обнаруживал, что ее темные волосы не одного ровного темно-коричневого цвета, а с исподу, на шее, за ушками, они светлее и мягче, как будто другого сорта.

Новые слова, новые движения, весь умственный рост, происходящий в двухлетнем человеке, вызывали теперь у Павла Алексеевича острый любовный интерес. Он никогда не позволял своей мысли останавливаться на том, что другая женщина могла бы родить ему другого, его собственного ребенка, может быть, мальчика, который бы унаследовал не эти чужие, карие волосы, а его, Павла Алексеевича, светловолосость и личную склонность к облысению, странную форму руки с широченными ладонями и треугольными пальцами, резко заостренными к ногтю, и перенял бы, в конце концов, его профессию.

Нет, нет, даже если бы Елена и могла еще рожать, он совсем не уверен, что хотел бы подвергнуть свою любовь к Танечке испытанию или сравнению. Он и Елене об этом говорил: другого ребенка я и вообразить себе не могу, девочка наша настоящее чудо.

Трудно сказать, что из чего проистекает — хороший характер ребенка из любви, которую безмерно и нерасчетливо изливают на него родители, или, напротив, хороший ребенок вызывает в душах родителей все лучшее, что в них заложено. Так или иначе, Таня росла в любви, и они были особенно счастливы втроем. Василиса, хоть и была членом семьи, но в геометрии семейного треугольника была членом вспомогательным, лишь придающим их существованию дополнительную устойчивость.

Иногда, когда Таня просыпалась раньше взрослых, она пробиралась в комнату к родителям, ситцевой рыбкой ныряла между ними и сонным счастливым голосом требовала «обонять и поцелуть». Заговорила она очень рано, сразу правильно, и это «поцелуть» было для нее игрой взрослого человека, способного посмеяться над собой, маленьким.

— Сюда, сюда и сюда, — указывала она пальцем на лоб, щеку и подбородок и, получив, как законную дань, родительские поцелуи, с забавной серьезностью выбирала место на колкой щеке Павла Алексеевича, куда бы чмокнуть.

Этот целовальный обряд в Танины школьные годы преобразился в прощальный поцелуй перед уходом. Мимолетные касания, казалось бы, совершенно незначительные, были как мелкие гвозди, прочно сшивающие ежедневную жизнь.

Павел Алексеевич, вообще очень сдержанный в отношениях, даже с любимой женой, строго соблюдающий свой предел допустимого и в жестах, и в словах, с Таней доходил до старческого сюсюканья. «Сладкая вишенка», «папин воробышек», «черноглазый бельчонок», «ушастое яблочко» — пошлейший гербарий и зоосад обрушивал он на ребенка. Танечке это очень нравилось, и у нее тоже был свой набор ласковых прозвищ для отца: «мой лучший собак», «Бегемот Бегемотыч», «Сомик усатый».

Баловал Павел Алексеевич Таню со страстью. Елене приходилось то и дело охлаждать его пыл. Случалось, он заходил в игрушечный магазин и скупал весь его скудный прилавок. Но Тане это безумное баловство как будто не шло во вред, не было в ней жадности и властных ухваток ребенка, не знающего никаких границ.

Павлу Алексеевичу казалось, что любая ткань слишком груба для детской кожи, что ботинки натирают ножку, шарф — шейку. Он переводил взгляд на жену и поражался до сердечной боли, как она хрупка и нежна, и обеих он хотел бы укутать в батист, в пух, в мех... Странная это была несуразица между аскетическими повадками Павла Алексеевича, всем строем его суровой и жестокой жизни хирурга, Елениной механической привычкой брать меньшее и худшее так легко и естественно, что никто этого и не замечал, с Василисиной скупостью и строгостью к девочке — и острым желанием Павла Алексеевича посадить дочку и жену под стеклянный колпак, чтобы защитить от сквозняков, грубости, всех шероховатостей мимотекущей жизни.

К сентябрю сорок четвертого года клиника Павла Алексеевича вернулась в Москву. В квартиру Елены в Трехпрудном переулке, на которую она рассчитывала, к этому времени вселили двух мелких энкавэдэшников, и молодая семья опять оказалась в служебном помещении, где до войны жил одинокой неприхотливой жизнью Павел Алексеевич. Это был полуподвал, довольно просторный, но сырой и мало подходящий для ребенка. Таня, как будто специально для того, чтобы беспокойство о ее здоровье не было напрасным, часто простужалась и подолгу кашляла.

Семейная жизнь Павла Алексеевича и Елены Георгиевны складывалась столь счастливо, что даже Танино нездоровье сообщало особую ноту близости между супругами. Долгое время первым словом при возвращении Павла Алексеевича с работы было тревожное «Кашляла?».

Василиса пожимала костлявым плечом: экое дело, дите кашляет...

«Ну и бесчувственная старуха», — удивлялся про себя Павел Алексеевич, стаскивая огромное пальто, набравшее в себя уличного холоду, и отгоняя от этого холодного воздуха Таню, высунувшуюся в коридор...

6

Павел Алексеевич, как и его покойный отец, имел, несомненно, качества государственного человека. Хотя на карьеру Павла Алексеевича длинную тень бросал офицерский чин отца в царские времена, вторая война как бы исправила это неприятное место в биографии: отец был хоть и военным, но врачом, да и погиб на германской. Теперь, когда страна опять воевала с сыновьями тех же самых немцев, ему было задним числом прощено сомнительное происхождение. Вскоре после возвращения из эвакуации Павел Алексеевич был вызван в министерство, где ему было предложено составить проект устройства мирного здравоохранения в той его части, которая касалась материнства и детства. Война была на исходе, и хотя комиссия эта не была еще создана, но предполагалось, что со временем он ее возглавит. В руки к Павлу Алексеевичу пошла статистика — безграмотно собранная, частично фальшивая и неполная, но до некоторой степени открывающая ужасную демографическую ситуацию. Дело было не только в невосполнимой потере огромной части мужского населения и связанным с этим падением рождаемости. Детская смертность была огромной, особенно младенческая. Было еще одно обстоятельство, не учитываемое официальной статистикой, но прекрасно известное любому практикующему врачу: большое количество женщин репродуктивного возраста погибало от криминальных абортов. Официально медицинские аборты были запрещены еще в тридцать шестом году, почти одновременно с принятием Сталинской Конституции.

Это запрещение было болезненной точкой в работе Павла Алексеевича: почти половина экстренных операций была связана с последствием подпольных абортов. Противозачаточных средств практически не существовало. Врач обязан был освидетельствовать каждую привезенную по «Скорой помощи» женщину «на предмет установления факта подпольного аборта» — это влекло за собой судебные преследования. Павел Алексеевич избегал таких завуалированных доносов и писал в анамнез разоблачительные слова «криминальный аборт» в единственном случае — когда пациентка умирала. Если жизнь женщины была спасена, такое медицинское заключение привело бы на скамью подсудимых и пострадавшую, и лицо, исполнявшее эту древнейшую процедуру. Несколько сотен тысяч женщин сидели в лагерях именно по этой статье.

Обширная программа, которую предстояло разработать Павлу Алексеевичу, кроме чисто медицинских аспектов, включала и социальные.

Проект его более всего напоминал одну из тех бумаг, которые подавали на Высочайшее Имя лучшие сыны отечества, среди которых были и романтики, и недоумки, целый спектр интереснейших персонажей, от князя Курбского до Чаадаева. Да и родной отец его, Алексей Гаврилович Кукоцкий, был одним из таких прожектеров.

Павел Алексеевич предвидел после войны серьезные потрясения самого института семьи, ожидал появления большого количества матерей-одиночек и рассматривал это явление как социально-неизбежное и даже общественно-полезное. Он считал необходимым введение разнообразных льгот для матерей-одиночек, но при этом полагал, что первым шагом должна быть отмена постановления от июля 1936 года о запрещении абортов.

По мере работы проект все более разрастался и превращался в настоящую утопию, сквозь фантастические построения которой просвечивали и серьезные, очень дельные мысли, намного опередившие свое время. Так, он предусматривал организацию патронажной службы для родителей, просветительскую работу среди молодежи и создание сети детских домов-санаториев, в которых выращивание здоровых в физическом и психическом отношении детей было бы поставлено на научную основу. Это отчасти перекликалось с педологией, запрещенной еще в тридцатые годы, и даже слегка отдавало Чернышевским. Не забыта была и медико-генетическая консультация, организацию которой он планировал поручить другу юности, врачу-генетику Илье Гольдбергу.

Министром здравоохранения в то время сидела немолодая женщина, опытная чиновница, партийная от пегой маковки до застарелых мозолей, к тому же — единственная женщина в правительстве. За ней с давних лет держалось прозвище Коняги, отчасти связанное со звучанием ее фамилии, а отчасти и с ее неутомимостью и редкой способностью идти, не сворачивая, в указанном направлении. Прозвище ей даже нравилось, и нередко, позволив себе в узком кругу изрядно выпить, она любила приговаривать:

— Да, да, русская женщина — конь с яйцами, ей все по силам!

Несомненно, она и была главной женщиной страны, символом женского равноправия и воплощенным Восьмым марта, если не считать мифологических Розы Люксембург, Клары Цеткин, Зои Космодемьянской и вечно юной Любови Орловой. Что характерно, все они, включая и саму Конягу, были бездетными...

На первых порах, когда проект перестройки здравоохранения только затевался, Коняга была его большой сторонницей, но по мере того, как работа Павла Алексеевича приобретала все больший размах, она как будто охладела. На самом же деле она испугалась. Проект выглядел слишком радикальным, требовал огромного финансирования, а главное, риска. Во многих отношениях слепоглухонемая, Коняга обладала нечеловеческой чуткостью к настроениям начальства, которые она понимала как государственный интерес. Она своим нюхом чуяла, что государственный интерес в текущем моменте лежал никак не в области акушерства и гинекологии и даже не материнства и детства, а в иных, более высоких сферах.

Академик Опарин, например, уже объяснил, каким образом живая материя произошла от неживой посредством электрического разряда, вышибаемого с помощью учения Маркса—Энгельса в сторону первичного бульона из идеологически верных молекул белка. Другой академик, Лысенко, почти подчинил природу своему щучьему велению, и она уже твердо обещала ему адекватно реагировать на все манипуляции кнута и пряника. Третий академик, всемирно известная женщина Лепешинская, без пяти минут как победила старость и без десяти — самое смерть. Атом уже согласился стать мирным, реки были готовы течь куда следует, а не куда им заблагорассудится. Советская наука, и медицинская в частности, и без отмены злосчастного указа процветала, а великий вождь всех времен и народов, сунув левую парализованную за пазуху, деятельной правой принимал бессмертный букет из рук белокурой девочки, впоследствии и под следствием оказавшейся еврейкой, и мудро улыбался...

А лысый гинеколог ходил каждую неделю в министерство и надоедал министру своим дежурным вопросом: подала ли она проект наверх? Нет, нет и нет! В настоящее время она никак не могла выйти наверх. А вдруг не так поймут? К тому же обычно идеи работали в обратном направлении — не поднимались снизу вверх, а спускались сверху вниз. О перестройке здравоохранения пока забыли, и не ей было об этом напоминать. Коняга тормозила, как могла, ни одно постановление не проходило без обсуждения в ЦК партии, и ее чуткое сердце предпочитало повременить. Павел Алексеевич настаивал. Потратив больше года на бесплодные переговоры с министром, он совершил, в конце концов, поступок, по понятиям чиновничьим и военным, неэтичный: написал официальное письмо в ЦК партии, на имя члена Политбюро Н., ведающего социальными вопросами. Поверх головы министра здравоохранения... Письмо в соответствии с общепринятыми стандартами содержало заклинательное зачало «Под руководством...», но написано было безукоризненным старомодным языком, с четкой аргументацией и убийственной в прямом и переносном смысле статистикой.

На этот раз Павел Алексеевич локализовал задачу — он подавал не весь проект, а лишь его фрагмент, касающийся наиболее болезненной, с его точки зрения, проблемы — о разрешении абортов.

Прошло несколько месяцев, и Павел Алексеевич уже перестал ждать какого бы то ни было ответа, как в девять часов утра, во время пятиминутки, раздался звонок со Старой площади. Павел Алексеевич извинился и с недовольным лицом вышел из ординаторской. Кто-то нарушил правило: обычно с пятиминуток его к телефону не подзывали. Но это было приглашение в ЦК на аудиенцию, и притом немедленное.

Через десять минут служебная машина уже отъезжала от клиники. Рядом с водителем сидел мрачный Павел Алексеевич. Вызов этот был неожиданным, стилистика — самая зловещая. Особенно не понравилась ему срочность. Он успел до отъезда сделать лишь две вещи первой необходимости: выпил стакан разведенного спирта и взял в руки давно заготовленный на этот случай портфель. Уже по дороге к Старой площади он подумал, что напрасно не заехал домой попрощаться с семьей...

В проходной шестого подъезда его остановили и попросили оставить портфель. В портфеле стояла плоская анатомическая банка с запаянной сургучом крышкой. Этой банке была отведена решающая роль в предстоящем разговоре. После долгих объяснений и препирательств портфелю разрешено было последовать на прием вместе с владельцем. Павла Алексеевича долго вели по ковровым коридорам. Это малоприятное путешествие отдавало каким-то ночным кошмаром. Павел Алексеевич еще раз посожалел, что не заехал домой. Два явственных вертухая, один справа, другой слева, остановились перед дверью:

— Вам сюда.

Он вошел. Секретарша ренуаровского колорита, сияя

жемчужно-розовым лицом, просила подождать. Он сел на строгий деревянный диван, разведя широко колени и поставив между ними старый отцовский портфель, ходивший в свое время на доклады к министрам давно похороненного правительства... Павел Алексеевич приготовился долго ждать, но его вызвали через две минуты. К этому времени алкоголь добрался до всех завитков нервной системы и разлил свое безмятежное тепло и покой. В длиннющем неуклюжем кабинете, за огромным письменным столом сидел маленький человек с отечным лицом, вылепленным из сухого мыла — одно из тех лиц, что колыхались на первомайских портретах под весенним ветерком.

«Почки ни к черту не годятся, особенно левая», — автоматически отметил Павел Алексеевич.

— Мы ознакомились с вашим письмом, — монархически произнес партийный начальник.

И звук голоса, и едва заметная брезгливость в лице давали понять, что дело проиграно.

«Тем более нечего терять», — подумал Павел Алексеевич и медленно расстегнул пряжки портфеля. Начальник замолк, сделав ледяную паузу. Павел Алексеевич вытащил слегка запотевшую прямоугольную банку, провел ладонью по переднему стеклу и поставил на стол. Начальник испуганно откинулся в кресле и, указав пухлым пальцем на препарат, спросил неприязненно:

— Что это вы сюда притащили?

Это была иссеченная матка, самая мощная и сложно устроенная мышца женского организма. Разрезанная вдоль и раскрытая, цветом она напоминала сваренную буро-желтую кормовую свеклу, еще не успела обесцветиться в крепком формалине. Внутри матки находилась проросшая луковица. Чудовищная битва между плодом, опутанным плотными бесцветными нитями, и полупрозрачным хищным мешочком, напоминавшим скорее тело морского животного, чем обычную луковку, годную в суп или в винегрет, уже закончилась.

— Прошу обратить внимание. Это беременная матка с проросшим луком. Луковица вводится в шейку матки, прорастает. Корневая система пронизывает плод, после чего извлекается вместе с плодом. В удачном случае, разумеется. Неудачные попадают ко мне на стол или прямо на Ваганьково... Вторых больше...

— Вы шутите... — отшатнулся партийный деятель.

— Я мог бы привести вам таких луковиц килограмм, — вежливо ответил Павел Алексеевич побледневшему деятелю. — Официальная статистика, и я не могу этого скрывать, совершенно не соответствует истине.

Начальник напрягся:

— Что вам дает право... Как вы смеете...

— Смею, смею. Если после криминального аборта мне удается женщину вытянуть, я должен писать ей в карточку «самопроизвольный выкидыш». Потому что если я этого не сделаю, я посажу ее в тюрьму. Или ее соседку, у которой тоже малые дети, а половина детей у нас и так безотцовщина. Луковка эта, поверьте, самый хитроумный, но не единственный метод прерывания беременности. Металлические спицы, катетеры, ножницы, внутриматочные вливания черт-те чего... йода, соды, мыльной воды...

— Перестаньте, Павел Алексеевич, — взмолился побелевший чиновник, вспомнив, что до войны и его жена прибегала к чему-то такому. — Хватит. Чего вы от меня хотите?

— Нужен указ о разрешении абортов.

— Вы с ума сошли! Вы что, не понимаете, что есть интересы государства, интересы нации. Мы потеряли на войне миллионы мужчин. Есть проблема восполнения народонаселения. Это детский лепет, то, что вы говорите, — искренне заволновался чиновник.

«Не зря банку тащил», — подумал Павел Алексеевич.

Разговор, кажется, качнулся в его пользу. Он правильно его начал, и надо было правильно его закончить.

— Мы потеряли миллионы мужчин, а теперь теряем тысячи женщин. Честный медицинский аборт не влечет риска для жизни, — Павел Алексеевич сморщился. — Видите ли, рост благосостояния сам по себе будет обуславливать повышение рождаемости... — Павел Алексеевич встретился с ним глазами. — Сколько сирот оставляют. Детские дома тоже, между прочим, из государственного бюджета кормятся... Надо разрешать. На нашей совести будет...

Начальник скривил губы, глубокие складки опустились к подбородку:

— Уберите это... Там надо говорить, — он указал рукой в небо.

— Так я вам оставлю препарат. Может, пригодится?

Хозяин кабинета замахал руками:

— Вы с ума сошли! Уберите немедленно...

— По неполной, по далеко не полной статистике двадцать тысяч в год. Только по России... — набычился Павел Алексеевич. — Вы за них отвечаете.

— Вы много на себя берете, — рявкнул партийный чиновник и совершенно перестал походить на свой первомайский портрет.

— Потому что вы ничего не хотите взять на себя, — отрезал Павел Алексеевич.

На том и расстались. Препарат остался стоять на вельможном столе рядом с чернильным прибором, украшенным чугунной башкой пролетарского писателя...

Эти первые послевоенные годы были для Павла Алексеевича очень удачными — кафедра, замороженная во время войны, снова получила право на полноценное существование. Вернулись двое лучших учеников Павла Алексеевича, которые в начале войны прошли переквалификацию и на несколько лет оторвались от акушерства и гинекологии. Вдвое увеличили количество мест в клинике. Новых ставок на научную работу пока не давали, но Павлу Алексеевичу даже в самые тяжелые времена удавалось вести научные наблюдения и копить кое-какие соображения, которые ждали своего часа. Так, он размышлял о лечении одного из видов женского бесплодия, глубоко вник в женскую онкологию и нащупал интересные связи между беременностью и злокачественными процессами, возникающими в организме женщины в этот период. Мыслями он бродил около лечения раковых заболеваний с помощью ингибиторов роста гормонального происхождения. Дар внутривидения не давал ответов на вопросы, но помогал ясно видеть некоторые общие картины жизни организма. Картина жизни общества, государства, напротив, представлялась Павлу Алексеевичу совершенно неясной. Ему, как и многим в первые послевоенные годы, казалось, что прежние, довоенные заблуждения сами собой развеются и жизнь организуется разумно. Разрабатываемый им проект обеспечит скорейшее наступление светлого будущего в той, по крайней мере, части, где он был компетентен.

Однако дело, несмотря на удачный, как ему казалось, визит к высокому начальству, не двигалось, комиссия все не работала, и он упорно и методично обивал порог все более настороженной Коняги и доказывал, что настало время обновить существующее здравоохранение. Она его благосклонно выслушивала — слух о его походе напрямки дошел до нее, а поскольку никаких непосредственных приказов ей не давали, она была с Павлом Алексеевичем предельно осторожна. Даже сочла за благо его обласкать. Именно по ее инициативе в конце сорок седьмого года Павлу Алексеевичу дали звание члена-корреспондента Академии медицинских наук и в те же дни — новую квартиру в только что отстроенном доме для медицинской знати. Это был как будто аванс под будущие государственные свершения. Аванс был прекрасным — трехкомнатная квартира и семиметровый чулан при кухне. Больше всех радовалась Василиса. Впервые в жизни у нее была отдельная комната. Увидев чулан, она заплакала:

— Вот она, моя келейка, дай бог и помереть здесь.

Как ни уговаривала ее Елена поселиться в большой комнате, вместе с Танечкой, Василиса не согласилась.

По понятиям тогдашнего времени они были богаты сверх всякой меры. Равной богатству была лишь щедрость Павла Алексеевича, благодаря которой в доме никогда не заводилось свободных денег. Дважды в месяц, в день зарплаты, после позднего обеда Павел Алексеевич провозглашал:

— Леночка, список!

И Елена приносила ему список тех, кому отправлялось денежное пособие. Еще с довоенного времени Павел Алексеевич оказывал помощь своей двоюродной племяннице, неродной тетке, старой хирургической сестре, с которой когда-то начинал работать, и другу студенческих лет Илье Гольдбергу, который с тридцать второго года пребывал то в лагерях, то в ссылках, то в каких-то провинциальных дырах.

До женитьбы Павла Алексеевича, собственно, никакого списка не было, вспоминал и посылал, а теперь, когда его молодая жена завела этот список, прибавив, помимо мужниных имен, своих дальних родственников, школьную подругу, застрявшую в Ташкенте, и каких-то Василисиных старух, Павел Алексеевич стал даже с некоторым уважением относиться к своей большой зарплате. Поскольку круг лиц был довольно обширным и от месяца к месяцу видоизменялся, Павел Алексеевич, заглядывая в список, иногда спрашивал:

— Муся — это кто? — И, выслушав разъяснение, кивал головой.

Затем Елена объявляла общий итог, и тогда Василиса скоренько шла к нему в кабинет и выносила торжественно старый кожаный портфель. Павел Алексеевич раскрывал портфель, отсчитывал дензнаки. Наутро Василиса заворачивала отдельно каждую порцию в газетку, а все газетные свертки почему-то в старое полотенце, потом, вцепившись одной рукой в свою кошелку, а другой в Еленин рукав, она шла на почту, и здесь, у окошка, передавала наконец Елене деньги, и та отправляла переводы.

Василиса шевелила губами. Елена думала, что она считает деньги. Василиса же читала свои любимые молитвы. Собственных слов у нее было немного, и со своим богом она привыкла разговаривать отрывками из псалмов и молитвенными формулами. Но когда очень уж хотелось добавить что-нибудь от себя, то она взывала к Пречистой Деве: голубушка, дорогая, сделай так-то и так-то, чтобы по-хорошему...

Мир Василисы был прост: на небе господь бог, Пресвятая богородица со ангелы, со всеми святыми, и с матушкой игуменьей посреди, потом Павел Алексеевич, а потом уж они, семья, и все остальные люди, злые по одну сторону, добрые — по другую. Павел Алексеевич был в ее глазах почти святым: он у себя в больнице всем подавал помощь —

и злым, и добрым, как господь бог. Даже последним преступницам, погубительницам жизни... О том, что главной заботой Павла Алексеевича было законное разрешение на эту пагубу, ей и в голову пока не приходило.

7

На шестом году жизни Танечка сильно вытянулась, ушла детская припухлость, личико обострилось, и влажные голубые тени пролегли под глазами. И кашель то прекращался, то снова нападал. Вызвали Исаака Вениаминовича Кецлера, друга и однокашника покойного отца Павла Алексеевича. Ему было за восемьдесят, с девятьсот четвертого года он работал в детской больнице в Русаковке и, уйдя на пенсию, продолжал ежедневно ездить в свое отделение, где и кабинет за ним оставили.

Исаак Вениаминович славился божественными ушами. Даже с виду они были необыкновенными: разросшиеся от старости, дряблые и сухие, как у слона. Из самой середины уха бил фонтан седых волос, а большие удлиненные мочки морщились продольными складками. При всем при том Исаак Вениаминович был глуховат до той минуты, пока не вдевал в ухо короткую черную трубку и не приставлял ее расширенным концом к детской спине. А уж особенно его слух обострялся, когда он прижимался стариковским ухом к передергивающемуся от щекотки телу малолетнего пациента.

— Здесь мы имеем первичный процесс, — произнес Исаак Вениаминович, ткнув Таню пальцем пониже ключицы. — Верхушечка справа. Пойдите в Институт педиатрии, доктор Хотимский сделает вам снимочек... На Солянку, на Солянку...

Павел Алексеевич кивнул — он прекрасно знал это старое здание возле Устьинского моста, построенное еще в начале девятнадцатого века, Воспитательный дом для подкидышей, рожденных запутавшимися деревенскими девками, горничными и швеями московского Вавилона, не сумевшими вовремя избавиться от прижитых младенцев...

Павел Алексеевич глядел на раздетую до пояса дочку своим специальным взглядом, сфокусированным на несколько сантиметров глубже поверхности ее молочной кожи, но ничего, кроме своего собственного суетливого беспокойства, не ощущал.

— К сожалению, это теперь массовое явление, — шамкал Исаак Вениаминович, гуляя пальцами около Таниного уха, вниз по шее, останавливаясь под подбородком и влезая в самую глубину подмышек. — Лимфатик, лимфатик. Возможно, щитовидочка чуть увеличена. А как аппетит? Конечно, плохой. Откуда быть хорошему? А рвоты? Рвоты случаются? Heraus?

— Очень часто, — кивнула Елена. — Одна лишняя ложка, и рвота. Мы никогда и не уговариваем.

— Ну вот, — с удовлетворением отозвался старик. — Спастика. — Он приложился ухом к животу. — На боли в желудке жалуемся? Вот тут? — Он ткнул пальцем в какую-то точку. — Остренько так тянет, да?

— Да, да, — обрадовалась Танечка. — Остренько тянет.

«Ах вот оно в чем дело, — обрадовался Павел Алексеевич. — Уши-то у старика ясновидящие. Не глаза, не пальцы...»

Сам он, как ни напрягался, ничего на этот раз не видел. Не разворачивалась перед ним привычная картина — вид человека изнутри, таинственный пейзаж органов, повороты рек, туманные пещеры, полости, лабиринты кишечника...

Не выключая собственного обескураженного взгляда, он посмотрел на Исаака Вениаминовича — багровый свет раковой опухоли охватывал желудок. Очаг был в привратниковой части, а по средостению полз росток метастаза. Павел Алексеевич закрыл глаза...

Снимок Тане сделали. Кое-что нашли. Анализ крови все подтвердил. Рекомендации старого педиатра оказались изумительно старомодными. Ребенку была предписана Швейцария, в разумных, естественно, пределах. То есть Швейцария Подмосковная. Многочасовые гуляния, сон на свежем воздухе — к ужасу Василисы, которая, как простой человек, выросший в деревне, в свежий воздух не верила.

А также, разумеется, питание, рыбий жир. Словом, «Волшебная гора» Томаса Манна, о которой Исаак Венаминович и слыхом не слыхивал. И никаких медикаментов типа новомодного ПАСКа — зачем надрывать печень, нагружать почки?

Павел Алексеевич кивал, кивал, а потом резко спросил, не хочет ли старый педиатр исследовать собственный желудок?

— Коллега, в моем возрасте все процессы замедлены, у меня есть хорошие шансы умереть от воспаления легких или от разрыва сердца...

«Все знает. Прав», — согласился в душе Павел Алексеевич.

Сняли под Звенигородом большую зимнюю дачу, принадлежащую карьерному адмиралу, отправленному за мелкий грех крупного воровства в почетную ссылку в Канаду, на должность военного атташе в посольство. Той же осенью в Академии распределяли дачи, и Павлу Алексеевичу предложили подать заявление. Он почему-то отказался. И сам не смог бы объяснить толком, но было инстинктивное ощущение: больно много дают, не сдерут ли потом три шкуры? Даже Елене не сказал об этом дачном предложении.

На снятой даче поселили Таню с Василисой. Как ни уговаривал Павел Алексеевич Елену бросить наконец свою никчемную работу и сидеть на даче, она отказалась наотрез: не хотела ни работу бросать, ни Павла Алексеевича одного в городе оставлять на всю неделю.

Дача была огромная, двухэтажная, с псевдоготическими буфетами и поставцами, заполненными фарфором и всякой никчемной мелочью. В двух залах, верхней и нижней, среди стада окаменевших кресел и стульев с резными спинками, стояло по роялю. Наверху — черный концертный, внизу — кабинетный с треснувшей декой, из палисандрового дерева с бронзовыми накладками. Настройки он не держал, но это выяснилось уже после того, как Павел Алексеевич со сторожем внесли его в одну из двух обжитых комнат — для Тани. Пригласили учительницу из Звенигорода, и она три раза в неделю приезжала на дом.

Уже через несколько недель, воскресными вечерами, жарко натопив дом, Павел Алексеевич и Елена садились в резные германские кресла, от которых пахло воровством, как и от всей прочей обстановки этого дома, и Таня играла им робкие пьески, выученные на этой неделе...

Так прошло два года. Зимы запомнились Тане гораздо лучше, чем лета. Может, потому, что зима в России в два раза длиннее лета. Свое детство Таня вспоминала впоследствии как время белизны, а не болезни. Утренняя порция сладкого козьего молока в белой фарфоровой кружке, заоконные сугробы, толстые и волнистые понизу, и маленькие, округлые, празднично разложенные подушки на спинах еловых веток поверху, и белый костяной блеск клавиш, к которым Таня переходила после завтрака, пока Василиса мыла посуду. Потом Василиса давала ей деревянную лопатку и велела чистить дорожки. И Таня возила лопатой снег, пока Василиса не предлагала ей нового задания — покормить птиц.

Участок был огромный, Павел Алексеевич устроил четыре кормушки, и Таня часами наблюдала, как кормились на деревянном столике, под косым навесом красногрудые снегири и желтощекие синицы. Иногда они с Василисой брали по бидону — большой и маленький — и шли на дальний родник, метрах в пятистах, за вкусной водой. Ближний родник пробивался на самом краю огромного дачного участка, но, бывало, в снегопады его заваливало, и вода не протискивалась на поверхность. Каждый день ходили в деревню за козьим молоком, навещали знакомую старушку, ее козу и собаку с черными щенятами, жившими в сенцах.

Таня была постоянно занята. Разницы между делом и развлечением она не знала. Ничего насильного в ее жизни не было. Даже рыбий жир, которого она прежде не выносила, стал ей нравиться после того, как Василиса угостила хлебом, сбрызнутым рыбьим жиром, черных щенят и они набросились на него, как на невиданное лакомство.

В счастливой дачной жизни она пропустила первый школьный год. Программу первого класса Таня прошла дома. Она хорошо читала и освоила счет. Труднее было с чистописанием. Таня расстраивалась, что у нее не получается так красиво, как в прописях. Здоровье ее совершенно поправилось. Исаака Вениаминовича, который мог бы это засвидетельствовать, уже не было в живых.

С осени Таню перевезли в московскую квартиру, и она пошла в школу, сразу во второй класс. Собирали ее со старанием и большой тщательностью. Сшили коричневую форму с воротом-стоечкой, белыми пришивными воротничками и манжетами, черные нарукавники, два черных фартука и белый парадный, с плиссированными оборками на плечах.

— Как у ангела, — набожно вздохнула Василиса.

И стала уважать Таню своей детской душой — сама она в школу никогда не ходила, и форма эта, не перешитая из старого, а выкроенная из цельного нового куска шерстяной материи, казалась знаком особого отличия. Про себя она еще подумала: «Красота какая, хоть в гроб ложи...» Ничего дурного она в виду не имела...

Еще закупили стопку голубоватых свежих тетрадок с розовыми рыхлыми промокашками, пахучий деревянный пенал с драгоценным содержанием — новые карандаши, ластики, перья... Даже ботинки для Тани сшили на заказ в закрытом ателье, которым никто в семье не пользовался.

О школе Таня долго мечтала — ей обещано было, что там она найдет себе подруг, которых не хватало в туберкулезно-счастливом звенигородском детстве.

Первого сентября Елена привела дочь в школу. Нашла учительницу и оставила Таню в классе с тяжелым портфелем и толстоногим букетом упитанных астр, одинокую и растерянную. Девочек, с которыми Таня собиралась дружить, оказалось слишком уж много. Они были шумными, и с этим еще можно было смириться. Самым неприятным было то, что они все трогали Таню руками, кто за косу, кто за оборку фартука. Одна даже ухитрилась схватить ее за белый носок...

Класс оказался точно таким, как Таня его себе представляла. Учительница указала ей место рядом с толстой девочкой с бубликами косичек над ушами. В середине урока соседка толкнула ее под локоть, и Таня поставила большую кляксу на первой странице тетради. Таня обмерла. С ней случалось такое и прежде, когда она заполняла свои одинокие тетради в Звенигороде, но теперь она ужаснулась. Она еще не успела прийти в себя от потрясения, как соседка, нагнувшись под парту, больно ущипнула ее за ногу. Тогда Таня поняла, что и под локоть та толкнула ее нарочно, и заплакала. Учительница подошла к ней и спросила, в чем дело.

— Можно я пойду домой? — прошептала Таня.

— После четвертого урока ты пойдешь домой, — твердо сказала учительница.

В первый раз в жизни Таня столкнулась с чужой волей, с насилием в его самой легкой форме. До этого момента желания окружающих и ее собственные счастливо совпадали, и ей в голову не приходило, что может быть иначе... Оказывается, это и была взрослая жизнь — подчинение чужой воле... С этого момента оказалось: чтобы по-прежнему быть счастливой, надо быть уверенной, что ты сама желаешь именно того, чего от тебя требуют взрослые... Она, разумеется, этого не думала, скорее, эта идея накрыла ее сверху и начала подминать под себя...

До конца четвертого урока она просидела на парте в столбняке, не выходя даже на перемены. Девочки, от которых она ждала дружбы, оказались злыми обезьянами: они скакали вокруг нее, дергали за косы, тыкали пальцами и обидно смеялись. Таня силилась понять, за что они ее невзлюбили, и не догадывалась, что они таким способом лишь выражают свой интерес к ней. Она и представить себе не могла, что через несколько месяцев эти же самые девочки будут отчаянно ссориться между собой и даже драться за право стоять с ней в паре, дежурить по классу и просто идти по коридору.

Таня, как выяснилось, обладала редким и трудно определимым качеством: все, что она ни делала — завязывала бант, обертывала тетрадь, стряхивала с рук капли воды после мытья своим собственным размашистым жестом вверх кистями, морщила нос при улыбке, — каждое ее движение сразу становилось заметным, притягательным, а сама она образцом для подражания. Даже ее манеру, задумавшись, прихватывать зубами пушистый хвостик косы переняли все, у кого были косы...

Несмотря на возникшее девчачье обожание, школу Таня никогда не полюбила. Окруженная десятками девочек, добивающихся ее внимания и дружбы, она чувствовала себя более одинокой, чем в Звенигороде. Еще более одинокой чувствовала себя только Тома Полосухина, забитая, с малиновой шелушащейся обводкой вокруг рта двоечница с последней парты. Съежившаяся сутулая девочка, с которой никто не хотел сидеть...

Тома не принадлежала к числу Таниных обожательниц — межзвездные расстояния пролегали между ними...

8

Скромную, очень скромную специальность выбрала себе Елена. Но никогда не пожалела о своем выборе. Нравилось ей в этой работе все: специальный стол с подсветкой, кульман, и разные сорта бумаги, с которой приходилось работать, — мутноватая льдистая калька, рыхлый полуватман, сизые скользкие синьки. Нравился и запах туши, и шорох карандаша. И даже мелкие незначительные операции, без которых не обойтись, но которые тоже требуют умения, вроде заточки карандашного грифеля...

Все эти первоначальные вещи она поняла еще во время обучения. Потом, поработав год-другой, она полюбила и более существенную, очень успокоительную сторону чудесной профессии чертежника — каждый предмет, показывая себя, поворачивался в трех проекциях, и этого было совершенно достаточно, чтобы он был описан полностью, не оставляя в себе никакой тайны, никакого уединенного места. Все как есть...

Порой Елене казалось, что все явления, как и все предметы, можно описать в трех позициях — анфас, профиль, вид сверху. Не только деталь танкового мотора, но и ветер, и боль в животе, и любое сказанное слово.

Ее учителем был первый муж, Антон Иванович Флотов,

великий мастер чертежного дела, даже можно сказать, искусства. Они познакомились в затененном, незначительном месте, на курсах черчения, где Елена была студенткой, а он — преподавателем. С виду он был старообразен, опрятен и сух, хотя было ему всего двадцать девять. Ей едва исполнилось семнадцать, и она только-только вырвалась из подмосковной сельскохозяйственной коммуны, удивительного и в высшей степени странного места, где проходило ее детство. Община эта была толстовская, и руководил ею родной отец Елены, Георгий Иванович Мякотин.

Девочка, выросшая в столь особых, совершенно уникальных обстоятельствах, грамоте обученная по толстовским детским книжкам, с детства доившая коров, не в шутку, а всерьез работавшая и в поле, и на общественной кухне, молчаливая слушательница застольных дискуссий о Вивекананде и Карле Марксе и согласного пения народных и народнических песен, чувствовала себя в Москве одинокой, в окружении чуждого и опасного мира. Бабушка Евгения Федоровна была единственным человеком, которого Елена не дичилась.

С Антоном Ивановичем, будущим мужем, соединило Елену более, чем любовь, подспудное чувство иррациональной вины за свою «отдельность», «неслиянность» с веселой и дружной общностью невинных людей. Оба они ощущали свою социальную неполноценность, но не прикрывались защитительной политической активностью, с биением себя в грудь и проклятиями в адрес неудачных родителей. Они принадлежали к другой, смиренной породе людей, предпочитающих тихое уползание в периферию жизни, под кустик, под камешек, в теневое, незаметное место.

Антон Иванович происходил из семьи архитекторов и строителей, частично эмигрировавшей, частично уничтоженной, и все его наследство составляла именно его профессия чертежника. Он из-за революции не успел получить немецкого инженерного образования, которое давали мальчикам в их семье. Чертежник же он был первоклассный, работал на большом заводе конструктором, а также вел курс черчения в заводском рабфаке.

Осторожный и внимательный, Антон Иванович год присматривался к Елене, прежде чем подойти, потом год встречался с ней по воскресеньям и женился лишь на третий год знакомства — без пылкой любви, но серьезно и обдуманно, как все, что он делал.

Родители Елены на свадьбу не приехали: отец был занят посевной и матери ехать не разрешил. Георгий Иванович приглашал дочь с зятем переезжать к ним, на Алтай. Дела в коммуне шли неплохо, и хотя с властями было много разнообразных трений, не могли коммунары предполагать, что через год-другой всех арестуют, посадят по тюрьмам и лагерям, сошлют в такие места, где землю кайлом не расшибешь.

Тихо и мирно жили Антон и Елена в бабушкиной квартире. Зарплаты хватало на скромную жизнь, а другой Елена и не знала. Во всяком случае, после ее коммунарского детства московская жизнь казалась ей легкой и привольной. Самым интересным для нее было, пожалуй, черчение.

Начальство Елену хвалило, отмечало как старательную и способную девушку. Поскольку в бумагах ее было написано, что она из коммуны (это по недоразумению выглядело хорошо — что коммуна толстовская, не было нигде сказано), Елене даже предложили учиться дальше, на рабфаке, но ей этого совсем не хотелось. Она с удовольствием сидела за кульманом, и даже Антон Иванович удивлялся ее рвению к работе.

Однажды ей приснился сон, что Антон Иванович говорит ей какую-то простую обыденную фразу, а она видит эту фразу не обыкновенным образом, анфас, а как бы в профиль: узкая, как рыбья мордочка, слегка волнистая и вытянутая кверху острым треугольником. Жаль только, что, проснувшись, вспомнить фразу она так и не смогла. Но самый этот сон сохранился, не выветрился. После него осталась догадка, что каждая фраза имеет свою геометрию, только надо напрячься, чтобы ее уловить.

Есть в словах что-то чертежное, размышляла она. Есть «чертежность» во всем существующем, только высказать это невозможно.

Она пыталась поговорить об этом с Антоном Ивановичем, но тот только покачал головой:

— Ну и фантазии у тебя, Елена...

Сны эти, однако, изредка повторялись. Они были совершенно бессмысленны, не сообщали ничего такого, что поддавалось бы пересказу, но после них оставалось неопределенно-приятное ощущение нового.

И теперь, когда прошло столько лет и не было на свете Антона Ивановича, и даже фотографии его Елена упрятала подальше — как бы ее подрастающая девочка не узнала случайно, что Павел Алексеевич ей не родной отец, а отчим, — всякий раз, усаживаясь на свое рабочее место, она раскрывала старинную немецкую готовальню, флотовскую готовальню, и вздыхала о покойном Антоне Ивановиче. Свою вину перед ним она никогда не забывала. Да и чертежные сны время от времени снились — зачем, для чего...

Павел Алексеевич Елениной работы не любил — к чему это утомительное сидение в конструкторском бюро? Недоумевал. Елена оправдывалась:

— Это хорошая работа. Я в ней понимаю.

— Да чего же в ней хорошего? — искренне удивлялся Павел Алексеевич.

— Не могу тебе объяснить. Это красиво.

— Пожалуй, — лукаво соглашался Павел Алексеевич. — Да только очень уж простенько. — Поддразнивал.

— Ах, Паша, что ты говоришь! — обижалась Елена. — Ничего не простенько. Иногда очень даже сложно бывает.

Павел Алексеевич ловил эту минуту, когда менялось ее обыкновенно кроткое выражение. Она слегка встряхивала головой, пушистые завитки с боков лба, всегда выбивающиеся из пучка, подрагивали, губы морщились в уголках.

— Я имею в виду, что там все механическое, никакой тайны нет, — он выставлял перед ней указательный палец. — В одном человеческом пальце больше тайны, чем во всех ваших чертежах.

Она забирала в горсть его палец:

— Может, это только в твоем пальце есть какая-то

тайна. А в других — нет. Может, в чертежах не тайна, а правда содержится. Самая необходимая правда. Ну пусть не вся, а часть. Одна десятая или одна тысячная. Вообще-то я знаю, что у каждой вещи есть еще и другое содержание, не чертежное... Я сказать не умею, — и она отпускала его руку.

— Уже до тебя сказали, — усмехался Павел Алексеевич. — Платон сказал. Называется эйдос. Идея вещи. Ее божественное содержание. Божественный шаблон, по которому все наши земные изделия отливают...

— Ну, это не для меня. Это слишком умственное, — отмахнулась Елена. Но слов Павла Алексеевича не забывала. Это была она, философия. Что-то подобное говорили и в коммуне, но тогда она была мала для таких разговоров и под них засыпала.

Павел Алексеевич смотрел на нее с горделивой нежностью: вот какая у него жена — тихая, молчаливая, говорит только по необходимости, но если уж принудить ее высказаться, суждения ее умны и тонки, и глубокое понимание...

Елене иногда хотелось бы высказать мужу свои соображения о «чертежности» мира, о снах, которые снились ей время от времени — с чертежами всего на свете: слов, болезней, даже музыки... Но нет, нет, описать это невозможно...

Два тайновидца жили рядом. Ему была прозрачна живая материя, ей открывалась отчасти прозрачность какого-то иного, не материального мира. Но друг от друга они скрывались не от недоверия, а из целомудрия и оградительного запрета, который лежит, вероятно, на всяком тайном знании, вне зависимости от того, каким образом оно получено.

9

Научные проблемы, которые Павла Алексеевича интересовали, всегда были связаны с конкретными медицинскими задачами, будь то борьба с ранними выкидышами, разрешение бесплодия, новые хирургические подходы к иссечению матки или кесаревы сечения при неправильном предлежании плода.

Словосочетание «буржуазная наука», все чаще появляющееся в газетах, вызывало у него брезгливую усмешку. Область науки, которой он отдал многие годы жизни, совершенно не имела, с его точки зрения, классового подтекста.

Безукоризненно честный в житейском смысле этого слова, Павел Алексеевич прожил всю свою профессиональную жизнь в советское время, давно привык пользоваться в статьях и монографиях некоторым условным языком, казенными зачинами с застывшими оборотами типа «В кругу наук сталинской эпохи...» или «Благодаря неустанной заботе партии, правительства и лично товарища Сталина...» и умел в пределах этой «фени» высказывать свои дельные соображения. Это была для него формула вежливости данного времени, вроде «милостивого государя» прошлого, и содержательной части работы она совершенно не касалась.

В начале сорок девятого года началась борьба с космополитизмом, и с первой же газетной публикации Павел Алексеевич как будто проснулся. Это было новое наступление на здравый смысл, и прошлогодняя сессия ВАСХНИЛа, ударившая по генетике и евгенике, теперь не казалась ему зловещей случайностью. Павел Алексеевич, как академик и директор института, находился теперь на таком служебном уровне, что от него требовались уверения в лояльности. Следовало публично высказаться, поддержать хотя бы словесно новую кампанию. Высокое начальство настойчиво намекнуло ему, что пора. Было также многозначительно упомянуто о его проекте, уже несколько лет лежавшем под сукном...

О выступлении подобного рода не могло быть и речи — для Павла Алексеевича это значило бы лишиться самоуважения, переступить границы обыкновенной, самой что ни на есть буржуазной порядочности.

При всем своем относительном свободомыслии, Павел Алексеевич все-таки получил традиционное образование, копирующее немецкий образец, да и все мышление его было организовано на немецкую колодку. Так уж исторически сложилось, что гуманитарные влияния в России приживались скорее французские, а в области науки и техники с петровских времен первенство оставалось за немцами. Сама идея универсализма, в латинском ее истолковании, была для Павла Алексеевича привлекательна, так что в собственно «космополитизме» не видел он никакого мирового зла.

Накануне большого собрания в Академии, в одно из последних воскресений весны он поехал в Малаховку, к своему другу Илье Иосифовичу Гольдбергу, медику и генетику, — посоветоваться. Менее подходящего советчика трудно было найти.

Еврейский Дон-Кихот, всегда успевавший сесть прежде полагавшегося ему процесса и совершенно не за то, за что следовало бы, к этому времени Гольдберг успел отсидеть два ничтожных, по масштабам тех лет, срока и готовился к третьему. Между этими ходками было еще несколько необыкновенных для него удач, когда по случайности он не оказывался в нужное время на нужном месте, и беда его обходила.

Первый заход был в тридцать втором году, за выступление, сделанное им тремя годами раньше, в двадцать девятом, на домашнем семинаре, представлявшем собой остаток давно не существовавшего Общества Вольных Философов, Вольфила. Тема выступления была отнюдь не генетическая. Гольдберг, любитель порыться в западных журналах, выкопал в «Nature» или в «Science» статью Альберта Эйнштейна о временно-пространственных отношениях. Статья ему чрезвычайно понравилась своей математической строгостью — до этого времени он никогда не встречал работ, где философские понятия интерпретировались математиками, — и он сделал о ней сообщение.

Дело было уж совсем плевое, ему дали всего три года. А сколько бы дали, если бы могли вникнуть в то, чем он в те годы сам тогда занимался, — популяционной генетикой человека?

Когда он вышел, то некоторое время проработал в Медико-биологическом институте, где успел опубликовать несколько работ по генетике популяций и дрейфу генов. Но и тут его несносный характер помог избежать большой неприятности — незадолго до разгона института он насмерть разругался с одним из ведущих сотрудников, разумеется, по глубоко принципиальным научным вопросам. Ссора была столь эмоциональной, что дело дошло до драки. Свидетели инцидента говорили, что более комичного зрелища, чем эта рукопашная, нельзя и вообразить. В пылу научной полемики Илья Иосифович выбил своему оппоненту зуб, и тот, униженный и оскорбленный, подал на него в суд. В результате Гольдберг получил год за бытовое хулиганство.

Через две недели был арестован директор института, крупнейший генетик Левит, и несколько ведущих сотрудников, среди которых был и научный оппонент с выбитым зубом. И Левита, и Гольдбергова врага в тридцать седьмом расстреляли, а Гольдберг — несусветный бред советской жизни! — освободился ровно через год... Хулиганам советская власть благоволила...

Счастливым образом Илья Иосифович увернулся и от следующего неминуемого ареста: после освобождения он уехал в Среднюю Азию, где занялся совершенно новой для себя областью — генетикой и селекцией хлопчатника. Хотя мракобесное наступление на науку было уже широко развернуто — генетические лаборатории разогнаны, многих посадили, но еще не знали, сколь многих из них расстреляли, — с хлопчатником дело обстояло особо: он был сырьем для военной промышленности. Лаборатория, в которой пристроился Илья, оказалась полусекретная, и до него, по халатности, по недоразумению или в силу тугодумства администрации, не добрались... В этот недолгий, относительно спокойный для него период, Илья успел жениться на своей лаборантке, хорошенькой Вале Попковой, в тридцать девятом году родились — ироническая усмешка небес! — однояйцевые близнецы, классический объект исследования генетиков, и имена он выбрал своим детям многозначительные: Виталий и Геннадий.

Семья прожила в запретной зоне секретной лаборатории несколько лет, пока не началась война. А когда война началась, пылкий Гольдберг, окончивший медицинский факультет в начале двадцатых годов вместе с Павлом Алексеевичем, но в отличие от друга никогда практической медициной не занимавшийся, записался на ускоренные курсы переквалификации и оказался в госпитале, в должности заведующего клинической лабораторий. Так, военврачом, он и прошел всю войну от звонка до звонка, без ранений и даже с наградой не пустяковой — с Красной Звездой, полученной за эвакуацию из захваченного немецкими войсками городка транспорта с ранеными. Самым комичным, но и характерным для Гольдберга было то обстоятельство, что из-за ссоры с начальником госпиталя он грузил лабораторное имущество последним, когда город был уже взят, о чем он и не знал, а единственным раненым, которого он вывез, был штабной полковник, за которым должны были прислать машину, но она не дошла — дорога была уже отрезана.

Когда Гольдберг закончил погрузку, он увидел колонну немецких танков и, дождавшись сумерек, сел за руль крытого грузовичка с имуществом и с полковником и выехал беспрепятственно из города, вовсе не проявив свойственного ему шумного героизма, а, напротив, исключительное хладнокровие, совершенно ему, бешеному и горячему, не присущее...

По милости судьбы арестован он не был даже тогда, когда в самом конце войны написал гневное письмо на имя члена Военного Совета о мародерстве и массовых изнасилованиях немецких женщин, о недостойном поведении советских солдат и даже офицеров, носящих высокое звание воинов-освободителей... Начальник госпиталя, узнав о письме от самого простодушного, праведным гневом горящего автора, через знакомого смершевского капитана выудил послание из почтового потока и, получив на руки, немедленно уничтожил, после чего провел Гольдберга через срочную демобилизацию и велел убираться на все четыре стороны, желательно подальше. Честный Гольдберг, ничего не знавший о маневре своего благородного начальника, еще и запрос писал в Военный Совет, требуя ответа на изъятое письмо.

Однако в глуши хорониться Гольдберг не собирался. Приехал в Москву, выписал семью из Ферганы и начал поиски работы по специальности. Через некоторое время обнаружил, что науки, столь его увлекавшей, почти не существует. Он помыкался какое-то время без работы и пристроился под крыло великой женщины, Маргариты Ивановны Рудомино, взявшей безработного генетика старшим библиографом в Библиотеку иностранной литературы, где он почти три года и просидел с каталогами, картотеками, немецким, английским, польским, литовским и латынью, выученной им в немецкой Питер Пауль Шуле, лютеранской школе, которую успел окончить Гольдберг. Школа эта чудом просуществовала в Москве до середины двадцатых годов.

Пребывание Ильи Иосифовича в служебном помещении на улице Разина, в пяти минутах от Кремля, в недрах библиотеки, почти не тронутой цензурой, несколько изменило его научные устремления. Он перечитал тонны книг по истории — его заинтересовала гениальность как феномен и ее наследование. Однако сама гениальность плохо поддавалась определению, формализации, — генетика же была наука строгая и оперировала явлениями качественными, а не количественными. Как провести границу между хорошими способностями, блестящими способностями и гениальностью? Гольдберг сличал энциклопедии всех времен и народов и для начала составил достоверный список гениев — на основании их встречаемости в энциклопедиях. Каким-то хитрым статистическим приемом доказал правомерность такого выбора. Далее он уже работал со своими избранниками, которых насчитывал по сотне на каждое столетие. Сети свои разбросал он так широко, что туда попали и золотой век Афин, и итальянское Возрождение, и дворянский период русской литературы.

Следующим этапом его работы был поиск какого-то признака-маркера, связанного с гениальностью. Он был совершенно уверен в существовании таких маркеров, и вопрос заключался для него в том, как их найти. Он искал что-то вроде дальнозоркости в сочетании с родинкой на правом плече или леворукости — с диабетом... И жадно ворошил биографии великих людей, скрупулезно выискивая упоминания о болезнях, которыми болели гении, их родители и дети, о физических особенностях, дефектах и отклонениях...

Эта на редкость завиральная книга была бы им написана десятью годами раньше, если бы сам он, по своей дикой воле, не вылез на заседание ВАСХНИЛа с невнятным ревом в адрес сталинского любимца Трофима Денисовича. Прорычав свои обличения пополам с фронтовым матом, никогда прежде и никогда позже им не используемым, он был увезен с известного заседания непосредственно на Канатчикову Дачу... Именно там, временно отпустив своих гениев на свободу, он и написал обличительный документ — с развернутыми мотивировками, ясной и четкой аргументацией и совершенно уничтожающей критикой в адрес академика Лысенко — для предъявления в отдел науки ЦК и отдельный экземпляр товарищу Сталину лично...

И снова ему повезло: заведующий отделением, куда его поместили по «Скорой помощи», старый психиатр Шубников, почувствовавший к нелепому герою интерес и симпатию, поставил ему спасительный диагноз «шизофрения» и выпустил с третьей группой инвалидности.

Прошло уже несколько месяцев, как Илья Иосифович отправил свой трехсотстраничный шедевр в вышестоящие адреса, он вернулся к своим гениям и их наследственным заболеваниям и ждал ответа на свое послание. Или ареста. Вот к такому товарищу и в такое время поехал Павел Алексеевич, чтобы обсудить «текущий момент».

Жил Гольдберг с семьей в деревянном двухэтажном доме барачного типа. Когда-то здесь было фабричное общежитие, потом фабрику закрыли, рабочих выселили, а дом распродали по квартирам. Одну из квартир и купил, вернувшись с фронта, Гольдберг. Купил, собственно, Павел Алексеевич. Илья Иосифович, невероятно щепетильный в денежных делах со всеми, делал исключение для своего друга и позволял ему благотворительствовать на том основании, что Павел Алексеевич, в отличие от всех прочих, должен был понимать, что, помогая ему, он помогает всему человечеству — своим изысканиям Гольдберг придавал огромное значение. Наука, по его глубокому убеждению, была призвана спасти мир.

Великий идеалист от материализма — посмеивался над ним Павел Алексеевич в редкие часы их мирных бесед. Но часы мира были в самом деле довольно редкими. Илья Иосифович совершенно не терпел возражений, защищал свои самые завиральные идеи с большой страстью и быстро переходил границы корректного научного спора. Даже терпимого Павла Алексеевича он умел вывести из себя, и их встречи обыкновенно кончались ссорами, криками, хлопаньем дверями. Илья Иосифович укорял Павла Алексеевича в приспособленчестве, тот пытался оправдываться: он спасал не мир, а несколько десятков, в лучшем случае, сотен, брюхатых баб и их приплод, и, по его мнению, дело того стоило.

Илье Иосифовичу этого было мало — полет его мысли был высок до писка, и он пророчил полную переделку мира с помощью хорошо поставленной генетики: через двадцать лет генами можно будет пользоваться как кирпичиками, строить из них новый мир, с многократно увеличенными полезными качествами растений и животных, и самого человека можно будет конструировать заново — вводить ему те или иные гены и сообщать новые качества.

— Какие качества? — сдержанно интересовался Павел Алексеевич.

— Да какие угодно! — размахивал руками Илья Иосифович, и остатки тонких волос взлетали над головой. — Мы научимся вычленять из генома отдельные гены, ответственные за гениальность, и можно будет создавать математиков, музыкантов, художников в таком количестве, какого и Возрождение не знало!

— Погоди, но это как раз и называется евгеникой, — останавливал его Павел Алексеевич. — Гениев много не надо. А то их будут сажать и расстреливать.

— Паша, мы переживаем теперь времена инквизиции. Это неизбежно пройдет, как прошли времена испанской. Будущее за нами, за учеными. Другой силы, которая могла бы спасти мир, не существует! — Худые длинные руки метались в воздухе, выпуклые серые глаза блестели больным огнем. Желтоватый ястребиный нос, большой кадык на морщинистой шее, сутулая костлявая фигура — спаситель мира!

Павел Алексеевич мотал головой, жмурился, старался смолчать: безумец, святой безумец, бритвенного тазика не хватает...

На этот раз долгого обсуждения не понадобилось. Илья был мрачен. После первой бутылки водки он впал в монолог:

— Мы теряем время. Мы теряем преимущество! В последние годы в Америке вышло несколько работ первостепенной важности. Альфред Стертевант на пути к объяснению возникновения новых генов! Где Кольцов? Где Четвериков? Завадовский! Вавилов! Гениальный Лев Ферри! Неужели ты не понимаешь, что это вредительство? Вся кампания с Лысенко — вредительство! Эта кампания по борьбе с космополитизмом, она на руку империализму, Паша! Они хотят уничтожить таким хитроумным способом советскую науку... Наука должна служить человечеству, а у империалистов она будет служить голой наживе, золотому тельцу...

Голос его сначала грохотал, потом снизился, как будто высох, — влага наполнила светлые, в красных прожилках глаза и потекла из-под очков...

Павел Алексеевич испытывал ужасную неловкость от глупого пафоса, вертел пустую рюмку и все никак не мог вставить ни единого слова. Наконец, пока Илья Иосифович временно молчал, шаря по карманам в поисках платка, он произнес тихо:

— Илюша, я думаю, ты, как всегда, преувеличиваешь. Не интересует их космополитизм. Я думаю, все проще — наш Хозяин просто хочет скрутить голову евреям.

Валя, когда-то худенькая девушка, потом толстая баба, а теперь снова сильно похудевшая, время от времени засовывала кудрявую голову в мужнин узкий кабинетик, напоминающий тюремную камеру, где и происходило дружеское собеседование, и умоляюще шептала «Илюша, дети...», или

«Илюша, соседи...», или просто: «Умоляю тебя, потише...» Они выпили еще одну бутылку и, как всегда, перед расставанием разругались. Илья Иосифович горой стоял за всемирную справедливость, начиная с ее научного конца, и готов был за это сложить голову. А Павел Алексеевич в справедливость нисколько не верил, его интересовали исключительно мелочи — какие-то беременные посудомойки, гнусные операции, о которых еще Цицерон выступал в сенате. На последнее обстоятельство как раз и указал Илья Иосифович. Павел Алексеевич оживился — он всегда ценил неисчерпаемую эрудицию своего друга:

— Так что Цицерон говорил?

— А то, — кричал Илья Иосифович, — что этих баб надо казнить, потому что они крадут у государства солдат! Тысячу раз прав был!

Тут-то Павел Алексеевич побелел, встал и, натягивая пальто, зло сказал единственному другу:

— Умная у тебя голова, Илья, только жаль, дураку досталась. Бабы, что же, для того рожать должны, по-твоему, чтобы мерзавцы их в такие мясорубки отправляли?

Он хлопнул дверью. Черт его, дурака, подери! Но про Цицерона запомнил, хотя и был изрядно пьян.

На следующий день к Гольдбергу пришли с обыском и арестовали. Его обвинительный документ в адрес Лысенко дошел-таки по назначению.

Об этом аресте Павел Алексеевич узнал только через неделю, когда Валя, после многих колебаний, все же решилась ему позвонить.

А в тот последний их малаховский вечер пьяный Павел Алексеевич долго искал станцию, домой добрался за полночь и еле помнил происшедшее. Наутро он чувствовал себя настолько плохо, что развел полстакана спирта и похмелился. На душе полегчало, даже какая-то не свойственная ему беспечность взошла, как солнышко, не информированное о кровожадной глупости газетных статей, людей, их пишущих и читающих.

Елена, выбитая из колеи вчерашним ночным возвращением пьяного мужа, полночи не спавшая, натягивала в прихожей фетровые ботики на старые туфли, собиралась на работу. Павел Алексеевич, в солдатском исподнем, какое носил с войны, вышел в коридор и, распахнув руки, крикнул:

— Девочка моя! Поехали на конюшню! К лошадкам!

Елена, поняв, что муж пьян, растерялась. Никогда не видела его в таком распоясанном виде, да еще и поутру.

— Пашенька, что с тобой?

Таня, успевшая уже надеть школьную форму и причесаться, счастливо взвизгнула:

— Папа, ура!

И повисла на его руке. Он подхватил ее:

— Мы сегодня прогуливаем! — подмигнул он дочери. — Звони на работу, Леночка, скажи им, что не придешь. Больна. За свой счет. Что угодно!

Происходило что-то непривычное, новое. Он был такой надежный, и сомнений не было в его всегдашней и заведомой правоте, и подчиняться ему было приятно и радостно... И Елена, растерянно улыбаясь, слабо возражала:

— Какая конюшня... какие лошади... Прогул же будет... — Но уже тянула руку к телефону, чтоб позвонить сослуживице и предупредить, что на работу сегодня не выйдет...

Павел Алексеевич стягивал с нее серую козью шубу и объяснял:

— Сейчас в Институт коневодства поедем. Меня Прокудин давно звал на лошадок посмотреть. Давай, давай! Танька, лыжный костюм надевай!

— Пап, правда? — не совсем еще верила Таня.

Василиса, заслышав суету в коридоре, выглядывала из кухонного проема.

— Гавриловна! Яичницу! Королевскую! — приказал Павел Алексеевич громким веселым голосом, и она в полном недоумении пошла исполнять: королевская была на самом деле деревенская, с жареным луком и с картошкой, и ел он ее только по воскресеньям, в будние же дни по-прежнему не завтракал...

— И мне королевскую! — радуясь приключению, подхватила Таня.

Сели и позавтракали по-воскресному, хотя был самый что ни есть понедельник. Павел Алексеевич еще и выпил стопку водки, и Елена смотрела с недоумением: прежде такого не бывало — пить с утра...

Что-то ей мерещилось тревожное в этом утреннем приключении, и, повинуясь чутью, ни на минуту не задумавшись, она спросила:

— Паш, да у тебя ж сегодня собрание в Академии... Ты же должен...

— Не должен! — взревел Павел Алексеевич. — Никому ничего не должен! Пусть все идут к ... матери!

И это матерное слово, сорвавшееся с его крупных губ, было крепким и полновесным, как и все в нем. Полотно, обтягивающее алюминиевые пуговицы рубахи, состиралось, сквозил тусклый металл, седой нагрудный барашек лез из распахнутого ворота, на бычьей шее темнели вздутые жилы...

Елена обняла его за шею:

— Тише, миленький...

И он затих, прижал ее к груди.

— Прости.

Когда они, тепло одетые, с санками для Тани, уже стояли в дверях, Павел Алексеевич приказал Василисе Гавриловне:

— Звонить будут, скажи: запил хозяин.

Она смотрела непонимающим глазом.

— Так и скажешь: запил.

Василиса понять не поняла, но поручение исполнила с точностью.

Экспромт оказался гениальным. Павел Алексеевич был не единственным, кто сказался в тот день больным. Но он был единственным, кому это сошло с рук. Две недели он не ходил в клинику, а в Академии не появлялся четыре месяца, пока за ним не закрепилась репутация запойного пьяницы.

Прежде пьющий охотно на банкетах по случаю защиты диссертаций, на семейных торжествах и на поминках, теперь он стал пить по иному случаю: всякий раз, когда страсти накалялись и от него требовали уверений, или подписи, или публичных выступлений. Он честно напивался, и Елена, догадавшаяся об истинной причине его внезапного пьянства, сама звонила в Президиум и нежным голоском сообщала, что Павел Алексеевич прийти не сможет, потому что у него обычный его приступ, вы же понимаете...

И Павел Алексеевич в особенно гнусные времена оставался дома, выпивал с утра стакан водки, играл с Таней, учил Василису делать пельмени или просто слонялся по квартире, натыкаясь то и дело на маленькие записочки, которые его жена Елена писала сама себе. Трогательные записочки, начинавшиеся всегда одними и теми же словами: не забыть... А дальше шло — купить яблоки, сдать белье в прачечную, отдать в починку сумку... Забавно было, что записочек этих было много, и написано все было одно и тоже — яблоки, прачечная, починка...

Он знал, что Елена не была хорошей хозяйкой, и это ее старание ничего не забыть, все успеть, умиляло Павла Алексеевича. Достоинства жены восхищали его, а недостатки умиляли. Это и называется браком. Их брак был счастливым и ночью, и днем, а взаимное понимание казалось особенно полным оттого, что, будучи скрытными и молчаливыми по натуре и обстоятельствам воспитания, оба нисколько не нуждались в словесных подтверждениях, которые так быстро изнашиваются у разговорчивых людей.

Запои Павла Алексеевича, несмотря на их изначально дипломатический характер, отнюдь не были фиктивными. Елена, хоть и тревожилась о здоровье своего немолодого мужа, не делала никаких попыток как-то его остановить. Не разум, а женское чутье, как всегда, руководило ею. Она ничего не знала о природе пьянства, в особенности пьянства русского, когда не находящая выхода душа находит легкое и доступное утешение: ни лжи, ни стыда.

В такие запойные времена Елена иногда брала отпуск, и они с Павлом Алексеевичем отправлялись на дачу. Однажды такой краткий отпуск пришелся на осень, два раза — на зиму. Не было у нее лучших дней в жизни, чем эти запойные каникулы, когда он отбрасывал от себя все свои многочисленные заботы и полностью принадлежал ей. Упущенная ими обоими первая молодая горячка, незамысловатые откровения кажущейся бездонности, где все кончалось — об этом Павлу Алексеевичу хотелось бы забыть, и иногда удавалось, — несколькими милиграммами секрета да отмеренной дозой таинственного вещества, упакованного в белковую оболочку... И когда сил уже не было руку за стаканом воды протянуть, на дне холодело — все напрасно, все напрасно: оставалась непереходимая граница, через которую вдвоем переступить невозможно. И лекарство от этого было одно: снова и снова пытаться...

Елена к третьему запою уже знала, что следующий за ним период трезвости будет для нее испытанием. Она и боялась, и в глубине души ждала того утра, когда Павел Алексеевич, выпив первый освобождающий стакан, скажет ей:

— Собирайся-ка, душа моя, съездим на дачу...

В Академии между тем от него отвязались: репутация пьяницы была своеобразной индульгенцией. Ни к одному пороку в нашей стране не относятся так снисходительно, как к пьянству. Все пьют — цари, архиереи, академики, даже ученые попугаи...

10

В двадцатых числах мая наступила преждевременная жара, и все сделались от нее немного больными. До конца школьных занятий оставалось еще несколько дней, но вся программа уже была пройдена и оценки — и четвертные, и годовые — выставлены. Известно было, кто прошел в отличники, кто оставлен на второй год. Школьницы и учителя изнывали от пустоты времени, от его сонной неподвижности.

Галина Ивановна, старая школьная учительница, изношенная лошадь с обвисшим крупом, пришла в класс в новом платье — в летнем, грязновато-бежевом, в прерывистых черных линиях, которые то теряли друг друга, то снова находили, выкидывая кривые отростки.

Галина Ивановна вела этот класс уже четыре года, учила

их всему, что сама знала: письму, арифметике, рисованию, и девочки за эти годы выучили также наизусть оба ее шерстяных зимних платья, серое и бордовое, а также синий парадный костюм в налете серого кошачьего волоса.

С первого урока будущие пятиклассницы горячо обсуждали учительницыну обновку — и поясок простоватый, без пряжечки, и покрой рукава «японка». Большинство девочек были одиннадцатилетние, это был самый неравномерный возраст, когда одни уже обзавелись округлостями и порослью кудрявых волос в укромных местах тела, а другие еще были худы, неопределенные дети с обкусанными ногтями и расцарапанными коленями. Впрочем, новое платье занимало и тех, и других.

Не менее сильно занимало оно и саму Галину Ивановну. Она пошила это платье не просто потому, что старое износилось, а еще и потому, что как раз сегодня, после окончания уроков, назначено было праздничное чаепитие по поводу сорокалетия ее учительского стажа. На большой перемене Галина Ивановна даже пошла в уборную взглянуть на себя в зеркало, поправить воротник. Звание заслуженной учительницы у нее уже было, и теперь она в глубине души мечтала, что ей дадут настоящую награду — медаль или даже орден.

Последний, четвертый урок она отвела на внеклассное чтение. Сначала девочки читали по очереди, но все, как одна, плохо. Если не запинались, то тараторили так бессмысленно, что невозможно было уловить содержание. Галина Ивановна, уставшая делать замечания, взяла в конце концов книгу и стала читать сама. Голос ее, немного высокий для такой крупной и толстой особы, слегка гнусавил, но был выразительным. Особенно проникновенно и сочувственно получилось про страдания Каштанки, замерзавшей на неприютной улице.

До конца урока оставалось всего несколько минут, и самые нетерпеливые уже бесшумно собирали портфели. Солнце палило в полную силу в окна, девочки дружно потели в своих шерстяных платьях, впившихся в мокрые подмышки.

«Никакого сочувствия не вызывает замерзающая собачка в такую жару», — подумала Таня, и в ту же минуту услышала тонкий всхлип, еще один, и задушенный рукавом плач.

Галина Ивановна остановила чтение. Весь класс обернулся в дальний угол, где на последней парте все четыре года просидела совершенно бесчувственная и ко всему равнодушная Тома Полосухина. Она-то и заплакала над горькой судьбой потерявшейся и замерзшей Каштанки.

Захлопали парты, девочки повскакали с мест.

— Урок еще не окончен, — напомнила Галина Ивановна и, профессионально улыбаясь углами выцветшего рта, обратилась к Томе: — Ты что это, Тома, так расстроилась? Дома-то не прочитала? Дальше все хорошо будет, — успокоила она девочку.

— Не будет, не будет, — прохлюпала Тома, отрывая щеку от липкой парты и вытирая нос фартуком.

Она была из самых мелких, из недоростков, невзрачная и неценная, как воробей или подорожник...

Зазвенел наконец звонок. Галина Ивановна решительно закрыла книгу. Сонливость у всех как рукой сняло, томный невыносимый жар за окнами мгновенно превратился в хорошую погоду, в отличную погоду, все дрожали от нетерпения, все страшно торопились на улицу, чтобы скакать на расчерченном асфальте, скакать через веревочку поодиночке, вдвоем или целыми группами, скакать просто так, без всяких приспособлений, прыгать, брыкаться, как молодые жеребята или козлята, кувыркаться, толкаться и бессмысленно носиться...

Тома еще шмыгала носом, собирая свои грязные учебники, когда к ней подошла Таня. Зачем подошла, и сама не знала.

— Ты чего? — спросила Таня.

Таня была не воробей и не подорожник, она была что-то редкостное, вроде королевской лилии или большой прозрачной стрекозы. И обе они отлично знали, кто есть кто...

Но в этот день у Томы было нечто огромное и ужасное, чего не было и не могло быть у Тани, и это равняло их, и даже, может, поднимало Тому над всем миром, и потому она, никогда ничего о себе не говорившая, да никому не было интересно знать про нее, сказала:

— У меня мамка помирает. Домой боюсь идти...

— Я тебя провожу, — бесстрашно предложила Таня.

Будь это вчера, Тома бы гордилась и радовалась, что Таня провожает ее домой, но сегодня это было почти все равно...

Они прошли через звенящий девчачьими криками и бликующий зеленым золотом школьный двор, пронырнули через два проходных двора, в одном месте перелезли через изгородь и остановились перед входом в «фатеру». Так Томкина мать называла их служебное жилье, которое еще перед войной дали ее мужу, погибшему в сорок четвертом. Это был бывший гараж, с прорезанной во въездных воротах дверью. Томка топталась у входа, Таня решительно толкнула дверь.

Первый удар пришелся по обонянию. Запах кислой сырости, мочи и керосина, но все это протухшее, сгнившее, смертельное... Две веревки, натянутые через помещение, были завешаны мокрым бельем. В глубине, под горизонтально вытянутым окном, выходящим на кирпичную стену, стояла огромная семейная кровать, на которой, как на русской печи, спала обыкновенно вся семья: мать, Тома, двое младших братьев.

Сначала показалось, что кровать пуста, но когда глаз привык к полумраку, на подушке различилась маленькая голова в толстом платке. Рядом с кроватью стоял таз, полный бурого белья. Девочки подошли к постели — средоточию ужасного запаха.

— Мам, мама, — позвала Тома.

Из-под платка послышался стон.

— Может, тебе поесть или попить? — плачущим голосом спросила Тома.

Но никакого ответа не последовало, даже и стона.

Тома отодвинула в сторону пахучее одеяло — женщина лежала на красной простыне. Таня не сразу сообразила, что это кровь. Бурое белье в тазу тоже было окровавленным, но потемнело на воздухе.

— «Скорую помощь» надо, — решительно сказала Таня.

— Она не велит «Скорую», — прошептала Тома.

— Так ведь кровь, кровотечение же, — удивилась Таня.

— Ну да, кровотечение. Ковырнулась она, — объяснила Тома. И не уверенная, что Таня ее правильно поймет, пояснила: — Она водит к себе кобелей-то, вот и ковыряется. Доковырялась.

Тома всхлипывала. Таня зажмурилась: грохот, скрежет, обвал... Шатались стены, смещались пласты, разверзлись смрадные пропасти... Рушилась вся жизнь, и Таня понимала, что с этой минуты прежней она уже не будет никогда...

— Я папу моего вызову, вот что...

— Сказала тоже... Не пойдет он к нам.

— Жди... Я скоро.

За пять минут Таня добежала до дома. Мамы не было, открыла Василиса:

— Ты что как ошалелая?

Таня не ответила, кинулась к телефону, звонить Павлу Алексеевичу. Долго не отвечали, потом сказали, что он на операции.

— Да что случилось-то? — допытывалась Василиса Гавриловна.

— Ах, да ты не поймешь, — отмахнулась Таня.

Ей казалось, что она никому не должна открывать это ужасное знание, потому что, кому ни скажешь, и у того тоже жизнь рухнет, развалится, как у нее самой. Эту тайну надо хранить...

— Я скоро, — крикнула она уже с порога и, хлопнув дверью, понеслась вниз по лестнице.

Таня плохо помнила, как, не дождавшись троллейбуса, добежала до метро, как доехала до Парка культуры, а потом снова бежала по длинной Пироговке. Казалось, что бег ее был бесконечным, многочасовым. В проходной отцовской клиники ее остановили.

— Я к папе... к Павлу Алексеевичу...

Ее сразу же пропустили. Бегом она поднялась на второй этаж, толкнула стеклянную дверь — навстречу ей шел отец, в белом халате, в круглой шапочке. Вокруг него толокся целый выводок врачей и студентов, но он шел впереди всех, самый высокий, самый широкий, с густо-розовым лицом, в больших бровях с седой подпушкой. Он увидел Таню. Казалось, что самый воздух расступился перед ним:

— Что случилось?

— У Томы Полосухиной мать помирает. Ковырнулась она! — выпалила Таня.

— Что такое? Кто тебя сюда впустил? — взревел он. — Вниз! В приемный покой! Ждать меня там!

Таня кинулась вниз, глотая слезы.

Несмотря на всю свою храбрость, он все-таки испугался. Одного доноса достаточно, и вся жизнь в тартарары...

Через три минуты Павел Алексеевич спустился в приемное отделение. Таня рванулась к нему:

— Папа!

Он снова остановил ее взглядом:

— Спокойно объясни, что там у вас случилось?

— У Томы Полосухиной, пап... скорее... мама ее помирает...

— Чья мама? Кто? — холодно спросил Павел Алексеевич.

— Дворничиха наша, тетя Лиза. Они в гараже живут, за нашим домом. Она ковырнулась, вот что... Пап, там у них так ужасно... Пап, столько крови...

Он снял очки, потер переносицу. Слово «ковырнулась» в Таниных устах...

— Значит, так... Немедленно поезжай домой.

— Как?

— Как сюда приехала, так и обратно.

Таня сама себе не верила. Отца как будто подменили. Никогда он не разговаривал с ней таким железным голосом.

Сгорбившись, она вышла на улицу...

Через тридцать минут Павел Алексеевич вошел в полосухинский гараж. С ним был его ассистент Витя. Шофер санитарной машины, на которой они приехали, из кабины не вышел.

С первого же взгляда Павел Алексеевич оценил все здесь происходящее: это была она, его главная, его несчастная пациентка. Военная вдова или мать-одиночка, скорее всего пьющая, возможно, гулящая... Он тронул широкую холодную руку маленькой дворничихи, пальцем оттянул веко. Делать здесь было уже нечего. Возле кровати стояли трое детишек, два маленьких мальчика и девочка, смотрели на него во все глаза.

— А где Тома? — спросил Павел Алексеевич.

— Я Тома.

Павел Алексеевич посмотрел на нее внимательно: он сначала принял ее за семилетнюю, теперь, приглядевшись, понял, что она и есть Танина одноклассница.

— Тома, ты сейчас забери малышей и поднимайся в двенадцатую квартиру. В сером доме, знаешь?

Она кивнула, но все стояла на месте.

— Иди, иди. Откроет Василиса Гавриловна. Скажешь, Павел Алексеевич вас прислал. Скажи, чтоб стол накрывала. Я сейчас приду.

— А в больницу мамку заберете?

Он загораживал своей могучей фигурой кровать и несчастную женщину, которой уже не было.

— Иди, иди. Все сделаем, что нужно...

Дети ушли.

— Ну что, мы вляпались в историю... В морг надо ее везти... — полувопросительно сказал ассистент.

— Нет, Витя. Мы ее в наш морг не можем брать. Я сейчас пришлю Василису Гавриловну. Она вызовет «Скорую», милицию... Нас здесь не было... — сморщился Павел Алексеевич. — Сам знаешь, живую я бы взял...

Витя это хорошо знал. Собственно, все врачи знали, как близко здесь проходит статья Уголовного кодекса.

Смерть Лизы-дворничихи всколыхнула весь крещеный мир по нечетную сторону Новослободской улицы до самого Савеловского вокзала, вызвала целую бурю страстей и многих людей рассорила навеки. После того как Василиса Гавриловна вызвала «Скорую» и милицию и скрюченное тело умершей увезли в судебно-медицинский морг на экспертизу, скандал развивался в двух основных направлениях, в жилищном и в медицинском.

На «фатеру» претендовали три значительных фигуры, первой из которых был сам домоуправ Костиков, возмечтавший поселить в бывшем гараже свою сестру, жившую с дочкой на его площади уже третий год — все ожидала жилья на заводе, где работала, но как-то безнадежно. В самый день смерти, ловя мгновение, Костиков оформил сестру на должность покойной Лизы и считал, что теперь-то жилье никуда от них не уйдет. Вторым претендентом был электрик из домоуправления Костя Сичкин, который замаялся жить в девятиметровке с тремя наличными детьми, тем более что четвертый был уже на подходе. Еще был один человек, тоже не со стороны — участковый милиционер Куренной, занимавший в общежитии самую большую комнату, но собиравшийся жениться и находившийся в боевой готовности. Прочий мелкий люд из бараков тоже был не прочь улучшиться, но у тех и шансов не было.

С медициной дело обстояло еще более серьезно. Экспертиза показала, что Лиза-дворничиха умерла от кровотечения, начавшегося в результате перфорации стенки матки, и злосчастная подпольная медицинская сила вытащила через это нечаянное отверстие неизвестным инструментом половину кишечника...

Уголовный кодекс оценивал это неудачное вмешательство сроком от трех до десяти лет, в зависимости от квалификации производившего аборт: врач в случае летального исхода получал десятку — вдвое больше, чем любитель. В чем была своя справедливость.

Всему кварталу были известны имена двух женщин, которые промышляли этим небогоугодным занятием: бабка Шура Зудова и молдаванка Дора Гергел. Первая была попроще и подешевле. Делала вливание и вставляла катетер. Обычно помогало. Иногда у особо крепких или у нерожавших дело не выходило. Тогда Зудова разводила руками и денег не брала.

Дора была медработник, все делала по науке, без осечек. Она переехала в Москву из Кишинева после войны. Чернявая красавица с огненными глазами — подозрительные, но не проницательные соседи принимали ее за еврейку. Всяческого рода ловкость была ей присуща: и замуж сумела выскочить за майора, несмотря на то что была уже с ребенком, и хозяйка была сметливая — в Москве, на новом месте, даже и при карточках быстро сообразила, что где берется. И на работу устроилась сестрой в больницу, хотя и диплом-то ее медсестринский был какой-то липовый, даже не на русском языке написан. Она-то и делала на дому аборты настоящие, даже с обезболиванием, но дорого брала. Ходили к ней кто побогаче, и Лизка вряд ли до нее дотянулась бы. Так что двор без колебаний решил, что это Зудина все дело так неловко состряпала.

На второй день во двор пришел следователь. В «фатере» сделали обыск, но не нашли ни инструмента, ни медикаментов.

— Ищи дураков, так вам и оставят, — насмехался двор.

Следователь, молоденький парнишка с тонкой шеей, допрашивал соседок и краснел. Все молчали. Но доносчица, как всегда, нашлась. Ближайшая зудинская соседка, Настя-Грабля, за стенкой, не стерпела, потому что была прирожденным борцом за правду.

— Чего не знаю, не скажу. Про Лизку сама не видела, а другим она вставляет, очень даже помогает, — прошептала следователю прямо в ухо.

— А сами-то прибегали? — поинтересовался следователь.

— Упаси боже, мне этого давно не надо, — отговорилась Грабля.

— Так откуда же вы знаете?

Тут Грабля подвела его к фанерной перегородке, стукнула ногтем и тут же услышала в ответ:

— Чего тебе, Наська?

— Да так, — с задором ответила Грабля, и тихо, прямо в следовательское ухо зашептала: — Слышно ведь все — до последней копейки. От соседей ни вздохнуть, ни перднуть...

Следователь записал в тетрадь и ушел — у него теперь была версия.

Дух сыска, ссоры и вражды был так силен, что проник даже в мирный дом Павла Алексеевича. Началось это вечером того дня, когда увезли Лизавету. Детей Полосухиных уложили спать в Таниной комнате, а ее саму перевели в родительскую спальню.

За поздним ужином собрались одни взрослые — Павел Алексеевич, Елена и Василиса Гавриловна, которая хоть и неохотно, но изредка садилась с ними за стол. Для этого требовались особые обстоятельства: праздник или какое-то происшествие, вроде сегодняшнего. Она предпочитала есть в своей комнатке, в тишине и с молитвой.

Закончив еду, Павел Алексеевич отодвинул тарелку и сказал, обращаясь к Елене:

— Теперь ты понимаешь, почему я столько лет трачу на это разрешение?

— На какое? — переспросила рассеянно Елена, погруженная в свои мысли. Дети Полосухины не давали ей покоя.

— На разрешение абортов.

Василиса едва не выронила чайник: мир рухнул. Почитаемый ею Павел Алексеевич был, оказывается, на стороне преступников и убийц, хлопотал за них, за их бесстыжую свободу. И сам убийца... Но этого и представить себе было невозможно... Как это?

Павел Алексеевич подтвердил, пустился в объяснения — это был его конек.

Василиса сжала свои темные губы и молчала. Чаю пить не стала, чашку отодвинула, но в свою каморку не ушла. Сидела молча, глаз не поднимая.

— Ужасно, ужасно, — опустила голову на руки Елена.

— Что ужасно? — раздражился Павел Алексеевич.

— Да все ужасно. И что Лизавета эта умерла. И то, что ты говоришь. Нет, нет, никогда с этим не смогу согласиться. Разрешенное детоубийство. Это преступление хуже убийства взрослого человека. Беззащитное, маленькое... Как же можно такое узаконивать?

— Ну конечно, пошло толстовство, вегетарианство и трезвость...

Она неожиданно обиделась за толстовство:

— Да при чем тут вегетарианство? Толстой не это имел в виду. Там в Танечкиной комнате три таких существа спят. Если бы аборты были разрешены, их тоже бы убили. Они Лизавете не очень-то нужны были.

— Ты что, слабоумная, Лена? Может, их бы и не было на свете. Не было бы теперь трех несчастных сирот, обреченных на нищету, голод и тюрьму.

Впервые за десять лет надвигалась на них серьезная ссора.

— Паша, что ты говоришь? — ужаснулась Елена. — Как ты можешь такое говорить? Пусть я слабоумная, но не в уме дело. Они же убивают своих детей. Как можно это разрешить?

— А как можно этого не разрешить? Себя-то они тоже убивают! А с этими что делать? — Он указал на стену — там спали жалкие хилые дети, от которых матери в свое время не удалось избавиться. — С ними что прикажешь делать?

— Не знаю. Я только знаю, что убивать их нельзя, — впервые слова мужа вызывали в ней чувство несогласия, а сам он — протест и раздражение.

— Ты подумай о женщинах! — прикрикнул Павел Алексеевич.

— А почему надо о них думать? Они преступницы, собственных детей убивают, — поджала губы Елена.

Лицо Павла Алексеевича окаменело, и Елена поняла, почему его так боятся подчиненные. Таким она его никогда не видела.

— У тебя нет права голоса. У тебя нет этого органа. Ты не женщина. Раз ты не можешь забеременеть, не смеешь судить, — хмуро сказал он.

Все семейное счастье, легкое, ненатужное, их избранность и близость, безграничность доверия, — все рухнуло в один миг. Но он, кажется, не понял. Василиса уставила свой единственный глаз в Павла Алексеевича.

Елена встала. Дрожащей рукой опустила чашку в мойку. Чашка была старая, с длинной трещиной поперек. Коснувшись дна мойки, она развалилась. Елена, оставив осколки, вышла из кухни. Василиса, понурившись, шмыгнула в свой чулан.

Павел Алексеевич двинулся было за женой, но остановился. Нет, пусть это будет жестоко. Но почему же бродячих кошек она подбирает, а к несчастной Лизавете не испытывает сострадания? Судья нашлась... Пусть подумает...

Елена думала всю ночь. Плакала, и думала, и снова плакала. Рядом, на всегдашнем мужнином месте, лежала теплая Танечка. Павел Алексеевич ушел в кабинет.

Не спала и Василиса Гавриловна. Она не думала. Она молилась и тоже плакала: теперь Павел Алексеевич выходил злодей.

Павел Алексеевич несколько раз просыпался, тревожили неопределенно темные сны. Он вертелся, сбивая скользящую простыню с кожаного дивана.

Утро началось очень рано. Василиса вышла из каморки сразу же, как только услышала, что Павел Алексеевич ставит чайник. Объявила ему, что уходит от них. Это было уже не в первый раз. Случалось, что Василиса, обидевшись неизвестно на что, просила расчет. Обычно же, накопив в душе недовольство, она исчезала на несколько дней, но вскоре возвращалась.

Павел Алексеевич, со вчерашнего еще не отошедший, буркнул:

— Поступайте, как вам будет угодно.

Он чувствовал себя отвратительно и даже открыл буфет, поискал там. Бутылки не было. Посылать Василису не хотелось, да и рано было. Он налил стакан чаю и ушел в кабинет. Елена из спальни все не выходила. Василиса собирала вещи. Лизаветины дети шуршали в Таниной комнате чужими невиданными игрушками и ждали завтрака. Тома им внушала, чтоб ссорились потише.

Когда Елена вышла на кухню варить утреннюю кашу для всей оравы детей, Василиса Гавриловна в новой кофте и новом платке появилась возле плиты со скорбным и торжественным лицом:

— Елена, я уезжаю от вас.

— Что же ты со мной делаешь? — ахнула Елена. — Как же ты меня оставишь?

Стояли, глядели друг в друга, обе высокие, худые, строгие. Одна старуха, на вид более старая, чем на самом деле, вторая — под сорок, тоже уже в возрасте, а на вид — все те же двадцать восемь.

— Ты как знаешь, а я с ним жить больше не стану. Уеду, — отрезала старуха.

— А я как же? — взмолилась Елена.

— Он муж тебе, — насупилась Василиса.

— Муж... объелся груш, — только и сказала Елена.

Жизнь без Василисы Елена себе не представляла, особенно в этой неожиданной ситуации, с чужими детьми-сиротами в доме. И Елена уговорила Василису Гавриловну отложить отъезд хотя бы до того времени, пока с полосухинскими детьми не образуется.

— Ладно, — хмуро сказала Василиса. — А как похороним Лизавету, я уйду. Ищи себе, Елена, другую прислугу. Я с ним боле жить не буду.

Похороны состоялись лишь на шестой день, когда закончили экспертизу и научно убедились в том, что и так было ясно. Съехалась родня, почти одни только женщины: мать, две сестры, несколько старух в разной степени родства, от золовки до кумы. Единственный косенький мужичонка назывался деверь. Таня, один раз заглянувшая вместе с Томой на «фатеру», дивилась этим людям и тихонько спрашивала у Томы разъяснений, кто кем кому приходится.

Вся полосухинская родня была тверская, но из разных деревень, из материнской и отцовской. Томин родной отец погиб в войну, и младшие братья были не его, неизвестно чьи, только фамилию погибшего даром носили, и отцовская родня Лизавету не жаловала.

Можно даже сказать, родня враждовала. Эти люди шумно и дружно ссорились, плакали и обвиняли друг друга в каких-то довоенных потравах и покражах, поминали какую-то таинственную осьмерицу и полоток... Все это звучало как бы на другом языке. У Тани создалось впечатление, что они играют в какую-то взрослую игру — делят что-то понарошку... Но делили взаправду...

Елена собиралась взять с собой Таню на отпевание и на похороны, но Павел Алексеевич не разрешил. Елена же считала, что Таня должна пойти из-за Томы — просто рядом постоять в такую минуту. Это разногласие еще более углубило их молчаливую ссору. Он настаивал, он громыхал, он требовал оставить Таню дома:

— Она впечатлительный ребенок! Зачем ты вовлекаешь ее во все это? Мракобесие какое-то! Я понимаю — Василиса! Но Танечке что там делать?

— А почему ты думаешь, что у тебя есть право голоса? — Кроткая и вовсе не мстительная, она нанесла удар сокрушительный. И сама не знала, как это получилось. — Ты ведь Тане не отец...

Это была низкая месть. Удар пришелся в цель. Это был тот редкий случай, когда оба дуэлянта проиграли — живых не было.

Но на похороны Таня тем не менее не пошла — у нее поднялась температура, и она осталась в постели.

На другой день после похорон старшая сестра Лизаветы Нюра уехала, забрав двух племянников. Тому по уговору должна была взять младшая, Феня. Но у той что-то не получалось, она должна была менять какие-то венцы, и Тане, которой обо всем рассказывала Тома, представлялся цветастый деревенский хоровод и рослые девушки, обменивающиеся сплетенными из васильков и ромашек венками. В чем заключается препятствие с венцами, Таня не поняла. Но вскоре пришла сама Феня, большая черноволосая женщина, похожая на покойную мелкую и белобрысую Лизавету разве что своей редкостной некрасивостью.

Она долго сидела на кухне с Василисой и Еленой, плакала, потом чему-то смеялась, выпила два чайника чаю. Сговорились на том, что она пока оставит Тому здесь, в городе, а как покончит с венцами, так и заберет. Во все время разговора Тома, сгорбившись, стояла в коридоре с зимним пальто в охапке и набитым школьным портфелем, ожидала решения.

Поздно вечером, когда все разошлись, Тома пробралась к Василисе Гавриловне в чулан — с прислугой она все-таки чувствовала свободнее, чем со всеми остальными членами семьи, включая и Таню. Тома заглядывала в Василисин живой глаз, теребила ее за подол:

— Теть Вась, я полы могу мыть и стирать. И печь топить могу... Я у Фени не хочу жить-то, у нее своих полно...

Василиса прижала ее голову к своему боку:

— Эка ты глупыга. Печи у нас нет. Полы мы сами не моем, полотер приходит, натирает. Но ты не бойся, делов в доме на всех хватает...

Елена за похоронными хлопотами как-то упустила из виду Василисины слова об уходе. Ссора ее с мужем за эти дни очерствела, как будто коркой покрылась. Они почти не разговаривали, только по домашней необходимости. В первый же вечер, когда дети Полосухины появились у них дома, еще до ссоры, Елена постелила мужу на диване в кабинете, Таню взяла к себе в спальню — тогда это было не обозначение ссоры, а бытовая необходимость: некуда было уложить трех детей... И так оно было всю неделю, до самых похорон Лизаветы.

Как знать, не случись этой необходимости, может, нашел бы Павел Алексеевич слова или жесты, смягчающие обиду, жена поплакала бы на его широкой густоволосой груди, удостоверившись в мужней любви, и все пошло бы своим обычным порядком...

На следующее после похорон утро Елена обнаружила на кухне Василису Гавриловну в шелковом, подаренном на Рождество новом платке, в новых туфлях... Она прямо сидела на стуле, а рядом стоял маленький фибровый чемодан и большой узел с бельем и подушкой.

Елена села рядом и заплакала. Василиса опустила зрячий глаз, рот собрала в горстку, руки прижала к груди, крестом, как перед причастием. Молчала.

— Да куда же ты, Васенька? — Елена не ожидала от Василисы такой твердости.

— А откуда пришла, туда и уйду, — сурово ответила Василиса. — Бог с тобой, Елена.

Смотрела Василиса прямо, один глаз белый, другой голубой. Неприятный взгляд.

«Неужели она нас совсем не любит?» — ужаснулась Елена. Вынула из сумки все деньги, что у нее были, и молча отдала Василисе.

Василиса поклонилась, взяла свои пожитки и пошла...

Так просто. Как будто и не прожила вместе с Еленой двадцати лет. Исчезла, не простившись с Таней, с Павлом Алексеевичем. Не оглянувшись.

11

Василиса совершенно точно знала, откуда пришла и куда уйдет: из земли в землю. Сегодняшним языком выражаясь, у нее было сознание командированного, которому надлежит исполнить возложенное задание и вернуться к месту постоянной работы.

Обстоятельства ее земного пребывания были с самого рождения таковы, что ее родная мать говорила о своей поздней и нежданной дочери: она у нас бессчастна и бесталанна.

Старшие ее брат и сестра, дожившие до возраста и не растворившиеся в земле во младенчестве, как шесть или семь — Василисина мать точно не помнила числа — младенцев, зарытых на деревенском кладбище, давно отделились от родителей и уехали. Старшая сестра Дуся служила в Москве в прислугах, а брат Сергей женился в соседнюю губернию.

Первое Василисино несчастье случилось с ней очень рано. Ей было два года, когда единственный на родительском дворе петух, неказистый и безголосый, подпрыгнув, клюнул ей в глаз. Девочка пискнула, но никто этого не заметил. Начало расти бельмо, и к семи годам глазик заволокло белесой пленкой.

Родители Василисы год от году беднели, болели, и, когда Василисе шел одиннадцатый год, отец ее умер. Овдовевшая мать помыкалась год и переехала к старшему сыну, у которого было хорошее хозяйство под Козельском. В доме сына отнеслись к ним как к лишним ртам, поселили в баньке, к столу не звали. Василиса с матерью работала на огороде, почти одним огородом и кормились, хлеб приносил Сергей по праздникам либо под настроение, когда выпьет вина.

Верстах в сорока от тех мест процветала, уже клонясь к закату, знаменитая Оптина Пустынь. Духовное дело к этому времени отчасти превратилось в ходовой товар, особенно выгодный для держателей постоялых дворов и трактиров, не говоря уже о монастырских гостиницах, со всей России приезжали, приходили пешком тысячи людей всех сословий. Одна из таких дорог проходила и через село, где жил брат Василисы. Он не принадлежал к тем ловким людям, кто умел извлекать выгоду из полезной географии жилища, а, напротив, постоянно раздражался беднейшими паломниками, которые то просились на ночлег, то попрошайничали, а то и норовили стащить что плохо лежит. Главную массу этого пешеходного потока составляли нищие и полунищие, монахи и полумонахи, и всех их брат ненавидел, считал сбродом и бездельниками. Сам Сергей никогда в знаменитом месте не был, ходил в сельскую церковь три раза в год и из всех церковных постановлений строго соблюдал только одно — по большим праздникам не работал.

Василиса брата боялась, он с ней никогда не разговаривал, и только от матери она знала, что в молодые годы Сергей был певец, плясун, красавец, а нрав его переменился, когда отказала полюбившаяся ему девица. Мать его жалела, но сам он никого не жалел: ни своей немилой жены, ни собственных детей, ни тем более кривенькой Василисы. Зимой мать простудилась и умерла. Василиса осталась в большой семье, для которой была лишь помехой.

Вскоре после смерти матери соседка взяла Василису на праздник в Оптину Пустынь. Василиса сбила ноги, пока дошла, еле выстояла долгую монастырскую службу, не получив ни радости, ни облегчения. Зато на обратном пути с ней произошло чудо, хотя и описать его почти невозможно, настолько оно было скромным и незначительным, как раз в размер Василисы. Спутники ее решили отдохнуть, она прилегла в десятке метров от дороги, в густом орешнике, и заснула. Недолго проспала, проснулась от голосов — ее звали идти дальше. Пока она спала, сумрачный хмурый день просветлел, а когда открыла глаза, как раз разошлись тучи и широкий, толстый, как бревно и почти такой же весомый солнечный луч пробил в туче дыру и упал на полянку прямо перед ней, высветив на земле круг... Собственно, это и было все чудо. Она знала, что круг этот и есть Иисус Христос, что он живой и ее любит. К тому же она была совершенно уверена, что видела это чудесное явление двумя глазами, настолько картина эта была выпукла и не похожа ни на что другое, виденное ею в жизни.

Всю дорогу она тихо плакала, и добрая соседка подумала, что девчонка стерла ногу. Она сняла с головы платок и велела обернуть ступню. Василиса не перечила, ногу обернула и шла всю дорогу, хромая, потому что лапоть стал ей от платка мал, жало ногу.

Зиму Василиса кое-как пережила у брата, а весной он отправил ее в Москву к сестре Дусе. Дуся хотела пристроить ее к какому-нибудь делу. Уговорилась, что возьмут ее ученицей в белошвейную мастерскую на Малой Никитской, которую держала сердобольная женщина, из немцев, Лизелотта Михайловна Клоцке. Хозяйка, как увидела Василисино бельмо, поняла, что с одним глазом не будет из девочки путной работницы — и с двумя хорошими женщины за двадцать лет работы слабели глазами. Но она не отказала сразу, разрешила поучиться. Хотя Василисе было всего четырнадцать лет, пальцы ее от деревенской жизни огрубели, и мелкие иголки, тонкие нитки в руках ее не держались. Тогда ее поставили на глажку — но и это дело оказалось не вовсе простым. Другие девушки маленькими паровыми утюжками прессовали складочки, и они делались жесткими и острыми, почти как листья осоки, только что палец не порежешь, а у Василисы складочки то и дело заминались неровно, и приходилось снова мочить, подсушивать... Видя, что новенькая, при всем своем прилежании, к ручному труду дарования не имеет, добрая хозяйка поручила ей уборку мастерской.

Грязи Василиса сама не видела, на все ей надо было пальцем показать, зато, разглядев, что именно требует уборки, терла не то что дочиста, а до упаду... Сама она не знала даже таких простых вещей, что веник надо смочить, а пол сбрызнуть, прежде чем мести. Да и откуда знать, когда она всю жизнь прожила на земляном полу. Когда ей на это указали, то пол она сбрызнула так, что потом надо было не веником мести, а тряпкой воду собирать. Так что и здесь оказалась она бесталанна.

Держать в мастерской Василису Лизелотта Михайловна Клоцке не могла, но выгонять пожалела, потому решила посоветоваться со своей гимназической подругой, Евгенией Федоровной Нечаевой. Она привела Василису к Евгении Федоровне в Трехпрудный переулок. Была в Василисе такая беспомощная кротость, что вынуждала этих старых подруг о ней позаботиться.

При довольно высоком росте, длинных ногах и тонком стане руки Василисины были коротковаты, а кисти, крупные и грубые, она держала постоянно сложенными на груди. Лицо длинное, вытянутое, взгляд скорбный и строгий, и нос тонкий, тоже по лицу длинноватый, кожа смугло-розовая, гладкая, даже как будто эмалевая... Словом, не крестьянская мордашка, а византийский лик.

— Своеобразная внешность, — сказала Лизелотта Евгении, пока девочку кормили на кухне, — и совершенно не русская. Интересная внешность. Жаль, бедняжка, глаз потеряла... Подумай, Женечка, к чему ее можно приноровить, она девица очень прилежная, но к нашему делу совершенно не подходит. И в прислуги тоже, я думаю, не годится...

За кофеем старые подруги решили, что попросят о помощи их третью одноклассницу, Анечку Татаринову, которая вскоре после окончания гимназии потеряла жениха, ушла в монастырь и уже несколько лет как была игуменьей маленького женского монастыря в Н-ской губернии...

Василиса осталась в доме у Евгении Федоровны, через неделю случилась оказия, знакомое семейство ехало навещать игуменью. Попросили взять с собой Василису. При ней было письмо к игуменье Анатолии, бывшей Анечке, написанное гимназическими подругами. В письме содержалась просьба принять участие в судьбе бедной сироты. Формула эта «принять участие» повторялась уже в третий раз, но удивительным образом каждый из просителей достигал успеха...

Ехали поездом, и Василисе тоже купили дорогой билет в вагон с отделениями, усадили на бархатную скамью, и она полдороги ее щупала, услаждая пальцы необыкновенно нежным касанием. Потом принесли чай, и ей предложили, но она неловко взялась за стакан, и он вывернулся из подстаканника. Горячим чаем ошпарило ей ногу, но боль от ожога была совершенно ничто перед ужасом, который она испытала, — стакан-то разбился... Ее успокаивали добрые попутчики, но она как будто окоченела от горя — словно не стакан, а живое существо погубила.

К вечеру приехали в Н., красиво заснеженный старинный город, переночевали в гостинице на вокзальной площади, и снова бедная Василиса обмирала от непривычного великолепия. Ночевать ее поместили вместе с другой девушкой, не совсем господского вида, но и не простой, и указали постель с таким белым бельем, что она боялась испачкать собой подушку... Роскоши этой Василиса не радовалась, а пугалась.

На другое утро рано собрались и поехали уже на двух санях — пошевнях. И сани, и лошади были щегольские, совсем непохожие на те, что были у ее брата в деревне. Санная езда была привычнее и милее, чем поезд. Монастырь был в двадцати верстах, погода самая лучшая из всех зимних погод — небольшой мороз и весеннее солнце — слепило глаза и щипало в носу... Был канун Сретенья.

Лошади бежали по укатанной дороге весело, как будто и им солнце было в радость. Ошпаренное колено сильно болело, но смятение Василисы было столь велико, что боль как будто существовала отдельно от нее.

Монастырь открылся из-за поворота, он стоял на возвышении, как кутья на блюде, весь в белом сверкающем снегу, сам белый, с золотыми куполами и сквозной колокольней, ловко вырезанной на синем, очень твердом небе... От этой внезапной красоты Василиисино окоченение мигом прошло, и она заплакала. Слезы побежали из обоих глаз. Видеть-то левый глаз не видел, но плакать умел.

Сани остановились у закрытых ворот. Выскочила привратница, замахала руками, заулыбалась: их ждали.

— В доме, в доме вам приготовлено... Матушка вас еще с вечера ждет.

Других принимали в маленькой монастырской гостинице, но близких своих, эту семью, и еще несколько других, родственных, игуменья оставляла в своем небольшом домике рядом с церковью.

Девочка лет семи, как только вылезла из саней, затребовала киселя. Привратница погладила ее по меховому капору:

— Иди, иди, деточка, в трапезную, для вас в трапезной матушка велела оставить киселя и хлеба...

Но тут на крыльцо вышла небольшая сухая женщина в черном бархатном куколе и в суконном балахоне. Все замолчали, даже егозливая избалованная девочка. Василиса поняла — это и есть игуменья...

Приехавшее семейство, захватившее с собой Василису, выстроилось в спину друг другу вдоль узко расчищенной тропки, потянулось к крыльцу. Василиса была последняя в этой очереди. Настоятельница, здороваясь с дальней родней, ощутила почти физически ужас и трепет, исходившие от кривой, бедно одетой девушки, сложившей на груди короткие руки с грубыми красными кистями.

Новую прислугу привезли с собой — решила настоятельница и поманила девушку подойти поближе. Зрячий ясный глаз девушки закрылся от страху, второй белел невидяще — настоятельница сняла с рук пуховые черные рукавички и протянула их Василисе. Василиса и взять их не смогла — уронила на снег. Семилетняя девочка, стоявшая рядом, засмеялась в меховой воротник...

Так, еще и до прочтения рекомендательного письма, игуменья дала свое сердечное согласие на принятие Василисы.

Василиса начала свое монастырское житье в четырнадцать лет — первые два года в работницах, потом стала послушницей. Послушание у нее всегда было хозяйственное: кухня, коровник, полевые работы. Пробовали ее и на других монастырских работах, но для клиросного послушания у нее не было хорошего голоса, для золотошвейных работ — особого женского дарования. Как и прежде, она считала себя существом ничтожным, неважным, не стоящим и еды, которую потребляет. Именно это так трогало настоятельницу, что на третьем году Василисиной жизни в обители она приблизила к себе послушницу, не обладающую в глазах прочих насельниц никакими достоинствами.

Игуменья стала учить Василису чтению, сначала по-русски, потом и на церковнославянском. Ученье давалось

Василисе с большим трудом. Матушка Анатолия, всю жизнь знавшая за собой недостаток терпения, упражняла себя в смирении, обучая милую, но исключительно не способную к учению девушку. Один час в день, сразу после утренней службы, Василиса проводила в покоях игуменьи. Она выкладывала на край стола голубую тетрадку и смотрела на мать Анатолию преданным и испуганным взглядом. Склонная к умственным занятиям, которые сама же и считала греховными играми, владеющая с юности многими языками, игуменья изумлялась причудливому разнообразию человеческих качеств. Василиса, несомненно, являла собой верх невосприимчивости, чтобы не сказать тупости. Игуменья и представить себе прежде не могла, сколько раз может повторить человек одну и ту же ошибку, прежде чем освоить правильное написание или произношение слова.

— Василиса, что значит «днесь»? — этим вопросом начинала мать Анатолия занятия.

Василиса закатывала в потолок свой единственный глаз и неуверенно, в пятидесятый раз отвечала одно и то же:

— Днем?

Игуменья качала головой.

— Вчерась? — заливалась в смятении краской ученица.

— Днесь — значит сейчас, теперь, вот здесь... Дева днесь Пресущественного раждает... — повторяла учительница несчетный раз, отгоняя раздражение краткой молитвой.

И Василиса радостно кивала, а назавтра снова мучительно искала в низком беленом потолке ответа на вопрос, что есть «днесь»...

Игуменье, наблюдавшей медлительность и неповоротливость ее мозгов, иногда даже казалось, что имеет дело с некоторой умственной неполноценностью. Прожив к этому времени почти двадцать лет в монастырях, она знала, что любого рода неполноценность — умственная, физическая, нравственная — явления чрезвычайно распространенные и как раз здоровый человек скорее исключение из печального правила всеобщей, всемирной болезни.

В своей новой подопечной она отмечала, кроме умственной неповоротливости, несокрушимое невежество и приверженность к самым диким суевериям, и догадывалась, что в ее редкостном упрямстве кроется особый вид целеустремленности, — как у растения, которое посылает свои корни вниз, а листву вверх, и сбить его с этой привычки невозможно. Но все эти досадные особенности покрывались у Василисы редкой добродетелью, которую открыла в ней настоятельница. В душе этой неразвитой девушки жил неиссякаемый источник благодарности, редкая памятливость на все доброе, что для нее делали, и благородная забывчивость на обиды. Как ни удивительно, но именно обиды и всякого рода поношения в отношении себя она принимала как заслуженные.

Внутри монастырской жизни — игуменья давно это знала — таились невиданные возможности для угнетения, насилия и греха. Это были особые, монастырские грехи, о которых мирские люди, погруженные в заботы о хлебе насущном, не имеют понятия. В стенах монастыря отношения между людьми приобретают и гораздо большее значение, и гораздо более острые формы. Симпатии и антипатии, ревность, зависть, ненависть томятся как запечатанные в тисках строго установленного поведения.

Настоятельнице прекрасно было известно, что над Василисой насмехаются, ее обижают, ею помыкают — но никогда ни одного слова жалобы не слышала она от глуповатой послушницы: только непрестанная благодарность шла от нее. И мать Анатолия, опытным своим взглядом проникавшая до незамысловатой ее глубины, удивлялась, что за чудо эта кривенькая девушка, обделенная красотой, талантами и столь щедро одаренная редким даром благодарности. «Смиренная душа», — решила игуменья и произвела ее в свои келейницы...

Спала теперь Василиса в сенях, у самой двери в покои игуменьи, на узкой лавке, просыпалась первое время по ночам каждые десять минут, как кормящая мать, которой все чудится, что ребенок заплакал. Проснувшись, она кидалась к затворенной двери игуменьи, опрокидывая по дороге поганое ведро или сметая поленницу — изразцовая печь в покоях игуменьи топилась из сеней... Часто будила игуменью, сон у которой с молодых лет был слабый и расстроенный. Та долго ей внушала: коли проснулась с тревожной мыслью, то следует прежде три раза прочесть «богородицу», а уж потом вскакивать. Но Василиса очухивалась от своего крестьянского сна обыкновенно уже около двери, сама испугавшись произведенного шума, и тут только вспоминала о матушкином наказе...

При всей своей тугодумности и косорукости Василиса научилась и пыль сметать пестрым куриным крылышком, и окна мыть до бриллиантового блеску, и даже чай заваривать «по-господски».

На четвертом году пребывания Василисы в монастыре умер старый священник, исповедный батюшка, много лет живший в монастыре. Появился новый, иеромонах Варсонофий. По возрасту он был молодым, едва за тридцать, но видом старообразен: складчатые веки над темными византийскими глазами, черепашья кожа, сухие губы... Образование его было изрядное, монашество с молодого возраста — именно из таких людей и вырастали церковные иерархи.

Отец Варсонофий преподавал в губернском духовном училище историю церкви и литургику, в монастыре бывал наездами, иногда пропускал неделю-другую, если выдавался трудный семестр. Настоятельница отнеслась к нему с вниманием, даже с почтительностью, и он, обыкновенно замкнутый и немногословный, часто пил с ней чай, беседовал. Несмотря на огромную разницу в происхождении и воспитании, мать Анатолия, просвещенная аристократка, сблизилась с отцом Варсонофием, сыном железнодорожного рабочего и крестьянки. Она высоко оценила нового священника: не так уж часто в монашеской среде можно было встретить человека, интересующегося жизнью, протекающей за воротами монастыря.

Сама мать Анатолия сохранила свои мирские привычки — читала светские книги, даже литературный журнал присылали ей подруги, в церковной среде слыла радикалкой — всегда восхищалась Филаретом Московским, была сторонницей перевода Библии на русский язык, то есть, по мнению некоторого церковного начальства, была не вполне благонадежна на предмет склонности к лютеранству... Молодой монах в ту пору держался иных, гораздо более строгих взглядов — никакого склонения в лютеранскую сторону не позволял, непримиримо относился к католикам и, неукоснительно читая все новое богословие, особенным, отрицательным образом отмечал в нем Владимира Соловьева, которому был большой противник.

Василиса, прислуживая за столом, оказывалась постоянной свидетельницей их разговоров. Убрав чайную посуду, она садилась на лавке у двери, млела от умных речей и недоумевала, с чего бы это господь привел ее на такое завидное, сытое и божественное место... Она очень помнила надсадную работу с самого детства, ломоту рук и спины, постоянную боль в животе, которой страдала, пока не попала в монастырь, голод и, главное, холод, не отпускающий ее многие годы, с малым перерывом на быстро мелькающий июль—август...

В последнее предвоенное лето отец Варсонофий покинул их на три месяца — совершал паломничество на Святую Землю. Во время его пребывания в Палестине стало известно, что началась война, и он последним пароходом приплыл на родину. Вернулся он под сильным впечатлением от святынь, в особенности от самого Геннисаретского озера, которое он обошел вокруг, совершая моления в каждом из святых мест, сохранивших от древности главным образом географические названия...

Василиса, сидя возле двери, коченела от потрясения: своими глазами она видела того, кто, в свою очередь, видел Галилейское озеро, развалины синагоги в Капернауме, где был сам господь, и отдаленное и книжное обрело плоть и запах. Запах, впрочем, от самого монаха исходил все тот же — не часто мытого тела в смеси с ладаном, пропитавшим его одежду, сырости и пастилок, которые он жевал от мучившей его зубной боли. Василиса тайком вытянула из его дорожного длинного пальто прелую нитку, поскребла подошвы галош, в которых он совершал путешествие, и, завернув в серебряную бумажку, хранила, как святыню. Даже к себе самой она стала относиться с некоторым уважением — как к существу, видевшему того, кто видел Святую Землю...

Так, сидя при дверях завороженной мышью, в последующие два года Василиса узнала о ходе российской истории — о неудачных военных действиях, об отречении государя... Здесь же, на лавке, узнала она и о подготовке Собора и возможном избрании патриарха, и о свершившейся революции...

Летом семнадцатого года отец Варсонофий был вызван в Москву. Но игуменьи он не забывал, посылал время от времени письма. В начале восемнадцатого года он прислал игуменье с оказией длинное письмо, в котором описывал осенние события в Москве и Петербурге, выборы патриарха и свое сослужение с избранным патриархом Тихоном в Николо-Воробьевском храме. Бегло упоминал о том, что накануне был хиротонисан в епископы. Этим последним известием игуменья поделилась с Василисой.

— Апостол больше епископа? — спросила, столбенея от собственной наглости, Василиса.

— Апостол больше епископа, деточка, — устало ответила игуменья и в который раз удивилась, какие детские вопросы занимают Василису.

Через несколько месяцев настоятельница получила от нового епископа большой пакет, в котором, кроме письма, лежали напечатанные на дрянной бумаге, с чудовищной орфографией, отчеты о революционных преобразованиях. Разобраться в противоречивой бессмыслице советской речи игуменья не сумела, хотя внимательно их исследовала через маленькие очки на черном шнурке. В письме, написанном крупным каллиграфическим почерком, среди прочего она прочла: «Начинаются жестокие гонения. Нам предстоит быть тому свидетелями. Радуйтесь!»

На другое утро сама отправилась в Н. к архиепископу за разъяснениями. От него она узнала последние новости — об отделении церкви от государства, о беспорядках в Петрограде, об убийстве священника Петра Скипетрова и митрополита Владимира...

— Монастыри все закроют, — шепнул владыка, благословляя игуменью на пороге.

Матушка ужаснулась, не совсем поверила, но, вернувшись, стала сокращать хозяйство, готовить монастырь к неопределенным и, разумеется, нерадостным переменам, которых теперь ожидала. Однако предвидеть размер грядущего бедствия не могла. Кое-что она успела сделать: по-евангельски раздала хозяйственные запасы крестьянам, очень тайно, очень разборчиво, оставив только самое необходимое; велела в алтаре под престолом прорубить тайник, поставила туда окованный железом сундук со святынями; ценный монастырский архив отправила с посыльным в епархиальную библиотеку. Мысль о закрытии монастыря она уже приняла, но представить себе, что закроют и старинную церковь, не могла.

Она собрала послушниц и монахинь, объявила, чтобы они подумали перед наступлением тягчайших гонений, не уйти ли им из монастыря. Четыре послушницы вернулись по родительским домам. Но все монахини решили остаться. Настоятельница объявила им, что времена переменились, что многим надлежит пострадать за свои грехи и за грехи ближних, что путь большинства идет через мир, и, живя в миру, пусть останутся они сестрами друг другу и невестами во Христе.

Больше ничего мать Анатолия сделать не успела. Ее забрали за несколько дней до закрытия монастыря. Повезли в тюрьму в Н. Василиса попросилась с ней, и власть человеколюбиво согласилась. Игуменья готовилась к худшему, но ей объявили трехлетнюю высылку в Вологодскую губернию. Спустя неделю Василиса, проявив неожиданную сметливость, съездила в монастырь, собрала остатки игуменьиного хозяйства, две гарднеровские чашки и спиртовку-кофейницу, немного постельного белья, шпопаного-перештопаного и даже наволочку с инициалами, вышитыми в мастерской Лизелотты Михайловны Клоцке в незапамятные времена. С тем и поехали.

Путешествие, как ни удивительно, было скорее приятное, в хорошем вагоне, с еще четырьмя священнослужителями — двумя деревенскими попами, неизвестно чем перед новой властью провинившимися, епархиальным библиотекарем и самим владыкой, недавно обещавшим игуменье скорое закрытие монастыря. Сопровождал их один-единственный красноармеец, крестьянский парень, еще не вполне проникшийся революционным духом. К преступникам он относился с неизжитым почтением, подобающим их сану...

Три года обратились для Василисы и ее настоятельницы в одиннадцать. Одиннадцать суровых, мучительных и героических для старой настоятельницы и благодатных для Василисы. Теперь, в привычных для нее деревенских условиях, она оказалась для мало приспособленной к этой жизни монахини кормилицей, покровительницей, ангелом-хранителем. Трижды им меняли поселения, каждый раз все дальше на север, пока не загнали в Каргополь, милый деревянный город, где и умерла мать Анатолия на семьдесят восьмом году жизни.

За несколько дней до смерти мать Анатолия напутствовала Василису, велела ей после похорон здесь не оставаться, а ехать в Москву, в Трехпрудный переулок, к Евгении Федоровне Нечаевой. Благословила и наказала ничего не бояться. Василиса сделала все по слову своей наставницы: похоронила, дождалась сорокового дня и поехала. Был с ней красный бархатный кошелек с двумя царскими червонцами, матушкиным наследством, и серебряная бумажка с палестинскими святынями.

В Трехпрудный переулок она попала в конце декабря. Евгения Федоровна ее приняла. В домкоме еще заседали люди, помнившие старого Нечаева, строителя. Один из таких памятливых за два червонца и вписал одноглазую инвалидку Василису в домовую книгу. Бархатный кошель со святынями остался на память. С этого времени и жила Василиса в семье Евгении Федоровны, с Еленой, а потом прибавился и Антон Иванович. Служила, как привыкла, с утра до ночи, не оставляя себе ни зернышка мысли, времени, даже досуга — сначала Евгении Федоровне, потом Елене, Тане и всем, кого считала своими благодетелями...

Была у нее только одна странность: раза два в год — один раз это обыкновенно случалось весной, после Пасхи, — она все бросала и исчезала на неделю, а то и дней на десять. Не предупреждая заранее, ничего не объясняя...

— Нашей Василисе свободы захотелось, — посмеивался Павел Алексеевич.

Это и впрямь была ее единственная роскошь — уехать,

когда душа ее просилась, в деревянный город Каргополь, на могилу к Анне Татариновой, инокине Анатолии, все там прибрать, покрасить и поговорить с ней, единственным родным человеком. Все прочие были двоюродными...

12

Занятия в школе окончились, как и преждевременная жара. Пошли холодные дожди. Стали собираться на дачу. Василиса уехала, несмотря на все Еленины уговоры, и Елена чувствовала себя совершенно растерянной — вся жизнь без Василисы перекосилась, не говоря уж о переезде на дачу — обычно все сборы тихо и загодя организовывала Василиса, и теперь Елена никак не могла сообразить, сколько брать с собой макарон и керосину, сахару и соли, куда все это складывать и как паковать...

Тома старалась изо всех сил всем быть полезной, услужить, особенно Тане. Таня и раньше в ее глазах была существом высшего порядка, а теперь, когда они все дни проводили вместе, она чувствовала Танино к себе расположение, готова была на нее молиться.

Павел Алексеевич переехал на дачу вместе со всей семьей, но в то лето он там почти не жил, только приезжал по субботам. Воспитательная ссора его с женой, которая казалась ему поначалу не такой значительной, выросла в полный внутренний разлад. Слова Павла Алексеевича о ее женской неполноценности сидели занозой в душе у Елены. Препятствие оказалось непреодолимым — ночевала теперь Елена на диванчике на закрытой террасе. Павел Алексеевич, когда приезжал, оставался в кабинете наверху, спальня их пустовала. Он тоже был несказанно оскорблен: Елена своими словами как будто лишила его отцовства.

Оба страдали, хотели бы объясниться, но повиниться было не в чем — каждый чувствовал себя правым и несправедливо обиженным. Объяснения между ними были не приняты, да и обсуждать интимные стороны жизни они не умели и не хотели. Отчуждение только возрастало.

По воскресеньям Павел Алексеевич вставал рано, поднимал девочек и вел на речку. Они до обеда полоскались, он учил их плавать. Потом возвращались, обедали. Тома старалась не скрести ложкой по тарелке, пользоваться вилкой и не набрасываться на хлеб...

Несмотря на весь внутренний разлад, семейная машина ехала по накатанной дорожке: Павел Алексеевич приносил в дом свои немереные деньги, Елена зачитывала списки, отправляла переводы и посылки, но без Василисы этот праздничный и торжественный ритуал как будто терял смысл. Два случайно совпавшие события — семейная ссора и приход в дом Томы — как-то соединились вместе, и Елена с глубоко запрятанной неприязнью наблюдала за мышевидной девочкой, едва достающей Тане до плеча...

В самом конце лета вернулась Василиса — как ни в чем не бывало. Увидев ее на дорожке, ведущей к террасе, Елена заплакала. Заплакала и Василиса. Была она до черноты загорелой и еще более худой, чем обыкновенно. Не объяснила ничего, а Елена и не стала ничего спрашивать. Обе были счастливы. На другой день пришло письмо от Томиной тетки — она просила «передержать племянницу хотя бы до Рождества». Елена читала письмо, а Василиса кивала сухой головкой в такт словам. Помолчали. Потом Василиса сварила кофе — это была ее единственная пищевая слабость, и она в своих скитаниях более всего, кажется, по кофе и стосковалась... Василиса налила большую кружку жидкого коричневатого напитка и первой начала разговор, который давно уже висел в воздухе:

— Ну что же, надо с Томочкой-то решать... Не щенок, не котенок. Феня-то ее брать не хочет. Либо в детдом определять, либо оставлять.

— Да я уж думаю, — нахмурилась Елена. Сердце ее никак не лежало к этой девочке, но она уже знала, что сердце ее не имеет никакого значения, ребенок этот уже пристал к дому и деваться некуда...

— А я думаю, оставлять надо. Уж больно она нехороша, — такова была непостижимая логика Василисы Гавриловны.

— Вася, что ты говоришь? — изумилась Елена. — Потому брать, что нехороша?

— Так кому она нужна будет, Елена? Ни рожи, ни кожи, еле учится. А у нас будет сыта, обута, одета. За Таней вон сколько всего остается. А там господь досмотрит... Не наше дело...

— Выходит, удочерить... — кивнула Елена обреченно.

— А с ним поговори. — Со своего возвращения Василиса имени Павла Алексеевича не произносила, только «он».

У Павла Алексеевича оказалось, как ни странно, готовое решение. Видно, он еще раньше об этом подумал: оформить опекунство.

«Ну конечно, как я сама не догадалась», — радовалась Елена, которая никак не могла увидеть себя в роли матери малосимпатичной девочки. И Василиса Гавриловна радовалась, не вникая в тонкости юридических различий между опекунством и удочерением.

Радовалась и Таня — Тома заняла в ее жизни особое место, что-то вроде говорящей собачки, о которой надо заботиться. Она в рот куска не брала без Томы, всегда готова была отдать ей все лучшее, но временами, устав от ее молчаливого и робкого присутствия, ускользала одна погулять или в соседские гости... Тома не обижалась, но ходила за Таней хвостом, боялась упустить ее из виду.

Перед самым отъездом с дачи Павел Алексеевич сам объявил Томе, что приглашает ее пожить у них в доме, пока она не подрастет и не получит образование.

— Хорошо, поживу, — с достоинством приняла предложение девочка.

В глубине души она была ужасно разочарована. Ей бы хотелось, чтобы Павел Алексеевич был ей настоящим отцом, как Тане.

К сентябрю вернулись в Москву. Томочка была теперь принята в дом окончательно, и все потекло обычным порядком. Только семейное счастье Елены Георгиевны и Павла Алексеевича сникло и увяло. Неуклюжие попытки Павла Алексеевича восстановить супружеские отношения успехом не увенчались. В особенности последняя, когда он, в один из своих запойных периодов, среди ночи вошел в спальню, где Леночка смотрела свои одинокие и поучительные сны, и, не замечая ни ее протеста, ни отвращения, совершил безрадостное насилие и только утром, опомнившись, ужаснулся ночному происшествию.

Он пытался просить прощения, она кивнула и, не поднимая головы, сказала ровно, безо всякой интонации:

— Здесь нечего обсуждать. Я только прошу, чтобы этого больше никогда не было.

Он видел пружинистую прядь, всегда выбивавшуюся из пучка и петлей висящую ото лба к уху, видел скулу и кончик носа, сгорал стыдом и желанием, и отдал бы в этот миг без колебаний лучшее, чем владел, свой безымянный дар, чтобы вернуть счастливую простоту и легкость, с которой еще недавно он мог положить указательный палец в ямку под мягким пучком волос и провести от шеи вниз, по узкому позвоночнику, уложенному в ровном желобке вдоль спины, до чуть выпуклого крестца, — Os sacrum, сакральная кость... Почему, кстати, сакральная именно эта? — и ниже, раздвинув плотно сжатые Musculus glutaeus maximus, миновав нежно-складчатый бутон, проскользнуть в тайную складку Perineum, развести чуть вялые Labium majus, робкие Labium minor, замереть в Vestibulum vaginae, коснуться атласной влажной слизистой, — уж он-то знал всю эту анатомию, морфологию, гистологию — приласкать пальцем продолговатое зернышко Corpus clitoridis, — пропуск, пробел, сердцебиение... дальше, дальше, — пройти по редколесью волос, под которым прощупывается изгиб Mons pubis, перешагнуть через косметический, двойного шитья шов — не знал, что для себя старался, — подняться к маленькому, с мелкой воронкой пупку, пройти между разбежавшихся в разные стороны, заостренных к соску грудей и остановиться у подключичной ямки так, чтобы под ладонью расходились Clavicula, фигурные скобочки ключиц...

Он сморщился всем лицом и застонал — все ушло, все пропало. Молча вышел он из спальни, прошел в кабинет, вынул из-за шторы непочатую бутылку и откупорил... Выпил. И улыбнулся — это мстила ему удаленная десять лет тому назад больная, нагноившаяся матка. Гадина.

Непонятно, как родились в голове эти дурацкие слова, сказанные сгоряча и в раздражении... Как угораздило это сказать ей: «не женщина»? Это она-то, предел женственности, само совершенство. Потеряно. Все потеряно. Он выпил еще полстакана и понял, что заснуть сейчас не сможет. Достал из нижнего ящика стола свою любимую папку с синей надписью ПРОЕКТ. И раскрыл. Прочитал первую страницу — имя Сталина упоминалось дважды. И опять его передернуло.

«Как это я ухитрялся прожить до старости лет в счастливом заблуждении, что я порядочный человек?» — задал себе Павел Алексеевич жестокий вопрос. Он вынул первую страницу рукописи, сложил вчетверо, и вчетверо сложенную бумажку разорвал дважды. Аккуратные обрывочки опустил в корзину для бумаг. Просмотрел рукопись до конца — больше имя вождя в ней не упоминалось. Он зевнул, потряс головой, но избавиться от отвратительного душевного скрежета не смог и понял, что ничего не остается как заснуть.

Жену свою Павел Алексеевич больше не беспокоил. Равно как и не пытался вернуться к обсуждению нового печального положения вещей.

Последний ночной эпизод, совершенно не укладывавшийся в Еленино представление о собственном муже, на самом деле мало что изменил: ее обида была столь глубокой, что она уже ничего не могла с собой поделать. Как будто сказанная мужем сгоряча фраза убила в ней все желания и отравила саму почву, из которой произрастает потребность в нежном прикосновении, в ласке, не говоря уж о супружеской близости.

Обида эта со временем не росла и не уменьшалась, она проникла на глубину, и Елена жила с ней, как живут долгие годы с родимым пятном или опухолью.

Даже внешне Елена стала постепенно меняться: похудела, заострилась. Медленно-округлые движения, мягкий, с наклоном поворот головы, кошачья повадка устроиться в кресле, на кушетке, легко вписываясь телом в любой мебельный угол — естественная, ей одной свойственная пластика, столь привлекавшая всегда Павла Алексеевича, — все это уходило от нее.

Одежда, которая прежде была ей к лицу — круглые воротнички, сборчатые рукава и невинные вырезы, открывавшие чуть одрябшую, но высокую шею, — стала тем временем немодной, и она с удовольствием перешила на девочек свои светлые, в мелкий цветочек, в веночек, в букетик платья и купила костюм летний и костюм зимний, преобразившись в школьную учительницу.

Павел Алексеевич, сидя за воскресным семейным обедом рядом с женой, принюхивался — среди грубоватых запахов Василисиной простой стряпни явственно проступало нечто новое: от Елены вместо прежнего цветочно-телесного аромата пахло вдовством, пылью и постным маслом. Почти как от Василисы, но к Василисиному запаху был еще подмешан не то пот, не то душок старой засаленной одежды... И он отводил взгляд от жены и смотрел на Таню, и улыбался ей — прелесть какая девочка, вся в мать, вся в Леночку... В прежнюю Леночку...

Счастливый период их брака окончился. Теперь остался просто брак, как у всех, и даже, может быть, лучше, чем у многих. Ведь многие живут кое-как, изо дня в день, из года в год, не зная ни радости, ни счастья, а лишь одну механическую привычку.

Никогда, никогда — понимали оба — не войдут они больше в ту счастливую воду, в которой плыли десять лет...

Взгляд Елены то и дело натыкался на щуплую девочку с повадками мелкого грызуна, беззлобную, безответную, жалкую донельзя, косвенную виновницу семейного крушения, которое оказалось для Елены горше всех пережитых несчастий: смерти родителей, бабушки, мужа, больше смертельной болезни и даже больше самой войны. Невозможно было жить вместе с ней, но также невозможно и отделаться от нее, отослать к родственникам, сдать в детдом. И Василиса тихонько бурчала, как будто в стену:

— А ты думала, просто? Все не просто... Потрудись-ка теперь... О-хо-хо... Такого не отмолить...

Какие Еленины грехи она имела в виду? Счет у Василисы Гавриловны был особый, непростой, но стояла за этим счетом странная, даже, может, и глуповатая, но правда.

13

ПЕРВАЯ ТЕТРАДЬ ЕЛЕНЫ

Жизнь моя сама по себе столь незначительна, и сама я столь незначительна, что мне никогда бы в голову не пришло что-то записывать, если бы не одно обстоятельство — память моя делается все хуже и хуже. Нуждается в каких-то подкреплениях извне: запахи, звуки, предметы, вызывающие воспоминания, указатели и отсылки... Пусть будет хоть эта тетрадка, и, когда память моя вовсе сносится, я смогу заглянуть в нее, вспомнить. Так странно, взрослеешь, умнеешь, и прошлые события приобретают совершенно иной смысл, и глубину, и божий промысел, и свою собственную жизнь хочется раскопать, как археолог вскрывает глубокие пласты, и понять, что же такое происходит со мной и с моей жизнью. Куда она клонит, на что намекает. Понять не могу, не умею. А самое ужасное в том, что мозги мои стали как старая фарфоровая чашка, все в трещинках. Мысли вдруг пресекаются, теряются, и долго ищешь хвост. Какие-то выпадения. Иногда образ человека начинает жить отдельной от имени жизнью. Родной, знакомый человек, много лет знакомый — а имя выскочило и, хоть плачь, не найдешь. Иногда наоборот — возникает имя, а за ним никто не стоит.

Пишу постоянно себе записки — не забыть то, не забыть это. Записки теряю, а тут недавно нашла и просто испугалась — моей рукой написано, но, боже, какая орфография! То буква пропущена, то слоги переставлены.

В глубине души я подозреваю, что это начало какой-то ужасной болезни. Написала своей рукой и теперь окончательно в этом уверилась. И так страшно стало. Ни у кого в нашем роду такого не было. Хотя у бабушки, кажется, была сестра старшая, которая к старости лет впала в состояние детства. Ужасно, что тогда вся прожитая жизнь делается бессмысленной. Если человек все про свою жизнь забыл — и родителей, и детей, и любовь, и все радости, и все потери, — тогда зачем он жил? На днях я вспомнила бабушку Евгению. А вот отчества вспомнить не могла. Напрочь забыла. Так расстроилась. А на второй день имя само собой всплыло — Евгения Федоровна.

Надо все-все записать. Для себя. А, может, для Танечки. У нее сейчас такой период отдаления. Она поглощена учебой, хочет стать биологом, близка к отцу необыкновенно. Да и всегда они друг друга обожали. Только он ее так не чувствует, как я. Ведь когда у нее голова болит или живот, я совершенно точно знаю, как оно болит... И то, что Танечка как будто не интересуется именно моей жизнью, а больше льнет к отцу, не имеет особенного значения. Я уверена, что еще буду ей нужна. И ей нужно будет знать все то, что я знаю. Ведь важны не только большие, значительные события. Удивительно, но каким-то образом маленькие, незначительные события по мере удаления оказываются важнейшими. А особенно сны... Мне всегда снились сны, и такие яркие, что сейчас ранние воспоминания и детские сны как будто переплетаются, и я не всегда могу с уверенностью сказать, какая из картинок взаправдашняя, а какая — из сна... Надо, чтобы Танечка все мои мелкие мелочи знала, пока они совсем не затерялись в моей дырявой памяти. Например, мне кажется, что я помню, как впервые пошла: я одна в очень большой комнате, прижимаюсь спиной к бархатистому зеленому дивану. Наощупь щекотно. Впереди и наискосок — белая кафельная печь, голландка, и мне хочется ее потрогать. Она гладкая и притягательная. Я собираюсь с силами. Очень страшно. Идти без чьей-нибудь руки я боюсь, но, кажется, могу побежать. Зажмурившись, отрываюсь от дивана и бегу. Почти лечу. И упираюсь ладонями в кафель. Он неожиданно горячий. Я кричу. Большая усатая женщина с темным лицом появляется откуда ни возьмись и подхватывает меня на руки... Где это было? Скорее всего в Москве, в бабушкиной квартире. Мама говорила, что я рано начала ходить, еще до года. Может ли ребенок такого возраста что-нибудь помнить? Или это все-таки сон? Спросить не у кого...

Отец мой Георгий Иванович, человек недюжинный, фантазер, одаренный редкой способностью внушать свои идеи, доморощенный философ, был смолоду ярый революционер, даже с террористами знался, но после событий девятьсот пятого года обратился в толстовцы. С тех пор, как он стал толстовцем, он уже исповедовал другие идеалы, земледельческий труд стал его религией. С тех пор в городах он больше не жил, организовывал в разных землях толстовские сельскохозяйственные общины, которые одна за другой распадались, кроме последней, Тропаревской.

Отец в молодости был очень красив. Нос с горбинкой, яркие черные глаза. Наверное, примесь греческой или кавказской крови сказывалась. Мама же, напротив, на девичьих фотографиях не так хороша собой — лицо пухленькое, глаза небольшие, нос картошечкой. А вот в более зрелом возрасте, когда я уже стала кое-что понимать, мама похорошела. Она сильно похудела, лицо стало определеннее, более запоминающееся лицо у нее стало. Отец был человек безмерных страстей. Спорщик был, обидчивый, вспыльчивый и необыкновенно добрый. А вернее сказать, не добрый, а бескорыстный. Он был истинно человек будущего, как я это понимаю. Есть в его натуре что-то общее с ПА. О своей выгоде он никогда не заботился, даже и не понимал, кажется, что это такое. Готов был все отдать. Но, кроме книг, у него ничего не было, а свою библиотеку он всегда делал коммунальной. Экслибрис у него был — какая-то завитушечка и слова «Общественные книги Георгия Мякотина»...

Ненасилие он исповедовал горячо и яростно, как все, что он делал. Теперь могу судить о нем трезво — он был сторонник ненасилия в общественной жизни, а в домашней — страшным деспотом. Но он был одарен редкой особенностью внушать свои идеи, была в нем большая заразительность, — у него самого, как у Толстого, было много учеников и последователей. Я думаю, что мама была на самом деле жертва его редкостно обольстительного характера. Она за ним повсюду следовала, во всем ему доверялась. Он уже успеет свои убеждения переменить, а она за ним не поспевает. Но у нее все было поверхностное, главное было то, что она его безмерно любила и ради него поменяла свою городскую жизнь скромной учительницы музыки на деревенскую. И в деревне она не музыку преподавала, а кашеварила на десяток человек, стирала, доила коров. Всему научилась. И все ей было не по силам, но она старалась ради папы, ей хотелось еще к тому же быть самой лучшей его ученицей. Во всем его слушалась. Кроме одного: рожать приезжала в Москву к родителям. И оставляла там совсем маленьких детей — на подрост. Я была последняя, третья. Отец очень из-за этого на нее сердился. Потому что другие толстовцы растили детей на земле. Но это было единственное, в чем мама отцу не покорялась. Меня до четырех лет растила бабушка, а потом, по настоянию отца, забрали.

Со времени коллективизации на коммуну пошли от властей страшные нападки, хотя, казалось бы, она и была тем идеальным колхозом, которые большевики намеревались устроить по всей стране. Отцу, как человеку опытному в коммунальном управлении, в первый год коллективизации даже предложили идти в начальники, организовывать колхозы. Но он отказался.

— Наши общины добровольные, на том они и держатся, а вы предлагаете организацию проводить на принципах насилия, что не согласуется с моими взглядами, — так объяснил он партийному начальству.

Поначалу их оставили в покое, но было ясно, что ненадолго. После размышлений и обсуждений решено было искать новые места для коммуны, подальше от центра, уж больно близко к столице располагалась деревня Тропарево. Начали поиски в тридцатом году, к тридцать второму они не только нашли место, но уже поставили первые бревенчатые дома в предгорьях Алтая. Перед самым переездом мама умолила отца оставить меня в Москве. Мне было пятнадцать лет, и бабушке удалось меня удочерить. Я стала Нечаева. Вероятно, это и спасло меня от ареста — бабушкина фамилия.

Жизнь их на Алтае, в Солонакче, сложилась ужасно. С тех пор я никого из них не видела. Брата Сергея призвали служить в армию, но он отказался из идейных соображений, не хотел в руки ружья брать. Его судил трибунал и приговорил к расстрелу. Он был как отец — несгибаемый. А Вася был мягкий, ласковый мальчик, его пастушком звали. Из всех нас единственный, он действительно любил и землю, и сельское хозяйство не отвлеченно, из теоретических соображений, а от души. Его скотина слушалась.

Бык Мишка за ним шел, как щенок. Васенька в Оби утонул, через пять дней после того, как ему вручили повестку о призыве. На другой день он должен был ехать в город в призывной пункт. Тридцать четвертый год. Вскоре и родителей арестовали. Дали десять лет без права переписки. Бабушка пыталась их разыскать, еще до войны все ходила стоять по разным очередям. Но никакого ответа не было получено. Она молчаливо считала, что отец всех погубил. Вообще, все толстовцы как вымерли. Я ходила на Маросейку, где прежде была вегетарианская столовая. Но там все неузнаваемо. Никакого их издательства, никакой столовой...

Но я хотела рассказать про другое — вот еще картинка раннего детства: сижу за большим столом, передо мной огромные тазы с малиной. Каждая ягода чуть ли не с яйцо. Я выдергиваю из середки ягоды толстый белый стержень, складываю в большую чашку, ягоды бросаю в ведро, как что-то негодное, как мусор. А ценность представляют именно эти белые несъедобные сердцевинки. Малиной пахнет так сильно, что, кажется, весь воздух слегка окрашен ее красно-синим сиянием... Какая-то трудная и серьезная мысль во мне ворочается о том, что самое важное может казаться другим мусором и отходами. Сон?

Всякого такого — множество. Несу миску с рубленой зеленью маленьким крольчатам. Сильные бросаются первыми, а несколько мелких, неудачных, не могут пробиться к корму. Я должна выбрать этих немощных и отделить в другую клетку. Чтобы сильные их не затоптали. Это, кажется, не сон. А может, сон? Трудно себе представить, чтобы в нашей нищей коммуне могли позволить себе такие нежности. Жизнь-то была очень суровая...

Это все цветные мелочи слегка путают и, пожалуй, смягчают картину воспоминаний. Коммуна, в которой я жила с четырех лет, Тропаревская, в недальнем московском пригороде, была небольшая, всего человек восемнадцать-двадцать и детей с десяток, все разного возраста. Но была своя школа. Читать нас учили по азбуке Льва Толстого. И первые книжки, конечно, толстовские. Про сливовые косточки: лгать нехорошо. Про деревянную плошку для дедушки: к родителям надо хорошо относиться. Еды почти всегда мало, но разделена поровну. А когда много, такое тоже бывало, все равно стыдно было много брать.

«Учение Христа, изложенное для детей» с раннего детства помню. Четвероевангелие настоящее я гораздо позже прочитала, у бабушки... Взрослые в коммуне Льва Николаевича мало сказать любили — обожествляли. Мне же оскомину набили с малолетства. Я, смешно сказать, романы его прочла уже после войны, — в детстве и юности меня так закармливали его статьями и рассуждениями, что ни «Казаков», ни «Анны Карениной», ни даже «Войны и мира» я тогда и в руки не брала.

Но я не об этом. О другом. С раннего детства со мной происходит изредка какое-то выпадение из здешнего мира. Думаю, что многие имеют этот опыт, но из-за огромной сложности пересказа таких событий, для которых не хватает ни слов, ни понятий в нашем бедном языке, и потому никто и не пытается поделиться с другими этим опытом. Я много раз замечала, как ребенок посреди игры вдруг замирает, взгляд делается отрешенным, туманным, а через мгновение он снова катает грузовичок или обряжает куклу. Куда-то выпадает. Уверена, что всем знакомо это чувство столбняка, связанного с исчезновением времени. Можно ли это вообще описать, тем более что я совсем не писатель? Но почему-то мне кажется важным попытаться это высказать. Может быть, именно по той причине, что я совсем перестала доверять своей памяти, которая то и дело подводит.

Самое страшное, что я в жизни переживала, и самое неописуемое — переход границы. Я про ту границу, которая проходит между обычной жизнью и другими разными состояниями, которые мне знакомы, но столь же невозможны для объяснения, как смерть. Ведь человек, который еще никогда не умирал, что может сказать об умирании? Но мне кажется, что каждый раз, выпадая из обыкновенной жизни, немного умираешь. Я так люблю свою специальность чертежника как раз потому, что в ней есть точный закон, по которому все можно построить. Есть ключ перехода из одной проекции в другую. А тут переход есть, но каждый раз — неизвестно по какому закону он происходит, и оттого так страшно.

Боже милостивый, какие же там путешествия... Разные... Самое страшное и, кстати, самый страшный переход я пережила вскоре после смерти деда. Чтобы понять это, надо рассказать еще немного о моей семье.

Деда моего все боялись, и мама, и бабушка. Что я боялась, это вполне понятно. Я вообще была девочка боязливая. Когда он умер, мне было лет семь. В двадцать втором году. Он был строительным подрядчиком, когда-то был очень богат, но еще до революции все потерял. Я мало знаю об истории моей семьи, особенно в этой ее части. Сохранилось только в бабушкином пересказе, что обвалился вокзальный павильон, который он строил, погибло несколько человек, и сам он тоже пострадал, ему ногу тогда ампутировали. Потом был судебный процесс, он его и разорил. Дед после этого процесса так и не оправился. Он сидел обыкновенно в глубоком кресле спиной к полукруглому окну, и лицо его против света было темным, особенно в солнечное время. Бабушка с дедушкой жили в Трехпрудном переулке, в Волоцких домах. Дед и строил их году, кажется, в одиннадцатом. Мансардная квартирка. Лифт никогда не работал. Долго поднимались по широкой лестнице. Дед вообще из дому не выходил. Он всегда был болен, хрипло дышал, курил вонючий табак, по квартире ходил с двумя палками. Костыль в руки не брал. Только держал рядом с диваном.

В те годы мы, я имею в виду нашу коммуну, держали коров и из Тропарева возили молоко в Первую Градскую больницу, по Калужскому шоссе. Подвода была, лошадка коммунальная. Мама иногда брала меня с собой, мы, сдав молоко, от Калужской Заставы ехали в вегетарианскую столовую на Маросейке. Морковный чай с сахарином и котлетки соевые помню... В том же доме было издательство и толстовское общество. Отец был не в очень хороших отношениях с тамошним начальством. Как ни странно, но, насколько сейчас могу судить, толстовцы все время ссорились, спорили, что-то доказывали друг другу. Отец был азартный спорщик. Со своим тестем, моим дедом, он был в глубокой вражде, по политическим каким-то вопросам. А бабушку Евгению Федоровну он слегка презирал за ее православную веру и пока не рассорился с ней окончательно, все учил ее правильно веровать, по-толстовски... Он, как Толстой, не признавал чудес и всякой мистики, для него главным было нравственное содержание. И Христос был идеалом нравственности. Я теперь смотрю на это вроде бы с улыбкой, потому что у меня постоянно перед глазами наша Василиса, у которой нравственного понятия нет ни малейшего, она так и говорит — это по-божьему, это не по-божьему, и никаких размышлений о добре и зле, одним своим глупым сердцем определяет. У папы же была на все теория.

Родителей своих мама навещала почти тайком. Во всяком случае, я понимала каким-то образом, что о наших поездках в Трехпрудный отцу говорить не надо. Это было вроде нашей общей с мамой тайны. Как и про несколько ложек творогу, которые мама утаивала от продажи — гостинец родителям. Молочное было не для потребления. Только больным и малым детям давали молоко.

Бабушка принимала нас всегда на кухне, которая была сразу возле входной двери. Дед из дальней комнаты не выходил, и я не понимала, что бабушка скрывала от него наши приходы. Нелюбовь к моему отцу он перенес на мою маму и страшно сердился, если до него доходило, что мама бывала на Трехпрудном. Очень, очень жестоким и нетерпимым был дед. Внуков еле терпел.

Мама мне рассказывала, что он долго и мучительно умирал и страшно ругался до последней минуты, проклинал всех, богохульствовал. На похороны меня не взяли, был сильный мороз. Спустя какое-то время, думаю, не меньше полутора месяцев прошло, привезла меня мама к бабушке на Страстной неделе и оставила, потому что у меня началась ветряная оспа. Я, пока болела, ночевала в той комнате, где прежде жил дед. Уложили меня на его кушетку, которая стояла как-то странно, поперек комнаты. Наверное, в последние месяцы его жизни, когда он уже и не вставал, развернули кушетку так, чтобы с двух сторон можно было к нему подойти. Он был очень тяжелый, поменять белье бабушке было одной трудно...

Я сильно болела дня три, а потом только чесались заживающие оспины. Бабушка мне давала какое-то успокаивающее средство, и я помню, что я от него все спала и спала, перепутав даже день с ночью. Однажды среди ночи услышала я стук, будто от соседей. Я удивилась сквозь сон. Что они, ночью гвозди заколачивают? И все сильней, сильней. И каждый удар бил прямо мне в переносицу. Это потому что я сплю — объяснила я себе. Надо проснуться. Но проснуться никак не удавалось. Потом удары как будто слились, и словно невидимая бор-машина под огромным давлением впилась мне в лобную кость... Бор вгрызался все глубже, вибрация была нестерпимая, и, казалось, всю меня вовлекало в бархатно-черную вращающуюся бездну. Это был не сон, это было что-то иное. И длилось это так долго, что я успела понять две вещи — то, что со мной происходит, сильнее боли, и страдание это не физическое, какое-то другое. И второе — это черное вращение начинается в середине моего лба, образует воронку и выносит меня из времени. Меня тошнило каким-то особо мучительным образом, но если бы мне удалось вырвать, то содержимым была бы я сама... Боль обступала меня со всех сторон, она была и больше меня, и раньше меня. Я просто была песчинкой в бесконечном потоке и то, что происходило, я догадалась, как раз и называлось «вечность»...

Все эти объяснения — теперешние. Тогда, девочкой, я бы никаких слов не могла подобрать. Но до сих пор, когда я вспоминаю об этом событии, надвигается вибрирующая тошнота под самое сердце.

Но потом бор-машина отключилась. Я лежала на дедовой кушетке, но комнаты с полосатыми обоями, с полукруглым милым окном не было. Место было незнакомое, ни на что не похожее. Низкое помещение, освещенное тусклым бурым светом, таким слабым, что и потолок, и стены терялись во мраке. Может быть, это было и не помещение вовсе, а такое тесное, с нависающим над головой подобием гнусного неба, пространство. Там было много неприятного, но я не хочу напрягать свою память даже теперь, после стольких лет, чтобы восстановить детали, потому что вспоминая туда, я и сейчас начинаю себя плохо чувствовать.

Множество мутных людей-теней наполняли пространство вокруг. Среди них был мой дед. Они томительно и бесцельно передвигались, слегка переругивались, на меня не обращали внимания. Мне совсем не хотелось, чтобы они меня увидели. И особенно — дед. Он хромал, как в жизни, но палки при нем не было.

Состояние бессилия и тоски было таким тяжелым, таким противоположным жизни, что я догадалась — это и есть смерть. Как только я об этом подумала, я увидела себя на задах нашего тропаревского дома, ярким летним днем, в бликах солнца и тени. Большой поваленный недавним ураганом тополь лежал поперек дорожки, и я шла по нему, перешагивая через обломанные сучки, соскальзывая с влажного ствола, и вдыхала сильный запах увядающей листвы. Все слегка пружинило, и ствол под моим малым весом, и пласты подсыхающей листвы. Сон наоборот, отсюда туда.

Здесь, где я теперь находилась, вовсе не было ни настоящего света, ни теней. Там, за тропаревским домом, где лежало поваленное дерево, где подошва скользила по бархатистому стволу, были тени, блики, безмерное богатство оттенков. Здесь все было зыбким, коричневым, но реальным. Там — нереальным. Здесь совсем не было теней. У тьмы не бывает теней. Тени возможны лишь при свете...

Я лежала как в параличе, не могла даже пошевелить губами. Я захотела перекреститься, как бабушка меня учила, но уверена была, что не смогу и руки поднять. Но рука легко поднялась, я сделала крестное знамение и начала читать «Отче наш»...

Ко мне подошел и уставился на меня человек в глиняной маске, похожей на обыкновенный печной горшок. В прорезь маски из глиняных глазниц на меня смотрели яркие синие глаза. Эти глаза были единственным, что имело здесь цвет. Человек ухмылялся.

Молитва моя ощутимо зависла над моей головой. Не то что она была слаба. Она была недействительна. Она была здесь отменена. Это темное место находилось в таком отдалении от божьего мира, в такой немыслимой глуши, что сюда вообще не доходил свет, и я догадалась, что молитва без света, все равно что рыба без воды — дохлая...

До меня доносилось жужжание чужого разговора, тоскливого, гнилого, лишенного смысла. Одно только вялое раздражение, вялый спор ни о чем. И голос деда: я ВЕЛЕЛ, ты ВЕЛЕЛ, я не ВЕЛЕЛ... И «ВЕЛЕЛ» этот был существом...

Тот, что в глиняной маске, наклонился надо мной, заговорил. Что говорил, не помню. Но помню, что речь его была неожиданно грубо-простонародной, неправильной, он ерничал, даже издевался надо мной. Слова его, как и бурая глина на лице, тоже были маской.

Он может говорить другими словами, он обманывает меня. «Обманщик», — подумала я. И как только я это произнесла про себя, он исчез. Я, кажется, одной своей мыслью его разоблачила...

Тени все колыхались туда-сюда, и все это длилось безвременно долго, до тех пор, пока я не разглядела, что нет у этого помещения никаких стен, а только сгустившаяся тьма создает подобие замкнутого пространства, а на самом деле это тесное и темное место огромно, бесконечно, заполняет собой все, и ничего, кроме него, вообще не существует. Это была западня, откуда не было никакого выхода. Мне стало страшно. Не за себя, за деда, и я закричала:

— Дедушка!

Он как будто посмотрел в мою сторону, но то ли не узнал, то ли не захотел узнать, а все продолжал бормотать, глядя на меня блекло-коричневыми глазами: я ВЕЛЕЛ, он ВЕЛЕЛ...

И вдруг все стронулось и стало утекать. Как тень от облака пробегает по полю, так это темное пространство стало сдвигаться, и я увидела сначала часть стены в полосатых обоях, а потом и всю дедову комнату в серой предрассветной мгле.

Я не проснулась — я просто не спала. Утренняя мгла, тягостная и неприятная в обыкновенные дни, казалась теперь живым жемчужным светом, полным обещания, потому что даже ночной мрак этого, нашего мира — оттенок нашего земного света. А то, что мне было показано там, было отсутствие света, печальное и бесприютное место. Это была она, сень смертная... И когда самый край тьмы уплывал из комнаты и проваливался куда-то на север, я услышала ясный свежий голос, несомненно мужской, который произнес:

— Средний мир.

А что это, я до сих пор не знаю... В одном только я почти уверена — все это мне было показано ради того, что там мелькнул в толпе теней мой хромой дед с сумрачным лицом.

Потом, когда я выросла, прочла и Евангелия, и послания апостола Павла, я все возвращалась к этому событию, к этой потусторонней встрече и думала, а знает ли апостол, что не все мы изменимся, а некоторые не изменятся совсем и навсегда сохранят и хромоту, и мрачность, и то, что стоит за этим, — грех. Я не осуждаю деда ни в коем случае, кто кого может в нашей семье судить? Но мама проговорилась как-то, что когда шло следствие по дедушкиному делу о крушении вокзального павильона, то вина его была не доказана, но обвинение-то было в использовании некачественного материала, из-за чего и рухнул злосчастный павильон, и погибли рабочие... Воровство или взятка... Обыкновенная русская история. И что же, вот так навсегда, и безо всякого прощения? Чего же апостол-то обещает освобождение от грехов только для безгрешных? Нет, не понимаю...

А как быть с беспамятством? Если я забыла? Я теперь так много всего забываю, что наверняка и грехи свои забываю. А тогда в чем же смысл покаяния и прощения? Если нет вины, то и прощения быть не может.

Есть какие-то кусочки жизни, которые как водой смыло. Такое пустое место образовалось, как после просыпания, когда приснилась очень важная беседа с кем-то не по-человечески умным, а в дневную жизнь ничего не вытаскивается, не протискивается, и все важное остается во сне. Возникает ужасное чувство, что какие-то драгоценности лежат в замурованной комнате и войти туда невозможно. Хотя в старый сон иногда вернуться удается, и к тому же собеседнику, и продолжить разговор с прерванного места. И он отвечает, как светом все заливает. А проснешься — и опять одно гладкое место.

Вот такая плешь образовалась там, где я совершила предательство. Я это еще помню, но только как факт. Ни раскаянья, ни стыда давно не ощущаю. Видимо, сама себе простила. И ведь как я это предательство совершила — легко, безо всякого мучения, даже и колебания, даже и размышления. Я о покойном Антоне. Было такое стихотворение военных лет, страшно популярное, Константина Симонова — «Жди меня, и я вернусь»... И там в конце: «Будем знать лишь ты да я, как среди огня ожиданием своим ты спасла меня...» А я погубила неожиданием.

Влюбилась я в ПА даже не с первого взгляда, а так, как будто я его любила еще до своего рождения, и только вспомнила заново старую любовь. Антона же забыла, как будто он был просто сосед, или одноклассник, или сослуживец. Даже не родственник. А прожила я с ним ни много ни мало — пять лет. Отец моей единственной дочери. Твой отец, Танечка. Ничего не вижу в тебе ни от Антона, ни от его породы. Ты действительно похожа на ПА. И лоб, и рот, и руки. А про жесты и выражение лица, мимику, повадки — и говорить нечего. Но сказать тебе, что ПА не родной отец — невозможно. Так что, выходит, я Антона сперва предала, а потом и ограбила, лишила его дочери. Сможешь ли ты мне простить?

Вообще, я уверена, что ПА для Тани значит больше, чем я. Так ведь и для меня он тоже значит больше, чем я сама. Даже теперь, когда все между нами так безнадежно испорчено, надо по справедливости признать, что человека благородней, умней, добрей я не встречала. И никто на божьем свете не сможет мне объяснить, почему лучший из всех людей служил столько лет самому последнему злу, которое только существует на свете. И как в нем это совмещается? Все предчувствовала, все знала заранее моя душа — еще в эвакуации, когда он Ромашкиных котят унес. Я сначала не поверила даже, что он их утопил. Теперь уж верю всему. Ведь смог же он одной фразой перечеркнуть всю любовь, все наши счастливых десять лет. Все уничтожил. И меня уничтожил. Жестокость? Не понимаю. Но об этом как раз я не хочу вспоминать. Для меня важно сейчас восстановить все то, что ускользает от меня, что всегда, еще до появления в моей жизни ПА, играло такую большую роль. Мои сны и ранние воспоминания.

То, что я вижу — что мне рассказывают и показывают — во сне, гораздо богаче и значительнее того, что я могу перенести на бумагу. У меня прекрасное пространственное воображение, профессиональное в некотором смысле. Наверное, я особо чувствительна к пространству, и по этой причине попадала в таинственные его закоулки, вроде того «среднего мира». С другой стороны, ничто не утешает меня так, как милое мое черчение, где каждое построение строго и совершенно прозрачно.

Сны, которые я вижу, находятся в какой-то зависимости от обыкновенного дневного мира, но характер этой зависимости я не берусь описать. Есть несомненная логика перехода, только вся она остается по ту сторону и в мир яви не протискивается. Мне совершенно ясно, что мои потусторонние путешествия во всякие странные места, хоть и нелегальны, но пребывание там не менее реально, чем все то, что окружает нас здесь, где я авторучкой пишу в толстой общей тетрадке, начатой Таней и брошенной в самом начале в связи с окончанием учебного года. Не менее реально, чем здешние дома, улицы, деревья, чашки.

Но опять: ключ от всего в замурованной комнате, в комнате без двери. Вообще, с дверьми и окнами в моих снах много чего связано. Эту первую, наверное, самую главную дверь я увидела очень давно, но не в детстве, уже в отрочестве. Точно не могу сказать, когда, потому что видение это всегда сопровождается ощущением встречи с чем-то, уже прежде виденным. Как если бы можно было сначала что-то запомнить, а потом уже с этой памятью родиться на свет.

Дверь эта была в скале, но прежде я увидела скалу из ослепительного свежего известняка, так полно и щедро освещенного солнцем, что все подробности его грубой фактуры, все шероховатости, овеществленная память трудолюбивой, давно вымершей цивилизации маленьких ракушечных животных, были видны как под лупой. Потом как будто перестроился мой взгляд, подкрутили какой-то винтик, легкая волна прошла по поверхности, и я увидела вырубленную в скале дверь с нанесенным на нее рельефом. Рисунок был очень четким, но не слагался во внятное изображение. Плавные линии пересекались, свивались, впадали одна в другую, двигаясь навстречу, пока наконец мой глаз не изменился внутри себя, и тогда мне открылся смысл — я узнала высокое ложе, с плавным телом, стекающим с высокого изголовья, сложенные смиренно тонкие ручки, склоненные вокруг лобастые еврейские головы, а над всеми ними — одинокая фигура Сына с дитем-Матерью на руках...

Дверь готова была отвориться, даже как будто тень пробежала по щели проема в скале — мне предлагали туда войти. Но я испугалась, и дверь, почуяв мой страх, снова обратилась в рельеф на белой скале, и он становился под моим взглядом все более плоским, зарастал белым мясом камня, пока совсем не исчез.

Я не готова была туда входить. Но ничего невозвратного, окончательно упущенного в этом не было. Просто — не готова. Пока не готова.

Мне как будто было сказано: уходи. Пусть твой страх истратится в житейских испытаниях. А когда твоя боль, тоска, жажда понимания превысят страх, приходи снова.

Приблизительно такое я услышала у двери. И сказано было ласково. Кстати, почти всегда со мной разговаривают ласково.

Еще с дверью было вот что. Она вела из одного помещения в другое. Впрочем, ни стены, ни чего другого, похожего на препятствие между этими двумя помещениями, не было. Только дверь. Не дверь даже, а дверной проем. Но все, видимое в этом проеме, было иным: и воздух, и вода, и люди, там обитающие. Нестерпимо хотелось туда войти, но пространство проема было враждебно и не пускало. Враждебность его была так велика, что и пытаться не стоило. Я отошла. И тут же меня озарило: надо попробовать, попытаться... Обернулась. Проема уже не было. И пространства никакого не было. Только рябь в воздухе от исчезнувшей возможности.

Еще я помню, как умирала бабушка. Как это бывает с праведниками, она знала заранее о дне своей кончины. Василиса незадолго до смерти бабушки уехала неизвестно куда, приспичило ей вдруг, ты знаешь, с ней так и по сю пору бывает. Но накануне смерти вернулась. Бабушка уже неделю к тому времени не вставала, ничего не ела, только пила понемногу воду. Ничего у нее не болело, так, по крайней мере, мне казалось. Жалоб от нее во всю жизнь никто не слышал. Она молчала, на вопросы не отвечала, разве что качнет головой — нет. На все — нет. Василиса сидела возле бабушки и читала что-то молитвенное. Теперь я думаю, это был канон на исход души. А, может, что-то другое. Бабушке было сильно за восемьдесят, на вид — древность, египетская мумия. Несмотря на ужасающую худобу, она была очень красива. Последние дни она глаз не открывала. Но лицо ее не было бессознательным. Напротив, внимательное лицо человека, занятого важным и ответственным делом.

Накануне ее кончины зашла молоденькая соседка, попросила рюмки — у нее был день рождения. Я открыла буфет, достала несколько разрозненных рюмочек, среди них одна красавица, старинная, со смазанной золотой росписью. Соседка стала ее разглядывать, восхищаться. Говорила она довольно громко, и восторги ее по поводу этой стеклянной красоты были очень неуместны — в этой же комнате лежала умирающая бабушка.

— Ну надо же, как умели-то! Теперь уж никто так не может! А стоит поди...

И тут вдруг ясным и довольно звучным голосом бабушка, глаз не открывая, произнесла совершенно сознательно и даже строго:

— Деточка, ты мне мешаешь...

Две недели она не разговаривала, а три последних дня была, как нам казалось, без сознания... Не знаю, в чем мы ей помешали, от какого такого важного занятия оторвали...

А еще через сутки, на закате солнца, когда все мы, Антон Иванович, Василиса и я, сидели за столом, вдруг раздался ее ясный и громкий голос из недельного забытья:

— Двери! Двери!

И Василиса кинулась по длинному коридору, стуча спадающими с пяток старыми туфлями, к входной двери — открывать. Щелкнула замком, распахнула дверь. И тут же воздушный ток пронесся от открытой форточки к входной двери, легкий холодный сквознячок тронул на лету Василису...

Я обернулась к бабушке. Она выдохнула — и больше не вздохнула. Сквозняк как будто метнулся, возвращаясь. Сама собой захлопнулась входная дверь, распахнувшаяся форточка дернулась. Солнечный зайчик метнулся от бабушкиного лица к качнувшемуся стеклу. Он был плотен, этот золотой сгусток, он мелькнул на вымытом стекле, и раздался хлопок форточки и легкий звон треснувшего стекла.

Антон Иванович уставился на форточку и покачал головой. Василиса, мгновенно все почуявшая, перекрестилась. Я подошла к бабушке, еще не совсем веря, что все кончилось.

Смерть была тишайшая. Это была она, «христианская кончина, мирная, безболезненная и непостыдная». Но тогда я не знала, что это так называется. Знала это Василиса.

Бабушкино лицо сделалось торжественным и счастливым. Сквозь голубоватую реденькую седину просвечивала бледно-розовая кожа головы, лоб и нос отвердели и застыли как хорошая фарфоровая масса, разгладились морщинки. Брови соболиные, с кисточками к переносью. Именно в этот миг я отчетливо поняла, что я на нее очень похожа... Белая кошка Мотя, лежавшая у бабушки в ногах с тех пор, как та слегла, встала, подошла к краю кровати и спрыгнула на пол.

Антон полез смотреть, что случилось с форточкой. Он все еще не понимал, что бабушка умерла.

— Сквозняком стекло разбило, — удивлялся он, отковыривая кусок ссохшейся старой замазки. — На черной лестнице стоит большое разбитое стекло, можно вырезать для форточки... Хорошо, что правильный четырехугольничек, с другими стеклами здесь замучаешься вставлять...

Окно и вправду было полукруглым наверху, с асимметричными мелкими переплетами, почти все стекла косые. Дом модерн, построенный дедушкой в лучшие времена...

Окна и двери... Окна и двери... Даже ребенку ясна разница: дверь — граница. За дверью — другое помещение, другое пространство. Входишь туда — изменяешься сам. Невозможно не измениться. А окно только одалживает свое знание на время. Заглянул — и забыл. Но это уже касается моих снов.

Тогда, в день смерти бабушки, наступил Василисин час. Она все про смерть знала. Как надо. Обмывать, обряжать, оплакивать. Во что одевать, какие молитвы читать, что есть и чего не есть. Я подчинилась ей полностью, без малейшего колебания. И не только я, но и Антон. Она приняла все как должное, давала распоряжения, мы ей повиновались.

К вечеру бабушка вольно вытянулась на раздвинутом обеденном столе, ручки ее были смиренно сложены крестом на груди, подвязаны старым чулком, вчетверо сложенный шлейкой платок держал подбородок, на веках лежали большие потертые пятаки, которые неизвестно откуда вытащила Василиса — уж не с собой ли принесла?

В головах горела лампада, перед иконой Василиса медленно читала по-церковно-славянски. Я сидела на табуретке возле стола, прощалась с бабушкой. Мне было двадцать четыре года. Ни братьев моих, ни родителей уже не было в живых, но о смерти родителей я узнала много лет спустя, в те годы мы еще не понимали, что означает «десять лет без права переписки»...

Это была первая смерть на моих глазах. Не могу сказать, что мне было страшно. Я стояла перед этим непостижимым событием в глубочайшей почтительности и пыталась всеми силами понять происходящее — не поддающуюся ни уму, ни чувству бездну, разделяющую живых и мертвых, и, в особенности, само это мгновение, в которое живая и теплая бабушка превратилась в странную и ненужную вещь, которую надо было поскорее убрать с глаз, упрятать подальше в землю. Все, что торжественно и неторопливо делала Василиса, было успокоительно именно потому, что без всех ее непонятных движений невозможно было убрать этот холодный предмет. Белая рубаха, саван, новые кожаные тапочки, которые Василиса придирчиво осматривала, как будто бабушке действительно нужна была эта легкая пара новой обуви с тупым носком и дырочками для шнурков с металлической окантовкой для путешествия по легким за-гробным дорогам...

Антон Иванович просил не ставить гроб в церкви, а пригласить священника на дом. Все были под присмотром, боялись. Василиса, поджав губы, кивнула и привела поздно вечером накануне похорон крохотного старичка, которому могла доверить проводы своей благодетельницы. Сам Антон Иванович уехал на ночь к родственникам — он про все это знать не хотел: у него была хорошая должность на заводе и подпорченная родословная.

Тот пришедший в дом старичок напоминал обыкновен-ного нищего. Однако из котомки он достал облачение и епитрахиль, надел иерейский крест и преобразился в свя-щенника. На вымытом Василисой письменном столе он с величайшим благоговением расстелил кусок вышитой ткани. Это был антиминс с частицами мощей — на нем он и совершил евхаристию. Это была первая в моей жизни ли-тургия. В церковь нас никогда не водили — это было отцов-ское условие, при котором он разрешал детям жить в доме бабушки. Та разновидность толстовского христианства, в которой нас воспитывали, когда бабушка возвращала нас, трех-четырехлетних, обратно родителям, полностью отвер-гала обрядовую сторону религии, не признавалась ни цер-ковь, ни богородица, ни иконы, ни святые... На этот раз я очень хотела причаститься, но сказать об этом не смогла. Потом священник совершил обряд отпевания. После окон-чания тайной службы старичок незаметно исчез — посреди ночи. Больше я его никогда не видела.

В ночь после похорон я проснулась и вышла на кухню. Не знаю, зачем. Может, попить. На кухне, на своем всег-дашнем месте сидела бабушка в своем выходном синем пла-тье с накрахмаленным кружевным воротником. Перед ней стоял стакан в подстаканнике. Она пила чай. Все выглядело так обыкновенно, что я усомнилась, не приснилось ли мне, что она умерла.

— Будешь чай? — предложила она. Я кивнула. Чайник был горячий. В заварном чайнике была свежая заварка, не-обыкновенно пахучая. Я налила себе чаю, села рядом с ба-бушкой.

— Значит, ты не умерла? — спросила я.

Она улыбнулась — ровные белые зубы сверкнули. Ей вставили новые зубы, подумала я, но не сказала ничего, чтобы ее не смущать.

— Умерла? Смерти нет, Леночка. Смерти нет. Ты скоро об этом узнаешь.

Я допила чай. Мы молчали, было очень хорошо.

— Иди спать, — сказала она, и я пошла, ни о чем не спрашивая.

Легла в постель рядом с Антоном, который что-то пробормотал во сне.

И мгновенно уснула. Что это было? Сон? Не сон? Не то и не другое. Нечто третье. Не знаю, как назвать. То третье состояние, относительно которого и сон, и бодрствование равно далеко отстоят...

Сейчас, после стольких лет, я подозреваю, что кроме этого маленького разговора бабушкой было еще что-то сказано, но остальное не сохранилось в памяти. Сохранилось на всю жизнь только очень твердое знание о том, что, когда находишься внутри сна, вся обыкновенная жизнь обращается в сон... Явь и сон — как лицевая и изнаночная сторона одной ткани. А как быть с третьим состоянием? Это как в черчении — вид сверху?

С годами, имея все больший опыт, я научилась почти безошибочно отличать одно от другого. В обычной дневной жизни вещи совершенно лишены таинственности и настоящего содержания. Хотя бьются дорогие чашки, и бывает очень жалко, когда любимые вещи портятся, в нашей семье принято было по бедности и по семейной традиции склеивать чашки, чинить поломанные вещи, штопать, латать и пальто, и кастрюли, но когда вещь по-настоящему делается непригодной, ее выбрасывают.

Вещи во сне не совсем настоящие: чашка не всегда умеет вместить в себя воду, ее этому как будто не научили, и вообще, они возникают не сами по себе, а лишь в тот момент, когда они нужны, и как только надобность в них исчезает, они немедленно испаряются. Они абстрактны до того времени, пока ты не подумаешь: а какой рисунок на этой чашке? — и тогда рисунок появляется. Сами по себе вещи там не портятся и не стареют, они лишены самостоятельного бытия — вот до чего я додумалась.

Но совсем другое дело — третье состояние. Именно по тому, как ведут себя вещи, легче всего отличить настоящий сон от того, который я называю третьим состоянием. Например, стакан, который держала в руках бабушка Евгения Федоровна, был не стакан вообще. Он был личность, как сама бабушка. Возможно, у него было собственное имя, мне не известное. Он был крупный, какого-то особого размера, потому что он был по размеру редкого очень большого подстаканника, и то и другое было сделано на заказ. Подстаканник, кажется, специфически русский предмет, нигде не пьют чай так, как в Москве, но этот подстаканник был особенно русским, из толстого серебра, в форме древесного пенька, и серебро имитировало древесную кору, а ручка подстаканника была в виде топора, вбитого в загибающуюся кверху ветку, облепленную мелкими прилипшими листиками и черенками от листьев, унесенных не то перипетиями кухонной жизни, не то своеволием подмастерья завода Фаберже, где подстаканник этот был изготовлен.

Купеческий, назойливый предмет, из породы подарочных — видный, дорогой, даже с отполированной плешкой для гравировки «Дорогому Василию Тимофеевичу»...

Бабушка улыбалась беглой улыбкой, пила душистый темно-золотой чай из дедушкиного стакана, но дарственная надпись отсутствовала. Куда могла она деться, эта написанная сослуживцами рифмованная глупость «Я не чаю выпить чаю! Кто с малиной, кто с медком, дядя Вася с крендельком!»... При внимательном рассмотрении подстаканник оказался более благообразным, чем его оригинал, и до сих пор случайно уцелевший. Там, в этом третьем состоянии, он как будто лучше выглядел и уж во всяком случае так же отличался от себя обыденного, как и пахучий, какой-то экзотический чай отличался от обыкновенных желтоватых помоев, которые бабушка Евгения Федоровна пила всю жизнь, даже в те времена, когда жила в богатом отцовском доме... Не любила она крепкого чаю...

Приблизительно то же самое происходило со всеми предметами, которые попадались на глаза не во сне, не в воспоминании, а в этом третьем состоянии — они были если и не облагорожены, то доведены до известного совершенства. Как будто невидимый мастер поработал над тем, чтобы вернуть им достоинство и их подлинный характер. Во всяком случае, про бабушкино бывшее нарядное платье это можно было сказать с полной уверенностью. Наутро, проснувшись в совершенно обыкновенную жизнь, я первым делом заглянула в бабушкин шкаф и вытащила это платье на свет — оно было слегка полинявшим на плечах, а вялый воротничок заштопан в нескольких местах. Клянусь, ночью платье было новым, а воротник торжественно топорщился...

Да, чайник на кухне был еще теплым...

В следующий раз бабушка вызвала меня на чаепитие весной сорок первого года. Тебе, Танечка, было два месяца, ты была слабеньким крикливым ребенком, и мы с Василисой обе сбивались с ног. В ту ночь Василиса легла с тобой, чтобы дать мне выспаться. Я проснулась от запаха чая, того самого, я сразу вспомнила его. Вышла на кухню. Бабушка сидела за столом. Чайник был горячим, серебряный подстаканник стоял перед ней, но она не пила и мне не предложила. Одета она была странно — в берете, поверх которого был покрыт большой деревенский платок, в пальто с большими аккуратными заплатами, а петли пальто были обшиты новой тканью. Как только я вошла, бабушка встала, в руках у нее был большой мешок. Она развернула его, покачала головой:

— Нет, этот слишком большой.

И большой мешок сам собой стал поменьше. Никакого удивления это превращение мешка у меня не вызвало — одного слова было достаточно, чтобы все делалось как надо. В этот уменьшенный мешок бабушка стала собирать кухонную посуду, придирчиво осматривая каждый предмет. Три ложки, три чашки, три тарелки. Кастрюлька, сковородка и ковшик для детской каши. Потом положила туда же соль и крупу.

Лицо у нее было строгое и грустное. Потом она взяла подстаканник, вынула из него стакан и вылила чай в раковину. Свежий, густо заваренный пахучий чай. Потом расстегнула пальто, отцепила от воротничка золотую брошку в виде стрелы с изумрудными глазками, положила в подстаканник и засунула их тоже в мешок. Казалось, что она хочет мне что-то сказать. Но ничего не сказала, только указала мне на тугой мешочек.

Я рассказала Василисе. Василиса перекрестилась, часто закивала головой:

— Ох, Елена, заберут нас. Заберут...

Но нас не забрали. Я вспомнила об этом, когда через три месяца началась эвакуация завода. И про мешочек, и про брошку. У Василисы все было уже приготовлено. Она знала, что такое предметы первой необходимости. Непонятно только, почему бабушка сочла нужным явиться ко мне, а не к Василисе. Василиса была гораздо меня понятливей, да и опыт у нее был большой, хотя в то время Василиса мне ничего не рассказывала о своей тайной, героической и неправдоподобной жизни.

Антон был уверен, что на фронт его не призовут. Он был конструктором, и почти все конструкторы получали бронь. Но по неразберихе и глупости именно его мобилизовали, а люди, менее его знающие, остались на заводе. Возможно, это было связано с его нелюдимым характером. Он ни с кем не дружил, никому не доверялся. Признаться, не вижу между вами ни одной общей черты...

Мы не успели толком и попрощаться — на заводе была ужасная паника, еще в конце июня пошли слухи об эвакуации завода, необходимо было часть текущей работы сдать в архив, и весь отдел был завален бумагами и чертежами, а сотрудников уже стало вполовину меньше, и все было вверх дном и безнадежно запутано. К тому же ты болела, Танечка, и Василиса подносила тебя два раза в день к проходной. Я выходила и кормила грудью, а молока было мало, и я нервничала, боялась, что совсем его потеряю.

Так, в хлопотах детской болезни и расстались мы с Антоном, и только после его ухода — сборный пункт был почему-то на Мытной, и он запретил мне идти его провожать, и пошла Василиса — я отчетливо поняла, что произошло.

Проплакавши всю ночь, ты уснула, и я свалилась рядом. Было очень жарко. Квартира-то наша была под крышей, летом всегда было нестерпимо в ней находиться. А тут и в самом деле жарко, да еще и снился жар.

Земля — не земля, что-то совершенно незнакомое. Красноватая сухая почва, каменистая, пыльная. Растут странные растения, похожие на кактусы, но огромные, как деревья. Колючки на них как будто синего железа, острые и подвижные. Деревья этими колючками дышат, они то выдвигаются, то снова подбираются, как у кошек бывает во сне с когтями. Впереди, между этими колючими деревьями, бредет Антон Иванович, не оглядываясь. Он в военной форме, но форма эта какая-то старинная, лосины в обтяжку, мундирчик коротенький, и сам Антон Иванович стройный и худенький, как мальчик. Может, если и есть в вас что общее, то в фигуре. Узость в бедрах, вытянутость вверх и шеей, и подбородком. Да, пожалуй что. Раньше и в голову не приходило.

Ну вот, он уходит, а я спешу за ним и удивляюсь, почему он не остановится, не подождет меня. Тем более что кактусы эти, хоть и стоят на месте, как полагается растениям, но, как я ни стараюсь держаться от них подальше, цепляют меня своими когтями и царапают... И расстояние между нами все увеличивается, хотя я-то иду быстро, а он очень медленно. А кричать нельзя. Не знаю, почему, но известно только, что это никак не возможно, запрещено. И он все удаляется, и в последний момент я вижу его уже не пешим, а всадником. И он очень ловко скачет между деревьями, пока не исчезает окончательно. И тогда мне как будто разрешают вернуться, и кактусы поджимают свои железные когти, делаются все меньше и меньше, совсем обыкновенного размера, вроде тех алоэ и колланхоэ, что на окнах стоят, и земля перестает быть красной, делается обыкновенной, и трава обыкновенная, только очень мягкая и ласковая...

Василиса иногда хорошо толкует сны. А в тот раз ничего не сказала, только:

— Каждый идет по предназначенному...

Но это я и без нее знала. Конечно, первое, что в голову пришло, — погибнет он на войне. А зачем черный мундир, кактусы, колючки... Почему крикнуть нельзя было? Здесь главное зарыто. Самое удивительное заключается в том, что в конце концов все прояснится. Я совершенно уверена в том, что ни случайного, ни лишнего не показывают...

Но непонятного очень-очень много. Так, в обыденности для всех яснее ясного, что жизнь логично и неотвратимо делится на прошлое, настоящее и будущее, и к этому хорошо приспособлены и все наши чувства, и все мысли. Даже сам наш язык с его грамматикой. Но при этом совершенно поразительно единство каждого данного момента, когда два человека находятся вместе, пусть даже просто в одной комнате, и у каждого из них прошлое разное, и будущее, после того, как один из них покинет комнату, тоже разное, а в этот единый миг, это настоящее — общее. И такие мгновения не так уж редко выпадают. И запечатлеваются они очень сильно. И когда их вспоминаешь, то они как будто возобновляются, но получается какая-то новая грамматика, в нашем языке не осуществленная... Так трудно объяснить. Не могу объяснить...

Мне много было показано такого, чего не могу ни понять, ни объяснить. Вот, например, еще в Сибири, когда я лежала в больнице после той операции, даже неясно, живая ли, сознание мое где-то плавало, в какой-то влаге, но не в воде. И вот кто-то меня из нее вынимает — и я оказываюсь на крашенной в белый цвет железной койке, и появляется ПА. И сразу же делается очевидным, что все это скопление вод, в котором я только что плавала, — прошлое, а этот лысый человек с круглым лбом и широко расставленными глазами знаком мне был всегда. И в прошлом, и в будущем. Но сам он принадлежит настоящему. И даже сейчас, вспоминая это, я ощущаю себя в настоящем сильнее, чем когда бы то ни было. Потому что в ПА есть особая сила пребывания в настоящем времени.

Но какие же неровности мы проживаем в настоящем! Многое проскальзывает бесследно, не отпечатавшись совершенно, промелькивает, как никогда не бывшее, а другое движется медленно, внятно, значительно — как будто плохому ученику настойчиво предлагают выучить все наизусть, ничего не потеряв, до последнего значка. И мне в последнее время часто делается страшно, что самое важное я могу забыть. И вот я пишу что-то судорожное, прекрасно понимая, что все равно забуду, а, главное в том, что я напишу, только тень того, что я вижу и чувствую...

К области самого важного, но никак не принадлежащего настоящему, относится и мое переживание — или видение? или то, что я условно называю третьим состоянием? — Великой Воды. Назову так, потому что надо же какими-то словами обозначить это состояние или событие — что почти неразличимо... ПА во всяком случае еще не было, это было до него... Вообще, до его появления я побывала во многих местах, в том числе и в Великой Воде... Но мое Я тогда было несколько иным, чем теперь: мутноватым, маленьким, то ли детским, то ли недоразвитым. И, кажется, слепым. Потому что никаких картинок, никаких изображений от этого пребывания не сохранилось в памяти. Там не было ничего твердого, жесткого, угловатого — только влажное, обволакивающее или льющееся, да и себя я ощущала скорее влагой, чем твердым телом. Но влагой не растекающейся, а собранной, вроде неразошедшегося кусочка крахмала в жидком киселе или медузы в прибрежной пене. Богатство впечатлений, воспринимаемых мною в этой слепоте, было огромным, но все они располагались по поверхности моего не вполне определенного в своих границах тела, а само мое Я — в середине, глубоко укрытое... Впечатления ближе всего к пищевым — вкусное, невкусное, нежное, шероховатое, густое и клейкое, иногда сладкое и столь острое, что вызывало дрожь и озноб, и просто сладкое, и особенно сладкое, от чего невозможно оторваться, и оно засасывало как будто всю меня, и куда-то вело. И были разного рода движения, вроде плавания, но более хаотичные и с большим усилием, и были в этом движении встречи разнообразных потоков, которые омывали то ласково, то очень энергично, вроде массажа. Гладили, касались меня щекотно, нежно засасывая и отпуская...

Самое главное — удовлетворение. Голода, жажды, потребности касания и взаимодвижения жидкостей. Наверное, это было первично-половое удовлетворение, но не связанное с каким-то определенным другим существом. Это была ласкающая, плодородная среда, вся состоящая из набухания, излияния и частичного растворения меня в другом, другого во мне...

Состояние блаженное. Но длинные редкие нити боли иногда вплетались в это блаженство и побуждали к движению, и новое движение приводило к новому блаженству... Приблизительно вот так...

А потом наступило нечто новое и ужасное. Если бы и так не было абсолютно и беспросветно темно, можно было бы сказать — наступил Мрак. Он был больше любого сознания, всепроникающий как вода или воздух, неудержимый, как стихия. И мое маленькое Я в сердцевине зыбкого тела все скорчилось от муки страха.

Это — не боль человеческая, у которой есть свои пределы — начало, конец, нарастание, спад. Мука, которую я испытывала, не имела протяженности. Она была абсолютна, как геометрическая точка. И вся была нацелена в меня. Нечто в этом роде я испытала в детстве, когда попала в место, где обитал мой покойный дедушка.

Я испытывала особого рода тошноту. Но выворачивался не желудок, не его содержимое, а само мое Я рвалось прочь из тела, не находило выхода и судороги сотрясали меня. Моя неприкосновенная, тайная и драгоценная сердцевина, оберегаемая всей толщей моего жидкого тела от внешних потоков, холода, тепла, кислой остроты и навязчивой сладости, трепетало все сильнее и мучительнее, а тело со всеми его студенистыми сосудами, чувствительными нежными устьицами, принимающими в себя густые кисловатые струи, и пальцевидными остростками разных видов, умеющими выделять из себя собственные жидкости, созидаемые заново внутри моей плоти, все это сложно-устроенное тело жаждало сократиться, уйти, спрятаться от влажного ужаса, который океаном покрывал поверхности всех тел... Тело как будто знало, что ужас проникает насквозь, а не только растекается по поверхности...

Эти два желания шли навстречу друг другу — сердцевина, пропитанная ужасом изнутри, рвалась наружу, а телесная часть, стремясь укрыться от ужаса внешнего, стремилась войти внутрь — и в момент полной непереносимости все существо мое сжалось, спало и почти перестало быть...

Хотя судороги и корчи разрывали меня на части, в этой адской боли был оттенок наслаждения.

Мелкая вибрация, которая поначалу едва ощущалась и

была только слабым фоном, усилилась, приняла форму завитой ракушки и началось всасывание, от которого мрак, казалось, достигший своего предела, поднялся еще на один градус. И тогда существо мое не выдержало, внутри что-то рванулось и сдвинулось — я выворачивалась наизнанку и сразу же догадалась, что вместе со мной выворачивается весь мир...

Это было мучительно, но обнадеживающе. В этом выворачивании я уже принимала участие, почти как роженица, физически и душевно помогающая тому процессу, который все равно состоится и без ее участия... Только будет дольше и трудней. И я, именно как роженица, старалась вывернуться получше, спрятав внутрь все мои протяженные органы, прежде свободно взвешенные в водах, и выталкивая наружу мое сокровенное. Я чувствовала, что у меня получалось. Силы мои были на исходе, ужас почти отступил, теперь возникло новое, прежде совсем не известное мне чувство — мне надо было торопиться. В этом новом, еще не совсем совершившемся воплощении, уже тикало, уже отмечало невидимые рубежи новое измерение — времени. Я постаралась поторопиться — и какая-то невидимая пленка лопнула с оглушительным звоном. Я вывернулась. Я вырвалась наружу.

Блаженство — это состояние не-боли. Пока я не знала боли, я не могла вообразить и блаженства. Ни ужаса, ни боли, его разновидности, больше не было. Весь мир стал иным, но и я стала иной. Лишь малая часть моего Я осталась неизменной, но она была так мала, что едва держалась сама в себе, вся была на грани растворения, на грани исчезновения.

Огромная новизна состояла в том, что тело, привычно располагающееся вокруг своего неопределенного центра, все было теперь внутри, а мое сокровенное нутро оказалось снаружи и ощущало слабый ток, легкое движение своей вновь образовавшейся поверхностью. Вероятно, тело мое, привыкшее извлекать из внешнего мира все нужное для своего строительства и движения, не все ушло внутрь: по меньшей мере одно большое устьице осталось на поверхности и само собой раскрылось. Не влага, не вода — воздух наполнил мое внутреннее тело, оно слегка раздулось, а потом опять спалось. Началось дыхание. Но я даже не успела как следует обдумать новую мысль, что у каждого вообразимого блаженства, как и у боли, есть еще одна ступень вверх, как на моей новой поверхности что-то расклеилось, раскрылось для новых устьев и я увидела Свет. Мое Я прозрело? Или в мире произошло что-то, чего в нем прежде не было? Не знаю. Образовался Свет. И образовались Глаза. И я их закрыла, оттого что на вершине блаженства была боль...

Кому и зачем я пишу эти «Записки сумасшедшего»? Кто поверит мне, если я и сама себе не вполне доверяю? Дочитаешь ли ты все это до конца? Прочитает ли это вообще кто-нибудь? И зачем? Может, и не надо вовсе... Вроде обращаюсь к тебе, Танечка, но временами забываю и пишу что в голову приходит, только чтобы не растворилось.

Вчера пришла с работы, Василиса говорит — тебе звонила... Через пять минут я уже не помню, какое имя она назвала. Переспрашиваю. Василиса снова называет имя. А сегодня утром я опять не помню. Более того, мне кажется, что я с кем-то из подруг вчера разговаривала по телефону, но не могу вспомнить, с кем... Какая-то странная рассеянность, полное отсутствие внимания. Стараюсь, чтобы не замечали. Мне кажется, что меньше всего это несчастное качество проявляется на работе. Там я ничего не забываю, ничего не путаю. Только вот никак не могла запомнить имени новой чертежницы. Пришлось написать записочку и положить в стаканчик для карандашей — «Валерия». Правду сказать, сразу и запомнила. Вот, вспомнила, наконец, кто вчера звонил — это была Валя, жена Ильи Гольдберга. Говорила из уличного автомата, что-то невнятное, я толком не поняла. Просила, чтобы ПА принял в чем-то участие. А я забыла ему передать...

Мне кажется, ПА замечает, что со мной что-то не в порядке. Иногда я ловлю на себе его «медицинский» взгляд. Со дня смерти Лизаветы-дворничихи уже больше полугода, наши отношения совсем разладились. Он несколько раз пытался со мной объясниться, я вижу, он страдает из-за нашего разлада, но я ничего не могу с собой поделать. Слова, которые он тогда сказал, все стоят между нами, и я не знаю, смогу ли я это когда-нибудь забыть. «Ты — не женщина. У тебя нет этого органа». Это правда. Но почему это так оскорбительно?

В доме стало совсем плохо. Всем плохо. Только маленький наш приемыш чувствует себя отлично. Посыпает сахарным песком белый хлеб с маслом. И съедает каждый день по батону. Со счастливым самозабвенным лицом. Но смотрит при этом вкось — виновато и воровато. Она поправилась. Танечка подтянула ее в учебе. В конце концов, это просто непостижимо — из-за нее я потеряла ПА.

Танечка, зачем я пишу это тебе? Тебе только двенадцать лет! Но ты вырастешь и кого-нибудь полюбишь, и тогда мне все эти глупости простишь.

Он много пьет. От него все время пахнет водкой, то свежей, то перегаром. Он очень мрачен, но, я уверена, что дело не только во мне.

На старый Новый год — Василиса признает только старый календарь — она приготовила стол, испекла свой нескладный пирог с капустой, толщиной в ногу, сделала картофельный салат с колбасой. Сварила студень из ног. Весь день воняло в доме ее варевом. Кончился на время ее нескончаемый пост. Вечером ПА вышел к столу, положил газету передо мной. Статья отчеркнута — о врачах-убийцах. Я посмотрела в список — половина его друзей. В большинстве евреи. Он налил стакан водки, закусил пирогом. Потом подмигнул Танечке, погладил по голове Тому — она вся расцвела — и ушел в кабинет... Очень хотелось с ним поговорить, но невозможно.

Легла спать и перед сном попросила — объясните мне, что происходит, что со всеми нами будет. Но мне ничего не показали.

14

С тринадцатого января нового, тысяча девятьсот пятьдесят третьего года Павел Алексеевич ушел в очередной запой. Но в этот раз не было ни веселого разгула, ни дачи. Он был хмур, молчалив, к телефону не подходил. В клинику ездил не чаще трех раз в неделю, часам к двум уже возвращался. Танечка, с которой он всегда проводил много домашнего времени, теперь постоянно находилась в обществе Томы.

Оба они, и Павел Алексеевич, и Таня, стеснялись оставить Тому одну, обидеть ее, и только ранним утром Таня всовывалась на несколько минут к отцу в кабинет — пошушукать, похихикать, шепнуть в ухо одно из глупых детских прозвищ.

Еще двое детей часто появлялись в доме, сыновья Ильи Иосифовича Гольдберга, Геннадий и Виталий, худые, нескладные, с ломкими голосами и буйными прыщами, они почти ежедневно приезжали обедать. Их пригласила Елена, зная, как тяжело живет семья: Гольдберг сидел еще с сорок девятого года, а теперь Валю, работавшую в лаборатории еврейского врача, только что арестованного, сократили в один день. Оставшись без работы, она заболела — теперь из одного сердечного приступа уходила в другой, делая перерыв только для поездки с передачей. Сама не переставала удивляться, с чего это она оказалась такая болезненная...

Василиса, через корявые и благотворительные руки которой протекли сотни денежных переводов и посылок, была недовольна обеденными визитами: по ее понятиям, милостыню следовало подавать хлебом и мелкими рублями, а не господскими котлетами. Елена догадывалась о причине Василисиного недовольства, но помалкивала...

По всей стране шли собрания возмущенных граждан, а уж в системе здравоохранения все эти мероприятия проводились с особым вдохновением. Все сколько-нибудь заметные люди обязаны были высказаться и заклеймить преступников. Павла Алексеевича впервые озарило простой мыслью, что всех, поголовно всех врачей вовлекают в соучастие в позорном обвинении. У него самого не было ни малейших сомнений в полной невиновности врачей. Павел Алексеевич переживал сильнейшую депрессию и впервые в жизни задумался о самоубийстве. Толстый, переплетенный в красную кожу том Моммзена с его тщательнейшей историей Рима лежал постоянно на его столе и нашептывал свое: в пост-античном мире, столь любимом Павлом Алексеевичем, самоубийство почиталось не грехом, а мужественным шагом из безвыходности, для сохранения чести и достоинства. Эту соблазнительную мысль Павел Алексеевич примерял на себя.

Расхождения с женой, которые никак не штопались, а скорее всего только углублялись, удручали его. Любимая дочь была слишком мала, чтобы делать ее наперсником. Ближайшие друзья оказались почти все арестованы: генетик Илья Гольдберг, патанатом Яков Шапиро, офтальмолог Петя Кривошеин... Кроме, пожалуй, одного Саши Маклакова, старого университетского товарища, давно уже из практической медицины ушедшего в чиновники и совершенно неожиданно оказавшегося в числе вдохновенных гонителей евреев...

Но самый большой сюрприз ожидал Павла Алексеевича в собственном доме — Василиса Гавриловна, истинный и убежденный ненавистник советской власти, впервые в жизни клюнула на ее крючок: идея тайных врагов, хитроумных врачей, евреев-колдунов нашла отзыв в ее средневековой душе. Складывалась общая картина жизни — евреи сделали революцию, убили царя, разорили церковь. Чего же еще ожидать от тех, кто Христа распял?

Василиса ужасалась, охала, молилась. С улицы, из магазинных очередей приносила интереснейшие истории о врачах, заражающих больных трупной кровью, ослепляющих новорожденных младенцев и прививающих рак лопоухим пациентам русского происхождения. Появилось огромное количество очевидцев и жертв. Люди отказывались лечиться у еврейских врачей, начался массовый психоз страха отравления и порчи... Сокращения штатов, чистки, правилки... Разоблачительница подпольной банды Лидия Тимашук получила орден Ленина...

В эти месяцы Василиса вынужденно осталась единственной собеседницей, а вернее, слушательницей Павла Алексеевича. Елена уходила на работу, девочки в школу. Василиса, после утреннего продуктового рейда, возвращалась домой и заставала на кухне Павла Алексеевича, поджидавшего ее со сваренным кофе. Он проявлял крайнюю степень нечувствительности и совершенно игнорировал явный неинтерес и полную неспособность Василисы хоть как-то поддерживать разговор. Пока она разгружала латаные кошелки, он располагался с чаем или чем покрепче и начинал неторопливую лекцию...

Собственно, лекция эта была рассчитана на иную аудиторию, более просвещенную и более многочисленную, но таковой не было — не студентам же было рассказывать о своих исторических изысканиях, касавшихся на этот раз не медицинских проблем, а истории антисемитизма и его религиозных и экономических корнях. Моммзен послужил первым источником, после чего Павел Алексеевич пошарил у Иосифа Флавия и настоящих античных авторов, почитал Блаженного Августина, кое-кого из святых отцов церкви... Устремился по направлению к средневековью... Антисемитизмом, к его удивлению, страдала вся христианская цивилизация.

Василиса хмуро чиркала ножом по морковке, перебирала пшено и гречку, рубила капусту. Нельзя сказать, чтобы она совсем не слышала Павла Алексеевича, но блестящие его лекции были для нее как на чужом языке. Извлекла она лишь некую общую мысль, что Павел Алексеевич не верит в злокозненность евреев, а, напротив даже, осуждает тех, кто на евреев нападает. Павел Алексеевич, распаляясь, цитировал что-то на латыни и по-немецки, чем вводил бедную Василису в еще большее смущение. Уж не еврей ли сам? Еще недавно она верила в Павла Алексеевича как в господа бога, но после рокового открытия, после его собственного признания, что он все силы кладет, чтобы государство узаконило детоубийство, она не знала, как к нему относиться. Сколько всего роздал, без счета, скольким помог, имени даже не зная, — и детей вырезает из чрева, убивает деточек... А уж не антихрист ли? Всех оттенков между черным и белым, не говоря уже о розовом и зеленом, она как будто и не замечала, и потому, поджав губы, жарила лук и хранила полное и неодобрительное молчание.

Как-то, допив в процессе двухчасового монолога бутылку водки, Павел Алексеевич заметил, что Василиса не притронулась к сваренному им собственноручно кофе.

— Василиса, голубушка, что же вы кофе не выпили? Уж не отравы ли боитесь? — пошутил он.

— А хотя бы и так, — буркнула Василиса.

Павел Алексеевич было засмеялся, но смехом своим подавился. Настроение его, как бывает у пьяных, мгновенно переломилось. Отвращение к жизни захлестнуло его. Он помрачнел, обвис:

— Великий народ, черт бы его побрал...

Василиса перекрестилась и зашептала охранительную молитву: Павел Алексеевич был теперь у нее на подозрении.

15

Сталинская эпоха окончилась пятого марта, но об этом еще долго не догадывались. Ранним утром объявили по радио о смерти вождя. К этому времени он был мертв уже несколько дней, но растерянность тех, кто должен был теперь вести вперед советский корабль, была столь велика, что они решили сперва известить миру о его болезни. Эти фальшивые бюллетени о состоянии здоровья покойника сообщали не только о постепенном ухудшении уже не существующего здоровья. Приводили медицинские слова и цифры, которые сами по себе мало что говорили обыкновенным людям, но само сочетание слов «Анализ мочи в норме» означало, что небожители тоже расстегивают ширинки, достают большим и указательным пальцами член и производят некоторое количество мочи. Пусть даже и самого отличного качества, но мочи! Это был первый, но сокрушительный удар по культу личности. Новым правителям тоже надо было время свыкнуться с мыслью, что даже самые бессмертные в конце концов умирают.

Народонаселение страны реагировало бурно: рыдали, падали в обмороки, валились в шоковые инфаркты. Другие облегченно вздохнули, тайно возрадовались и в душе ликовали. Но даже тайные враги умершего вождя — явных у него давно уже не было — пребывали в растерянности: а как же без него жить?

В семье Павла Алексеевича был представлен полный спектр возможных реакций. Тома, удивившая всех деловитой прохладой на похоронах собственной матери, на этот раз совершенно захлебнулась от горя. Полных два дня она рыдала с небольшими перерывами на сон и еду. Хлеб свой, буквально по-библейски, обливала молчаливыми слезами.

Таня испытывала большое беспокойство и неловкость: она не находила в своей душе ничего сравнимого с теми горячими чувствами, которыми исходила Тома. Было стыдно за собственную бесчувственность, и она, насколько возможно, заимствовала Томино горе. Та плакала столь сладко и самозабвенно, что Тане, из жалости к ней, удалось прокатиться за чужой счет и проронить несколько слезинок.

Павел Алексеевич испытал огромное облегчение: будут перемены, теперь будут перемены. Абсурдное дело врачей, по его мнению, должны были теперь закрыть. Он ожидал послабления и даже вынул из стола успевшую слежаться папку с жирной синей надписью «ПРОЕКТ»...

Зато Василиса, давняя ненавистница властей, в день объявления о смерти Сталина злорадствовавшая, на второй день вдруг помрачнела, впала в ступор и все повторяла, покачивая непрестанно головой с мелким кукишем под черной штапельной косынкой:

— Что же теперь будет-то?

Павел Алексеевич, видя ее растерянность, усмехался:

— Да проживем с божьей помощью!

Елена, услышав замечание Павла Алексеевича, улыбнулась: ей показалось очень забавным, что неверующий Павел Алексеевич напоминает Василисе о божьей помощи.

«Вот немного поутихнет, еще раз попробую своих разыскать», — решила Елена.

Судьба ее родителей с самого тридцать восьмого года была покрыта непроницаемой тайной. Десять лет без права переписки окончились давным-давно, но в ответ на свой запрос, отправленный еще в сорок девятом году, она получила ответ, из которого следовало, что, не будучи своим родителям даже родственницей, она не имеет права подавать запрос. Вынужденное обстоятельствами удочерение Елены бабушкой, защитив ее от репрессий, лишало теперь права выяснить судьбу потерявшихся на Алтае настоящих родителей...

— Еще хуже теперь будет, еще хуже, — бормотала Василиса.

А Елена, тихая, как всегда, Елена только качала головой:

— Не будет хуже, не будет...

Учиться и работать в дни всенародного траура казалось кощунством. Служащие приходили на работу, их собирали на митинги. Высокое, более мелкое и совсем мелочное начальство, а также рядовые советские люди произносили горестные нескладные слова, манная каша пополам с малиновым вареньем, плакали, составляли скорбные телеграммы с высочайшим адресом: Москва, Кремль... Потом пили чай с постным видом, курили до одури и снова говорили те же самые слова, корявые и искренние, и снова плакали, но уже не с трибуны, а в курилке... Некоторые особо мыслящие стыдливо отводили глаза, не находя в душе сочувствия, а в слезных мешках — слез.

Детей собирали в школах, но занятий не было, вместо них происходило какое-то изнурительное нервное безделье. Читали стихи о Сталине, слушали Бетховена из черного репродуктора... Таня хорошо запомнила эти ватные неповоротливые часы, заполненные духотой и выросшей из обыкновенной школьной скуки инфернальной тоской. У гипсового бюста, увитого гирляндой из остролиста и искусственных цветов, стояли в почетном карауле обрыдавшиеся пионерки, почти такие же гипсовые, как сам усопший вождь. Худенькая Соня Капитонова, занимавшая обыкновенно самый высокий этаж в гимнастической пирамиде и еще недавно, стоя на шатких плечах более упитанных компатриоток нижнего яруса, восклицавшая с живой верхотуры «Спасибо товарищу Сталину за наше счастливое детство!», рухнула у подножия бюста в обморок и ударилась виском о массивный подиум.

Бравый преподаватель физкультуры, чуть ли не единственный мужчина-педагог, отнес ее в кабинет врача на руках, к нескрываемой зависти старшеклассниц. Учительницы забегали, вызвали «Скорую помощь», толпа девочек, возбужденных событием, толкалась возле кабинета врача, а Таня стояла у окна в предбаннике уборной, разглядывала заоконную снежную муть и снова печалилась о собственном жестокосердии.

Уже стало известно, что всенародное прощание начнется завтра с двенадцати, в Колонном зале Дома союзов. Директриса сказала, что всех поведут организованно, но не в первый день. Девочки волновались, что их обманут и не поведут. Тома была полна решимости все разведать заранее и пойти самостоятельно, рано утром, чтобы загодя занять очередь. Она была почему-то уверена, что от школы возьмут только старшеклассниц и отличниц.

Тома училась довольно плохо, хотя с Таней и подтянулась, но житейской сообразительности у нее было хоть отбавляй.

Тома разыскала Таню в уборной, притянула, прижалась к уху, зашептала:

— Надежда Ивановна сказала, что завтра все пойдут в Колонный зал, прощаться. Там гроб поставили, кто хошь, иди, смотри. Пойдем?

— Нас не пустят, — покачала головой Таня. — Папа ни за что не пустит.

— А мы ему не скажемся. Пойдем вроде в школу и не скажемся...

Таня задумалась — предложение было соблазнительным. Ей очень хотелось посмотреть на мертвого Сталина. К тому же она вспомнила, как ее не взяли на похороны Томиной мамы. С другой стороны, она не научилась обманывать домашних...

Девочки вместе вышли из школы. На последнем повороте к дому Тома остановилась, как маленькая коза, и заявила твердо:

— Ну, ты как хочешь, а я прям сейчас поеду в Колонный зал и все разузнаю...

Это был первый случай за всю их почти годичную совместную жизнь, когда Тома приняла собственное и независимое решение. Обыкновенно она во всем подчинялась Тане. Таня потопталась на месте — и они разошлись в разные стороны: Таня свернула, как обычно, домой, на Новослободскую, а Тома пошла вниз по Каляевской, к центру...

Дома была только Василиса, и она не спросила, где Тома. Вернулась Тома только к шести. Отсутствие ее прошло незамеченным. Перед сном девочки долго шептались. Тома благодаря своей экскурсии знала то, чего не знало еще большинство москвичей: Центр оцеплен, грузовики и военные перегородили все проходы, и люди уже с вечера начали собираться в колонны...

Спала Таня плохо: снился нескончаемый сон, из которого ей все хотелось проснуться, но не получалось. Во сне ею владело тяжкое чувство долга и брезжила смутная идея, что если она проснется, то увильнет от выполнения важного задания... Задание в том заключалось, что надо было отнести куда-то нечто важное. Что именно было это важное, в памяти не сохранилось, но оно было небольшое, размером с кулак, совершенно неопределимое и к тому же невидимое. И всю ночь бедная Таня поднималась по пустым лестницам, искала переходы и лифты. Ей нужно было найти какой-то адрес, но не было видно не то что номеров, но даже и дверей, где эти номера могли быть написаны. И при том еще она торопилась, потому что в навязанных сном условиях присутствовала срочность доставки. Однако все, кто попадался навстречу, то ли ее боялись, то ли вредничали — никто не хотел с ней говорить...

Тома разбудила Таню очень рано. Она всегда просыпалась по-деревенски легко. Девочки прошмыгнули на кухню. Василиса еще не вышла из чулана. Значит, не было и половины седьмого.

Это был заговор, побег, прогул и плюс к тому экскурсия. Таня приготовила бутерброды и завернула в лист исчерченной синьки с материнской работы, в которые всегда все заворачивали. Отец брал обыкновенно на дальние прогулки термос, но Таня не знала, где он спрятан. Тома вскипятила чай, они выпили по стакану чая со вчерашней заваркой. Таня прислушалась — в чулане еще шло бормотание, но надо было спешить. К семи часам Василиса кончала свое правило.

— Записку ты напишешь, — с затаенной повелительной интонацией сказала Таня, протягивая Томе клочок бумаги.

— А что писать? — спросила Тома.

— Что нам сегодня в школу надо пораньше.

— Ты сама напиши, ты пишешь лучше, — заканючила Тома.

— Если я напишу, они сразу догадаются, что я вру, — и Таня сунула в руки Томке карандаш. — Пиши, пиши.

Надели шубы. Тома — новую, недавно специально для нее купленную. Таня — старую, надставленную полоской другой цигейки. Тома сунула ноги в валенки с калошами. Таня зашнуровала высокие ботинки с кучерявой опушкой. Гордые красные ботиночки, сшитые на заказ в закрытом ателье. Ни у кого таких не было. Павел Алексеевич был недоволен, когда увидел эту обновку, — нехорошо выделяться. Но в тот день все мелочи имели значение, даже и эти тщеславные ботиночки...

Через пять минут они спустились вниз, спрятали за батареей два школьных портфеля, предварительно переложив бутерброды в карманы шуб, и пошли к Новослободскому метро. Но доехали только до Белорусской. Пересадка в Центр была закрыта, а, когда вышли, обнаружили, что улица Горького перегорожена. Они увидели огромное множество красно-черных флагов, и хозяйственная Тома удивилась, когда же столько успели нашить. Потом они вернулись пешком на Новослободскую и вышли по Каляевской на улицу Чехова.

По мере приближения к Пушкинской площади народу все прибывало, и хотя транспортного движения не было и люди шли прямо по проезжей части, возле Пушкинской все застопорилось, проход на улицу Горького был перекрыт грузовиками и цепью военных. Тома, гораздо лучше знавшая город, потянула Таню куда-то влево, и они оказались на Пушкинской улице, в тесной толпе молчаливых людей.

В городе, привыкшем к очередям, такой большой очереди никто никогда еще не видывал. Пока что она сохраняла и очертания, и характер очереди: шевелилась, слегка продвигалась вперед, покачивалась, переругивалась, воняла и выполняла, казалось, свое назначение — по порядку, по справедливости предоставить каждому по равному кусочку желаемого, в данном случае, некоторую долю зрелища, о котором каждый из участников до конца своей жизни будет рассказывать... Но была одна особенность у этой очереди, которая делала ее единственной и неповторимой во всей советской жизни: люди пришли сюда по своей воле, а не по бытовой необходимости — вырвать пайку хлеба, кусок мыла, литр керосину или пуд пшена... Они стояли в очереди с ночи, чтобы отдать гражданский долг, поклониться, восскорбеть соборно, высказать свое горе... и еще что-то стихийное, глубоко-животное, как предчувствие землетрясения или запах дальнего лесного пожара, выгнало их из домов и собрало в тесное единое стадо. Кто не мог, как маленькая Таня, найти в глубине души этого неодолимого зова, тот оставался дома... Но Таню все-таки привела простодушная Тома, человечек дворовый, коммунальный, в большей мере подвластный стадному закону.

Никто не организовывал этого похоронного марша, как обыкновенно организовывались все демонстрации. И милиция, отчасти парализованная введением войск, отчасти сбитая с толку разнообразными и взаимоисключающими распоряжениями городских властей, никак не могла управиться с этими смиренными очередями, медленно и неотвратимо першими друг на друга.

Девочки протискивались между людьми, миновали театр, куда еще недавно их водили на «Лебединое озеро», а теперь просто невозможно было и представить, что на свете существует такая изумительная глупость, как балет... Они пробуравились до угла Столешникова и застряли возле маленького цветочного магазина на углу. Витрина полуподвального магазина расположена была так низко, что толстая водопроводная труба, вбитая в стену дома, ограждала уходившее вниз на полметра витринное стекло. Редкая чугунная сетка закрывала прямоугольный люк под окном. Медленное тугое движение как будто немного застопорилось, а потом вдруг откуда-то снизу, от Пушкинской, странной приливной волной пошел звук — среднее между гулом и воем, протяжным стоном и сдавленным криком...

Звук этот приближался, нарастал и казался чем-то совсем отдельным от толпы, вроде ветра или дождя. Девочки, державшиеся за руки, еще крепче вцепились друг в друга. Остановившаяся было толпа тронулась и понесла их прямо на трубу, ограждающую витрину. Но стоявшая перед ними женщина с большой чернобуркой криво развернулась и дико взвыла. Труба как будто сломала ее пополам. Она повисела на трубе мгновение, и напирающие сзади люди впихнули нижнюю часть ее тела в люк, и она вся туда рухнула с тяжким стуком… И когда падала, была уже такая же мертвая, как и лисица на ее плечах.

Мимо трубы девочек пронесло, а потом поволокло к противоположной стороне улицы прямо на один из грузовиков, стоявших вплотную друг к другу. Они видели, как только что женщину раздавило о трубу, и понимали, что ничего не смогут сделать, если их вомнет в борт.

— Пригнись! — крикнула Тома. Это было единственное возможное движение — вниз. Их занесло прямо под машину. Здесь, между колесами, среди разрозненных калош, они легли на землю — спрессованные ноги и полы одежды справа и слева загораживали свет. Было душно, страшно. Тома заплакала.

— Не плачь, — сказала Таня.

Тома повернула к ней белое лицо:

— Сталина жалко…

— Ну ты дура, — сказала Таня взрослым усталым голосом.

Сталина ей было ни капельки не жалко. На душе было очень скверно, как от дурного поступка. Наверное, оттого, что они прогуляли школу. Как стыдно и неприятно, что она наврала… Особенно перед папой… Домашние уже наверняка знают, что они не были в школе, Василиса ждет с обедом и удивляется, куда они запропали.

Под грузовиком пролежали они довольно долго. Воняло общественной уборной, машинным маслом и бензином. В какой-то момент лес из обуви, обтрепанных штанов и подолов пальто дрогнул, сдвинулся и как будто чуть-чуть поредел.

— Давай попробуем выбраться. — Таня потянула Тому из-под грузовика.

И в тот же миг образовался какой-то просвет, и они выскользнули наружу из своего укрытия. Пока они лежали под грузовиком, забылось, как легко потеряться в толпе: взаимная хватка ослабла, руки расцепились, и их тут же разволокло в разные стороны... Они отчаянно закричали, но, еще слыша голоса друг друга, уже плыли, как две щепки в речном потоке, в самом неопределенном направлении...

Когда они потеряли друг друга, сильный, но все-таки обыкновенный страх уступил место паническому ужасу. Тому разворачивало и вело к стене дома, первый этаж которого — витрину мехового комиссионного — успели заложить досками. Досками заколотили изнутри и двойные парадные двери, выходящие на улицу. Внизу, на уровне Томиной груди, часть деревянной двери была выбита, доски расходились. Когда Тому прижало к этим доскам, она надавила на одну из них плечом, та подалась, и Тома ввалилась в темное пространство между двумя дверьми и оказалась внутри, как в шкафу. Она села на корточки и затихла.

Тома не помнила, сколько минут или часов просидела она, скорчившись, наблюдая в широкую щель между досками за медленно сменяющими друг друга ногами в растоптанной обуви... До тех пор, пока не увидела родной красный ботинок. Ее как подбросило. Она отодвинула доску, вцепилась в ногу повыше кудлатой меховой оторочки и закричала изо всех сил:

— Таня! Танечка!

Тане показалось, что за ногу ее ухватила собака.

«Откуда здесь взяться собаке?» — мелькнуло в голове, и тут до нее донесся Томин голос:

— Танечка! Давай сюда, вниз!

Не отпуская Таниной ноги, Тома всем своим тощим телом надавила на отошедшую доску, та послушно отодвинулась, и Таня, присев, втиснулась в узкое пространство между дверьми. Это движение вниз, к земле, которое погубило в тот день многих, девочек спасло.

Они рванулись друг к другу, как разлученные возлюбленные, обнялись и замерли. Именно в этот момент они стали сестрами. Все прежнее оставалось: Танино неоспоримое превосходство и снисходительное покровительство и

Томино приниженное почтение, и холопская благодарность, и внутренняя искательная зависимость, но их вынужденное обстоятельствами сестринство, до этого времени сомнительное, даже фальшивое, стало подлинным. Всю жизнь они помнили об этой минуте, не выветрилось воспоминание о многочасовом объятии в парадном, в десятисантиметровой близости от сдавленной толпы, от самой смерти, которая представлялась с тех пор обеим как тесное, темное, смрадное место, где несчастные узники сдавлены и спрессованы до полной неразличимости лиц, конечностей, самых душ...

И вдруг Тома воскликнула:

— Тань, а портфельчики-то наши за батареей в подъезде лежат!

— А бутерброды-то, бутерброды! — вспомнила Таня и вытащила из кармана насмерть раздавленные бутерброды.

И они залились смехом — неизвестно почему. А скорее всего потому, что в этом нуждались их измученные страхом детские души...

Василиса Гавриловна тем временем бегала по темным окрестным дворам с заклинательными воплями:

— Таня! Тома! Домой!

Елена Георгиевна стояла в коридоре возле висячего телефона и онемевшим пальцем крутила черный диск: всюду было занято — в милиции, в морге, на станции «Скорой помощи»... Павел Алексеевич, еще в четвертом часу отправившийся на розыски девочек, и сам пропал. Сунув в карман пальто офицерскую флягу с разведенным спиртом, он бродил на подходах к центру, повсюду натыкался на армейские и милицейские заслоны и недоумевал, как же ухитрились организаторы похорон устроить Ходынку в центре столицы, пронизанной улицами, переулками, проходными дворами, да и линией метро, в конце концов. Он никак не мог найти место, где бы вытекал хоть ручеек из оцепленной толпы. О том, чтобы найти девочек — а он не сомневался, что они улизнули из дому на похороны, — не могло быть и речи.

Он стоял на углу Каляевской и Оружейного, прислонившись к стене молочного магазина. На дне фляги, он помнил, было еще немного, он вытащил этот последний глоточек, сунул пустую флягу в карман и в этот же миг почувствовал, как кто-то тянет его за рукав. Лупоглазый пронырливый мальчишка заглядывал снизу ему в глаза:

— Дядь, хочешь, проведу?

— Куда? — не сразу понял Павел Алексеевич.

— Я проход знаю, — мальчишка сделал неопределенный жест в сторону Каретного.

Павел Алексеевич махнул рукой и зашагал прочь. Настроение было самое мрачное. У Белорусского вокзала он увидел целую колонну машин «Скорой помощи»... Они застряли в грузовиках оцепления.

— Гекатомба, гекатомба, — сказал Павел Алексеевич вслух неожиданно для самого себя. Но он еще не знал в этот миг, насколько он был прав.

16

Павел Алексеевич так никогда и не узнал о судьбе чудовищного препарата, занесенного им на Старую площадь в высокий партийный кабинет. Осторожный чиновник, хотя и был под большим впечатлением от общения с безумным медиком и пресловутым препаратом, не решился поднять на Политбюро вопрос о столь щекотливом предмете.

Несколько лет стеклянная банка простояла завернутой в бумагу на нижней полке большого шкафа и была вынесена уборщицей перед очередным Первым мая, в горячке генеральной уборки по поводу светлого праздника в большой мусорный бак в подвале.

Мыльное лицо, как ни странно, оказалось впечатлительным, и через несколько месяцев после смерти вождя проект о разрешении абортов был рассмотрен и обсужден. Государство, убившее за тридцать пять лет своего существования бессчетные миллионы своих граждан, позволило женщинам решать судьбу анонимной жизни, завязавшейся в утробах без их на то желания. Поставлено было несколько полубожественных подписей, верховный клапан открыли, по медицинским учреждениям разослали соответствующее циркулярное письмо, разрешающее искусственное прерывание беременности.

Бывший высокий партийный чиновник, совершивший свое последнее олимпийское восхождение — дальше уж было некуда, — до самой своей смерти, вскоре и последовавшей, считал себя благодетелем рода человеческого, сам же Павел Алексеевич так никогда и не узнал, какую роль сыграла злосчастная банка, привезенная им на Старую площадь...

Судьба несчастных заложниц пола не переставала беспокоить Павла Алексеевича, он по-прежнему выступал на всех конференциях, связанных с охраной детства и материнства. Он не считал, что одержал победу — состояние родильных домов и детских учреждений было, по его мнению, катастрофическим. Он снова вернулся к своему главному проекту, безнадежно пытался убедить руководителей страны в необходимости пересмотра принципов финансирования здравоохранения, произносил гневные речи об охране среды обитания, о множественности факторов, ведущих к ухудшению здоровья будущего поколения людей... Слово «экология» тогда еще не употреблялось.

К середине пятидесятых годов научные интересы увели Павла Алексеевича в неожиданном направлении. Исследуя некоторые виды женского бесплодия, Павел Алексеевич обнаружил не известные прежде фазы в пределах месячного цикла. Он обратил свое пристальное внимание на женщин, родивших ребенка после многолетнего бесплодия. Деток таких он называл «Авраамовыми», а женщин, родивших первого ребенка от первой беременности после многолетнего бездетного брака, тщательно исследовал, опрашивал...

Параллельно с этим он через работы знаменитого Чижевского подошел к рассмотрению космических природных циклов, к теме биоритмов. Из эмбриологических исследований было известно, что клеточные деления зародыша происходят действительно с точностью часового механизма. Сопоставив суточную активность человека со скоростью процессов, происходящих в организме женщины, он, теоретически рассуждая, пришел к выводу, что существует некоторый процент женщин, которые не могут забеременеть в ночные часы.

В его рассуждениях было много интуитивного, не поддающегося на современном научном уровне исследованию, но в основе лежала догадка о существовании яйцеклетки с необыкновенно короткой фазой активности.

В конце пятьдесят третьего года на поликлинический прием к Павлу Алексеевичу пришла изумительной красоты немолодая уже супружеская пара, азербайджанцы из Карабаха. Он был художник, из знаменитой семьи ковровщиков, утонченный, смугло-седой, тонкий. Жена была похожа на мужа как его уменьшенная копия — та же тонкость, тот же персидский рисунок лица. Красно-лиловый шелк платья, изумрудной зелени шаль, украшения из темного старинного серебра...

Анализы их были в полном порядке. Два здоровых человека, не родившие за двадцать лет брака даже одной девочки... Горе и бесчестие жены.

Павел Алексеевич смотрел на них до неприличия долго и все вслушивался: тайный его советник настаивал.

— Вы будете ложиться с женой, когда солнце в зените, — сказал Павел Алексеевич строгим голосом. — А через год приедете...

Пара эта приехала не через год, а через полтора. И привезли с собой замечательный живот, тугой, высокий, с красивой маленькой девочкой внутри, которую принял сам Павел Алексеевич, а потом, через два года, еще и мальчика...

Азербайджан, Армения, Средняя Азия — первые пациенты приезжали из тех краев. Потом появились и русские. Приблизительно половина из них были безнадежны, и Павел Алексеевич всегда видел таких и говорил, что ничем не может помочь. Нескольким парам он порекомендовал уехать на несколько лет на восток, в Новосибирск или даже в Хабаровск — это было продолжение и развитие его мыслей, связанных с природными ритмами и часовыми поясами... Теперь стол его кабинета был покрыт какими-то никому не понятными графиками, напоминавшими скорее астрологические карты, чем бланки анализов.

«Авраамовых» деток все прибывало. И про каждого Павел Алексеевич говорил в глубине сердца — ныне я родил тебя... Ребенок полдня, ребенок рассвета, ребенок закатного часа... Богатые дары заваливали его строгий дом — драгоценные ковры, китайские вазы и французская бронза... Он никогда не назначал гонораров, но и не отказывался от приношений. Испокон веку лекари и священники брали плату за свои услуги натуральным продуктом. Пациенты его были, как правило, людьми состоятельными, которым не хватало для полного счастья только ребеночка. Бедные то ли бездетными не бывали, то ли по докторам не ходили...

Медицинские книги, и самые современные западные, и классические, перестали его интересовать, и он проводил много времени в исторической и иностранной библиотеках, читал средневековые трактаты, античные редкости, переводы древних жреческих книг... Что-то выискивал в этих сивиллиных иносказаниях... Тайна зачатия — вот что его интересовало. Не более и не менее.

Его собственная жена плотно затворила для него двери спальни на все часы суток. Он давно уже и не пытался восстановить прервавшееся супружеское общение. После памятного оскорбления она как будто и впрямь перестала ощущать себя женщиной. А было ей немного за сорок, красота ее с годами становилась все более выразительной. Лицо ее как будто было теперь заново нарисовано — художником более строгим и опытным. Ушла материнская припухлость рта и щек, в глазах появилось новое выражение — напряженного внимания, направленного не вовне, а внутрь... Временами Павлу Алексеевичу казалось, что, даже отвечая на его редкие вопросы, она думает о чем-то другом.

Отношения супругов никак нельзя было назвать плохими — они, как и прежде, угадывали желания друг друга, иногда и мысли читали, да только взглядом старались не сталкиваться. Она смотрела ему в шею, он ей — в переносицу...

17

Таня родителям была отрада. Павел Алексеевич, лаская и балуя дочку, выражал тем самым и свою затаенную любовь к жене. И Елена чувствовала это, была ему благодарна, но, каким-то странным образом, отвечала ему тем, что с особым вниманием и старанием общалась с Томой. Эмоциональный баланс какой-то соблюдался, а Василиса осуществляла общую суровую справедливость, раскладывая ровные порции по тарелкам. Смысла в этом давно уже никакого не было, еды было в изобилии, и все, кроме Василисы, забыли о пайках, карточках и распределителе.

Из Тани выросла красивая девушка, очень живая, очень способная к учению всякого рода, и к музыке, и к рисованию, и к наукам...

Школьное обучение уже подходило к концу девятого класса и следовало выбрать профессию, но Таню все бросало из стороны в сторону: до появления в доме Томы она собиралась поступать в музыкальное училище, но, как только Тома у них поселилась, Таня, к большому огорчению Павла Алексеевича, музыку забросила. Не было у него более приятных минут в доме, чем созерцание ее стройной спины с движущимися под свитером тонкими лопатками перед новым инструментом, специально для нее купленным. Павел Алексеевич все хотел допытаться, почему это Таня наотрез отказалась ходить в музыкальную школу, но та отмалчивалась, а потом обнимала его за шею, щекотала за ушами, бормотала что-то про Слоника Ушастого, хохотала, визжала — и ни одного внятного слова.

Существенно позже и Павел Алексеевич, и Елена поняли, что же с Таней произошло — ей, видимо, казалось, что музыкальные ее успехи обидны будут Томе, отродясь никакой музыки, кроме как из репродуктора, не слышавшей...

Отцовская библиотека приобретала для Тани все большую притягательность. Работал Павел Алексеевич, как всегда, много, допоздна задерживался в клинике и, приходя домой и наскоро поужинав в обществе молчаливой Василисы или сдержанной Елены, все чаще заставал у себя в кабинете Таню, расположившуюся в уютном гнезде из двух пледов, диванных подушек, с кошкой и книжкой в руках... Поблизости от Тани устраивалась безо всякого комфорта на кончике стула Тома, все такая же маленькая, как в двенадцать лет, только растолстевшая. Она вышивала двойным болгарским крестом подушку за подушкой, воздвигала в окошке пялец то жирную сирень, то корзину с преувеличенными фруктами. Давно забытый и, казалось бы, утоленный голод побуждал в ней любовь к этой роскоши бедных...

Девочки были очень привязаны друг к другу, и в их привязанности было взаимное удивление: как Таня не могла понять, что за удовольствие в протягивании ниток через жесткую канву, так и Тома недоумевала, как можно полдня сидеть, уткнувшись в скучную книжку.

Павел Алексеевич, наблюдая за столь разными девочками — обожаемой Танечкой и необаятельной Томочкой, плохоньким дичком, занесенным в дом особыми обстоятельствами, — следуя своей манере рассматривать все явления мира исключительно с научной точки зрения, и здесь впадал в теорию, и здесь замечал проявления великих природных законов, может быть, еще не сформулированных, но объективно существующих.

Подобно тому, как человеческий зародыш с самого момента оплодотворения по минутам и по часам совершает все этапы своего развития, рассуждал Павел Алексеевич, так и в родившемся ребенке более сложные функции, психофизические, пробуждаются в строго назначенные сроки, в строго определенной последовательности. Жевательный рефлекс не может предшествовать сосательному. Однако стимуляцию и тот, и другой получают извне: прикосновение соска или даже случайного предмета, будь то край простыни или собственный палец, побуждает к сосанию в первые сутки жизни, а попадание кусочка твердой пищи на распухшие от прорезывания зубов десны — к жеванию в полугодовалом возрасте.

Таким же точно образом стимулируются и процессы высшей нервной деятельности, размышлял Павел Алексеевич, наблюдая за взрослыми девочками в собственной семье. Потребности, пробуждающиеся в определенном возрасте, не получив подтверждающей поддержки извне, из окружающей среды, ослабевают, а возможно, и угасают. Потребности, таким образом, предшествуют необходимости.

«Обвинят в ламаркизме», — ухмылялся про себя Павел Алексеевич.

«Возможно, прежде губ уже родился шепот, и в бездревесности кружилися листы...» — строки эти уже были написаны, автор их уже погиб в лагерях, а до Павла Алексеевича они так никогда и не дошли. Но не было другого человека, которому это поэтическое гениальное прозрение было столь внятно — как перевод насущной мысли с языка познания на язык лирики...

Вот ребенок хочет сесть, томится от лежания, крутится, беспокоится. Протяни ему палец — он схватит его и сделает то, чего он жаждет, но чего он еще не ведает. Сядет. Вот он созрел для ходьбы — дайте ему возможность совершить первый шаг. Иначе он, как выросший среди животных ребенок, так и не научится ходить на двух ногах, а будет, как животное, передвигаться на четвереньках.

Дайте ребенку музыку, когда в нем появляется потребность танцевать, карандаш, когда ему хочется рисовать, книгу — когда он созрел для этого способа получения информации... И как трагично, когда новое умение, новая потребность созрела изнутри, а время упущено, мир не выходит навстречу этим потребностям. И тогда происходит торможение, полная блокировка...

Вот Томочка. Мать оставляла ее спеленутой в кроватке до двух лет, потому что бедняге надо было идти на работу и некому было присмотреть за девочкой, никаких детских садов в затемненной эвакуированной Москве в помине не было. А когда Томочку спустили на пол, ей идти уже не хотелось. Она сидела в углу, на горке тряпок, с тряпками и играла. Первую книжку она увидела только в школе, в семь лет. Все запаздывало, все тормозилось. Бедная девочка...

Но Тома вовсе не ощущала себя несчастной. Напротив, она была совершенно уверена в том, что вытянула счастливый билет. Через год после водворения ее в доме Кукоцких по просьбе тети Фени Тому отправили на лето в деревню, и Тома, еще при жизни матери не раз проводившая лето в Фенином доме, на этот раз возненавидела деревенскую жизнь всей душой. Ее ужаснула бедность, грязь и, главное, трудность ежедневной жизни, в которой она должна была вовсе не отдыхать, как отдыхала бы с Таней на даче, а с утра до вечера то кормить поросят, то нянчить Фенину трехмесячную дочку, то стирать в холодной воде грязные тряпки... Молча и нехотя она все исполняла, ни разу не ослушавшись Фени. Дважды она ездила на автобусе в дальнюю деревню навещать братьев. Братья показались ей ужасными — они стали совсем деревенскими, в рванине, босые и чумазые, дрались и матерились, как взрослые мужики. В Томе они не вызвали ни сочувствия, ни жалости. А уж о любви и речи быть не могло.

Ко времени возвращения в город Тома твердо решила, что никогда в жизни не приедет больше к тетке и сделает все возможное, чтобы навсегда остаться в семье Кукоцких.

Тому совершенно не занимало, любят ли ее в новой семье. Она имела в доме свое место, скорее напоминающее место домашнего животного. В этом не было ровным счетом ничего обидного: в иных домах весь домашний миропорядок крутится вокруг собачки, которую поутру надо вывести, или кошки, которая ест только один определенный сорт рыбы.

У Томы была своя постель в общей с Таней комнате, свое место за столом, между Таней и Еленой Георгиевной, и множество других предметов, которых прежде, в жизни с матерью, у нее никогда не было: собственная расческа и зубная щетка, собственные полотенца в ванной комнате, ночная рубашка, о существовании которой она прежде и не слыхивала. За все за это с нее ничего не спрашивали. Как ни удивительно, с Тани спрос был гораздо больший — и за шалости, и за опоздания из школы, и за неряшливость, которой Таня постоянно грешила. Тома Таню покрывала. Иногда подтирала за ней лужу в ванной или мыла оставленную на столе чайную чашку, иногда, когда они задерживались в школе, брала опоздание на себя:

— Тетя Вася, меня оставили задание переделывать, а Таня меня дожидалась...

И Василиса, второй раз согревавшая девочкам обед, переставала ворчать. Она даже лишний раз Томе замечаний не делала, хотя была очень приметлива и прекрасно понимала все эти маленькие обманы...

А об учебе и говорить было нечего. Таня была почти отличница. Ей не хватало только тщеславия, чтобы получать одни пятерки. Тома за время жизни в доме стала твердая троечница. И неловкость была в том, что Таниными четверками в доме были недовольны, а редким Томиным — радовались. От всех домашних требовалась и деликатность, и постоянная память о том, что равенство — вещь исключительно теоретическая и даже в такой прикладной области, как воспитание, не может рассматриваться как серьезный принцип. Идеи равенства слегка беспокоили Елену, это была обостренная память о ее толстовском детстве. Василиса на эти крючки не клевала:

— Танечка — особо дело, а Томочка — так совсем другое.

И потому она попросту говорила Томе:

— Давай-ка подучу тебя, как капусту квасить, оладьи печь и всякое такое, а то ведь я-то помру, а ты ничего и не сможешь...

Отсутствие этих самых умений у Тани Василису не беспокоило, но Тому она явно рассматривала как свою преемницу в той неопределенной домашней должности, которую сама несла терпеливо и с некоторой гордостью. Зато именно с Томой Василиса могла завести вдруг разговор о самой важной и заповедной части своей жизни, о том, что было запечатано в ее чуланчике, по старому запрету Павла Алексеевича. Именно он еще в раннем Танином возрасте запретил Василисе всякие разговоры с ребенком о божественном. И потому Тому, а не Таню, научила Василиса двум первейшим молитвам и велела обращаться к божьей матери по всяким трудным случаям.

— И по математике тоже? — простодушно поинтересовалась Томочка, когда Василиса объясняла ей, что покровительница ее и заступница — божья матерь, которая печется о всех сиротах.

— А как же святая царица Тамара? — напоминала Тома, которой еще прежде Василиса говорила о ее заступнице царице Тамаре, в честь которой она была крещена.

Василиса сердилась и невнятно, но убежденно объясняла:

— Как это ты не понимаешь, то одно, а то другое...

В семье Кукоцких Тома вела себя в точном соответствии с жанром воспитанницы-приемыша. Высоко оценивая жизненные блага, на нее свалившиеся, она боялась их потерять и старалась, чтобы пребывание ее было в доме приятно и полезно. Хотя некоторая доля искательности в ее манерах всегда присутствовала, это совершенно искупалось тем, что Павла Алексеевича она боготворила, Танечкой искренне восхищалась и только Елену Георгиевну в глубине души неизвестно почему опасалась.

Взаимоотношения ее с Василисой были гораздо более сложными. С одной стороны, Василиса была такая же, как и она сама, не господской породы, с другой — Василиса видела Тому насквозь, и даже самый взгляд Василисы поверх веревочкой подвязанных очков был не очень-то приятен, как будто она знает про Тому какую-то тайную и неприятнейшую вещь. И при всем при том была между старой прислугой и маленьким приемышем особого рода близость, и Василиса даже совершенно ошибочно пыталась образовать себе из Томы преемницу не только в посудохозяйственной части, но и в области духовной. Но этого как раз и не получилось. Если поначалу послушливая Тома и молитвы наипервейшие выучила, и с сонным вниманием выслушивала Василисины сбивчивые проповеди, то годам к пятнадцати она от Василисы стала ускользать, поняв, вероятно, что в Василисиных подпольных драгоценностях не нуждается, и паслась исключительно возле Тани, а та — возилась в отцовских книжках, таскала ее в кино, в театры и на концерты, и походы эти были не просто так, культуры ради, присутствовали в них также мальчики, и Тому это чрезвычайно волновало.

Она играла при Тане роль незавидную, но ей, собственно, и не нужно было своего отдельного кавалера, ее вполне устраивала сама атмосфера похода куда бы то ни было с молодыми людьми. Как наслаждалась она в свое время несметными бутербродами с маслом и сахарным песком, зубной щеткой и ночной рубашкой, так и теперь она радовалась, что мальчики им покупают билеты, ведут в буфет и угощают лимонадом и пирожным...

Мальчики и не думали скрывать перед Томой, что она представляет собой принудительный ассортимент в празднике похода с Таней куда бы то ни было, но Тома по этому поводу и не огорчалась: ни один из них не нужен был ей сам по себе, но все вместе они свидетельствовали, что Тома занимает в обществе очень хорошее положение, коли была и в Большом, и в Малом, и в Художественном, да к тому же и угощена была бесплатными гостинцами...

Среди молодых людей, привлеченных Таниной простой веселостью, доходчивой красотой и кудрявостью, самыми постоянными и наиболее верными были братья Гольдберги, прикипевшие к Тане с тех самых пор, как в ужасную зиму пятьдесят третьего года ездили в дом к Павлу Алексеевичу на подкормку. Подкормка, собственно, с тех пор и не прекращалась: мать мальчиков умерла вскоре после освобождения Ильи Иосифовича, и старый генетик, мужественно перенесший последний арест, не подписавший ни одной лживой бумаги, смертью сорокалетней жены был совершенно сражен.

Он физически развалился, исхудал до самого лагерного состояния. Спасался одной только работой, которую взвалил на себя без всякой меры. Он реферировал во всех реферативных журналах, куда его брали, и все писал свою гениальную книгу о гениальности. Домашняя жизнь Гольдберга тоже развалилась, менялись домработницы, одна крала, другая пила. В третьей, интеллигентной еврейке, приходящей три раза в неделю, он заподозрил агента КГБ. Словом, котлетки с жареной картошкой, любимая еда Гольдбергов, в отсутствие покойной Вали либо вовсе не получались, либо были отравлены ядом подозрения, для жизни неопасного, но для пищеварения неблагоприятного.

И опять, в который уже раз, Василиса проявила большую проницательность и первая обратила внимание на то, что Таня составляет котлетам сильную конкуренцию, и надо еще разобраться, чего это мальчики повадились ходить каждое воскресение, да еще раз-другой на буднях...

Братья Гольдберги были похожи до неразличимости, но Таня явно предпочитала того из них, который был медиком. В воскресные вечера они иногда задерживались от обеда до ужина, и Виталий, энтузиаст медицины, подливал в огонь масла, рассказывая о сложности и увлекательности учения в медицинском институте, о страстях анатомии и тайнах физиологии... Второй брат Геннадий, определившийся по физической части, довольствовался созерцанием этой живой беседы, молчал и изредка отвечал на невнятные вопросы, которые задавала ему Тома, уверенная, что Гена честно приходится на ее долю...

Кончился девятый класс, на последнее школьное лето решено было свозить девочек в санаторий в Ялту. Павел Алексеевич сначала планировал ехать вместе с семьей, но в последний момент ему помешала неожиданная почетная командировка в Швейцарию на конференцию по проблемам бесплодия. Павел Алексеевич ухмыльнулся про себя — бесплодие интересовало именно Швейцарию, самую богатую страну мира, но не Китай, не Азию, не Африку... Павел Алексеевич согласился на Цюрих, а Василисе было предложено поехать в Ялту вместо него. Она долго отбивалась, даже поссорилась слегка с Еленой по этому поводу, и в конце концов согласилась, но с условием, что прежде отъедет по своим делам дня на три. И уехала...

Из-за этого экстренного отъезда все опоздали на сутки к началу санаторного срока, поскольку Василиса не вернулась к означенному дню. Но это опоздание компенсировалось той нотой божественного восторга, которую испускала Василиса остальные двадцать три дня, проведенные ею на берегу Черного моря.

Все курортницы увидели море первый раз в жизни. И каждая — свое. Василиса получила свидетельство великого господня могущества и мудрости. Горы произвели на нее большее впечатление, чем море, но и то, и другое вызывало восторг пред творцом, создавшим весь этот грандиозный инвентарь. Неслезливая и суховатая, она часто отирала скомканным платком непонятные слезы, и обычным ее занятием — за неимением стряпни, стирки, уборки — было праздное сидение на терраске, обращенной в сторону гор, с лицом неподвижным, взглядом остановившимся, как будто за этими горами были еще и другие, видимые только ей одной... Время от времени она впадала в экстатическое бормотание, и Елене, знающей давным-давно весь ее молитвенный репертуар, удавалось уловить обрывки псалмов, из которых Василиса твердо знала только пятидесятый, а остальные — кусками, клочками, отдельными фразами, но умела составлять из них вдохновенное лепетанье... Взойду ли на небо, ты там, сойду ли в преисподнюю, и там ты, возьму ли крылья зари и переселюсь на край моря, и здесь ты обитаешь... Из уст младенцев и грудных детей устроил ты хвалу себе, господи... Щедр и милостив господь, долготерпелив и многомилостив... Он речет, и восстает бурный ветер...

Кормили в санатории преизобильно, как-то оскорбительно для Василисы, так что, чуть освоившись, она отказалась ходить на завтрак и на обед, а приходила вместе со всеми только на ужин, занимала место за отведенным им отдельным столиком и наслаждалась обслуживанием. Официантки ставили ей еду, спрашивали, почему опять не приходила на обед и не подать ли чего еще... Одновременно с удовольствием она еще испытывала некоторое беспокойство, потому что по своему невеликому, но цепкому уму твердо знала, что если у кого-то излишки, то есть и такие, у кого жестокие недостатки... И христианская ее душа, несмотря на роскошь отдыха, испытывала легкий стыд. В конце концов она призналась Елене, что если в раю будет вот так же вот, то придется ей на какое другое место попроситься, потому что делается совестно.

Томе совестно не было. Они с Таней радовались солнцу и морю по-щенячьи, совсем без мыслей, плескались, плавали, загорали. Попутно обнаружилось, что Таня пользуется универсальным успехом у всех молодых и не очень молодых людей — от продавцов на рынке, куда время от времени семья заглядывала купить какой-нибудь экзотический продукт вроде домашнего сыра, кавказской липучей сладости чурчхелы или пучка неизвестной травы, до отдыхающих в соседнем военном санатории молодых капитанов.

Вечерами девочки отправлялись на танцы — в помещении столовой или на набережную. Таня танцевала, Тома сидела на стуле возле стены или стояла, если стульев не было, в обществе двух-трех девиц, не пользовавшихся успехом. Ходила Тома исключительно ради Тани, по своей воле ни за что бы не пошла терпеть эту стыдную скуку. Ей отчасти было удивительно, чего хорошего находит умная Таня в танце «быстрый фокстрот» или «медленное танго».

В одиннадцать часов вечера Елена Георгиевна разыскивала их в тесноте танцплощадки и уводила спать. Иногда Таня успевала назначить свидание какому-нибудь ловкому танцору, вылезала в окошко и уходила на полночи. На семью им дали два двухместных номера, и девочки занимали тот, что был без террасы.

Доверчивая Елена оказалась не подготовлена к такому коварству дочери и так ни разу и не накрыла Таню в ее полуночных приключениях. Первые поцелуи не произвели на Таню большого впечатления, они пахли каким-то особо вонючим мылом для бритья, незабываемым «Шипром» и отдавали сапожной ваксой и военными действиями. На Таню накатывал смех, и молодые мужчины, и так-то робеющие ее юной красоты, обидчиво ретировались. Словом, никакого романтического приключения Таня не вынесла из южной поездки. Ей было хорошо, как никогда в жизни.

Зато свою пожизненную и глубокую любовь обрела в Крыму Тома. Здесь, на экскурсии в Никитский ботанический сад, на нее снизошла благодать: она влюбилась в ботанику, как девушки влюбляются в принцев. Произошло это в самом конце их пребывания в Крыму, за два дня до отъезда. Поездка, в общем-то, была неудачная — по дороге сломался автобус, его долго чинили, потом испортилась погода, и хотя до дождя дело не дошло, но солнце посреди дня померкло и нарядный глянец Южного берега замутился.

Перед входом в Ботанический сад пришлось ждать экскурсовода, из-за их опоздания ушедшего по своим делам. Стояли возле темной бронзовой доски, на которой было выбито, что «Ботанический сад основан в 1812 году Х. Х. Стевеном, воспитанником Санктъ-Петербургской Медицинской Академии...». И некому было рассказать им, что Христиан Христианович·Стевен человек не чужой, ближайший друг Никиты Авдеевича Кукоцкого, прямого предка Павла Алексеевича, и начало этому государственному делу было положено во время их первого совместного путешествия еще по Кавказу в 1808 году, что Никита Авдеевич не однажды навещал здесь, в Крыму, своего друга, они совершали замечательные многодневные экскурсии по внутреннему Крыму, и среди семи тысяч листов большого гербария флоры Таврической губернии немало образцов, собранных руками Кукоцкого...

Наконец пришел экскурсовод, толстый человек в украинской расшитой рубахе и в золотых очках, отдаленно напоминающий Никиту Хрущева в его добродушной ипостаси, и повел их вниз по тенистой аллее. Было прохладно и таинственно. Экскурсовод рассказывал о богатейшей крымской флоре, о редких растениях-эндемиках, живущих исключительно в здешних местах, о древних мифах, связанных с растениями...

Тома была городской девочкой, деревню ненавидела, можно сказать, по личным причинам. Проводя в детстве летние месяцы в деревне, она не заметила там никакой природы, все казалось обыденным и оскорбительно бедным. Лес, поле, пруд соединялись в ее опыте с тяжелой работой: в лес посылали собирать ягоду для продажи, в поле — помогать на уборке, на пруд — полоскать белье. Здесь, в Крыму, в Ботаническом саду природа была бескорыстна, не требовала от нее никаких трудовых усилий. И даже море, соленая вода, которую никому не надо таскать в ведрах из-под горы, создано было исключительно для радости плавания и ныряния.

Тома украдкой гладила глянцевитые, и мохнатенькие, и сухие, как старая бумага, и хвойчатые, игольчатые листья кустарников, охраняющих дорожки Ботанического сада, и пальцы ее наполнялись неведанной прежде радостью. Недоласканная в младенчестве, не знающая любовного прикосновения в детстве, и теперь, обеспеченная всеми необходимыми вещами, она была по-прежнему лишена любовного прикосновения, без которого все живое страдает, болеет, хиреет... Может быть, и ее малый рост объяснялся тем, что трудно расти без любовного прикосновения, как без какого-то специального неведомого витамина...

У хрущеобразного экскурсовода оказался совершенно волшебный голос, и то, что он говорил, было настоящей сказкой.

— Вот акация, — указывал он на небольшое, цветущее сладким желтым цветом дерево, — одно из великих деревьев. Египетская богиня Хатхор, Великая Корова, рождающая солнце и звезды, по верованиям древних египтян, имела также ипостась дерева акации, дерева жизни и смерти. Акация была оракулом одной из великих богинь плодородия Передней Азии, и даже древние евреи, отвергающие идолопоклонство, соблазнились акацией — они называли ее «дерево ситтим» и еще в древние времена построили из нее ковчег завета...

Из всего сказанного понятно было Томе только одно слово — корова. Все остальное было непонятно, но здорово. И оказывалось, что каждое дерево, каждый куст, и даже самый маленький цветок имеют иностранное имя, историю, географию и, самое удивительное, легенду своего пребывания в мире. А она, Тамара Полосухина, ничего подобного не имеет, и даже по сравнению с елкой или ромашкой ничего не значит...

И еще возникло чувство — оформленных мыслей у Томы не было, только чувства, приправленные мыслью, — взаимной симпатии с растениями и равенства в незначительности.

«Наверное, среди этих растений есть какое-то одно, точно такое же, как я... Если бы я его увидела, я бы сразу узнала», — думала Тома, касаясь на ходу рододендрона и самшита...

Ни в мыслях, ни в чувствах Таня с Томой почти никогда не совпадали, а если и совпадали, то исключительно благодаря Томиному умению подстроиться на Танину волну. На этот раз они думали об одном и том же: а если бы я была растением, то каким именно?

Из карманных денег, которые Таня тратила немедленно и нерасчетливо, а Тома слегка зажимала, Тома купила в ларьке на выходе из Ботанического сада два набора открыток с местными и средиземноморскими видами растений и скучную книгу «Флора Крыма».

Проблема выбора для Томы подходящей профессии, над которой задумывалась и Елена Георгиевна, и Павел Алексеевич, и только Василиса считала вполне определенным, что Тома должна пойти по ее следу, решилась в этот день.

Впереди еще был десятый класс, целый год, чтобы все определить в деталях, подготовиться к экзаменам. Таня нацелилась на биофак, к удивлению Павла Алексеевича, не представлявшего для дочери никакого иного пути, кроме медицинского. Но Таня лепетала что-то о высшей нервной деятельности, об изучении сознания — первые научно-фантастические американские книги уже были переведены, и мальчики Голдьберги усердно Таню ими снабжали. Это было очень романтично, гораздо более романтично, чем ежедневная рутинная работа врача. Что же касается Томы, Павел Алексеевич отвез ее в Тимирязевскую академию. Там их встретили с почетом, полагающимся Павлу Алексеевичу, показали опытные поля с кукурузой и соевыми бобами и лаборатории. На Тому впечатление произвела лаборатория искусственного климата, оранжереи с южными растениями, все остальное напомнило о скучной колхозной жизни, с севооборотами, руганью в правлении колхоза и деревенской тоской. На обратном пути она сказала Павлу Алексеевичу, что Тимирязевская академия ей не больно понравилась, а ей бы хотелось в такое место, где с южными растениями работают. Павел Алексеевич попытался объяснить приемышу, что, получив образование, она сможет работать в Ботаническом саду или в Институте лекарственных растений, или еще где-нибудь, но Тома глухо замолчала: она не понимала, зачем ей нужно получать образование, если в Ботанический сад она и так может пойти работать. Ей всего-то и хотелось — любоваться красивыми растениями, ухаживать за ними, трогать иногда руками и вдыхать их запахи... Пока суть да дело, она развела на подоконнике целое семейство глиняных горшков всех размеров и возилась с лимонными и мандариновыми зернышками...

18

Так и получилось, что годом позже Таня сдавала экзамены в университет, преодолевая высокий конкурс и собственную, неизвестно откуда взявшуюся экзаменационную застенчивость, а Тома просто подала заявление на курсы озеленителей при Мосгорисполкоме, чтобы ровно через полгода получить белесую справку, сообщающую о приобретении ею профессии.

Таня на дневное отделение не прошла, недобрала одного балла, но ее зачислили на вечернее. Ей надо было теперь устроиться на работу по специальности, чтобы предоставить к первому сентября справку. Павел Алексеевич, не считавший возможным помочь Тане при поступлении телефонным звонком одному из университетских китов, равных ему по рангу, теперь снял телефонную трубку и позвонил своему старинному коллеге, профессору Гансовскому, врачу и ученому, заведующему клиникой мозговых нарушений у детей и лабораторией по изучению развития мозга. Просьба Павла Алексеевича была скромной — принять дочку, вечерницу биофака, на работу в должности лаборанта. Профессор Гансовский хмыкнул и сказал, что ждет их хоть завтра.

Павел Алексеевич привел свое сокровище через несколько дней. Таня знала это здание возле Устьинского моста с детства: сюда приводили ее то на рентген, то на прием к детскому кардиологу... Но теперь она входила в обшарпанную дверь с заднего двора, через проходную с черной доской, увешанной номерками. Это было совершенно иное ощущение. Она шла наниматься на работу...

Профессор Гансовский жил почти круглый год на даче, приезжал на работу не каждый день, но в этот день он назначил свидание Павлу Алексеевичу с дочерью еще и потому, что одна из ведущих его сотрудниц, Марлена Сергеевна Конышева, подготовила ему на прочтение рукопись своей докторской диссертации и должна была передать свой пухлый том.

У старого профессора Гансовского отношения с его сотрудницами были богатыми. Ему было уже за семьдесят, лысина отливала веселеньким оттенком хны пополам с басмой, зато бордюр волос, окружающий темечко от уха до уха, был густо-каштановым. Брови он носил натурально-черными, и весь его курятник постоянно по этому поводу дискутировал: красит ли он брови и чем... Несмотря на недостойное пола кокетство, он был настолько и безусловно мужествен, что раскраска, не то боевая, не то брачная, вызывала скорее досаду, чем насмешку. Невысокий, широкогрудый, с крупными родинками на щеках, он был похож на старого боксера — и в собачьем смысле тоже. В своей женской лаборатории он царствовал, и все сотрудницы, за исключением уборщицы Марии Фоковны, санитарки Раиски и двух аспиранток (одна осетинка, вторая туркменка, склонные рассматривать индифферентность шефа как дискриминацию), прошли через его мощные, непропорционально длинные руки, и недовольных, надо признаться, не было. Всех этих пикантных подробностей биографии Гансовского Павел Алексеевич не знал. Чтобы знать сплетни, надо все-таки иметь к ним известный интерес. Павел Алексеевич не знал даже, что первая жена Гансовского работает всю жизнь в лаборатории, и вторая, более молодая, кончила здесь же аспирантуру и осталась ординатором в клинике, и еще была одна, в ранг жен не восшедшая, полная миловидная лаборантка Зина, немолодых лет, которой Гансовский помогал все жизнь воспитывать сына, и Галя Рымникова, колокольного роста с кукольной головкой, которая проработала два года его личным лаборантом, а потом ушла с большим, едва заштопанным скандалом, и еще кое-какие мелочи, интересные в основном участникам этого многолетнего спектакля. Зато Павел Алексеевич знал прекрасные работы Гансовского по эмбриогенезу мозга и считал его на этом основании подходящим для Тани учителем.

Таню ввели в кабинет. Здесь стояли шкафы с породистыми книгами, два бронзовых бюста неизвестно кого, несколько больших стеклянных банок с препаратами мозга, застывшими завитками цвета детского мыла... В простенке между окнами висели черно-красные таблицы и фотографии подкрашенных пейзажей, где реки были микронными капиллярами, берега — волокнами поперечно-полосатой мускулатуры, и громоздились горы, разверзались впадины, и все это геологическое по виду действие разыгрывалось в окуляре микроскопа с не бог весть каким увеличением...

— Я передам вас, Татьяна Павловна, на руки к моей ученице, Марлене Сергеевне. Она вас научит необходимой гистологической работе. Она большой мастер по изготовлению препаратов. С этого мы начнем... А там посмотрим...

Он встал, оказался коротконог, на полголовы ниже Тани, но двигался быстро и резко, как теннисный мяч. И махнул рукой, чтобы шли за ним...

Лаборатория помещалась в старом доме, занимала два

этажа, и какие-то межэтажные закоулки с окнами, вписанными то возле пола, то возле потолка, как будто из прежних двух этажей было выкроено три. Два почтенных академика вели за собой стройную кудрявую девушку, и сердце ее замирало ото всего — от запахов вивария, чего-то химического, вареного, горячего, противного, притягательного. То же самое чувство испытывает, наверное, обреченная театру девица, впервые попадая за кулисы...

Коридор сделал последний поворот около пожарного шланга, свернутого змеей за стеклянной дверцей, и они вошли в святая святых... Там было стеклянно-хрустально, прозрачно и прекрасно. Старый лабораторный стол с мраморной столешницей, вполне пригодной для надгробья, широкоплечий шкаф с тяжелыми выдвижными стеклами и прозрачные шкафчики с разложенными внутри сверкающими инструментами, стеллажи с химической посудой, со стерильным нутром. Прелесть мелких стеклянных трубочек, шарообразных и конических колб...

На обычных письменных столах стояли микротомы на приземистых чугунных подставках с предметными столиками и чудовищными треугольными лезвиями, с выведенной до бритвенной остроты режущей поверхностью. Микроскопы, сверкающие медными детальками и разнообразными винтами, задирали свои рога. Под круглым прозрачным колпаком из неравномерно утолщающегося книзу стекла сияли торзионные весы... И было еще великое множество незнакомых предметов, притягивающих зачарованный взгляд Тани.

У лабораторного стола стояла высокая женщина с черно-седой челкой, узкоглазая и некрасивая, со слишком коротким расстоянием между кончиком носа и верхней губой. В лице ее была брезгливость, чистоплотность, тщательность и еще что-то особо для Тани притягательное — не то уверенность, не то безукоризненность... Халат ее сверкал высокогорной белизной, руки были хирургически отмыты, а пальцами она совершала какие-то мельчайшие движения.

Обернувшись на мгновение, она снова уткнулась в свою ювелирную работу, извинившись, что еще несколько минут ей понадобится, чтобы закончить.

— Старое немецкое оборудование, — с удивлением заметил Павел Алексеевич.

— Да, все довоенное. Вывезли из Германии. Но пока что ничего лучше не научились производить. Йенская оптика, знаете, золингеновская сталь... — ухмыльнулся Гансовский. — Я сам и вывозил. Здесь у нас оборудование из Гумбольдтовского университета...

Но Таня не слышала, о чем они говорили, — она глаз не могла отвести от того, как Марлена Сергеевна крошечными, какой-то изысканной формы ножничками и тонким пинцетом прикасалась к атласно-розовому округлому пузырю, лежащему на предметном стекле. Рядом на мраморном столе лежала целая шеренга таких же стекол с розовыми пузырями и отталкивающего вида зубоврачебный лоток.

— Марлена Сергеевна, я привел вам дочь нашего уважаемого доктора Кукоцкого. Молодой биолог, — закхекал профессор довольно противно, — к вам на выучку. Побеседуйте, пожалуйста, с девушкой, а я пока проведу Павла Алексеевича по лаборатории...

И они вышли, а Таня осталась.

Марлена Сергеевна кивнула ей:

— Подойди поближе и посмотри, что я делаю...

И Таня увидела. Ученая дама, которой предстояло на несколько лет стать Таниным кумиром, маникюрными ножницами надрезала розовый пузырек, который оказался крохотной головкой новорожденного крысенка, отогнула края надреза пинцетом и аккуратнейшим образом сняла тончайшую, толщиной в детский ноготок, пластинку черепной кости, чтобы не повредить нежное белое вещество, самое сложное из всего, что создала природа, ткань мозга...

Подрезав пластинки у основания, Марлена Сергеевна легким прикосновением пинцета сняла их, и обнажилось два удлиненных полушария, и две обонятельные доли, выступающие вперед. Ни одной царапины, ни одного пореза не было видно на этом сдвоенном зерне. Мозг перламутрово блестел. Тонким пинцетом Марлена Сергеевна перекусила продолговатый мозг там, где он соединялся со спинным, специальной лопаточкой приподняла эту мерцающую жемчужину и в тот момент, когда мозг укладывался на лопаточку, Таня заметила легчайшую сетку сосудов, еле видимых глазом. Только что мозг помещался, как в чаше, в своем природном ложе и казался архитектурным сооружением, а теперь соскользнул тяжелой каплей с хромированной лопаточки в стеклянный бюкс, наполненный прозрачной жидкостью... В бюксе уже лежало несколько таких же горошин, успевших немного съежиться...

— Здесь требуется большое внимание и аккуратность, — сказала Марлена Сергеевна. — Собственно, мелкие порезы с боков допустимы, нас интересуют не поверхностные, а более глубокие слои мозга...

Разговаривая, она приподняла марлевую салфетку с лотка: в нем шевелилось несколько новорожденных крысят, вперемешку с уже обезглавленными туловищами, головки от которых пошли в жертву высокому и кровожадному богу науки... От этого ужасающе незаконного сочетания живого, слепо-шевелящегося, теплого и доверчивого, и обезглавленного, декапитированного, как говорила Марлена Сергеевна, тошнота поднялась от желудка к горлу. Таня проглотила слюну...

— Крыски мои, — заворковала ученая дома, взяла крысенка двумя пальцами, погладила по узкой хребтинке и другими ножницами, покрупнее, лежащими справа от лотка, точно и аккуратно отрезала головку. Слегка вздрогнувшее тело она сбросила в лоток, а головку любовно разложила на предметном стекле. После чего испытующе посмотрела на Таню и спросила с оттенком странной гордости:

— Ну а ты так сможешь?

— Смогу, — ни минуты не промедлив, ответила Таня. Она вовсе не была уверена, что действительно сможет.

Надо, сказала она себе и, мужественно справившись с позывом к рвоте, взяла в левую руку нежную атласную пакость, новорожденного крысенка, оказавшегося на ощупь очень теплым, а в правую — холодные, прекрасно подогнанные к руке ножницы, и, зажавши просвещенным, рвущимся к науке разумом глупую бессмертную душу, надавила на верхнее кольцо большим пальцем. Хрумс — и головка упала на предметное стекло.

— Молодец, — одобрительно сказал мягкий женский голос.

Жертва была принята, Таня прошла испытание и была посвящена в младшие жрицы.

19

С годами Павел Алексеевич находил все более смысла в чтении древних историков.

— Это единственное, что примиряет меня с сегодняшними газетами, — постукивал он твердым, в йодистой рамке ногтем по кожаному переплету «Двенадцати цезарей».

Василиса убирала у него в кабинете, он сидел в комнате девочек, ожидая конца ежемесячного мероприятия. Таня удивленно поводила тонкой, с фамильной кисточкой у основания, бровью:

— Не вижу никакой связи, пап.

— Как тебе сказать? Юлий Цезарь был гораздо талантливее Сталина как полководец, Август во сто крат умней, Нерон более жесток, а Калигула более изобретателен на всякую мерзость. И все, решительно все, и самое кровавое, и самое возвышенное, становится исключительно достоянием истории.

Таня приподнялась с подушки:

— Но как-то грустно думать, что все так бессмысленно и все жертвы напрасны.

Павел Алексеевич усмехнулся и погладил шагреневый переплет:

— Какие жертвы? Не бывает никаких жертв. Есть только инстинкт самооправдания, оправдания действий, иногда глупых, иногда бессмысленных, чаще злых и корыстных... Через какую-нибудь тысячу лет, Танечка, а может, через пятьсот, старый гинеколог вроде меня — уж нашу-то профессию никакой прогресс не отменит — будет читать старинную русскую историю двадцатого века, и там будет две страницы про Сталина и два абзаца про Хрущева. И несколько анекдотов...

Таня улыбнулась:

— Не так, пап. Будут знать Ахматову, Цветаеву, Пастернака, а Сталина и Хрущева упомянут только по той причине, что они их преследовали.

— Это будет уже при коммунизме, — мечтательно вставила Тома, заботливо обмывавшая больную монстеру.

Павел Алексеевич был в хорошем расположении духа и позволил себе пошутить:

— Нет, Томочка, это будет уже после...

«Надо будет потом у Тани спросить, что он имеет в виду», — решила Тома. Что будет после коммунизма, про это ей не говорили. Хотя, в конце концов, какая разница, нас-то уже не будет... У нее была серьезная забота — бледные пятна появились у основания листьев, и на них восковой слой как будто немного размягчен. Она провела нежными кончиками пальцев по листовой поверхности — ну точно, размягчен. И, кажется, такое же пятно намечается у драгоценной юкки...

«Неужели вирус?» — ужаснулась она и навеки забыла про коммунизм. Она была уже довольно опытной сотрудницей Мосгорозеленения, и два раза ей приходилось сталкиваться с вирусными заболеваниями растений, но то были растения казенные, один раз в скверике у Большого театра, второй — в теплице, откуда им присылали рассаду. И в обоих случаях справиться с вирусом не удалось, он погубил-таки и бархатцы, и левкои. А здесь цветы были свои, любимые, и Тома засунула в рот большой палец левой руки и начала сосредоточенно подгрызать под корень ноготь... Она отгрызла какую-то микроскопическую малость и принялась за обследование своих джунглей — к концу пятидесятых годов ее стараниями квартира Кукоцких совершенно преобразилась: не осталось ни одной поверхности, не занятой горшками и банками с вечнозелеными растениями.

Поначалу жесткая зелень радовала глаз Елены, потом она начала слабую борьбу с жестяными консервными банками и старыми кастрюлями, в которые Тома высаживала своих питомцев. Елена покупала горшки, кашпо, но помоечных банок все прибывало. Подоконники были плотно заставлены, и глянцевитая армия перебиралась на обеденный и письменные столы, опускалась на пол. Детская, Танина когда-то комната, выглядела давно уже подсобным помещением цветочного магазина.

Таню это растительное изобилие мало беспокоило, она дома почти не появлялась. Убегала рано на работу, к своим крысам и кроликам, операциям и препаратам, с работы неслась в университет и приходила в половине двенадцатого, валясь с ног. Дни, свободные от учебы, она тоже где-то пропадала, то в гостях, то в развлечениях. Тома постепенно перестала участвовать в Таниной вечерней жизни. Какие-то новые друзья завелись у Тани, мальчики Гольдберги уступили место другим, более интересным молодым людям, которые в доме не появлялись.

Елена приходила обыкновенно с работы в начале седьмого и вместо Тани находила Тому с детской лейкой в руках, все шушукающуюся со своими горшками. У Томы рабочий день кончался рано, в половине пятого она уже была дома. Василиса, ворча, кормила всех по отдельности.

Павел Алексеевич вкалывал как рабочий горячего цеха, в две смены. Кроме института и клиники, он взялся преподавать на курсах повышения квалификации врачей, что всех и удивляло, и раздражало: это было вовсе не дело академика три раза в неделю допоздна читать лекции провинциальным акушерам, старым повивальным бабкам, которые если и получили когда-то медицинское образование, то уже и сами не помнили, в чем оно заключалось. Своими обязанностями академика он как раз пренебрегал. Как школьник, прогуливал заседания Президиума, отстранился от начальства. К его репутации пьяницы добавилась еще и молва о чудаковатости.

Давно уже сменилось руководство в министерстве, на место Коняги заступил сперва старый кагэбэшник с ветеринарным образованием, потом знаменитый хирург, беспощадный карьерист и вор. Павел Алексеевич распростился безо всякого сожаления со своим великим проектом переделки здравоохранения, и переделка эта происходила без его участия, хотя давным-давно забытые им самим бумаги лежали в сейфе нового министра и он изредка пробегал их глазом — было небесполезно...

Медицинское влияние Павла Алексеевича, несмотря на холодные отношения с начальством, было необыкновенно широким. Все эти провинциальные тетки, приезжавшие с окраин огромной страны, обучались от него и старым приемам родовспоможения, и новым подходам к сохранению беременности, лечению воспалительных процессов и послеродовых осложнений... Он написал несколько учебников для среднего медицинского персонала — считал эту категорию незаслуженно пренебрегаемой, — монографию по вопросам бесплодия.

Но главным делом всегда оставалась больная — брюхатая пациентка, приносившая ему свое чрево с червоточинкой, с неполадком, с тревогой. Приемы разного уровня — еженедельные консультации, просьбы знакомых, частные консультации. Хотя давно уже существовала Кремлевская больница, именно к нему часто обращались жены и дочери первейших лиц государства — кому рожать, кому оперироваться...

Одно из отделений клиники с эвфемистическим названием «Диагностическое» занималось выскабливаниями, среди которых случались и диагностические... Это было чуть ли не единственное место в городе, где операцию обезболивали, в прочих грех наказывали жестоко — дерзкое решение избавиться от нежеланного ребенка уже включало в себя почти автоматически испытание болью... Четыре хирурга этого отделения и четыре квалифицированные сестры не покладая шестнадцати рук скребли и скребли. Анестезия самая примитивная, местный наркоз, новокаин, двадцать пять минут работы, пузырь льда на замороженный живот, и следующая...

Павел Алексеевич редко заходил в это отделение. Искусственное прерывание беременности он считал самой тяжелой из гинекологических операций в моральном отношении, и для женщины, и для врача... Но разве не здесь пролегает существенная граница между человеком и животным, возможность и право выхода за пределы биологического закона — производить потомство не по воле природных ритмов, а по своему собственному желанию? Не здесь ли реализуется человеческий выбор, право на свободу, в конце концов?

Позицию противоположную, крайнюю, представляла Василиса. С тех пор, как она сменила свое обожание Павла Алексеевича на полное его неприятие, он даже как-то серьезнее стал к ней относиться. У нее оказалась нелепая, с точки зрения доктора, тупая и бесчеловечная, но по-своему нравственная позиция. Печально только, что она своим мракобесным ужасом перед абортами повлияла на Елену, внушила ей церковно-христианскую нетерпимость. Василисина малограмотность и ее воззрения вполне гармонически сочетались. Но Елена? Как объяснить ей, что не Молоху он служит, а несчастным людям гнусно устроенного мира... К тому же практически он никогда и не занимался сам искусственным прерыванием беременности. Может быть, единственное, что его теоретически интересовало во всем этом мероприятии, это утилизация ценнейших биопродуктов, которые возникают в данном случае как отход. Но это разрабатывали гематологи, целая лаборатория, которую возглавлял его толковый ученик... Нет, был еще один аспект, занимавший Павла Алексеевича, он даже рекомендовал одному из своих сотрудников поразмыслить над гормональным послеабортным сворачиванием, то есть процессом, совершенно не изученным, — как женский организм проживает искусственное прерывание беременности, какие гормональные последствия имеют место и как помочь организму с наименьшими потерями выйти из этого состояния...

Этот разлад между его разумной профессиональной деятельностью и каменной стеной неприятия, на которую он наталкивался дома, — разумеется, речь шла о жене, а не о безмозглой Василисе, побуждал его к размышлениям, и он, словно оправдываясь, постоянно писал об этом заметки, записки, комбинировал медицинские случаи с самыми отвлеченными соображениями — доморощенная философия медицины. Эти разрозненные мысли он и не пытался оформить в нечто стройное и внятное... Илья Иосифович Гольдберг, постоянно производящий бесчисленные мелкоисписанные листы бумаги и каждый раз оповещавший друга о грандиозных своих замыслах, полностью отбил у Павла Алексеевича охоту строить всеобъемлющие концепции и возводить планетарные планы...

В отличие от Гольдберга, загоравшегося, как сухой хворост, на каждом новом повороте научной мысли, Павел Алексеевич десятилетиями наблюдал все тот же объект, разводил бледные створки затянутой в резину левой рукой, вводил зеркальце на гнутой ручке и пристально вглядывался в бездонное отверстие мира. Оттуда пришло все, что есть живого, это были подлинные ворота вечности, о чем совершенно не задумывались все эти девочки, тетки, бабки, дамы, которые доверчиво раскидывали перед ним ляжки.

И бессмертие, и вечность, и свобода — все было связано с этой дырой, в которую все проваливалось, включая и Маркса, которого Павел Алексеевич никогда не мог прочитать, и Фрейда с его гениальными и ложными теориями, и сам он, старый доктор, который принимал и принимал в свои руки сотни, тысячи, нескончаемый поток мокрых, орущих существ...

Когда Илья Иосифович, давно уже освобожденный из предпоследней, как выяснилось впоследствии, отсидки, вдохновленный новым расцветом своей возлюбленной науки, увлекшийся теперь молекулярной генетикой, разглагольствовал о тайном шифре жизни, открытом в ДНК паршивыми англиканами, как называл он Уотсона и Крика, и негодовал, что нас, то есть советских, так обошли, Павел Алексеевич, упершись подбородком в большие сложенные плетенкой ладони, осаживал его на горячем бегу:

— Ты, Илюша, ученый — хер печеный, а я простой пиздяных дел мастер, мне не очень понятно, чего ты так кипятишься. Ну ясное дело, что бусурманы твою спираль изобрели. У них финансирование хорошее. А у меня оборудование в клинике швейцарское, сказать, какого года? Одна тысяча девятьсот четвертого. А у тебя, скажи пожалуйста, центрифуга в лаборатории какого года производства?

— Так в том-то и дело, Паша. Нам бы их деньги, мы бы всех обштопали. Молодежь у нас талантливейшая, такой потенциал! — озабоченность его на мгновение сменялась теплой тенью. — Знаешь, у Витальки отличная голова оказалась. Отличная! Жаль, что его куда-то в биофизику затягивает. Блюм его соблазнил... Так вот понимаешь, Павел, нам бы их деньги...

— Откуда же у них деньги берутся, Илья? — слегка подзадоривал Павел Алексеевич Гольдберга, и тот мгновенно клевал:

— Колонии, Паша, английские колонии, империализм и чудовищная эксплуатация. Ты как ребенок, Павел, просто удивительно.

Павел Алексеевич кивал головой:

— Ребенок, ребенок. Сам ты ребенок, Илюша. Приступ старческой ветрянки. Прописываю тебе Spiritus vini три раза в день по сто пятьдесят грамм. Как у тебя после восьми лет лагерей язык поворачивается произносить это ужасное слово им-пе-ри-а-лизм?

Павел Алексеевич наливал точнехонько сто пятьдесят граммов в стакан и укладывал толстый кусок сала на грузный ломоть хлеба — Василиса любила так вот стебухать, изобильно... На этот раз выпивали они у Павла Алексеевича в кабинете. Теперь Гольдберг довольно часто заезжал к Кукоцким, дорога в Малаховку была неблизкая, засиживался он в лаборатории допоздна и ночевал иногда по московским квартирам друзей.

Гольдберг вскакивал, переворачивал стул, или сшибал лампу, или хотя бы сталкивал со стола тарелку.

— Из-за таких, как ты... из-за таких, как я... — вопил уязвленный Гольдберг. — У моего отца был счет в швейцарском банке, он был лесоторговец! Дом на Мойке, дом на Лубянке! Дача в Ялте! Я в социальном смысле труп. Я не могу им говорить, что они нарушают ленинские принципы. Кто услышит меня? Я перед этой страной пожизненно виноват.

— Ну хорошо, ты виноват. А я-то в чем перед страной виноват? — интересовался Павел Алексеевич, хотя прекрасно знал, какое обвинение предъявит ему лучший друг.

— Как? Твой отец был в генеральском чине! От него зависело...

Павел Алексеевич зевал, мотал головой и просил Елену дать раскладушку и белье. У нее все было наготове. Она Илью Иосифовича любила и жалела.

Илья Иосифович храпел на раскладушке, сраженный усталостью и алкоголем, а Павел Алексеевич от этой носовой трехступенчатой музыки долго не мог уснуть, размышлял ясным ночным размышлением: какое нравственное величие и какая непроходимая глупость совмещаются в одном человеке! Джигит еврейский! Что это, какая-то особая еврейская болезнь — синдром российского патриотизма? Вроде псориаза или болезни Гоше...

Павел Алексеевич вспомнил о недавней пациентке, молодой еврейке, родившей второго ребенка с болезнью Гоше. Наследственное заболевание... Гольдберг что-то говорил о накоплении рецессивных генов у древних народов с высокой частотой родственных браков. И выдал что-то об оздоровлении человечества через смешанные браки. Чуть ли не о создании новой расы людей бредил... А в действительности, если вглядеться, все больны. Все вокруг больны. Ассистент теперешний, Горшков, болен ненавистью к теще. У него даже тембр голоса меняется, когда он о ней говорит. А что говорить о ней — вздорная старушка, сердечница, диабетик? Медсестра Вера Антоновна помешана на микробах — собственное белье в автоклаве выжаривает... А Леночка? С ее снами... Глаз смотрит внутрь, что она там видит? Спрашиваешь ее о чем-нибудь, она как будто просыпается. В лице испуг, напряжение. Тома шепчется с цветочными горшками, Василиса крестит плиту, прежде чем конфорку зажечь... Большой сумасшедший дом. Одна Танечка здоровый человек с нормальными реакциями. Впрочем, в последнее время она плохо выглядит. Бледная. Круги под глазами. Или переутомляется, или... Может, снимок сделать?

«В воскресенье с ней поговорю», — решил Павел Алексеевич.

Воскресные утра были обыкновенно их собственные, совершенно отдельные. Василиса еще с вечера уезжала куда-то за город на богомолье. Елена, прежде в церковь не ходившая, тоже стала в последнее время богомольничать, как будто назло Павлу Алексеевичу. Правда, в другое место, не с Василисой. Нашла на Остоженке, в старом московском храме какого-то священника из архитекторов, с которым и обсуждала свои чертежные сновидения. Тома же отправлялась на поклонение к рододендронам и олеандрам в Ботанический сад.

Воскресные утра принадлежали безраздельно Тане с

Павлом Алексеевичем. Они завтракали вдвоем, часа по два обсуждали все на свете — и рабочие дела, и литературу, и политику. Павел Алексеевич прилежно слушал по ночам свой старинный ламповый «Телефункен», все враждебные голоса, которые пробивались через воющие заслоны, Таня почитывала первый самиздат — неизвестные стихи известных поэтов и каких-то новых, свежеиспеченных. Иногда совала и отцу что-то особо ей понравившееся. Им важно было обо всем друг другу рассказать. Политика их до некоторой степени занимала, но обоим интереснее были сосуды и капилляры.

Таня освоила специальность гистологического лаборанта играючи — дело тонкое и кропотливое, в котором все ей нравилось. Она варила красители — гематоксилины по старинным, чуть ли не средневековым прописям. Часами выпаривала, отстаивала, фильтровала, перегоняла. Рассказывала Павлу Алексеевичу о своих достижениях, а он усмехался — ничего не меняется, все то же самое. И в его студенческие годы они изучали препараты, окрашенные теми же способами. Гематоксилин Эрлиха. Жидкость Кульчицкого...

Тане нравилась вся процедура приготовления препарата, подчиненная точным законам, начиная от того момента, когда крысиный мозг плавно соскальзывал в фиксирующую жидкость, вплоть до резки тяжелым микротомным ножом матового парафинового кубика, содержащего внутри себя равномерно пронизанный парафином мозг. Тонкая ленточка микронных срезов оставалась на ноже, и легкой кисточкой Таня смахивала их на предметное стекло, приклеивала, закрепляла и красила тем самым гематоксилином, который сама три дня готовила... Только у старухи Виккерс, личного лаборанта Гансовского, препараты были лучше Таниных. Но Виккерс пятьдесят лет ничем другим не занималась. К тому же Каролина Ивановна не могла самостоятельно освоить ни одной методики, а Таня с наслаждением и азартом бралась за каждую новинку.

Таня в подробностях рассказывала отцу, какую тонкую и хитрую операцию научилась она производить вместе с Марленой Сергеевной. Вынимали беременную двурогую матку из усыпленной эфиром крысы, расправляли по обе стороны выбритого брюшка правый и левый рог и сквозь лоснистую оболочку прокалывали плод, норовя попасть в самое темечко, туда, где в развилке, образуемой схождением двух полушарий и мозжечка, в глубине, расположена некая тайная железа. И если прокол удавался, то искусственным путем можно было вызвать закупорку протока спинномозговой жидкости и вызвать таким образом экспериментальную гидроцефалию, то есть водянку головного мозга... Конечно, при условии, что операция сделана хорошо и крыса не скинула и не сожрала свое дефектное потомство, а родила вовремя. И все эти рукодельные ухищрения в конечном счете должны были привести к пониманию причин возникновения этого заболевания и еще, в более конечном счете, избавить человечество от тяжелого, к счастью, довольно редкого недуга.

Таня наслаждалась новым для нее ощущением профессионализма, когда глаза и руки живут в согласии, нисколько не нуждаясь ни в командах, ни в присмотре высшей инстанции, делают свое дело, независимо и автономно, а дело льнет к рукам, словно радуясь происходящему творению... Из Таниных восторженных вздохов, из горячности ее рассказов именно о деталях, он узнавал в ней человека родственной ему природы — дельного.

Павел Алексеевич слушал с самым искренним вниманием — ему так хорошо был знаком этот научный энтузиазм... Таня только кончала второй курс биофака, но уже втянулась по уши в научную игру, столь понятную Павлу Алексеевичу.

«Все-таки жаль, что не пошла она в медицину. Руки хорошие, а будет всю жизнь крыс потрошить», — думал старый врач.

В заветном своем ночном писании в те месяцы он отметил: «Такое засилие болтунов настало, какого прежде не было. Развелось множество людей, профессия которых — исключительно пустое и даже подлое словоговорение. Весь народ заметно поделился на говорящих и делающих. Целые учреждения, специальные должности — ужасная зараза. Какое счастье, что Танька из породы дельных людей. Дело, профессия — единственная точка опоры. Все прочее весьма колеблется».

Лаборатория изучала строение и развитие мозга. Морфологи и гистологи наблюдали в окуляры примитивных микроскопов за растущими деревцами капилляров мозга, выслеживали тайные процессы проторивания новых проводящих путей в мозге взамен пораженных или дефектных. Часто они использовали методику экспериментальной наливки туши в кровеносную систему. Кровь постепенно замещалась тушью, и на приготовленных впоследствии препаратах можно было наблюдать отчетливые темные веточки, набитые зернистой темно-серой икрой — именно так выглядела тушь под микроскопом. Наиболее эффективен этот метод был в случае, когда наливку производили на живом животном. Сердце его билось, не успев еще разобраться, что вместо живой крови гонит мертвую тушь, и лишь постепенно, изнемогая от кислородного голода, сердце замедлялось и останавливалось. Чаще, однако, наливку производили на умершем животном, подвергнутом предварительно разным научным воздействиям. Делать было проще, но сосуды так хорошо тушью не заполнялись. Наборы необходимых для этих процедур инструментов несколько различались — на этом незначительном месте готовился решительный поворот Таниной судьбы.

В одно из воскресений Танечка с гордостью сообщила отцу, что ее назначили ответственной за хирургическую комнату, и она теперь заведует ключами от шкафчика, в котором хранится весь лабораторный инструментарий. Теперь каждый, кому предстояло спуститься в операционную, находившуюся в полуподвальном этаже, обращался к Тане за корнцангами, зажимами, скальпелями и пилами — страшными и красивыми орудиями резки и пилки костных тканей. Там внизу, в операционной, резали, кроме крыс, еще и кошек, собак, кроликов... Но основная Танина работа заключалась в изготовлении тончайших гистологических препаратов, и эта работа ей очень удавалась.

Весной шестидесятого года Таня сдала отлично сессию и ей предложили перейти на дневное отделение. Она отказалась, даже не посоветовавшись с домашними. Хотя вечерняя учеба действительно была трудной, но оставлять лабораторию она не собиралась: настоящая ее жизнь происходила именно там, среди колб, крыс, препаратов, в тесном общении с Марленой Сергеевной. Сам Гансовский к ней присматривался. Старуха Виккерс собиралась на пенсию, и он подумывал о том, не взять ли на ее место Таню. Марлена Сергеевна догадалась о намерении шефа и, дорожа Таней как лаборантом, сообщила ему на всякий случай, что она собирается переводиться на дневной. Затевалась небольшая, но совершенно классическая интрига на производственной почве. Таня, как водится, об этом ничего не знала.

Детская клиника, существовавшая при лаборатории, в летние месяцы обыкновенно сворачивалась, оставляли только острую патологию и отдел развития, в котором содержались здоровые дети, оставленные в роддомах отказавшимися от них матерями. До трех лет их содержали здесь, под присмотром педиатров и физиологов, изучавших развитие «нормального» ребенка, потом распределяли по детским домам. В эти летние месяцы, когда клиника почти прикрывалась, аспиранты и научные сотрудники имели возможность сосредоточиться на той работе, которая в диссертациях шла в раздел «Экспериментальная часть». Жизнь лаборатории становилась интенсивней, в хирургической работали каждый день, по жесткому графику. Прибавлялось работы и Тане — она отвечала за стерилизацию и выдачу инструментов.

Событие, ставшее самым значительным в ее жизни, начиналось очень невзрачно и обыденно. Миловидная, припадающая на полиомиелитную ногу лаборантка Рая, держа в цепких руках лоток, укрытый пожелтевшей от многих стерилизаций пеленкой, попросила выдать ей набор инструментов для наливки тушью.

— Кого наливаешь? — деловито спросила Таня.

— Плод человеческий, — ответила Рая.

Таня звякнула ключом, отпирая стеклянный шкаф с мелкими металлическими драгоценностями, вытащила из сломанного бикса пинцеты, скальпели, фиксаторы, пересчитала весь этот старый металл поштучно и, подбирая зажимы, спросила делово:

— Живой, мертвый?

— Мертвый, — спокойно отозвалась миловидная Рая, расписалась в тетрадке за полученный инструментарий и стала неровно спускаться в полуподвал по круто прорубленной вниз лесенке...

Она уже успела прогромыхать донизу и шкваркала рукой по стене в поисках выключателя, когда Таня поняла, что́ именно она спросила... А поняв, положила ключ от операционной на место, сняла белый халат, повесила его на вешалку и вышла из лаборатории. Больше она туда не вернулась. Не вернулась она и в университет. Роман ее с наукой закончился в этот самый час и навсегда.

20

Неделю она молчала. Утром, как обычно, уходила из дому, шла пешком куда глаза глядят — то в центр, то в Марьину рощу, то в Тимирязевскую академию. Сроду не было у нее такого пустого времени. Лето было поздним, и, хотя был уже конец июня, зелень парков была еще новой, необтрепанной, и липа цвела запоздало, и особенно обаятельными были закоулки, проходные дворы, ветхость деревянных домов казалась милой и домашней, и Таня бродила до устали, потом покупала хлеба, плавленый сырок, бутылку теплого лимонада и устраивалась в каком-нибудь укромном, уютном месте, возле дровяных сараев, на откосе заброшенной ветки железной дороги, в парке на лавочке...

Состояние ее было весьма странным, раздвоенным. Кажется, что она вовсе ни о чем не думала, только ходила и смотрела по сторонам, но мысль сидела внутри ее, сама поворачивалась с боку на бок, так и эдак, и даже не отчетливая какая-то мысль, а это поразившее ее до глубины событие, что она, Таня Кукоцкая, спросила у Раи Пащенковой, живой ли плод, то есть живой ли ребенок, и если бы он был живым, то она выдала бы Рае необходимые инструменты, чтобы налить в вену тушь и умертвить в процессе этого мероприятия живого ребенка... не крысенка, не котенка и не крольчонка, а существо с именем, фамилией и днем рождения... Неужели каждый человек так близок к совершению убийства, или это нечто особое, что произошло только с ней?

Проблуждав по городу с утра до вечера, она возвращалась домой, ужинала, ложилась спать, быстро засыпала, но вскоре просыпалась и маялась без сна. Однажды среди ночи она, не выдержав пустоты бессонницы, оделась и тихонько выскользнула на улицу. Прошлась по окрестным знакомым дворам, преобразившимся в огромные театральные декорации. Вышла луна, быстро пробежала по небу и закатилась над Бутырской тюрьмой. Потом подул ветер, посветлело небо, новая дворничиха, нанятая взамен Лизаветы Полосухиной, начала мести сухой метлой двор, поднимая облачко пыли...

К половине седьмого Таня вернулась домой, легла и заснула. Когда Тома стала ее будить, она пробурчала, что никуда сегодня не идет... Потом Елена склонилась над ней:

— Танюш, что случилось? Не заболела?

Натянув простыню на голову, Таня ответила ясным голосом:

— Не заболела. Сплю. Оставьте меня в покое.

Елена удивилась: что за ответ? Таня никогда не грубила...

Проснулась Таня к обеду. В доме никого не было, даже Василиса куда-то ушла. Таня обрадовалась, что никому ничего не надо объяснять, и опять пошла шататься без цели и без смысла... Палиха, Самотека, Мещанские... Деревянные дома, остатки слободской жизни...

Она, пожалуй, уже была готова поговорить обо всем с отцом и послушать, что скажет ей он, самый главный, самый умный, самый ученый... Но отца не было, он был в срочной командировке, и Таня сердилась и готовила для него длинную ехидную фразу: когда ты нужен, то всегда либо на операции, либо на консультации, либо в Праге, либо в Варшаве...

Еще можно было бы поговорить с Виталькой Гольдбергом, но он шабашил в колхозе в Костромской области... Говорить с матерью, Томой или Василисой — все равно что с кошкой советоваться...

Когда Таня вернулась домой, Тома уже завалилась спать,

матери почему-то не было дома, а Василиса сидела на кухне, перебирала гречку.

— Есть будешь? — спросила Василиса.

Есть Тане не хотелось. Она налила себе чаю, села напротив Василисы и огорошила ее вопросом:

— Вась, как ты думаешь, когда душа прикрепляется к ребенку — сразу при зачатии или только при рождении?

Василиса вылупила на нее свой пуговичный живой глаз и ответила без малейшего колебания:

— Знамо дело, при зачатии. А как иначе?

— Это церковное учение или ты сама так думаешь?

Василиса честно наморщила лоб. У нее было упорное заблуждение: именно то, что она думала, и казалось ей церковным учением, но теперь она вдруг засомневалась — второй вопрос оказался сложнее первого.

— Да что ты меня пытаешь, у отца спроси, ему-то виднее, — рассердилась вдруг она.

— Спрошу, когда приедет, — и Таня, оставив грязную чашку на столе, ушла.

Василиса закрыла глаз, задумалась: а неспроста... чего это вдруг ей надо знать про это? Может, Елене шепнуть? Впрочем, и сама Елена в глазах Василисы в этом отношении не была вполне благонадежна.

21

Павел Алексеевич приехал из Польши с целым чемоданом подарков. По своему обыкновению, он зашел в первый попавшийся магазин и закупил все, включая чемодан. Магазин оказался по случайности специализированным — для новобрачных, и потому все покупки были белыми, кружевными, пошлейшими. Василиса с Томой ахали над красотой, а Таня с матерью только понимающе улыбнулись друг другу... Промахнулся отец. Впрочем, туфли белые оказались впору и Елене, и Тане... Прошло еще три дня, прежде чем настало воскресное утро, которого Таня так ждала. К этому времени в бессмысленных прогулках она выходила целую теорию отрицания мира, дурацкого, бредового, поганейшего мира, жить по законам которого она решительно отказывалась.

За завтраком она рассказала отцу о главном происшествии. Очень сдержанно и точно. Ему ничего не надо было разжевывать, он мгновенно понял самое зерно.

— Ты понимаешь, о чем я хочу с тобой поговорить? — закончила она свой рассказ.

Он сидел молча, и Таня молчала, ждала, что он скажет. А он вспоминал ее трехлетнюю, пятилетнюю, примерял на взрослую, с несчастным лицом молодую женщину все ее глупые детские прозвища — бельчонка глазастого, вишенку, котика... Неужели и здесь ожидает его крах?

— Ты хочешь говорить о профессионализме? — спросил он дочь.

— Именно, — кивнула она.

— Видишь ли, профессия — это угол зрения. Профессионал очень хорошо видит один кусок жизни и может не видеть других вещей, которые его профессии не касаются.

— Пап, я читала об эсэсовских врачах. Они проводили опыты по воздействию на человека, кажется, низких температур или какой-то химии. Они ставили опыты на пленных, все равно приговоренных к расстрелу. Ну, к уничтожению.

— Да, да. Знаю. Ужасно. Их потом судили на Нюрнбергском процессе. Ты права. Конфликт этот принципиально существует, — он потер глаза, которые враз устали от этого разговора. — Ты только не забывай о том, что приговор в некотором смысле всем подписан заранее — и врачам, и пациентам.

Таня вскинула брови:

— Ты хочешь сказать, что все люди смертны? Если это принимать во внимание, то получается еще хуже. Еще гнусней. Ни в чем нет ни капли смысла. У нас в патологии сейчас лежит ребенок — тельце крошечное, а головка девяносто сантиметров в диаметре. Пленка растянутой кожи на водяном пузыре. И никакие крысы его не спасут! Значит, лучше убить его, взять в острый опыт?

— Ну, это вообще в расчет не берется. Идиотское рассуждение, — Павел Алексеевич пожал плечами. Зачерпнула семейных предрассудков, подумал с раздражением, но решил, что разговор надо довести до конца. — В нашем деле, Таня, профессионал тот, кто берет на себя ответственность, выбирает из имеющихся возможностей наиболее приемлемую, иногда это выбор жизни или смерти. В медицине есть своя этика, возьми Гиппократа, почитай, уже он об этом писал. Есть готовые решения: в моей профессии, когда надо выбирать между жизнью ребенка и жизнью матери, обычно выбирают жизнь женщины. Это не так уж редко происходит. Что же касается твоей истории, то вопрос этот совершенно умозрительный: тебе на минуту показалось, что ты можешь оказаться убийцей...

Таня перебила отца:

— Пап, мне не показалось. Что я эти два года делала? Убивала крыс. Целую гору крыс порезала. Это оказалось очень просто. Хрясь, хрясь... А в результате... Какой-то барьер размылся...

— Нет, нет, нет. Это — к маме. Про эти барьеры я ничего не знаю и знать не хочу. Есть определенная иерархия ценностей, и человеческая жизнь — на самой вершине. И если для того, чтобы спасти жизнь одного человека, научиться лечить одно только человеческое заболевание, надо уничтожить в лабораториях сто тысяч, да сколько угодно животных, вопросов нет.

— Пап, ты не понимаешь, я о другом. Бог с ними, с крысами. Я о себе. Со мной-то что произошло? — выставила Таня перед собой удивленные худые руки.

— Никакой трагедии не вижу. Это был профессиональный ход мыслей, и он дал сбой. Такое бывает.

— Ничего себе сбой! Ты что, не понимаешь, что ли? Я режу, режу своих крыс, полные корзины дохлятины, чтобы получить результат. Чтобы что-то там узнать, что-то вылечить, а по дороге со мной происходит такое, что я теряю какие-то основные понятия, разницу между человеческой и крысиной жизнью потеряла... Я не хочу больше быть хорошей девочкой, которая крыс режет! — Таня почти кричала, а Павел Алексеевич все больше хмурился, так что морщины собрались на голом лбу чуть ли не до затылка.

— Извини, деточка. А кем ты хочешь быть?

Таня уже прыскала слезами. Павел Алексеевич этого не выносил.

— Я хочу быть плохой девочкой, которая никого не режет!

— Ты с Ильей Иосифовичем поговори. Он философ. Докажет тебе, что все есть материал. И мы с тобой, и крысы, и дрозофилы, все едино. Меня не интересует философия. Я занимаюсь прикладными вопросами — поворот на ножки, двойное обвитие пуповины... Я отказываюсь решать вопросы мирового значения. У нас и так полстраны только этим и занимается... Это безответственное занятие. А всякий, кто вообще что-то делает толковое, несет ответственность. Большинство людей старается не делать вообще ничего...

— Не хочу я такой ответственности! — злые слезы уже текли по Таниному лицу. Она ждала от отца сочувствия и понимания, но ничего подобного в нем не находила. Павел Алексеевич смотрел на нее чужим и неодобрительным глазом:

— Тогда надо было играть на пианино. Или пересаживать кактусы. Или, если хочешь, чертить чертежи... а не наукой заниматься...

— А я ничем таким больше и не занимаюсь. Все. Я бросила, — медленными и не вполне уверенными движениями Таня собрала со стола чашки, сложила в мойку...

Павел Алексеевич смотрел в ее напряженную спину с отвратительным чувством, что это с ним уже было. Ну конечно, обидел, обидел девочку, старый дурак! Так же, как было с Леночкой... И оскорбленная Таня такими же точно медлительными и неуверенными движениями собирает со стола чашки...

Он схватил ее за острые плечи, обнял:

— Таня! Не надо делать из эксперимента трагедию.

Стройная молодая женщина, так похожая на свою мать в эту минуту, что у Павла Алексеевича сердце защемило, обернула к нему залитое слезами злое лицо и тихо сказала:

— И даже ты, как все... Ничего не понимаешь...

Вышла из кухни, крепко хлопнув дверью и оставив Павла Алексеевича в глубоком огорчении и недоумении: что сказал он такого несуразного, чем оскорбил свою любимую девочку?

Павел Алексеевич сел на свое хозяйское место за большим столом, положил бритую голову на руки. Задумался... Есть множество причин, которые удерживают людей от приближения друг к другу: стыдливость, страх вмешательства, равнодушие, физическое отвращение, в конце концов. Но есть и поток противоположный, влекущий, притягивающий до полной, самой возможной близости. Где эта граница? Насколько она реальна? Очертив условный магический круг, больший или меньший, каждый живет в самим собой ограниченной клетке и относится в этому умозрительному пространству тоже по-разному. Один своей воображаемой клеткой дорожит безмерно, другой тяготится, третий желает впустить в свое личное пространство своих избранных любимых и выставить тех, кто туда напрашивается...

Среди множества людей, знакомых Павлу Алексеевичу, большинство вообще не выносили никакой самоизоляции, более всего боялись остаться наедине с самим собой и готовы с кем угодно чай пить, беседовать, делать разнообразную работу, лишь бы не оставаться в одиночестве. Пусть даже неудобства, боль, страдания, но лишь бы публично, лишь бы на людях. Они и придумали пословицу: на миру и смерть красна... Но люди мыслящие, созидающие, да и вообще чего-то стоящие, всегда ограждают себя этой защитной полосой, зоной отчуждения... Каков парадокс! Самые тяжкие обиды как раз из-за того и происходят, что даже самые близкие люди по-разному проводят внешние и внутренние радиусы своей личности. Одному человеку просто необходимо, чтобы жена его спросила пять раз: почему ты сегодня бледен? как ты себя чувствуешь? Другой даже излишне внимательный взгляд воспринимает как посягательство на свободу...

«Какая странная, редкостно странная семья у нас, — размышлял Павел Алексеевич. — Может, оттого, что только двое из нас — Елена и Таня связаны настоящими узами крови... все остальные собрались вместе по прихоти судьбы. Прибилась к дому непонятным ветром хмурая Василиса, никчемная Томочка со своими вечнозелеными радостями... Грустна Елена, бунтует неизвестно почему Танечка... И каждый в своей клетке, непроницаемый, особый, и каждый со своей незамысловатой тайной...»

Вообще-то Павел Алексеевич планировал на сегодня кое-какую работу: просмотреть американские журналы, дать отзыв на диссертацию, которая уже две недели лежала... Но настроение его было испорчено, читать безграмотную диссертацию чьего-то сына было неохота. Он открыл дверцу буфета — бутылка стояла на месте, — сковырнул с нее металлическую крышечку... «А виноват во всем я, старый дурак. Всех обидел: Елену, Таню, Василису...»

22

Таня вылетела из дому и понеслась чуть ли не бегом к Савеловскому вокзалу, потом метнулась вправо, влево, прошла по путанице проулков и проходных дворов и огляделась только на задах Минаевского рынка. Разбитый дощатый прилавок, который еще не успели сжечь, горы рыночного мусора — гнилых овощей, битого стекла.

Солнце припекало из последних предзакатных сил. И слезы, и злость выветрились. Таня присела у стены сарая. Рядом трое мальчишек лет семи играли в карты. Один из них был с заячьей губой, второй — с обрубком правой руки, третий более или менее нормальный, но лицо в крупных прыщах. Они шлепали картами и матерились. Смотреть в их сторону было неловко. А в другой стороне сидела пьяная парочка. Невообразимо грязные и очень радостные странные существа, слишком тепло одетые для летнего времени — в тренировочных штанах, в зимних, разлезшихся на составные части ботинках. Половая принадлежность неопределенная. Пустая бутылка стояла перед ними. Им было хорошо. Серый батон и плавленый сырок лежали на картонке, довольство прямо-таки струилось над ними розовым паром. Они смотрели на Таню и о чем-то переговаривались.

Одно из неопределенных существ поманило Таню и, когда она двинулась им навстречу, вытащило из махристой сумки непочатую бутылку дешевого вина и подмигнуло...

Лыжные шерстяные шапочки исчезнувшего от грязи цвета были натянуты на лбы, так что волос не было видно, и, только вглядевшись, по небритой щеке того, что был помельче, Таня определила его как особь мужского пола.

— Иди, налью тебе, — предложено было Тане.

Теперь стало ясно, что второе существо — женщина. Лицо ее было рябоватым, темень старого синяка лежала под глазом.

Таня подошла поближе. Женщина старательно потерла черной рукой стакан и налила почти доверху. Таня взяла стакан и выпила залпом. Женщина удовлетворенно засмеялась:

— Ну точно, вот он говорит, что ты не станешь, а я говорю: някто не откажется!

Таня почувствовала себя жертвой эксперимента и радостно засмеялась в ответ. Вино показалось ей очень вкусным, сразу же забрало, и впервые с того момента, как вышла из дверей лаборатории неделю назад, она испытала облегчение...

— Спасибо, очень хорошее вино, — поблагодарила Таня, вернув стакан.

Пьянчужка встрепенулась:

— Ты ня пей вина, дочка.

Говор у нее был не московский, с сильным «я» вместо «е».

— Да я и не пью, — отозвалась Таня, но добродушный с виду мужик разгневался ни с того ни с сего:

— Знаем, как не пьешь. Ишь, стаканюгу-то высосала, не подавилась.

— Да ты ня смотри на него, он дурной, — опять подмигнула женщина, но спутник ее рассердился еще сильнее, медленно вытащил синюю ручищу и, пытаясь сложить ее в кулак — не получалось, распухшие пальцы не складывались, торчали врастопырку, — сунул женщине под нос...

Она с неожиданным кокетством шлепнула его по руке:

— О, испужал!

— Смотри, я тя проучу, — пригрозил он.

— А на-ка вот, — женщина примирительно пошла на попятный, налила проворной рукой в грязный стакан и поднесла мужичку.

— Вот так и лучше, — принял он стакан в корявую руку и выпил. Потом вдумчивым замедленным движением поставил пустой стакан рядом с невостребованным питанием и обратился к Тане: — Чем так сидеть, сходила бы да еще взяла.

Таня послушно встала:

— А какого?

— Какого! — передразнил он. — Финь-шампаньского! На какое хватит, такое и бери... Знаешь, куда иттить? В «деревяшку» надо, все магазины закрыты.

Сначала Таня купила одну бутылку сухого вина «Гурджаани», но покупка оказалась неправильной, мужик просто руками развел от возмущения. Тем не менее выпили. Потом, едва успев, уже перед самым закрытием, она сходила и купила еще две бутылки портвейна, который оказался в самый раз. Между «Гурджаани» и портвейном пришел милиционер и всех прогнал — они устроились неподалеку, в уютном, заросшем лопухами слепом углу двора, между тремя осыпающимися строениями, которым слово «дом» было не по чину...

Благодать прибывала. Парочка на Таню особого внимания не обращала. Мужик за все время, кроме междометий, изрек только три членораздельных слова:

— Летом хорошо. Тепло...

Из-под шерстяных шапок лил на их грязные лица банный светлый пот, и летний день все длился. Это была не лень, не праздность — отдохновение.

За всю свою почти двадцатилетнюю жизнь Таня никогда не попадала в столь счастливое место, где отменены работа, забота, долг и спешка. Эта спившаяся парочка обладала такой изобильной свободой, что и на Таню ее хватало.

Тетка разулась, выпростала из остатков обуви грязные босые ноги. Раскорячившись, поставила ступни на теплую траву. Хорошо... Потом отошла на пару шагов в сторону, спустила штаны. Зад сверкнул неожиданной белизной. Мужик благостно прокомментировал событие:

— Ссыт, сучка...

И сам надумал. Встал, оттянул резинку многочисленных тренировочных портков, вытащил мелкую снасть, и лопух затрясся от здоровой струи.

Тане было хорошо и даже, по мере опьянения, становилось все лучше и лучше, пока она не заснула здесь же, в тени орошенных лопухов.

Проснулась она, когда уже стемнело, от резкого приступа тошноты. Она не сразу поняла, где находится. Пошевелилась. Встала на колени. Ее сильно вырвало. Она вытерла рот куском грубого лопушиного листа. Парочки никакой не было. Надо было отсюда выбираться. Она двинулась — снова ее настигла рвота. На этот раз хлестало из нее ужасно, и желудок, казалось, рвался на части. Отблевав, пошла через темные, освещенные только слабым заоконным светом дворы. Миновала один, другой, третий. Зазвенел невдалеке трамвай, и она пошла на его привычную музыку. Улица оказалась знакомой. Тихвинская. Совсем близко от дома.

Ей снова стало хорошо, как будто что-то прекрасное с ней произошло. А, эти бродяги... Симпатичные, свободные ото всех забот люди...

Какая жизнь прекрасно простая! Я что-то над собой такое сделала — хрясь! Хрясь! Больше не хочу. Никаких беременных крыс, гидроцефалии, никаких растущих капилляров!

И на Таню снизошло то безмятежное спокойствие, райская минута довольства и радости, которая сияла над пьяной бродячей парочкой...

23

Елена Георгиевна сидела на узкой деревянной скамье позади церковного ящика и ожидала знакомого священника. Служба уже окончилась. Прихожане разошлись. Уборщица позвякивала ведром. Гулкой тишине храма шли эти мелкие металлические позвякивания... В трапезной обедали священники, церковный староста и регент, и до Елены доносился запах жареного лука. Освещение в храме было самое что ни на есть театральное — полумрак разрубали толстые столбы солнечного света, падающие от довольно высоко расположенных окон, и попадающие в эти световые потоки иконы сияли отчищенными окладами, горели медные подсвечники, а куда свет не доставал, оттуда шло только загадочное мерцание, блики, колыхание догорающих свечных огней... На душе у Елены был мир и тишина. Ради этих минут и приходила она сюда: беспокойства ее казались сейчас суетными, проблемы — несущественными и ожидаемый давно разговор неловким и фальшивым... Может, напрасно просила она отца Владимира о встрече? Может, и не надо никому ни о чем рассказывать. И как рассказывать? Да, мир распадается на куски. Но ведь она и сама прекрасно понимает, что распадается не мир, а ее сознание, и отбиваются драгоценные осколки со знаниями, воспоминаниями, навыками жизни... Она бы пошла к невропатологу, к психиатру, а не к священнику, если бы в трещины расколотого сознания не проникало нечто постороннее, точнее, потустороннее, голоса и лица, все нездешнее, тревожное, но иногда и невыразимо прекрасное... Прелесть? Обман? Как сказать это?

Священник уже направлялся к ней, вытирая на ходу клетчатым платком рот, потерявшийся в усах и бороде...

— Ну вот, моя дорогая, весь к вашим услугам, — сказал совершенно по-светски, как в давние времена, когда он работал еще в Моспроекте, а Елена время от времени делала для него чертежную работу. — Какие проблемы?

Не было у Елены таких проблем, которые могли бы обсуждаться таким бодрым, деловым способом.

— С дочкой сложности... — выдавила из себя Елена.

Она не собиралась разговаривать с ним о Тане, но поскольку с Таней вопрос был конкретным, общепонятным, она и сказала о ней. Ощущение предательства захватило

Елену — не поручала ей Таня обсуждать ее дела с кем бы то ни было, но деваться было некуда, и она продолжала:

— Она очень способная девочка, училась хорошо, а теперь вдруг ушла с работы, ничего не делает, гуляет с утра до ночи, и ничего не говорит...

— Сколько ей, двадцать? — Отец Владимир сокрушенно покачал грубым толстым носом, глаза под единственной, сросшейся на переносье бровью глядели сочувственно. — И с моими то же... Коля институт бросил, Наточка от мужа ушла... Вырастили мы своих детей без церкви, и вот, самые плачевные результаты...

Елене Георгиевне стало нестерпимо скучно, но уйти сразу было невозможно, и они еще минут двадцать проговорили о вреде атеистического воспитания, о необходимости приводить детей в церковь с малолетства, о пользе чтения Евангелия, о молитве и других хороших и правильных вещах. Это было на удивление похоже на то, что своими, гораздо менее складными словами говорила Василиса.

В начале четвертого Елена вышла на улицу. Солнце все сияло, и все еще было лето, но место показалось ей совершенно незнакомым, и она испытала дикий страх, какой испытывает ребенок, потерявший мать в вокзальной толпе... Она постояла, подождала: вдруг пройдет... Такое с ней иногда случалось, но только на мгновение, как затмение. Теперь это забытье мира длилось, и надо было к нему приспособиться...

Это город, сказала себе Елена. Я в Москве. Я приехала сюда на метро.... Или на троллейбусе.... Надо спросить, какое здесь метро поблизости... Около моего дома есть метро. Как называется, не помню. Стеклянные цветные витражи... У меня есть дом. Дома есть телефон... Номер... не помню... Надо спросить у того, с кем я сейчас разговаривала... Но вспомнить, с кем она только что говорила и о чем, она не могла...

Высокая женщина в светлом костюме, в шелковом, серо-голубыми разводами шарфике на седеющих волосах стояла на паперти, пытаясь найти хоть какую-то шероховатость в пустынном зеркале мира, который только что был полон цветными и разнообразными подробностями, у каждой из которых было название, имя... Она медленно пошла по переулку. И шла долго, по местам незнакомым и скорее приятным, но совершенно неузнаваемым. Старалась не переходить улиц — было страшно. Устала, посидела на лавочке в каком-то сквере. Захотела спросить у сидящей рядом женщины, который час, но не смогла задать вопрос — слова и не складывались, и не произносились. Потом кто-то знакомый тронул ее за плечо:

— Елена Георгиевна? У вас что-то случилось?

Голос был женский, участливый. Кто это был, Елена так никогда и не вспомнила. Этот ангел проводил ее до дома, помог справиться с ключом. Был почему-то уже поздний вечер. Куда делось дневное время, совершенно непонятно. Елена села в свое кресло на кухне и сидела в нем долго-долго, пока не уснула... В доме спали еще два человека — Павел Алексеевич в своем кабинете и Тома в детской. Рядом с кушеткой Павла Алексеевича стояла порожняя водочная бутылка. Тома спала, не помыв выпачканных землей рук и не погасив света. Василиса в тот вечер домой не вернулась. Так же как и Таня... Но Елена этого не заметила.

Глава Девочки должно кончаться МА, после "ГЕКАТОМБЫ", где долго и размышляет о грядущих переме Наденьда не постановление.

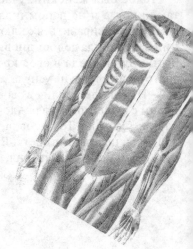

ЧАСТЬ ВТОРАЯ

Финал — неожиданное и причем
моя, после смерти Сталина, об-
разумление О-ва и заботливое / что здесь об-
разумился.. Он загоняет А-) любви имеют
/ чистоты.. после ее слезой / — ревнивых А-
стали братья. возвратился. Он был
Свободу ненужную утрата.

1

Песок, подхваченный током воздуха, тонко звенел, ударяясь на лету о прозрачные стебли сухих ломких растений. Все стороны горизонта были затянуты дымкой, и никаких признаков светил в небе не было. Маленькие вихри заворачивались вокруг слабых мелких холмов, рассеивались, снова возникали. Песок медленно перекатывался с места на место, тек, как сухая вода, но очертания этой бледной земли почти не менялись.

На одном из плоских холмов полузанесенная песком лежала женщина. Глаза ее были закрыты, но пальцы ощупывали песок и, ухватив в горсть, просыпали тонкими струйками.

«Наверное, я уже могу открыть глаза», — подумала женщина. Помедлила и открыла. Мягкий полусумеречный свет был приятен. Она еще немного полежала и приподнялась на локте. Потом села. Песок защекотал, ссыпаясь с ее одежды. Она посмотрела на рукав своей белой, в мелкий зеленый цветочек, рубахи.

«Новая, пакистанская. Подарили, я такую не покупала», — отметила она про себя и почувствовала, что ей мешает узел белого в горошек платка, повязанного по-деревенски под подбородком. Она улыбнулась и скинула его. Села, подтянув колени почти под подбородок: как хорошо... как легко...

Она просунула руки под подол рубахи и ощутила грубую шершавость своих ног. Провела ладонями по икрам, посыпался песок. Женщина задрала подол и удивилась, увидев свои ноги — они были в грубых трещинах. Кожа около трещин заворачивалась розовыми пересохшими трубочками. Она постучала по ним, и они отлетели, точь-в-точь как краска со старых манекенов. Она с удовольствием начала обскребать эту засохшую краску, из-под которой сыпалась грязная гипсовая пыль, и внутри открывалась новая молодая кожа. Особенно ужасными были большие пальцы ног — на них наросла желто-серая кора, из которой торчал разросшийся, как древесный гриб, ноготь.

«Фу, гадость какая», — она потерла с некоторой брезгливостью эти почти известковые наросты, и они неожиданно легко отслоились и упали в песок, мгновенно с ним смешавшись. И высвободились пальцы ног — новые, розовые, как у младенца. Откуда-то взялись оливковые парусиновые туфельки на костяных пуговках, такие знакомые... Ну да, конечно, бабушка купила их в Торгсине, туфли ей и синюю шерстяную кофту маме — за золотую цепочку и кольцо...

Руки тоже были покрыты сухой пыльной коркой, она потерла их, и выпростались тонкие длинные пальцы, без утолщений на суставах, без выпуклых темных вен, — как из перчаток...

«Как славно, — подумала она. — Я теперь как новенькая».

И нисколько не удивилась. Она встала на ноги и почувствовала, что стала выше ростом. Остатки старой кожи песчаными пластами упали к ногам. Она провела рукой по лицу, по волосам — все свое, и все изменившееся. Песок хрустел под ногами, каблуки увязали в песке. Было не холодно и не жарко. Свет не убывал и не прибавлялся — ранние сумерки, и казалось, ничего и не собирается здесь меняться.

«Я осталась совсем одна», — проскользнуло в мыслях. И тут же она почувствовала легкое движение у ног — серая, с извилисто-темными полосками на боках простопородная кошка коснулась ее голой ноги. Одна из бесчисленных Мурок, сопровождавших ее всегда. Она наклонилась, погладила выгнутую спинку. Кошка отзывчиво мурлыкнула. И вдруг все изменилось: оказалось, что воздух вокруг нее населен. В нем происходило движение теплоты, переливы какого-то качества, которое она не умела правильно назвать: живой воздух, и этот воздух ко мне не безразличен. Пожалуй, благосклонен...

Втянула в себя — пахло чем-то знакомым, приятным, но несъедобным. Откуда забрела память об этом запахе, неизвестно.

Она взошла на вершину маленького холма и увидела множество таких же плоских перекатов.

«Довольно однообразно», — и пошла вперед без ориентира, которого, собственно, в этой местности и не было, без намеренного направления, куда глаза глядят. Кошка ступала рядом, слегка увязая лапками в сухом песке.

Идти было хорошо. Легко. Она была молодой и легкой. Все было совершенно правильно, хотя и совсем не похоже на то, к чему она так долго готовилась. Все происходящее не соответствовало ее забытым теперь ожиданиям, шло вразрез и с лубочными представлениями церковных старух, и со сложными построениями разнообразных мистиков и визионеров, но зато согласовывалось с ранними детскими предчувствиями. Все физические неудобства ее существования, связанные с опухшими проржавелыми суставами, осевшим и искривившимся позвоночником, отсутствием зубов, слабостью слуха и зрения, вялостью кишечника, — все это совершенно исчезло, и она наслаждалась легкостью собственного шага, огромности обзора, дивной согласованности тела и мира, раскинувшегося вокруг нее.

«Как там они?» — подумала она, но на месте «там» было совершенно голо и безлюдно. «Ну и не надо», — согласилась она с кем-то, кто не хотел показывать ей никаких картинок. И «они» тоже не расшифровывались до отдельных лиц...

В руке она что-то держала. Посмотрела: черная кружевная косынка, слежавшаяся по швам, жесткая — как новенькая. Развернула: узор знакомый — не то колокола, не то цветы — колокольчики, сплетенные между собой извилистыми усиками. Как будто прорвало невидимую стену, пробилось откуда-то воспоминание, и женщина улыбнулась: наконец-то нашлась... Эта была та самая косынка, которую она долго искала, когда умерла бабушка. Бабушка велела хоронить ее в этой косынке, а запрятала так далеко, что никто найти не мог. Так и похоронили, покрыв голову белым платочком... Она набросила косынку на голову, привычным движением повязала сзади на шее.

Шла долго — ничего не менялось ни в пейзаже, ни во времени, но усталости она не чувствовала, только стало вдруг скучно. Она заметила, что кошка исчезла. И тогда она увидела взявшихся неизвестно откуда людей, сидевших у маленького костра. Прозрачный бело-голубой огонь был почти невидим, но вокруг него заметно колыхались потоки воздуха.

Она подошла — навстречу ей, поблескивая лысиной и радостной, лично к ней направленной улыбкой, поднялся высокий худой мужчина с характерной еврейской внешностью.

— Вот Новенькая, — приветливо сказал он. — Иди сюда, иди. Мы ждем тебя.

Люди около костра зашевелились, освобождая ей место. Она шагнула поближе и села на песок. Еврей стоял рядом с ней, улыбался как старой знакомой. Она же испытывала неловкость, потому что не могла вспомнить, где его прежде видела. Он положил ей руку на голову, приговаривая:

— Вот и хорошо, хорошо... Новенькая...

И она поняла, что Новенькая — это ее теперешнее имя. Он же был Иудей. Сидящих было человек десять, и мужчины, и женщины. У некоторых тоже были знакомые лица, но она так давно уже привыкла гнать от себя это мучительное ощущение давно знакомого и ускользающего, так бесплодны были усилия вспомнить, выкопать корешок воспоминания, связать его с тканью существования, что она по привычке отмахнулась. «Они тоже не могут вспомнить», — догадалась Новенькая, заметив, с каким напряженным вниманием смотрит на нее плотный, наголо бритый человек, сидящий по-восточному чуть поодаль. Еще были две собаки и странное животное, какого женщина никогда прежде не видела.

— Ты сиди, сиди, отдыхай, — посоветовал Иудей. Возле огня происходило что-то, прежде ей неизвестное. Более всего было похоже на то, что они загорают — это в сумерках-то, при свете маленького костра... Огромная рыхлая женщина, укутанная с ног до головы в грубый байковый халат, зашевелилась, повернулась к огню боком, старик с мрачным лицом протянул руки, вывернув ладони наружу. Высокая старуха в черном куколе, закрывавшем лицо, жалась к огню... От костра шло, кроме тепла, еще и иное излучение, очень приятное... Собака перевернулась на спину и подставила поросший редкой белой шерстью живот. Блаженство было написано на дворняжьей морде. Вторая, лохматая овчарка, сидела, скрестив перед собой лапы — совершенно по-человечески.

Посидели, помолчали. Потом Иудей протянул руку над костром, сделал такое движение рукой, как будто зажал что-то в руке, и огонь угас. На месте только что горевшего огня Новенькая заметила не золу, не угли, а легкий серебристый прах, который на глазах смешался с песком.

Люди встали, отряхнули песок с одежды. Иудей шел впереди, за ним, врастяжку, поодиночке и парами, потянулись остальные. А Новенькая все сидела на песке, разглядывая их со спины: общая печать странной целеустремленности и сосредоточенности при полнейшей неопределенности движения... Последним ковылял Одноногий, опираясь на палку. И палка, и нога увязали в песке, но он, хоть и шел последним, не отставал...

Они отошли уже довольно далеко, когда Новенькая поняла, что ей не хочется оставаться одной, и тогда она легко догнала вереницу, обогнала Одноногого, Старуху в куколе, Военного в странном мундирчике, как будто с чужого плеча, странное существо, которое все-таки было скорее человеком, чем животным, но уж точно не обезьяной, и поравнялась с Бритоголовым.

— Вот и хорошо, — сказал он.

2

Время отбивалось здесь, как заметила впоследствии Новенькая, не чередованием дней и ночей, не круговоротом времен года, а исключительно привалами возле костра да последовательностью событий, которые казались Новенькой поначалу одно странней другого. Но никто не требовал от нее выражать свое отношение к происходящему, и постепенно она перестала к разнообразным и странным событиям как бы то ни было относиться, а лишь наблюдала и иногда соучаствовала. Она не всегда понимала суть происходящего, однако ей ничего не приходилось делать против воли. Иногда возникали ситуации, требовавшие некоторого напряжения, но общий ритм движения был таков, что привалы происходили всякий раз, когда ей приходило в голову, что неплохо бы отдохнуть.

Ей давно уже стало ясно, что усталость в здешних местах происходит не от самого движения через плоские песчаные холмы, движения довольно медлительного, но не расслабленного, а именно от нехватки особого рода тепла, которое излучал бледный костерок.

Местность была однообразная, и постепенно создалось впечатление, что кажущаяся целеустремленность лишь маскирует движение по кругу.

Да здесь что-то не то с системой координат — догадалась в какой-то момент Новенькая и обрадовалась, как радовалась всегда, когда в ее теперешнее существование вплеталась нить из прошлого, постоянно маячившего неподалеку, но находившегося как будто под замком, скорее как предмет веры, чем как реальность, вроде здешних сухих растений, вполне осязаемого мелкого песка, который иногда попадал в глаза и долго раздражал своим присутствием слизистую.

Однажды к ней подсел Иудей, положил руку на плечо. Он вообще, как она заметила, довольно часто прикасался к путникам — к голове, к плечу, иногда ко лбу...

— Хочешь задать мне вопрос?

— Хочу... Здесь какая-то другая система координат?

Он посмотрел на нее с удивлением:

— Совсем другая.

— То есть... Не трехмерная?

— Она множественная здесь — у каждого своя, — он улыбался тонкими губами, ветер шевелил остатки серых волос, росших немного над ушами и на затылке, под голым темечком.

— Значит ли это, что каждый из нас находится в отдельном, своем собственном, с собственными координатами, пространстве?

— Не каждый. Я знаю, где ты или вот он, — Иудей указал на Бритоголового, — а вы пока не попадаете в мое... Но это не окончательно. Здесь вообще нет ничего окончательного. Все очень изменчиво и меняется с большой скоростью...

— Ага, время, выходит, есть...

— А ты как думала? Есть, конечно, и не одно. Их, времен, несколько, и они разные: время горячее, время холодное, историческое, метаисторическое, личное, абстрактное, акцентированное, обратное, и еще много всяких других... — Он встал. — С тобой приятно разговаривать...

И отошел. Новенькая сидела, поглощала телом лучи и наполнялась силой. Этот хилый костер всех питал... Пустынное место, такое скудное и бедное, оказывалось гораздо интересней, чем можно было предположить с самого начала. Само путешествие тоже становилось все интересней. То, что Иудей сказал о времени, было довольно загадочно, но все-таки возникло ощущение, что она знала об этом, но забыла. Эта мысль вызвала почти ожог, столь она была неприятна.

Новенькая огляделась: мелкий песок, молчаливые люди, наскучивший пейзаж... «Я знала многое другое — другие места, других людей, но все забыла, ничего не могу вспомнить. Может, я выпала из того времени, где происходило все другое, прежнее?» И она закрыла глаза, потому что единственное, что ей оставалось, это наслаждение теплом и бесконечное шагание по мелкому песку...

Некоторые из путешествующих были столь замкнуты в себе и необщительны, что напоминали Новенькой пациентов психиатрической лечебницы. Они лишь вяло выполняли редкие приказы Иудея, который обращался с ними, как с детьми, — ласково и твердо. Большинство из них знали друг друга в лицо, хотя и общались мало и неохотно. Но были и такие, что испытывали взаимное расположение и у костра тихо разговаривали между собой.

Иногда прибавлялись новые лица, а кто-то исчезал. Исчезали обычно незаметно. Только одна женщина, серенькая и исключительно кривоногая, обремененная двумя сумками и заплечным мешком, ушла у всех на виду. В какой-то условно-утренний час, когда все собирались в путь и костер уже был погашен, она подошла к Иудею, сняла с себя матерчатый мешок, поставила у его ног две свои туго набитые сумки и, склонившись, поцеловала ему руку.

Он отобрал руку, дружески и грубовато похлопал ее по плечу и, погасив улыбку, проворчал:

— Ну, иди, иди... Заждались тебя... Умница, иди, ничего не бойся...

И те, кто не поленился поднять голову, увидели, как два праздничных зеленых потока нависли над ней, и раздалось подобие музыки — нечто среднее между короткими позывными неведомой радиостанции и упражнением для музыканта, начинающего занятия на неизвестном миру инструменте... и женщина исчезла, а на ее месте остались небрежной горкой сброшенные сумки да медленно стягивалась плавная воронка замирающего движения в воздухе. Дворняга заволновалась, залаяла, кинулась на еще трепещущее место, вопросительно гавкнула, задрав светлую голову вверх... Вторая, большая и лохматая, вздохнула и прикрыла лапой глаза...

Вскоре все шли по неопределенному маршруту, а ветер, полный мелкого песка, засыпал оказавшийся никому не нужным груз...

Очень скоро, уже на следующем привале, появился новичок, длинноволосый молодой человек. До момента встречи он в полном одиночестве довольно долго брел по чахлой белесой пустыне, глубоко проваливаясь в песок рыжими ковбойскими сапогами. Он нес с собой причудливой формы чемоданчик и с холодноватым любопытством потребителя всякой экзотической дури размышлял о том, куда это его угораздило проскочить. Память отшибло начисто. Он не знал о себе по меньшей мере трех вещей: где он находится, зачем несет эту нелепую ношу, тяжелый чемоданчик столь неправильной формы, что его никак нельзя было поставить, а только на бок положить, и третье, самое неприятное, что это за темный смерч, время от времени на него налетавший... Этот одушевленный воздушный поток ерошил ему волосы, залезал под одежду, был он то слишком горячим, то слишком холодным, неприятно-назойливым и чего-то от него требовал, умолял, скулил... Кроме этих, более или менее определенных ощущений, в которых он отдавал себе отчет, было еще смутное чувство огромной утраты. Утрата намного превосходила все то, чем он сейчас обладал, и вообще все, имеющееся в наличии, так сказать, было совершенно ничтожно в сравнении с тем, что он утратил. Но что именно он утратил — этого он не знал.

Ему надоело идти, и он опустился на песок, тряхнул головой — из волос посыпался белый песок. Он положил под голову чемоданчик. Песок скрипел на зубах, колол под одеждой. Откуда-то справа опять вывернулся темный смерчик, подрожал в отдалении и двинулся к нему. Длинноволосый почувствовал усталое раздражение и сказал про себя:

— Да сгинь ты!

Смерч дрогнул и остановился. Тогда человек догадался, что этот смерч чувствителен к его настроению и что внутренним усилием его можно отогнать. Пожалуй, это было первое приятное впечатление за все последнее время. Он стер ладонью с чемоданчика налет песка и закрыл глаза. Нельзя сказать, что он уснул — скорее впал в какое-то оцепенение. Пока он еще помнил себя, отдал самому себе приказ — сюда больше не хочу, сюда больше не надо... Иногда такие самораспоряжения помогали. У него был опыт.

Однако когда он очнулся, ничего не изменилось, разве что затекла шея от жесткого поворота причудливого предмета, лежащего под головой. Он потер шею и пролежал еще сколько-то, а когда окончательно открыл глаза, вокруг него в молчании сидели люди, которые показались ему унылыми и плохо нарисованными. Один из них был чуть более осязаемым — лысый, высокий, он стоял к нему боком, склонившись над горстью пересохших стеблей. Он протянул руку над сушняком — взвилось тонкое пламя. Огонь загорелся сам собой, без спичек и зажигалки. Это немного успокоило молодого человека: он уже бывал в таких местах, где вода, огонь и ветер лишь смеются над амбициями маленьких существ, которым кажется, что они все на свете укротили с помощью хлипкой уздечки, называемой причинно-следственной связью...

Этот еврей, который играет с огнем, здесь главный, догадался Длинноволосый.

Иудей подошел к нему, постучал по черному чемоданчику и сразу же обнаружил осведомленность:

— Эта штука тебе вряд ли здесь понадобится.

— Не выбрасывать же, — пожал плечами Длинноволосый.

— Само собой...

— А что в нем такое? — впервые пришло в голову Длинноволосому. — Что в нем такое, что я его таскаю?

— Открой да посмотри, — посоветовал Иудей.

Длинноволосый уставился на собеседника с изумлением: как это ему раньше не приходило в голову? Но ведь не приходило же... Отчасти это тоже было утешительным, напоминало незатейливое сновидение, которое даже кошкам снится: хочешь двигаться, бежать, спасаться, даже просто стакан воды взять, а тело тебя не слушается, ни одной мышцей не можешь двинуть...

Чемоданчик был закрыт на два замка, и Длинноволосый не сразу сообразил, как они открываются. Пока он размышлял об устройстве этих затейливых замков-защелок, руки сами нажали на боковую скобку, и чемодан раскрылся. Это был не чемодан, а футляр для предмета невероятной красоты. У Длинноволосого даже дыхание перехватило от одного его вида: металлическая труба с раструбом, желтого благородного металла, не теплое золото, не холодное серебро — мягкий и светоносный. На овальном клейме удлиненными буквами выбито SELMER, и Длинноволосый сразу разобрал эти мелкие буквы. Он прошептал это слово, и во рту от него стало сладко... Потом он коснулся пальцами деревянного мундштука. Дерево было матовым, нежным, как девичья кожа. Изгиб был такой пронзительной женственности, что Длинноволосый смутился, словно ненароком увидел голую женщину.

— Какая прекрасная... — Он запнулся, подыскивая слово: игрушка, машина, вещь? Отбросил неподходящие слова и повторил с окончательной интонацией: — Какая прекрасная!

Что-то хотелось с ней сделать, но неизвестно что... И он оторвал подол своей клетчатой шерстяной рубашки и, нежно дохнув теплым воздухом, провел красно-зеленой тряпочкой по изогнутой золотистой поверхности.

Теперь он шел со всеми, и это кружение, которое кому-то казалось бессмысленным или однообразным, приобрело для него смысл: он нес дивный предмет в черном футляре, огрубленно повторявшем его плавные и легкие очертания, оберегал его от всех возможных опасностей, а особенно от наглого черного смерча, который тянулся за ними в отдалении и все ожидал момента, чтобы напасть со своим жалким скулежом и неприятными прикосновениями... Казалось, что смерч этот как-то заинтересован в черном футляре, потому что норовил коснуться и его. Длинноволосый хмурился, говорил про себя «кыш!», и смерч испуганно отскакивал в сторону. На привалах Длинноволосый доставал из заднего кармана джинсов клетчатую тряпочку и все время, пока сидели, ласково тер металлическую трубу...

Иногда он ловил на себе взгляд высокой сухощавой женщины в черной косынке на пышных волосах. Он улыбался ей, как привык улыбаться симпатичным женщинам — взгляд его умел обещать полное счастье, любовь до гроба и вообще все, чего ни пожелаешь... Но ее лицо, несмотря на миловидность, казалось ему слишком уж озабоченным...

3

Поднялись на очередной холмик. Иудей остановился, долго смотрел себе под ноги, потом присел и начал разгребать песок. Там, в песке, лежала человеческая кукла, серый манекен, грубо сделанный и местами попорченный. Из прорванной груди лезла какая-то темно-синяя веревка. Иудей надавил пальцем на грудь, пощупал шею, положил пальцы на едва обозначенные глазницы, бросил на лицо манекену горсть песка. Все остальные тоже бросили по горсти, потом молча сбились в кучу.

— Может, попробовать все-таки? — спросил Бритоголовый у Иудея.

— Пустой номер. Не вытянуть, — возразил Иудей.

— Надо попробовать. Нас много, может, удастся, — настаивал Бритоголовый. — Что скажете, Матушка? — с надеждой обратился он к худой старухе. Матушка, не поднимая куколя, с сожалением покачала головой:

— По-моему, незрелый.

Новенькой очень захотелось взглянуть еще раз на эту человеческую куклу, но песок уже засыпал корявую фигуру.

— А ты что скажешь? — неожиданно обратился Иудей к Новенькой.

— Я бы раскопала, — сказала она, вспомнив, как сама вот так же лежала на вершине холодного холма.

— И на себя возьмешь? — Он смеялся, но смех его был необидный, дружеский.

— Ну как тебе не стыдно, — укорил его Бритоголовый. — И шутки твои, как всегда, дурацкие...

— На, ладно, ладно, настрой свой фонарь и посмотри, — Иудей присел и быстро, почти по-собачьи стал разрывать сухой песок... — Но имей в виду, если не получится, будет на тебе висеть.

Бритоголовый посмотрел отчужденно в сторону и пробурчал:

— А вольвокс на что? В конце концов, это вполне реально... Нас много.

Матушка прижимала руки к груди и чуть не плакала. Новенькая присела рядом с Иудеем и стала рыть землю поближе к ногам. Бритоголовый откапывал песок возле головы...

Ноги, вскоре показавшиеся из песка, были в трещинах, в трубочках скатавшейся краски, точно такие, как совсем недавно у самой Новенькой...

Она поскребла краску — под ней был слой плотного материала, но сырой, глинистый, совсем не похожий на ту новую розовую кожу, которую обнаружила Новенькая недавно под своей выношенной оболочкой. Бритоголовый трудился над головой, снимал какие-то ветхие лоскутья не то кожи, не то бумаги.

— Давай-ка я согрею его чуток, — Иудей ласково отодвинул Бритоголового.

— И то верно, — кивнул Бритоголовый. — Воин, собери-ка нам сушняку...

Человек в мундире кивнул, а потом появился с несколькими сухими ветками, сложил их колодцем. Иудей подошел, протянул руку, чуть согнув кисть, пошевелил тонкими губами — и ветки загорелись синевато-белым огнем. Куклу отрыли. Она была грубой, с плохо обозначенным лицом, топорными руками и ногами. Пол же был обозначен очень отчетливо, вся конфигурация была подчеркнуто мужской, широкоплечей, а кисти рук, ступни ног и половой член были непропорционально крупными. Ни малейших признаков жизни фигура не подавала.

— Вольвокс, — сказал в воздух, ни к кому специально не обращаясь, Бритоголовый.

Иудей, озабоченно ощупав манекену шею и тронув живот, поморщился:

— Материал непроработанный. Дохлое дело. Мы все потеряем ступень и ничего не достигнем.

Бритоголовый помолчал, подумал и сказал тихо: чтобы Новенькая не услышала:

— Ты со своей еврейской осторожностью мешаешь мне мое дело делать. Я же врач все-таки... Я должен делать все, чтобы спасти больного.

Иудей засмеялся и коротко двинул Бритоголового кулаком в живот:

— Дурак! Я говорил тебе, что врачи — падшие жрецы. Ты всю жизнь занимался секулярной медициной и хочешь ее сюда протащить.

— Сам ты дурак, — беззлобно и совершенно по-школярски огрызнулся Бритоголовый. — У вас, у верующих, нет чувства профессионального долга. Все свои проблемы взвалили на плечи бедного вашего господа бога... В конце концов, вольвокс всего лишь энергетическое упражнение...

— Хорошо, хорошо, я не возражаю, — согласился Иудей с улыбкой, и Новенькая догадалась, что они очень близкие друзья, и связь между ними какая-то иная, чем у всех прочих здесь присутствующих...

Новенькая кожей лица почувствовала, что всегдашний слабый ветерок усилился, песчинки легонько ударялись в щеки и в лоб, забивались в волосы. Ветер нес с собой не только песок, но и тонкие стебли травинок, какие-то паутинные комки из колючих листьев, растительных ломких нитей и сухого мха. Огонь горел, слегка пригибаясь к земле, но гаснуть не собирался.

Человеческая кукла лежала на земле, рядом с огнем, все стояли кругом, ожидая чего-то. Бритоголовый вытащил из кармана клубок довольно грубой суровой нитки и передал стоящему рядом Воину. Обойдя круг, клубок вернулся к Бритоголовому. Каждый держался двумя руками за нитку. Справа от Новенькой стояла Матушка, слева Хромой. Ветер усиливался, направление его определить было невозможно, он дул со всех сторон и нес в себе все больше растительного сору. Все стояли неподвижно, и сухие стебли трав, паутинные волокна и летучие семена неизвестных растений облепляли их волосы, одежду, цеплялись к протянутой между ними нити, и через некоторое время они стояли в круговой изгороди из всего этого растительного сора, незамкнутой лишь сверху, а у их ног, рядом с дрожащим костром, неподвижно лежал грубый манекен. Иудей поднял руку над своей головой, к самой середине круглого просвета, и просвет затянулся — образовалось подобие древней хижины. Новенькая почувствовала, что дыхание ее не попадает в такт с дыханием всех остальных, она задержала вдох и попала в общий ритм. А попав в него, обнаружила, что, кроме общего дыхания, есть еще и общее сердцебиение и общая воля, направленная на это бесчувственное полено, которое как будто даже сопротивлялось, во всяком случае, проявляло некоторое ощутимое противодействие их общему напряжению, тому, что можно было назвать даже работой. От стоящей рядом Матушки шла очень сильная пульсация, Хромой же скорее обозначал свое присутствие. Два самых сильных мотора были у Бритоголового и у Иудея.

Ветер все усиливался, и стоять было трудно, но нить,

такая, казалось бы, тонкая, была надежной, и через нее тоже поступало энергетическое питание. Она начала слабо светиться, тем же бледно-голубым светом, что и костер, и Новенькая почувствовала, что шар их отрывается от земли и зависает в воздухе. Манекен, лежавший на земле, дрогнул, дернулся и слегка поднялся над землей.

— Ну вот, дело пошло, — услышала она довольный голос Бритоголового, — теперь надо только подышать на него хорошенько.

И они задышали изо всех сил, и шар от этого усиленного дыхания даже слегка расширялся и опадал, как будто дышал, и, хотя ветер относил их в каком-то неопределенном направлении, у Новенькой было счастливое детское чувство, что она делает все хорошо и правильно и достойна похвалы...

А чучело внизу проявило еще один признак оживления — поднялась грудь в глубоком вдохе, и заметно восстал член. Манекен задышал, ветер сразу стал слабеть, шар стал опускаться, и вскоре они уже коснулись земли. Растительные стены их воздушной хижины упали, и все стояли кругом, еще держась за нитку, вокруг оживающего чучела, которое зашевелило рукой, провело пальцами по груди, как будто почесываясь, ощупало свою, как стало теперь заметно, плоскую голову и откашлялось.

— Ну как? Есть там что-нибудь? — спросил Иудей.

— Легочное дыхание, хватательный рефлекс, эрекция, — ответил Бритоголовый.

— Не так много, но лучше, чем ничего, — хмыкнул Иудей.

Иудей с Бритоголовым подтащили Манекен поближе к огню — он стал теперь как будто помягче и напоминал теперь скорее тяжко спящего человека, чем портняжную болванку.

Новенькая почувствовала, что силы ее покидают, и опустилась на землю. Оглядевшись, заметила, что у всех людей вид измученный, полусонный. Иудей подбрасывал в огонь порошковое топливо из спичечной коробки, отчего огонь налился синевой и стал мощнее облучать своим питающим светом...

4

Воздух бывал разным: иногда легким, сухим, «благорасположенным», как определяла его Новенькая, иногда тяжелел, густел и, казалось, наливался темной влагой. Тогда все двигались медленнее и скорее уставали. Да и ветер, не оставлявший их караван ни на минуту, тоже менялся: то бил в лицо, то лукаво заглядывал сбоку, то дышал в затылок. Свет же всегда оставался неизменным, и это более всего создавало ощущение томительного однообразия.

— А не надоел ли тебе здешний пейзаж? — спросил тихо Иудей у Бритоголового. Новенькая, которая старалась на стоянках держаться возле этих мужчин, поблизости от которых чувствовала себя уверенной и защищенной, не повернула головы, хотя и расслышала тихую реплику.

— Ты можешь мне предложить что-то повеселей? — рассеянно отозвался Бритоголовый.

— Маленькую экскурсию в сторону от главного маршрута. Не против?

— О, вот новость для меня! Оказывается, есть маршрут? Я-то считал, что мы топчемся здесь по кругу из каких-то высших соображений, — хмыкнул Бритоголовый. Он давно уже устал от однообразного тускловатого света — промежуточного, обманчиво обещающего либо наступление полной темноты, либо восход солнца... — Пейзаж-то можно еще стерпеть, пустыня и пустыня... Вот если бы солнышка...

— Тогда пошли. — Иудей осмотрел дремлющий у огня отряд, поискал глазами Новенькую. Она была рядом. — И Новенькую возьмем.

Новенькая благодарно улыбнулась.

— А остальных? — встрепенулся Бритоголовый, движимый благородной тягой к справедливости или, по крайней мере, к равенству...

Иудей засмеялся:

— Да при чем тут... Не путевки же в профкоме распределяем... Поверь, остальных тащить бессмысленно.

Бритоголовый пожал плечами:

— Как знаешь...

— Пошли, пройдемся, — пригласил он Новенькую ласково-повелительным тоном, и она встала, отряхивая одежду.

Втроем они зашагали по скрипучему песку. Здешние расстояния были произвольны и неопределенны, измерялись лишь чувством усталости и происходящими событиями, и потому можно сказать, что началась эта экскурсия с того момента, как Бритоголовый, а следом за ним и Новенькая, заметили на горизонте какой-то дребезжащий столб света, который то ли сам приближался, то ли они его быстро настигали...

Столб светлел и наливался металлическим блеском. И вот они уже стояли у его основания, превратившегося постепенно в закругленную стену из прозрачного светлого металла...

— Ну вот, — сказал Иудей, сделал в воздухе неопределенный жест, и на поверхности стены обозначилась прямоугольная вмятина, вокруг которой мигом нарос наличник и образовалась дверь. Он нажал кончиками пальцев.

«Я знаю, я знаю, как это делается, я это уже где-то видела», — обрадовалась Новенькая про себя.

Там, за дверью, свет стоял столбом, сильный и плотный, почти как вода. Вошли. Дверь, конечно, исчезла, как будто растворилась за их спинами.

Внутри был яркий солнечный день. Нераннее утро. Начало лета. Стеной стояли большие южные деревья, и не как попало, а в осмысленном порядке. Новенькая поняла, что и здесь есть какая-то простая формула их взаиморасположения, угадав которую, поймешь сообщение, заключенное в них, и сообщение это они несут собой, в себе и для себя, но и для других оно тоже значительно. Это сообщение также заключалось и в оттенках зеленого — от бледного, едва отслоившегося от желтого, до густого, торжественного, как хорал, со всеми мыслимыми переходами через цвет новорожденной травы, блекло-серебряную зелень ивы, пронзительный и опасный цвет болотной ряски, матовый тростниковый, простодушно-магометанский и даже тот технологически-зеленый, который встречается только в хозяйственных и строительных магазинах...

Новенькая зажмурилась от наслаждения.

«Как счастливы сейчас глаза», — подумал Бритоголовый, которому открывались иногда ощущения отдельных чужих органов... Теперь его собственные глаза ликовали, и радость свою передавали всему телу.

Молодая женщина, сидящая на корточках между двумя криптомериями, встала, увидев Иудея, подошла к нему, и они крепко расцеловались.

«Всех, буквально всех знает», — удивился Бритоголовый. Они с Новенькой стояли чуть поодаль, не мешая встрече.

— ...Ландшафтная архитектура, о чем и мечтала... Последний курс я не успела окончить, оставалось два экзамена и диплом. А здесь, видишь, всему научилась, — женщина погладила криптомерию, и та потерлась о ее ладонь, как хорошая кошка. — Эта парочка все ссорится между собой, никак не могут друг к другу приспособиться. Я их все примиряю.

Лицо ее было привлекательным, хотя и грубоватым: глубоко вмятая переносица, курносый нос, крупный рот... глаза же были большущие, серые, в двойной черной обводке, одна вокруг радужки, вторая из густых черных ресниц под широкими мужскими бровями.

— Сейчас, сейчас покажу вам, — обратилась она уже к Бритоголовому и Новенькой. — Катя меня зовут.

Новенькая заметила, что на Кате мужская майка-безрукавка, в каких выступают боксеры, и натягивалась эта майка большой молодой грудью. Многорядное коралловое ожерелье сплошь покрывало шею... Бритоголовый же увидел то, что именно покрывали веселенькие кораллы, — неряшливый прозекторский шов от самой надключичной ямки вниз...

— У меня лучше всего с деревьями получается, на одном языке говорим, — Катя указала на два отвернувшихся друг от друга дерева, — а эти криптомерии у меня любимцы... Может, вы помните, была такая дурацкая игра — почта цветов. Желтый нарцисс — к измене, красная роза к страстной любви, незабудка — верность до гроба... — она улыбнулась, показав неплотно подогнанные один к другому зубы. — Так вот, самое смешное, что все более или менее так и есть... Соответственно этому и высаживать их надо, чтобы текст не нарушался... Садик-то этот для безымянных детей.

Бритоголовый и Новенькая переглянулись: каких безымянных детей?

Иудей шел чуть сбоку, бормоча под нос:

— Уж мог бы догадаться сам, без подсказки... И твои там...

Аллея из криптомерий вела вниз, к воде. Воды не было видно, но был запах, обещающий воду, тот сильный запах, который за десятки километров чуют животные и несутся к водопою...

Озеро было совсем небольшим, округлым и как будто слегка выпуклым. Его синяя вода была подвижной и искрилась.

— Трудно смотреть? — догадалась Катя. — Я тоже первое время мучилась, пока глаза не привыкли. Надо смотреть как бы немного мимо, не в упор. Ну что, показать поближе? — последний вопрос адресовался к Иудею.

Он кивнул. Катя взошла на легкий мосток, дугой висевший над озером, легла на живот и опустила обе руки в воду. Она поболтала немного руками, что-то тихо сказала и поднялась, держа в руках нечто, как сперва показалось, стеклянное. Оно искрилось. Катя сунула этот слиток света, воды и голубизны в руки Бритоголовому. Он принял это в сомкнутые ладони и прошептал:

— Ребенок...

Никакого ребенка Новенькая не видела.

Иудей присел на мостке, заговорил торжественно, как на собрании:

— Он родился совершенно здоровым, от здоровых и красивых родителей и умер через неделю от родовой инфекции. Мальчик плакал, страдал. Его отец покинул свой дом, лучший дом в каменном городе, единственный деревянный дом, и всю неделю лежал на земле, не ел, не пил и молил Всевышнего, чтобы он сохранил ребенку жизнь. Но Всевышний на этот раз отвернулся от своего любимца —

нечего было прелюбодействовать с чужой женой, даже если у нее груди, как два ягненка, и волосы, как стадо коз, сходящее с горы Галаадской... И так далее... Да еще и мужа этой красотки на верную смерть послал, чтобы завладеть еще одной, когда и своих баб предостаточно... Ну?

— Нет, не знаю, — покачал головой Бритоголовый.

— Ну, здравствуйте... Этот младенец умер, можно сказать, по-вашему, некрещенным. Потом эта пара произвела еще одного младенца. Тот выжил. Звали его Соломон.

Бритоголовый засмеялся:

— Откуда ты знаешь? Ты же Библию сроду не читал?

— Читал я. Только я тогда ничего не вычитал. Но я, понимаешь, еврей. А евреям Библию за так дали. Она в нас растворена, а мы в ней. Даже если это нам не нравится. И даже если это не нравится вам... Поэтому, когда мне ее предъявили в один ответственный момент, оказалось, что я и она — одно. Несмотря на то что второго такого идиота, эгоиста и ничтожества мир не видывал, — Иудей улыбался, склонившись над искрящимся шаром. Теперь настало время бормотать Бритоголовому:

— Друг ты мой, да что же ты говоришь? Он старший брат царя Соломона, воздвигшего Первый Храм в Иерусалиме? Две тысячи семьсот лет?

— Но у него нет времени, у него только состояние, — заметила Катя, о которой забыли.

— Хорошо, пусть так. А другие? А другие кто? — Бритоголовый передал в руки Кати искрящийся шар. Она дошла до середины мостка, встала на колени и, выгнувшись по-кошачьи, опустила загадочное существо в садок младенцев. Потом махнула рукой, приглашая всех на мостик.

Озеро было полно, просто кипело от шаров — прозрачных, голубоватых. Новенькая вспомнила про длинный картонный ящик, в котором хранились рождественские елочные игрушки ее детства, и среди них, завернутые каждый в отдельную бумажку, самые любимые — шары...

«Ну конечно, все правильно», — заволновалась Новенькая. Что именно правильно, она не смогла бы объяснить...

— Здесь и нерожденные, абортированные... Иногда они

дозревают и опять восходят, — деловито объяснила Катя. — Вон, кстати, совершенно дозревший, — и она сунула руку, пытаясь выудить нечто, что явно не хотело быть выуженным.

— Мы же с тобой в философии хорошо пошарили, — начал было Иудей, но Бритоголовый его перебил:

— Нет, нет. Я больше историей интересовался.

— Да ладно. Помнишь Лейбницевские монады? Очень близко, надо признать. И Блаженный Августин догадывался... Ну, про каббалистов я и не говорю, они, надо отдать им должное, при всей невыносимости их метода, много накопали... — он вдруг хмыкнул. — Что там ваш Федор Михайлович насчет слезинки ребенка говорил? Всевышнему замечания делал, что гуманизма в нем мало...

А Новенькая глаз не могла отвести от Кати — та выудила совершенно прозрачный шар размером с большой апельсин, подула на него, уложила на ладони и замерла. Шар чуть качнулся, слегка дернулся, начал было неуверенное движение вверх, но, как будто испугавшись чего-то, снова приник к ладони.

— Боится, маленький, — со счастливой улыбкой сказала Катя. — Им сейчас страшно очень... Трудиться идут. Кто на подвиг, кто на подлость... Но этот, этот очень хороший...

— А есть плохие? — изумилась Новенькая.

Катя вздохнула:

— Да все разные. Есть напуганные, травмированные... А чем больше страху они натерпелись, тем больше от них будет зла...

Звучало это убедительно, тем более что у Новенькой опять возникло ощущение, что она об этом что-то и сама знает.

— Возьми-ка его, — сказал Иудей Бритоголовому.

Бритоголовый почувствовал, что и сам очень хочет подержать в руках это существо. Он накрыл ладонью шар, прижавшийся к Катиной руке. Катя повернула ладонь так, что шар плотно лег в руку Бритоголовому. По весу, по ощущению живого тепла, беспокойства и доверчивости это был ребенок. И, несомненно, мальчик.

— Ну, благослови, — сказал Иудей.

— Это не по моей части, это по вашей, по еврейской. Я про это ничего не знаю, — улыбнулся Бритоголовый, но не Иудею, а запечатанному в шаре существу, обещающему стать младенцем.

— Он тебе не чужой. Да и мне... А не хочешь благословлять, не надо. Просто пожелай ему, чтобы он стал хорошим врачом.

— Это да, — легко согласился Бритоголовый. — Пусть будет.

Шар легко оторвался от ладони и, как пузырек воздуха в воде, поплыл вверх... покуда не достиг какой-то невидимой преграды, возле которой замедлился, уперся в нее, с усилием пробил и исчез, оставив после себя звук лопнувшей пленки и унося в сердцевине своего существа воспоминание о преодолении границы раздела двух сред...

5

Бритоголовому теперь приходилось трудно: Манекен еле двигался, временами замирал, засыпая на ходу, и тогда Бритоголовый закидывал его за спину, как мешок, и волок на спине не без усилия. Иудей несколько раз предлагал помочь, но Бритоголовый качал своей шарообразной головой с коротким редким ежиком и отфыркивался:

— Ты, как мне кажется, свою порцию еще тогда оттаскал.

И продолжал тащить. Привалы стали делать почаще — видимо, из-за Манекена. После световой ванны он оживлялся, некоторое время шел самостоятельно. Однажды, когда они оказались на привале рядом, Новенькая, вглядевшись, поняла, что рот его не прорезан как следует, а только сверху обозначена складка губ, уши тоже толком не прорисованы, едва намечены зачаточные брови и под ними подслеповатые глаза. Иудей поймал ее взгляд и сказал, как будто советуясь:

— Ну что, мы, кажется, сами не сможем привести его в приличный вид. Придется просить помощи сверху.

Рядом стоявший Бритоголовый (тут Новенькая поняла,

что Иудей обращался вовсе не к ней, а к нему) встал на колени перед Манекеном, потрогал его запястье, приставил два толстых пальца к шее, попытался поднять ему плотно прилипшее к глазу веко, но это не удалось.

— Да, наверное, — согласился без всякого восторга Бритоголовый. — Придется крюк дать, — и Иудей нарисовал в воздухе размашистый знак.

И они пошли, как всегда, скучной цепочкой, по скучному песку, и шли, как всегда, долго, все в том же, как казалось, неопределенном направлении, только в воздухе свежело, становилось прохладнее, и холмы делались покруче, и песок сначала уплотнился, а потом и вовсе заменился бурой землей, на которой кое-где проглядывали зеленые растения — не бог весть что, вроде полыни, но путники радовались и этой чахлой зелени. Холмы сменились предгорьями.

Когда стало совсем холодно, из-за очередного взгорка показалось строение, напоминающее большой сарай. Все остановились от неожиданности. Они так давно не видели человеческих жилищ, что и мраморный дворец не произвел бы большего впечатления...

Иудей уверенно шел впереди, Бритоголовый давно уже отстал, так как волок на себе отяжелевшего Манекена большую часть пути. Даже Хромой его обогнал.

Вблизи сарай оказался более похож на старинную постройку. Двери были высокие, двустворчатые, почти как ворота, с фахверками по верхней части. Когда они вошли внутрь, то удивились еще раз: огромный зал напоминал дортуар, спальное помещение для школьников или очень хорошую казарму, без нар, с десятками кроватей, поставленных изголовьем к стене, покрытых чем-то белым: не то грубыми простынями, не то тонкими одеялами. Левую стену занимала огромная печь с керамическими сине-белыми изразцами, явно голландского происхождения, во всю середину комнаты простирался деревянный стол, а в левой стене были две небольшие двери — на одной прикреплен знак «00», а на другой нарисована головка душа, пускающая пунктирные струи...

Новенькая с изумлением рассматривала общепонятные

знаки — только теперь она поняла, что все это время она не мылась и не ходила в уборную, даже по малой нужде. Как это могло быть, чтобы она напрочь забыла об этих необходимейших отправлениях? Тут же она почувствовала, что мочевой пузырь полон, и толкнула дверь уборной. Там стоял белый унитаз, умывальник и висело на железном крюке махровое полотенце. К тому же сильно пахло мылом.

«Сколько же всего я забыла», — ужаснулась она и села на унитаз. Известный процесс прошел без сучка без задоринки, и даже рулончик туалетной бумаги, еще запечатанный, предлагал свои услуги. Она спустила воду, подошла к умывальнику и поискала глазами зеркало — зеркала не было. А должно бы быть. Отвернула старомодный медный кран — полилась вода. Она ударила по рукам тугой струей, такая крепкая, тяжелая вода, и чувство воды было столь сильным, что слезы потекли у Новенькой из глаз.

«Как я смогла за все это время даже и не вспомнить про свою человеческую природу, которая время от времени просится на горшок, и про воду — какая она необходимая, а оказывается, без нее можно обходиться? Ведь и не вспоминала даже».

Она набрала полную горсть. Вода даже на вес показалась тяжелой. Опустила лицо в воду — блаженство... Умылась, еще раз, и еще... А теперь бы хорошо принять душ...

Новенькая вышла из уборной. Бритоголовый уже уложил Манекен на одну из кроватей, тот слегка пошевелил руками. Остальные стояли у стола в заметной растерянности. Иудей говорил им что-то, что она не сразу расслышала:

— ...Проведем ночь. Мы давно не спали, и сегодня будем здесь спать.

Новенькая оглянулась — ей хотелось теперь пойти в душевую комнату. Но никакой душевой больше не было. Более того, уборной тоже не было. Там, где только что были две невысокие двери, не было ничего. Пустая стена. Она села в недоумении на ближайшую к ней кровать.

«Надо спросить. Обязательно спрошу». — Не успела обдумать до конца это странное происшествие, как Иудей подошел к ней и сказал на ухо:

— Потом объясню. Это просто недосмотр начальства —

не должно здесь быть ни души, ни уборной. Накладочка, — и он улыбнулся своей тонкогубой улыбкой.

Почему у него такое лицо знакомое? Может, оттого, что мы так давно уже вместе идем... И она почувствовала, что засыпает. Успела только улечься на белую жесткую кровать, и все исчезло. Как хорошо — это было последнее, о чем успела подумать...

...Там, где она находилась, были говорящие полулюди-полурастения, и был увлекательный сюжет, в котором она участвовала чуть ли не самой главной героиней. Заботливо разложенная на огромном белом полотне, она и сама чувствовала себя отчасти этим полотном, и легкие руки что-то делали, как будто вышивали на ней, во всяком случае, она чувствовала покалывание мельчайших иголочек, и покалывание это было скорее приятным. Она догадывалась во сне, что все с ней происходящее имеет отношение к ее жизни и смерти, но за этим стоит нечто гораздо более важное, и связано это с готовящимся открытием окончательной правды, которая важнее самой жизни...

Она очнулась. Спиной, ногами, руками, затылком она ощущала твердое и белое. Телу было хорошо, оно радовалось и упрятанными в глубине мышц костями рук, и голыми пятками, касавшимися простыни, и отдельно радовалось сердце, и легкие, а самая радостная точка была чуть повыше желудка. Даже лучше, чем возле костра. Но глаза открывать не хотелось. Знакомые мужские голоса вели неспешный разговор, который начался очень давно. За той чертой, где кончалась память.

— Я совершенно не готов, — говорил один. Это был Бритоголовый.

— Я ничего не знаю. К тому же все время происходит что-то непредсказуемое.

— Здесь предсказуемого вообще не бывает. Всегда импровизация, — отвечал Иудей. — Когда мы сюда волокли Манекена, я же не знал, что над всеми будут работать. Вот все и перешли на следующий уровень. Каждый на свой.

— Ты уверен, что должен уйти?

— Да, я здесь уже закончил все.

— Прямо сейчас? — огорчился Бритоголовый.

— Немного погодя. — Зазвенело стекло, как будто рюмками чокнулись.

— Ну ладно, хорошо. Теперь, под занавес, расскажи мне все про Илью Иосифовича, — попросил Бритоголовый.

Иудей засмеялся:

— Доктор, ты же умный человек, ты диагноз когда еще поставил: умная голова дураку досталась.

— Меня никогда не занимали служебные иерархии, ты знаешь, это не мой грех. Почему тебе так много открыто? Я без ревности и без зависти это говорю.

— Я это знаю. Видишь ли, в честных заблуждениях аккумулируются большие силы. Переворот дает ослепительный эффект. Вот я и взлетел. Но сам взрыв довольно болезненный, хотя почти мгновенный. А ты всегда стоял ближе к истинным вещам. Как это там у них было: истина конкретна? — Оба засмеялись. — У тебя путь медленный. Но верный. А что ты думаешь, легко ли быть святым?

Бритоголовый хмыкнул:

— Кто это здесь святой?

— Как кто? — совершенно серьезно ответил Иудей. — Ты, да я, да все остальные...

— Что ты говоришь? И я, неверующий, и этот Манекен, и чудовищная Толстуха? Не понимаю.

— Ты торопишься. Не торопись. Помнишь, как Илья Иосифович остервенело работал, ему все казалось, что немного осталось, еще одно усилие — и Нобелевская премия за спасение человечества. А теперь, видишь, я никуда не тороплюсь. Постепенно поймешь... Удивительное дело, я прочитал-то все. Знал все. Необходимое и достаточное. Как через тусклое стекло. Вникнуть не мог — слишком торопился.

Снова что-то звякнуло. «Они определенно выпивают», — догадалась Новенькая, которая слушала их разговор с необъяснимым волнением и некоторой неловкостью. Она даже хотела подать голос, обнаружить свое присутствие, но не смогла. Тело ее было как выключенное — ни пальцем пошевелить, ни голос подать...

— Да, — вздохнул Бритоголовый. — Мне торопиться нечего. Особенно теперь, когда она здесь... Все невероятно.

— И непредсказуемо? — с некоторым ехидством отозвался собеседник.

— Да, пожалуй что... И эта странная медицина... Знаешь, методически очень похоже на нашу... Даже швы они сходным образом накладывали — двойной хирургический... Даже игла, мне показалось, круглая...

— А ты что думаешь? Мытье рук по Спасокукоцкому, трепанация по Бемму, капли Бехтерева... Все приемы оттуда приходят.

— Что поразительно, они работали отдельно с костной тканью, с сосудами, с нервами... Я не уверен, что все рассмотрел.

— Можешь быть уверен, что не все. Не все сразу. Ладно, пора. По последней, и пойдем. Ты меня проводишь.

Они явственно чокнулись.

— А эти как же? Так и оставим? — встревожился Бритоголовый.

— Доктор, доктор, — засмеялся Иудей. — Будут отдыхать. Послеоперационный сон.

Новенькая даже обрадовалась — можно не открывать глаз и еще поспать. И она немедленно уснула чистым и прозрачным сном, в котором было колыхание воздуха, и не обыкновенное, а музыкальное, и легкое сияние совпадало с музыкой. И это зрелище, как еда и вода, поило и кормило...

6

Дорога спускалась вниз, петляя между холмами. Они шли скорым шагом под уклон дороги и ощущали ту внутреннюю особую тягу, влекущую пешехода все дальше и дальше, такую сильную, что требуются некоторые усилия, чтобы остановиться, словно в воображаемом конце дороге поет призывную песнь ветреная придорожная сирена.

Они и не останавливались. Дул привычный ветерок, но он нес в себе не колючий враждебный песок, а обрывки запахов, среди которых явственно различалась чуть тошнотворная корица, опасный миндаль и восхитительный аромат старой библиотеки: старая кожа, сухая бумага и сладкий клей...

Иудей шел чуть впереди, горской походкой, криво ного ставя стопу на ее внешнюю часть. Бритоголовый позади, с опущенными плечами и расслабленными кистями, собранными в вялые кулаки, как у старого боксера. Оба они чувствовали, что местность эта совсем иная, и эта неопределимая пока инаковость все усиливалась. Одновременно они поняли, что движутся на восток — в том прежнем месте, где они путешествовали с другими людьми, никаких сторон света не ощущалось. А здесь восток вскоре объявил о себе побледневшим и светоносным краем неба.

Дорога как-то сама собой ускорялась, сходила в лощину, которая все углублялась. Место обретало постепенно характер обжитого, хотя никаких людей они не встречали. По обе стороны дороги стояли большие лиственные деревья, похожие на липы, но с очень мелкими листьями. Деревья, посаженные через определенные интервалы, создавали впечатление обжитости. Справа лощина расступилась, и дорога пустила боковой побег в виде уютной дорожки. На деревянном столбе была прибита дощечка с синей выгоревшей стрелкой. Они свернули направо.

Дорожка быстро вывела их к длинному дощатому строению с высоким крыльцом. Крыльцо было недавно обновленное, из белого, не успевшего потемнеть дерева, а само строение довольно ветхое. По обе стороны дорожки росла низкая кудрявая травка, и даже в неярком утреннем свете было видно, что трава эта светлая, весенняя, недавно отросшая. «Трава-мурава, — подумал Бритоголовый, — точно такая росла на полянке в Звенигороде, возле ключа в самом низу участка...» Он нагнулся, провел раскрытой ладонью по траве и улыбнулся: глаз не обманул его, ощущение было то же самое...

— Мне кажется, пришли, — сказал Иудей, и они взошли на крыльцо. Вытерли ноги о полосатый половик. Попали в большие сени, там сидели два простецких с виду мужика, по виду вахтеры, один в старой ушанке, другой в кепке. Перед вахтерами стоял старик в полном монашеском облачении, в руках держал бумажную ленту с плохо отпечатанным текстом и тихо что-то объяснял привратникам.

— Да ничего нельзя. Что на тебе есть, то можно, а посторонние предметы не положено, — долдонил вахтер.

— Это не посторонний предмет. Это разрешительная молитва, — настаивал монах.

— Тьфу ты, сколько ж можно повторять! — рассердился тот, что в ушанке. — Смотри, дед!

Вахтер открыл задрипанную тумбочку, которая стояла тут же, и стал вытаскивать из нее предмет за предметом: умывальные принадлежности в пластиковом пакете, ножной протез, пачку денег неизвестной страны и времени, связку писем и медальон в виде кривоватого сердца и, наконец, одну за другой стал вынимать книги. Все это были Евангелия — от старинных, истрепанных столетним чтением, до новеньких, трехъязычных, гостиничных...

— Видишь, все посторонние предметы... И тащат, и тащат... Так что, понимаешь, давай свою бумажку и проходи...

Монах положил бумажную ленту поверх черного Евангелия и прошел через проходную с удрученным видом.

Иудей и Бритоголовый приблизились к церберам.

Тот, что в кепке, что-то пробурчал насчет пропусков. Иудей развел руками:

— Ребята, да вы что? Пропуска давно отменили...

— У вас отменили, а у нас не отменили. С нас начальство спрашивает. Ходят тут всякие...

Бритоголовый с нежностью смотрел на них — они были явственно соотечественники, провинциальные мужики, а один так со знакомой мордой. Он присмотрелся к нему и узнал — Куроедов, сукин сын. Работал вахтером в клинике, много лет. Вздорный мужичонко, из уволенных гэбэшных охранников...

— Да ладно, пошли, Илья. Ну что ты, Куроедов, уставился? — И Бритоголовый решительно прошел в охраняемую мужичками дверь.

Куроедов оторопело посмотрел на Бритоголового, потом ахнул и замахал радостно руками:

— Батюшки! Сам пришел! Сам!

— Дур-рак! — рявкнул Бритоголовый, и дверь на упругой пружине захлопнулась за ними с гулким стуком...

Никакого помещения за дверью не было. Огромный амфитеатр, а внизу, в глубине смутно виднелась круглая арена. Оба путешественника стояли у внешнего края, возле прохода, отлого, без ступеней ведущего вниз, к арене. Сначала Бритоголовому показалось, что никаких людей там нет, но потом он различил кое-какую публику — сидели все по одному, реденько, на большом расстоянии друг от друга.

— Нам, пожалуй, вниз, — не совсем уверенно произнес Иудей, и они спустились довольно глубоко, почти на половину амфитеатра, когда Иудей остановил Бритоголового. — Я думаю, хватит.

Они свернули в боковой проход, и обнаружилось, что вместо сплошных лавок, как сперва показалось, там стояли массивные каменные тумбы, довольно далеко отстоящие одна от другой.

— Садись здесь, — предложил Иудей.

Бритоголовый сел.

— Ну что, видно?

Бритоголовый увидел в центре арены возвышение, а на нем большой матовый шар на отдельном подиуме.

— Да, шар стеклянный вижу.

— А попробуй-ка вон туда пересесть, — попросил Иудей, и Бритоголовый пересел в предыдущий ряд и пристроился там на каменной тумбе. Видно было то же, но как сквозь чужие очки, все туманилось, утратив резкость.

— Отсюда хуже, — моргнул Бритоголовый.

Иудей удовлетворенно кивнул и предложил ему подняться несколькими рядами выше. Но оттуда виден был лишь белесый туман.

— Вот видишь, доктор, я не ошибся, это и есть самое твое место. — И усадил Бритоголового на его прежнее место. — Вот это и есть то, что доктор прописал.

— Шуточки твои дурацкие, — фыркнул Бритоголовый. — Ты толком объясни, что здесь за представление...

Иудей не садился, стоял рядом, положив руку Бритоголовому на плечо:

— Это и есть твое настоящее место. Теперешнее.

— А те, кто сидят ниже, видят лучше? — поинтересовался Бритоголовый.

— Они видят не лучше, они — больше. Такая своеобразная аккомодация. Что ты видишь, зависит от места, а уж место зависит от тебя самого. Но это не должно тебя огорчать. Они больше тебя учились, — прозвучало это утешительно.

— Чему? — коротко поинтересовался Бритоголовый.

— Вот этому самому — быть самим собой. — Он посмотрел на небо. Даже отсюда, из глубины цирка, было заметно, что восточная сторона неба наливается светом.

— Ты говоришь иногда нестерпимо банальные вещи, — сморщился Бритоголовый. — Объясни мне лучше, как можно не быть самим собой?

— Всем надо заново родиться. Заново родить себя... Ну, хватит. Сам разберешься, — он горько вздохнул. — Ну вот, теперь мы с тобой расстаемся.

— Навсегда?

— Не знаю. Но мне так не кажется...

— Слушай, — сбил Бритоголовый дружески-романтический оттенок, — а что мне со всеми этими... ну, с Манекеном, с Хромым, с Толстухой... Я ведь не очень себе представляю, что я могу для них сделать...

— Знаешь, у тебя правильная постановка вопроса. Думаю, ты с ними управишься. Надейся на Высший Разум. Он тебя не подведет, — хмыкнул Иудей, и Бритоголового вдруг задела эта ухмылка:

— Ты смеешься, Илья?

— Та часть Ильи, которая еще осталась, плачет, доктор. Ты ведь, кажется, как и я, верил в Высший Разум? Вот и следуй за ним.

Бритоголовый хотел что-то возразить, но тут раздался звук — он был поначалу не очень громким, но тревожным. Это был звук дороги, достигающий до самых глубин, и Бритоголовый ощутил дыру в солнечном сплетении, словно звук вошел туда и вышел, пронзив все его существо. В этом звуке был еще голос, очень внятно объявляющий:

— Приготовьтесь! Приготовьтесь!

Но в то же самое время было ясно, что готовиться надо не ему, а кому-то другому. Но звук был — звуком трубы...

Иудей, пригнувшись, неловко поцеловал Бритоголового и побежал вниз, к арене, и стало ясно, что этот трубный голос зовет именно его... Потом вдруг остановился, вернулся, шаря торопливо по карманам. Вытащил на ходу не то маленькую коробочку, не то большого круглого жука и сунул Бритоголовому в руку:

— Чуть не забыл. Это зажигалочка. К ладони клеится. Бывай! Все будет хорошо! Очень хорошо!

И он побежал вниз, слегка подпрыгивая, довольно быстро, и легкие пряди его бедных волос летели за ним, и через мгновение он оказался возле помоста, и двое светлых, неопределенных, плохо различимых, нагрузили на его вытянутые руки большую стопу книг и бумаг, и пакеты, и мешочки — дорожный груз, какой может взять с собой командировочный...

Шар распался на два полушария. Иудей со своим грузом шагнул внутрь — с металлическим щелчком шар сомкнулся.

Звук трубы, пронзительный, похожий на многократно усиленный сигнал пионерский тревоги, нарастал ровно до того мгновения, пока не раздался щелчок. Тогда звук выключился, и раздалось слабое жужжание с электрическим привкусом, и основание шара слабо засветилось. Свечение нарастало, весь шар наполнился бело-голубым холодным светом, который, несмотря на огромную яркость, не освещал арены, а, казалось, все это мощное свечение сосредоточилось в глубине шара.

«Сгорит... Конец», — ужаснулся Бритоголовый.

Жужжание прекратилось, свет внутри шара выключили, он стал матовым, полупрозрачным. Как будто остывал... А потом раскрылся.

Из шара вышел Иудей. Руки его по-прежнему были вытянуты вперед, как будто на них все еще лежала стопка книг. Но никаких книг не было. Кажется, вообще ничего не было.

— Сгорело. Все сгорело. — Бритоголовый догадался, что именно держал в руках его любимый дурацкий друг: все его мысли, труды, планы, книги, доклады, и все его глупые подвиги, тюремные труды, и все благородные поступки,

постоянно оборачивающиеся страданиями для окружающих...

Иудей поднял правую ладонь, так что Бритоголовый совершенно ясно увидел тонкую светлую пластинку, отли-
вающую металлом. На пластинке было написано слово, которое, несмотря на дальность расстояния, Бритоголовый
прочитал.

НАМЕРЕНИЯ — вот какое слово сияло на пластинке...

— Господи боже мой, — взмолился Бритоголовый, — а
как же ад, который вымощен... Неужели наши намерения
могут нас оправдать?

Качнулась арена, и остывающий шар, и край светлею-
щего неба, и все это ушло в сторону, как тень облака... Они
снова шли вереницей по серой песчаной пустыне, и ноги
увязали в песке, и слабенький ветер нес песчинки, бросал в
лицо... Впереди шагал Бритоголовый, а замыкал шествие
Хромой, который больше уже не хромал...

7

После ночевки в сарае все слегка изменились. Заметнее
всех Манекен. Он был теперь не таким дубовым, весь стал
пластичнее, обрел кое-какие детали — даже ушные ракови-
ны оживились примитивным рисунком, а глаза, по-прежнему смотревшие тупо, не казались уже слепыми.

«Вероятно, ночные посетители поработали над ним
особенно основательно, — отмечал про себя Бритоголовый. — Хорошая у них пластическая хирургия, ничего не
скажешь... И Хромому сделали ногу, непонятно только,
протез или трансплантация. Впечатление такое, что обра-
зовали новую костную ткань, сформировали из нее малую и
большую берцовую, а потом уже приживляли нервы и мы-
шечные ткани... Толстуха стала еще толще. Матушка по-
прозрачнела, руки просвечивают... Пожалуй, все изменились, кроме Новенькой...»

Он смотрел украдкой издали, как она садится на при-
горке, снимает туфли, высыпает из них песок, потом проводит своими чудными руками (легкий шрам на левой,

между средним и безымянным, в детстве крючок рыболовный впился) по узким длинным ступням (всегда стеснялась, что нога большого размера), стряхивала песчинки. Потом сдергивала черную кружевную косынку, распускала большие каштановые волосы, и они распадались на три отдельные пружинистые пряди, как бывает, когда волосы за долгие годы привыкают к туго заплетенной косе, и вытряхивала песок...

Манекен, несмотря на свое улучшение, беспокоил Бритоголового, но в то же время Бритоголовый и на себя сердился: так получилось, что друг ему их поручил... Но, в сущности, кто он сам-то? Такой же, как они, попавший неизвестно куда, неизвестно зачем, растерянный и одинокий...

Странное поведение Манекена Бритоголовый заметил еще до первого приступа: тот стал проявлять несвойственные ему признаки тревоги — то оглядывался, то приседал, укрывая голову кое-как сделанными лапами. В какой-то момент Манекен остановился, прислушиваясь, — откуда-то из большого отдаления на него налетел тонкий и страшный звук, направленный ему в лицо наподобие тонкой и злой иглы...

В первый раз ожидание этой иглы было довольно коротким, она вонзилась ему в лоб, и он упал, громко крича. Припадок был похож на эпилептический, и Бритоголовый сразу же сунул ему в рот — откуда взялась? — черенок серебряной ложки и пристроил его голову к себе на колени, чтоб твердокаменная башка не билась о землю... Никаких медикаментов. Сейчас бы хоть кубиков пять люминала...

С этого первого приступа жизнь Манекена изменилась, стала ужасной и гораздо более осмысленной. Он всегда находился теперь в одном из двух состояний — «до этого» и «после этого». Но знал, что есть еще и третье — «это», которое есть ужас. После «этого» наступало «после этого». Он поднимался легкий, как пустой мешок, начисто забыв о только что перенесенном событии. Обычно рядом с собой он видел в эту минуту Бритоголового. Если его не было, то Манекен нагонял остальных, успевших иногда уйти довольно далеко. Он испытывал сильный голод, подходил к Бритоголовому, и тот, ни слова не говоря, совал ему в руку маленькое четырехугольное печенье. Манекен съедал смехотворное печенье и через несколько минут забывал о голоде. Он снова шел и шел и вдруг вспоминал, как однажды, вот так вот идя, он услышал тонкий и страшный звук. Он беспокойно вслушивался, и вскоре звук этот действительно возникал — наступало «до этого». Эти злые, летящие в него из неведомой дали иглы, или пчелы, или пули, множились, и казалось, что каждая из них нацелена в какую-то одну, особенно нежную и болезненную часть тела — в глаз, в горло, в живот, в пах... Каждая взятая на прицел точка становилась как бы самостоятельным членом и испытывала тоскливое ожидание, все нарастающий ужас, и все эти отдельные чувства каждого органа перемножались, росли космически и неохватно, так что страх Манекена намного превышал его собственные размеры, и, чтобы вместить в себя этот беспредельно расширяющийся ужас, он становился огромным, гораздо больше себя самого, больше самого большого, что может представить себе человек. И все это длилось, длилось, длилось... Отчаянно хотелось в этот момент сжаться, стать маленьким, мельчайшим, самой незначительной песчинкой.

Он пытался сжаться и уничтожиться, но вместо того делался все более огромным, становился открытой мишенью для всех несущихся на него стрел. И чем сильнее было это безумное расширение, разбегание тела, тем острее было желание сжаться в песчинку, уничтожиться... И тогда его настигал удар... Сначала один, по голове, — сокрушительный, прожигающий насквозь. Удар был острым, сабельным, сверкающе-черного цвета. Потом еще, и еще. И они падали один за другим, и обозначали все уменьшающиеся границы тела, и лупили, как молнии, в уже обугленное, но еще содрогающееся дерево тела...

А Бритоголовый, не давая сомкнуться его сведенным челюстям, придерживал бьющуюся голову. Иногда ему помогал Длинноволосый: зажав своими рыжими сапогами неустойчивый футляр, с которым не расставался ни на минуту, он обхватывал двумя руками выгибающееся дикой дугой тело, смягчая удары, которые наносил себе безумец...

225

Потом Манекен поднимался, и все это повторялось снова и снова... Бритоголовый смотрел внутрь его черепа и видел: два небольших полушария были покрыты темной блестящей пленкой, не совсем определенной локализации, то ли под твердой мозговой оболочкой Dura mater, то ли непосредственно на мягких — Arachnoidea или Pia mater, и после каждого приступа эта пленка покрывалась новой сетью трещин и маленькие участки этой пленки отпадали, рассасывались, и проступали блекло-серые, с розовой сетью сосудов, здоровые участки мозга...

«Постоянные аналогии, — отмечал Бритоголовый, — у нас ведь тоже есть электрошоковый метод лечения шизофрении...»

И он гладил присмиревшего дебила по голове, а тот по-детски поворачивал под рукой голову так, чтобы не оставалось на ней места, до которого бы не дотронулась докторская рука...

Матушка тем временем все прозрачнела, и, когда путешественники садились возле костра, Бритоголовый заметил однажды, как она откинула на мгновение свой монашеский куколь, и ее просвечивающее лицо поразило его редкой асимметрией — ни глаз, ни бровей на их естественных местах не было, только бледные складки вялой кожи, лишенные ресниц, а на лбу запекшаяся в форме глаза рана с кровоточащей серединой. Почти исчезнувшей кистью она надвинула куколь, и положение ее сквозистой руки на фоне темного одеяния определяла лишь нитка черных шерстяных четок.

Ухода ее не заметили, однажды возле костра, после обыкновенного отдыха, осталась лежать ее одежда — вложенная в черный подрясник белая рубашка, апостольник, женский головной убор монахини, принятый у христиан восточного обряда, да красный бархатный кошелек. Бритоголовый открыл его — в нем, завернутая в фольгу, лежала истлевшая шерстяная нитка и горсть праха... От ее одежды пахло корицей, которую он с детства терпеть не мог, горьким миндалем и ладаном...

Матушка исчезла деликатно, никого не потревожив,

зато вновь прибывшее лицо доставило всем множество беспокойств. Поначалу этому гражданину среднего роста и среднего возраста, когда он обнаружил себя возле костра, представилось, что ему снится сон. И поскольку никакого иного состояния, чем бодрствование или сон, допустить он не мог, то в этих грустных, несколько заторможенных людях, сидящих вокруг костра, все показалось ему подозрительным. Да и сам костер, горевший прямо у его ног, тоже был странным — слишком бледным, негорячим.

«Бутафорское все какое-то, — догадался человек в пиджаке. — Конечно, это сон, очень занятный сон».

И он стал старательно всматриваться в этот довольно странный сон, чтобы не забыть его при пробуждении и донести его до Нади, жены. У нее сны всегда были необыкновенно глупые, то она его пиджак в чистку несет, то суп у нее во сне убегает. Ему самому сны снились очень редко, а таких затейливых, с костром, сроду не бывало. Он попробовал пересчитать людей, сидящих у костра, но как-то не удалось. Не то они слегка передвигались, не то число их менялось. При более внимательном рассмотрении оказалось, что и люди-то они не совсем настоящие, какие-то слабенькие. Только один среди них выделялся — большого роста, плотный, голова обрита наголо, а по высокому лбу ходит блик от костра — залысины на полголовы. Ленинский лоб, и он выбрал Бритоголового в собеседники — как наиболее приличного.

«Надо его спросить...» — и запнулся. Он вдруг испугался, что это не сон. А если это не сон, то спросить надо прежде всего, что это за место такое и как он сюда попал... Такое спросишь, решат, что сумасшедший. Более того, он никак не мог вспомнить, что именно предшествовало его появлению здесь, явно за городом, в незнакомой местности и даже не в средней полосе...

Он еще раз вгляделся в лица людей — решительно незнакомые и несколько странные: рядом обормот уголовного вида, безучастный, как камень, далее длинноволосый человек сидел в позе лотоса, выпрямив неестественно спину и прижав к себе футляр от саксофона. Такой футляр таскал постоянно его сын, пока не ушел из дому... Паршивая собачонка, толстая тетка совсем из простых, и — он даже оживился и одновременно успокоился немного — слева от него лежала прямо на голой земле, оперевши подбородок о кисть руки, очень красивая женщина, с русским хорошим лицом.

«Эта в моем вкусе, — обрадовался он, — похожа на мою Надьку в молодости...» Другие тонули в полутьме, огонь освещал то чью-то руку, то спину...

«Надо собраться с мыслями и понять, откуда же образовался этот пробел», — решил он. Ситуация была неприятная, но большого страха он не испытывал. Мысль свою он повернул в сторону дома, в наиболее прочное место своего существования. Итак, что же он помнил? Жена Надя дала ему на завтрак жареную картошку с двумя котлетками. Он совершенно отчетливо вспомнил котлетки, лежащие на тарелке под углом друг к другу. Бутерброд с колбасой. Чай. Был вторник. Расписание составлено удобно, в среду последние четыре лекционных часа — и до понедельника свободен...

«С тех пор, как я получил профессорское звание, расписание всегда удобное, — размышлял он. — Правда, есть общественные обязанности, партком, ректорат, кстати, не забыть, как раз на этой неделе... — отвлекся он в сторону. — Так, дальше: позавтракал и вывел погулять Каштана. Издали заметил отвратительного серого дога из соседнего подъезда... Потом поднялся наверх, переоделся...»

И тут он обратил внимание, что на нем надет парадный темно-серый костюм с планками на груди, а вовсе не синий в полосочку... Он посмотрел на носки своих ботинок — черные выходные. В то время как утром он обувался в старые румынские сандалеты с дырочками...

«Итак, будем рассуждать логически, — призвал он себя. — Когда я выходил из дома, при мне был портфель. Первая пара лекционная, пятому курсу я сегодня читаю «Современные проблемы гносеологии», вторая, «Основы научного атеизма», всему потоку первокурсников... Портфеля при мне нет. Чтобы лекции я читал, этого не помню совершенно. Одет в другую одежду. Следовательно, между моим выходом из дома и теперешним временем произошло некоторое событие, которого я не помню... Произошло оно в отрезок времени от восьми двадцати пяти утра до... — он хотел посмотреть на часы, но их не оказалось... — Время вечернее. Однако нет никакой уверенности в том, что от утра, которое представляется мне сегодняшним, прошло только десять часов. Могло пройти сколько угодно времени с тех пор, как я перестал его фиксировать... Следовательно, выпадение памяти. Скажем, спазм сосудов головного мозга. Как можно конструировать дальнейшие события? Вероятно, больница Четвертого управления, потом санаторий или что-то в этом роде... Но не могла же Надя отпустить меня одного! Больной человек нуждается... Нет, на нее это не похоже... Странно, странно...»

Профессор любезно обратился к Длинноволосому:

— Простите, который сейчас час?

Длинноволосый посмотрел на него неподвижным глазом и сказал, как показалось Профессору, презрительно:

— Все тот же...

«Типичный хиппи», — мгновенно оценил его Профессор и отвернулся. Бритоголовый выглядел определенно всех приличнее, и он поднялся, чтобы к нему подойти. Поднявшись, он ощутил некоторые неполадки в пространстве — не то горизонт слишком близкий, не то небо слишком низкое...

«Тесноватое место какое-то... Черт знает куда занесло, — раздраженно подумал Профессор. А Бритоголовый уважительно поднимался ему навстречу. — Пожалуй, на Маяковского похож». Профессор любил Маяковского и часто цитировал его и в жизни, и в своей лекционной работе...

Подошедший вплотную Бритоголовый неожиданно положил Профессору руку на плечо, и он изумился фамильярности жеста. Бритоголовый заговорил первым:

— Профессор, я прошу вас не беспокоиться. И пока не задавать вопросов. Положение, в котором вы оказались, в высшей степени неординарно, и вам придется провести здесь некоторое время. Потом все будет вам объяснено...

Профессор сдержанно кивнул. Он начал догадываться,

что с ним произошло... Ну, конечно, только всемогущие органы могут так поступить: усыпить, переместить, да и вообще сделать с человеком все что угодно... Конечно, не тридцать седьмой год, но сила огромная, Профессор знал это не понаслышке. Он пристально посмотрел на Бритоголового. Да и Бритоголовый этот кто?

Одет был Бритоголовый в белую хлопчатобумажную рубаху с пуговицей у ворота... В солдатскую, в военную рубаху был он одет... Армейское нижнее белье... Не полная ясность, но что-то забрезжило...

И Профессор порадовался своей наблюдательности...

8

Только теперь, когда Иудея не было рядом, Бритоголовый стал понимать, как много легло на его плечи разнообразных обязанностей. Поначалу казалось, что главная забота — Манекен с его постоянными припадками. Но постепенно открывалось, что в этой серенькой толпе нет статистов, каждый персонаж имеет свой собственный сюжет. Скорее не сюжет, а задание, сформулированное по известному сказочному принципу: пойди туда — незнамо куда, принеси то — незнамо что... Похоже, что все они, как каторжники к ядру, были прикованы к какому-то заданию и не могут отсюда выбраться, покуда его не исполнят. Создавалось, однако, впечатление, что не все они даже догадываются, чего именно от них ждет неведомый режиссер всего этого действа. Да и сам Бритоголовый точно не знал, зачем он здесь находится.

В сущности, по мере возможности он продолжал делать то, что делал всю свою жизнь в институте, в клинике, в больницах... Какая-то не то врачебная, не то педагогическая функция... Вспомогательная... Родовспомогательная...

Когда он впервые увидел здесь Новенькую, такую родную, со всеми драгоценными особенностями лица и фигуры, со столь знакомыми жестами, он сразу же понял, что она отделена от него непроницаемой и непреодолимой границей. Она его не узнавала. Первым и острейшим желанием было взять ее за руку, погладить волосы, лицо... Но Иудей тогда же предупредил его:

— Осторожно. Имеем дело с полной амнезией. Дай ей освоиться немного, потом подойдешь...

— Это может пройти? — спросил Бритоголовый, подавляя желание немедленно прижать ее к себе, запустить пальцы от шеи к затылку, вытолкнуть шпильки так, чтобы рассыпались длинные каштановые волосы... Эта была единственная, ему предназначенная женщина, и он готов был начать все заново, подойти к ней так, как впервые подходит мужчина к понравившейся ему незнакомой женщине.

— Может быть. Частично... Ты же видишь, кто-то позаботился о том, чтобы ты ее узнал, а она тебя — нет... Мне кажется, — закончил он мягко, — здесь вообще лучше не противиться, а принимать... Выходить навстречу, так сказать...

С тех пор Бритоголовый старался не выпускать Новенькую из поля зрения, и всякий раз, когда в глазах ее появлялся вопрос или тревога, он оказывался рядом. Впрочем, ее присутствие не создавало для него никаких особых трудностей, просто ныло, как старый шрам, натертое место в душе...

Трудности касались других. Так, две женщины, составляющие непременную парочку, несколько комичную из-за большой разницы в росте — одна почти карлица, с крупной кудрявой головой и короткими ручками и ножками, а другая высоченная, голенастая, с округло-сутулой спиной и маленькой головкой, по-змеиному сидящей на длинной шее, — оказались при ближайшем рассмотрении вовсе не подружками, а пленницами друг друга. От правой ноги длинной к левой ноге коротышки шла небольшая цепь наподобие велосипедной. Она восьмеркой обвивала их лодыжки. На месте перехлеста цепи Бритоголовый разглядел блестящий шарик не то из стекла, не то из металла.

Когда они шли, то причиняли друг другу боль каждым шагом, а когда садились на привале, то вместо передышки, которую могли бы получить, замерев в неподвижности, они начинали немедленно перетягивать к себе этот шарик, каждым движением вгрызаясь цепью все глубже в раны...

«Что-то делят, не могут поделить», — догадался Бритоголовый в какой-то момент.

Вскоре он обнаружил, что может дать им кратковременный отпуск от взаимной пытки — когда он клал им на головы свои большие, чуть вывернутые навстречу друг другу руки, они затихали. И раны их прямо на глазах переставали кровоточить, подсыхали и затягивались...

Первоначальное чувство растерянности, которое испытывал Бритоголовый, когда остался без Иудея, вскоре прошло. Тот его пожизненный помощник, которого он называл то «внутривидением», то попросту интуицией, теперь просыпался в нем не в моменты осмотра больных или при операциях, а в тех обстоятельствах, когда Бритоголовый испытывал неуверенность или растерянность.

После одного из привалов, когда Бритоголовый провел над огнем рукой и выключил зажигалку, плотно приклеенную к ладони, отчего огонь сник, тепло перестало вырабатываться и только его остаток долго еще грел Бритоголовому ладонь, он явственно ощутил, в какую сторону надо идти. То самое, что прежде показывало ему «внутренние картинки», теперь подсказывало направление движения... И они пошли своим обычным порядком: гуськом, по одному, по двое: Длинноволосый со своим футляром, Толстуха с огромным животом, Карлица с Долговязой на цепочке... Бритоголовый настроился на длинный переход, но довольно быстро завиднелось впереди что-то темное, похожее на низкое хозяйственное строение. Приблизившись, обнаружили, что это вовсе не строение, а небольшой, плотно сплетенный толстыми безлистными ветвями, участок леса. Вроде питомника. Странные невысокие деревья. Стволы и ветви были почти одинаковой толщины, буро-серые, без малейших намеков на листья. Ветки, как показалось с небольшого расстояния, слегка шевелились. Шевеление было какое-то гнусное.

— Подойдем поближе, — сказал Бритоголовый, и все, как дети, послушно приблизились. Ветки действительно шевелились. Они были сплошь покрыты множеством странных существ, размером с крупную крысу, в старой, совершенно безволосой, мешковато-просторной морщинистой коже, такие же бурые, как ствол дерева. Они жадно, страстно, издавая почти машинное гудение, вгрызались в древесину.

Бритоголовый взял одно из этих существ за шиворот и оторвал от ствола. Оно недовольно заворчало — отпусти, отпусти... Он развернул этого толстого, но жидковатого зверька, и спутники узнали в этом отталкивающем существе человека. Крошечные атрофированные ноги и руки, эмбрионально-крупная голова с еле намеченными щелями закрытых глаз, недоразвившийся нос и крупный, выдвинутый вперед рот с торчащими, как у грызунов, яркими белыми зубами. Мышцы вокруг рта автоматически сокращались, и челюсти продолжали совершать грызущие движения.

Бритоголовый погладил человекообразного грызуна и посадил на ту же ветку, откуда только что снял.

— Господи, кто это? — спросила Новенькая с ужасом.

— Алчущие, которые хотят насытиться, — насмешливо сказал Бритоголовый и тут же спохватился: что делаю? Зачем я опять ее поддразниваю? Какое застарелое безумие...

Треснула какая-то стена или прорвалась завеса — большой кусок прежнего знания всплыл у нее в памяти: родители, бабушка, дом в Трехпрудном, коммуна в Тропарево... Лев Толстой и Евангелие, первое настоящее, не толстовское Евангелие, полученное от бабушки... И тут же она задохнулась от его насмешливого тона — узнала и евангельские слова, которые он явно и намеренно передернул... «Блаженны алчущие и жаждущие правды, ибо они насытятся...»

— Нет, нет, я вовсе не насмешничаю, простите, у меня такая манера... Я только хотел сказать, что это их правда... Всякая страсть в конце концов умирает, не правда ли? — продолжал он, а сердце ее больно билось от его слов. — Просто не все успевают умиротвориться в отведенный срок.

Он нагнулся и поднял с земли замершее существо, только что отпавшее от ствола. Теперь оно было не человеком-грызуном, а скорее напоминало человекочервя. Существо было неподвижным, зубы его исчезли, рот принял пропорциональный голове размер, а личико казалось совсем детским.

— Все. Насытился. Теперь он больше всего похож на пятимесячный человеческий плод.

Профессор заглядывал через плечо Новенькой. Что-то страшное пришло ему в голову, и он хрипло спросил:

— Он умер?

— Что вы! Смерти вообще-то нет, Профессор. А этот, я думаю, гораздо ближе к началу, чем к концу, — таинственно ответил Бритоголовый.

И тут Профессора прорвало:

— Я ненавижу загадки! Я требую ясного и четкого ответа на вопрос, что тут происходит. Если вы считаете необходимым демонстрировать мне все эти так называемые чудеса, то могли бы потолковее объяснить ваши притчи и аллегории...

— Какие притчи! — искренне засмеялся Бритоголовый. — Мы с вами еще и к азбуке не подошли!

— Имейте в виду, я буду жаловаться! У меня большие связи, и в самых серьезных организациях тоже! — заверещал Профессор, а Бритоголовый как будто сник от его крика и стал его уговаривать:

— Простите великодушно, я вовсе не хотел вас как-то обидеть или что-то там... Мы с вами все это обсудим, но не теперь. Немного погодя. Сейчас нельзя. Не положено...

Профессор успокоился — что не положено, это можно было понять, это звучало убедительно. Опять-таки было приятно, что Бритоголовый при упоминании о связях изменил свой тон...

Красивая женщина стояла рядом, слезы текли по ее щекам. Видно было Профессору, что Бритоголовый на нее глаз положил. Она прошептала:

— Бедные, бедные... — И неожиданно быстро спросила у Бритоголового: — А дерево горькое?

Он взглянул на нее и сказал очень тихо, но Профессор слышал все до последнего слова.

— Да какое еще горькое! Конечно, горькое... — И он махнул всем рукой, что, мол, можно идти в указанном направлении.

9

Раздался длинный низкий вопль, опускающийся до утробного рычания. Бритоголовый поискал глазами Манекена — но тот продолжал топать своими медлительными ногами. Источником вопля оказалась оседающая на землю Толстуха. Бритоголовый профессионально подхватил ее сзади. Помог упасть поудобнее. Толстуха лежала, согнув ноги в коленях, и пыталась обхватить свой огромный живот. Лужа растекалась под ее спиной...

«Неужели рожает? — изумился Бритоголовый. — Странно, что здесь можно рожать... Впрочем, почему нет?»

На тетке был фланелевый халат в крупных махровых цветах, несколько пуговиц успели отлететь от напора ее ворочающегося тела, остальные он расстегнул ловкими пальцами. Задрал подол рубахи к стекающим под бока огромным жидким грудям и дух его захватило: сначала ему показалось, что тело ее обвязано множеством толстых жгутов розового и лилово-багрового цвета, на которых растут крупные морские моллюски, похожие на Hiton tonicella или Neopilina, размером почти с чайное блюдце каждая. Он тронул одну из раковин — это было не отдельное существо, а какой-то нарост-паразит. Все эти веревки и ракушки проросшими тяжами держались в ее животе. В этой живой сети была даже какая-то уродливо-привлекательная художественность.

Никогда ничего подобного не видел Бритоголовый за всю свою долгую медицинскую практику. Инструментов при себе не было — только серебряная ложка, которую он засовывал между сжавшимися челюстями Манекена, когда у того начинался приступ. Одни голые руки...

Он принялся ее обследовать, хотя бы наружно, попытался сдвинуть один из ракушечных наростов и пальпировать живот. При первой же пальпации ему показалось, что он нащупал ручку плода. Очень высоко, под самой диафрагмой.

«Еще и ягодичное предлежание», — огорчился он, предвидя дополнительные трудности с поворотом на ножки, и хотел продолжить ручное обследование, но произошло нечто чудовищное: только что прощупанный им кулачок, пробив напряженную стенку живота, выскочил на поверхность. Толстуха испустила вопль.

— Потерпи, потерпи, голубушка, — успокоил он роженицу.

Что это? Прободение стенки матки, стенки брюшного пресса, кожных покровов? Немыслимо! Какой же степени мацерации должны быть ткани, чтобы прорваться под нажимом ручки плода? Он еще раз нажал на живот — он был тугой и плотный.

И тут заработало «внутривидение», открылась картина: все чрево женщины было набито младенцами до отказа — как рыба икрой. Кулачок же, который он держал в своей руке, принадлежал вполне сформированному девятимесячному плоду, о чем свидетельствовали плотные ноготки на пальцах, важный показатель его зрелости...

Двумя пальцами он расширил отверстие, откуда высунулась ручка. Роженица застонала.

— Ты уж потерпи, потерпи, богатыря родишь, — автоматически-бодрым тоном поддержал он женщину.

Отверстие подалось легко, и Бритоголовый, взяв ручку ребенка в свою, изчез в нем чуть ли не до локтя — он надеялся развернуть ребенка головкой. Тот развернулся очень легко, но не затылочком, а лицом. Доктор заставил его нырнуть и подвел руку под затылок.

Женщина стонала, но уже не кричала, Бритоголовый же бормотал что-то привычное, успокоительное, не отдавая себе в этом отчета:

— Вот и хорошо, мамочка. Ребеночек первый? Второй? Опытная, значит... Дыши поглубже, поглубже... И пореже, не части так... считай до десяти...

Все получилось быстро, просто замечательно, мальчик выскочил. Нормальный, живой, в густой смазке младенец лежал на руке доктора... без пуповины. Без рук, без ног, без головы может родиться ребенок. Но не без пуповины же! Пупочная впадина была глубокая, чистая, вполне зажившая...

Бритоголовый, несмотря на удивление, делал то, что было в этот момент необходимым, — прочистил нос, ротовую полость и, повернув младенца вниз головкой, шлепнул по мокрым ягодицам. Раздался низкий обиженный крик: уа-уа...

Как давно не слышал Бритоголовый этого горестного звука новой жизни... Жалкая музыка, хриплая песня только что развернувшихся легких, пугающая самого исполнителя проба первого звукоизвлечения из хрящевой флейты гортани... Младенец плачет от страха перед новым звуком.

Но все здесь было иначе, вопреки правилам, привычкам, ожиданиям. Младенец легко отделился от ладони доктора и, как пузырек воздуха отрывается от подводного растения и поднимается вверх, все еще звуча на двух нотах, плавно проплыл вверх около метра и исчез, оставив после себя звук лопнувшего резинового мяча и крутой водоворот в воздухе...

Бритоголовый еле успел проводить его взглядом, как раздался новый вопль роженицы, и он стал рядом с ней на колени: среди радужной сетки наростов зияло два прорыва — из одного торчала ножка, из другого пробивалась серая головка. Место, из которого только что был извлечен младенец, сошлось складчатым пупком, так что и зашивать не было надобности. Бритоголовый пытался прощупать, принадлежит ли головка и ручка одному ребенку или двум.

Роженица закричала. Бритоголовый, пытаясь засунуть ножку обратно, надавливал на живот женщины так, чтобы головке легче было прорезаться. Ракушечный нарост мешал расширению отверстия, и Бритоголовый оттягивал нарост серебряной ложкой, а пальцами левой руки раздвигал дорогу... Второй мальчик тоже был без пуповины, но Бритоголовый думал теперь лишь о том, чтобы и этого ребенка не упустить в небо. Но происшествие повторилось в точности: ребенок закричал, зашевелил ручками и, хотя Бритоголовый держал его на этот раз крепко, прикрывая сверху второй рукой, он выскочил из-под его руки и мыльным пузырем, с тем же самым чмокающим звуком отлетел, оставив очередную быстро затягивающуюся воронку.

С третьим Бритоголовый провозился гораздо дольше, он шел ногами, развернуть его не удалось, к тому же он, крепко сжав кулачок, тянул за собой обрывок тяжа, проросшего внутрь живота роженицы. Зато на этот раз Бритоголовый уже и не удивился, когда спинка светленькой безволосой девочки отлепилась от его мокрой ладони и взлетела в небо.

Трудность с двойней заключалась в том, что они оказались в одном околоплодном пузыре и никак не проходили в отверстие, так что Бритоголовому пришлось перекусывать не пуповину, как делают звери и рожающие без посторонней помощи женщины, а упругую синюю веревку, обхватывающую живот, который, хоть и похудел, но продолжал оставаться огромным.

Еще один ребенок удивил Бритоголового тем, что вышел самым естественным путем, через родовые пути, но и он не порадовал его наличием пуповины. Это был шестой. Седьмой родился следом за ним, тоже древним способом, но был он довольно сильно недоношен и с руки доктора слетел так неохотно, что Бритоголовый даже слегка пожалел, что не попытался его удержать. Строго говоря, последние двое были разнояйцевыми близнецами, но один отставал от другого не менее чем на семь недель. Такого не бывает... Впрочем, среди близнецов довольно часто один угнетает другого в период внутриутробного развития... Но рассуждать было некогда, потому что из живота торчала ручка следующего клиента, жаждущего выскочить наружу...

Когда множественные роды наконец окончились, роженица спросила, где ее дети. Бритоголовый разглядел ее лицо — это была она, его главная пациентка, ради которой он сражался с медицинскими чиновниками, с коллегами, с друзьями, даже со своей семьей... Измученная непосильной работой, голодом, родами, одиночеством, ответственностью, безденежьем, — и он объяснил как мог, что дети ее, надо думать, на небесах. Она горько заплакала:

— А мне-то что же, никого, ни одного дитеночка...

Она лежала, а он стоял перед ней на коленях. Путаница наростов и тяжей ослабла и болталась вокруг ее бедер, покрытых сплошь растяжками и ссадинами. Он потянул за одну из ракушек, она осталась в его руке. Только что плотные и живые, как черви, тяжи крошились в руках, и вся эта путаная сеть слетела с ее тела сухой шелухой. Какая-то кожистая пленка, напоминающая змеиный выползок, сошла с бедер роженицы. К телу ее вернулось человеческое достоинство. Да и глаза ее, обведенные темными кругами страдания, смотрели на доктора с благодарностью. Он хорошо знал этот утомленный, немного отрешенный взгляд только что родившей женщины...

— Идти можешь? — спросил Бритоголовый.

— Я здесь останусь, — ответила она.

Тогда Бритоголовый зарыл в песок остатки чудовищных наростов, подобрал с земли несколько сухих растений и зажег огонь.

— Отдыхай, деточка, отдыхай. Все будет хорошо...

Она зашевелилась, привстала, опершись на руку.

— Как же хорошо...

Бритоголовый оглянулся — его ждали. Впервые за все время путешествия, уходя, он не угасил огня.

Они пошли дальше обычным своим порядком по одному, по двое, и Бритоголовый, оглядываясь, все видел вдали голубоватый огонь. Потом он услышал позади себя чмокающий гулкий звук и, обернувшись в последний раз, уже не увидел ничего, кроме песчаных холмов и собственных следов, быстро затягивающихся песчаной легкой поземкой...

10

Некоторое время Профессор проявлял известное послушание и не докучал Бритоголовому вопросами. Он пытался поговорить с Новенькой, но та, глядя в лицо ему открыто и доброжелательно, не смогла дать сколько-нибудь внятного ответа ни на один вопрос. Он долго обдумывал, как бы ему так умно поговорить с Бритоголовым, чтобы и своего достоинства не уронить, и добиться хоть какой-нибудь ясности. Странное это путешествие затягивалось, но одновременно — Профессор чувствовал — ослабевало и желание все разъяснить: закралась какая-то догадка, которую он гнал от себя. К тому же им овладевала странная апатия, костер оказывал на него такое двойственное воздействие — успокаивал, но и притуплял ум...

Однажды у костра Профессор подсел к Бритоголовому и очень корректно к нему обратился:

— Скажите, пожалуйста, нет ли у вас какой-нибудь возможности связаться с моей семьей, с женой, собственно говоря? Я уверен, что она очень беспокоится...

— В принципе есть. А что именно вы хотите ей сообщить?

— Ну, в первую очередь, что я жив и здоров. Видите ли, мы женаты почти сорок два года и практически никогда не разлучались... Если уж я по каким-то причинам не могу быть возвращен на свое место, — тут Профессор сделал многозначительную паузу, чтобы Бритоголовый понял всю его, Профессора, деликатность, — не могла бы она быть ко мне откомандирована?

Бритоголовый почесал толстым пальцем за ухом:

— Мм... Скажите, пожалуйста, а супруга ваша верующий человек?

Профессор вознегодовал:

— Помилуйте! Ну, разумеется, мы атеисты. Я философ, марксист, преподаватель марксистско-ленинской эстетики. И жена член партии...

— Понятно, понятно, — перебил Бритоголовый, — а в семье верующие есть?

— Нет, конечно. Теща была темная деревенская женщина, но померла, царствие небесное, в пятьдесят первом...

— Ну, это как раз не имеет значения, — как будто успокоил его Бритоголовый.

— Что, простите, не имеет?

— А что умерла... Вообще-то, передать можно. Только, знаете, я бы вам посоветовал ограничиться кратким сообщением, типа: «Все в порядке. Не волнуйся»... А то как же вы ее сюда приглашаете, когда и сами не очень хорошо себе представляете, где находитесь?

«Хитрая бестия. Намекает, что место засекреченное», — рассердился Профессор, но положение его было столь неопределенным, что не мог он ни потребовать, ни настаивать на своем. Да и конфликтовать с этим Бритоголовым было опасно: начальник он, видно, не большого полета, но до другого еще добраться надо. А так и пожаловаться неко-му... И потому Профессор только подтвердил:

— Да. Я действительно не очень хорошо себе представляю, что это за место, и давно уже хочу получить от вас информацию...

Тут Бритоголовый рассмеялся:

— Да я и сам толком не знаю...

— Ну хорошо, может, вы хоть приблизительно знаете, каков срок моего пребывания здесь и когда я смогу вернуться домой?

Бритоголовый вздохнул, как Профессору показалось, с сочувствием:

— Про срок тоже ничего не могу сказать. А вот что касается дома... Боюсь, что домой вы больше не попадете...

Профессор задохнулся от возмущения, но сдержался и спросил почти холодно:

— Это по какому же праву?

Тут Бритоголовый встал, протянул руку над костром. Огонь угас, как будто уйдя ему в руку.

— Мы к этому разговору еще вернемся. А пока ограничимся тем, что ваша жена получит сообщение, что с вами все в порядке, Профессор... — И Профессору почудилось какое-то ехидство в том, как Бритоголовый произносил его ученое звание...

11

Новенькая бродила по многоэтажному сложно устроенному дому с длинными коридорами и цветочными газонами вдоль стен. Огромное количество дверей выходило в коридор, и на каждой стоял знак, не то числовой, не то буквенный и, как это бывает во сне, очень внятный. Новенькая, как опытный в сновидениях человек, сразу же догадалась, что эти знаки относятся к той породе вещей, которые существуют лишь во сне и при выходе из сна не протискиваются в другое место. Существовала известная простая формула, по которой одни вещи, события и впечатления трансформировались в иное состояние без изменения, другие странно изменялись, а третьи просто рассыпались. И Новенькая даже и не попыталась покрепче отпечатать в памяти этот знак на дверях — он был из породы сыпучих. Она проходила мимо дверей и с первого же взгляда понимала: не тот. Тот, что был ей нужен, был связан с какой-то пожилой женщиной.

Она уже обежала километры коридоров и чувствовала, что нужный знак вот-вот появится. И действительно, он нашелся, и она открыла дверь. Комната была светленькая, скромная, похожая на дешевый номер в захолустной гостинице где-нибудь в Вологде или Архангельске. В углу умывальник, на столе, покрытом красно-белой клетчатой клеенкой, электросамовар. Кровать по-домашнему пышная, с изобильными подушками. На окнах цветы. А возле окна, на венском стуле — пухлая старушка с натертой очками переносицей и с растрепанной книжкой в руках. На втором стуле спал трехцветный кот, такой толстенный, что еле умещался на сиденье. В комнате стояло нераннее утро. Старушка ее ждала, и были они не то хорошими знакомыми, не то состояли в дальнем родстве.

— Чайку выпьем? — спросила старушка.

— С вареньем? — улыбнулась Новенькая.

— А как же? У меня всего наварено, и кружовенное, и клубника, и лесная ягода есть. — И старушка немедленно полезла в буфет, откуда сверкнули круглыми боками литровые банки, обвязанные сверху бумажками.

— И земляничное?

— А как же? Сама собирала... На ближних полянах... — Она вытащила с нижней полки початую банку, сняла крышку и наложила полную вазочку густого и пахучего варенья.

Новенькая посмотрела на варенье:

— А не переварили, Марья Васильевна? Больно густое? Старушка досадливо махнула рукой:

— Переварила чуток. Да лучше переварить, чем недоварить. Стоит лучше.

— Это да, — согласилась Новенькая.

Старушка включила самовар и полезла за чашками:

— Он быстрый, я его люблю...

Старушка поставила на стол две чашки, Новенькая попросила еще и третью.

— А на что третью-то? — удивилась старушка.

— А для вашей Нади, — объяснила Новенькая.

— Ой, — заволновалась старушка, — я-то думала, мы туда, а, выходит, она к нам?

— Да какая разница? Главное — повидаться.

— Оно да. Поди, она убивается теперь сильно, — закивала мелко старушка.

— А вот вы ей и скажете: Миша велел кланяться и просил передать, что все в порядке.

Старушка все кивала, а Новенькая продолжала:

— А сами-то вы как, Марья Васильевна?

— Да мне что сделается, хорошо... Книжку вон читаю. Там-то без грамоты была, а здесь открылось.

— А что читаете?

— Вот, — старушка подвинула к Новенькой растрепанную книжку, — «Молодую гвардию» Фадеева. Надя очень ее хвалила... Хорошая книжка. Но уж больно тех ребяток жалко. Только — все ли правда или насочиняли?

— Было что-то похожее. — Новенькая раскрыла том. «Дорогой Танечке в день приема в пионеры. Валя и Миша Ремен. 1 мая 1951 г.».

Воспоминание кольнуло прямо в сердце — и она проснулась.

Костер еле горел. Все было как обычно. Ветер притих. Люди отдыхали. Сама она сидела чуть поодаль, возле нее две собаки, светлая, с хвостом калачиком, и большая овчарка.

Дворняга была самая обыкновенная, вторая же вызывала сомнения, ее собачья сущность была чем-то нарушена. Необычным в ней было пристальное внимание не только к своему человеческому спутнику — невозможно было сказать «хозяину», — но и ко всем остальным. К тому же, чего категорически не умеет ни одна собака, она кивала и качала головой в ответ на задаваемые вопросы: да, нет...

Собаковод был симпатичный человек лет тридцати пяти, с военной выправкой и невзрачным лицом. Красноватый шрам, вроде следа от многолетней фуражки, пересекал лоб. Он возник за спиной Новенькой, обе собаки повернули к нему морды.

— Вы бы пересели на подветренную сторону... Ветер поднимается, — посоветовал он Новенькой.

— Как? — переспросила она.

— Чтоб в лицо не бил... — Он подал ей руку, собаки встали, словно уступая ей дорогу.

— Как хорошо, что вы с собаками здесь. — Новенькая погладила плотную шерсть овчарки. Овчарка улыбнулась. — В детстве у меня были собаки, когда мы в деревне жили... А в городе я уж только кошек держу.

Мужчина обрадовался:

— Разумно, очень разумно. Я тоже в доме только кошек держу. Я ведь профессиональный собаковод. Двадцать лет с собаками. Сотни воспитал. Уверен: собак в доме держать нельзя. — Губы его дернулись, сорвалось горестное: — Да и вообще...

— Что вообще? — слегка удивилась Новенькая.

Собаковод заговорил горячо и быстро. Видно было, что его давно пекла невысказанная мысль:

— Вот понимаете ли, когда говорят «живут как кошка с собакой», то за этим глубокая мысль имеется. Это два совершенно противоположных типа, ввиду их отношения к человеку. Кошка в человеке вообще не нуждается. Она в чем нуждается? В тепле, в пище. Это да. Сам человек ей совершенно не нужен. Кошка, я бы сказал, человека презирает. Она его умнее. Человеку кажется, что он держит кошку, а на самом деле, это она его держит. Кошку нельзя заставить. Она даже просьбы выполнять не любит. Я же дрессуру знаю — она ни в какую не хочет подчиняться. У нее достоинство. Ей надо, чтобы человек ей служил. И знаете, мне, например, даже нравится эта их независимость. Кошка никогда не подлизывается. Вот, к примеру, она трется о вашу ногу, вы думаете, она к вам ласкается... Нет, это она мышцы себе разминает, почесывается о ваши ноги. Она себе, а не хозяйке удовольствие доставляет. Вы, вы кошке служите, а не она вам. С собаками все по-другому. — Он положил руку с двумя изуродованными пальцами на собачью голову. — Веселая подтвердит.

Собака выжидательно смотрела на Собаковода: что подтверждать?

— Собака в доме, как дефективный ребенок. Она постоянно в тебе нуждается. В тебе, в твоем внимании, в твоей заботе... Собаку, простите, даже на улицу надо вывести, потому что воспитанная собака скорее умрет, чем в доме нагадит... — Он посмотрел на Веселую, она грустно кивнула головой. — Кто, кто, кроме человека, идет на смерть за идею? Только собака!

Новенькая изумилась: такое ей и в голову не приходило.

— Да, да... Поисковые собаки, скажем, ищут мины... В ту войну собаки под танки ложились! То есть я не хочу сказать, что они сознательно шли на смерть «За родину! За Сталина!». Собака шла за свою идею — служения хозяину... — Собаковод полемически обратился к Веселой: — Ну, скажи, нет?

Собака вздохнула по-человечески и кивнула.

Вдруг задор оставил Собаковода, он задумался, помолчал, потом, не поднимая глаз от земли, продолжал:

— Такая у меня теперь работа — собачьим проводником работаю. Все мои, мои собачки. Я их в питомнике в городе Муроме растил, обучал, а они уж куда пошлют, кого на границу, кого в Афган. Веселая вот афганка... Двадцать четвертую уже провожаю...

— А куда провожаете? — тихо спросила Новенькая.

— Куда, куда... За границу... На тот берег...

«Вот оно что, — подумала Новенькая. — Значит, есть все-таки среди здешних люди, которые знают, куда мы идем... На тот берег».

12

Они все шли и шли по однообразному пустому пространству, печальному и всхолмленному, покуда наконец не пришли. Песчаная пустыня закончилась. Они остановились на краю заполненного серым туманом гигантского провала. Где-то вдали мерещился другой берег, но это могло быть и оптическим обманом, так зыбко и неверно темнела зубчатая полоса, напоминающая не то прильнувшие к земле тяжелые облака, не то далекие горы, не то более близкие леса...

— Надо отдохнуть, — сказал Бритоголовый и протянул над сухими ветками свою огненосную руку. Как всегда, тепло и свет крошечного детского костра намного превосходили возможности жалкого топлива.

Воин, сам себе назначивший обязанность приносить несколько сухих скелетов бывших растений, которые он подбирал еще в дороге, тихо спросил Бритоголового, глядя в огонь:

— А зачем ему топливо? Он и так прекрасно горит, твой огонь.

— Да. Я и сам недавно это заметил, — кивнул Бритоголовый и протянул руку над пустым местом. Загорелся еще один костер. Сам собой, без всякой пищи... — Видишь, как мы все поумнели за последнее время...

— Даже слишком, — мрачно отозвался Воин.

Бритоголовый вынул из кармана несколько сухих квадратных печений в точечных, как старые письмена, знаках и дал каждому по одному:

— Ешьте. Надо подкрепиться.

Новенькая давно уже перестала удивляться. Вкус печенья был невзрачный, травяной, напоминал лепешки, которые пекла мать в голодные годы из сушеной сныти с горстью муки. Есть их было приятно.

— Здесь мы отдохнем немного, а потом будем перебираться на ту сторону.

Сидели, впитывая усталыми телами проникающее тепло.

Бритоголовый подозвал Длинноволосого, тот нехотя за ним последовал. Вдвоем они начали копать на вершине ближнего холма. Через некоторое время они принесли ворох бело-желтого тряпья, как будто только что вынутого из автоклава. Бросили на землю — из кучи торчало во все стороны множество завязок.

— Наденьте рукавицы и бахилы, — распорядился Бритоголовый.

Стали нехотя разбирать эти странные вещи: у рукавиц были длинные тесемки на запястьях, холщовые чулки завязывались под коленями. Предметы были столь же нелепыми, сколь и неудобными, особенно трудно было завязать тесьму на правой руке. Новенькая помогла Длинноволосому управиться с мотающимися завязками...

Профессор, начавший было рыться в куче, подбирая приблизительную пару, вдруг швырнул тряпье наземь и рявкнул:

— Издевательство! Ответите! Вы ответите за это издевательство! Я никуда не пойду! Хватит с меня...

Бритоголовый подошел к нему вплотную:

— Прекратите истерику. Здесь дети, женщины, животные, в конце концов... Не хотите, можете здесь оставаться...

Профессор взял себя в руки, умерил тон:

— Послушайте! Но объясните, зачем я здесь? Что здесь происходит? Что это за место такое?

— Ответ на этот вопрос получите на том берегу, — кротко ответил Бритоголовый. — Но если вы настаиваете, вы можете остаться здесь.

Профессор отвернулся, сгорбился и пошел прочь от костра... Он легко сбивался с начальнического, наглого тона к униженному и подчиненному.

Бритоголовый связал две бахилы и помог Длинноволосому укрепить футляр за спиной.

Оба костра догорели. От провала шел холод, и было совершенно непонятно, как Бритоголовый собирался всех переправлять. Он подошел к самому краю. Остальные стояли овечьим сбившимся стадом за его широкой спиной.

— Мы пойдем по мосту. Подойдите к краю.

Опасливо шагнули. Вытянули шеи — никакого моста не было.

— Вниз, вниз смотрите, — и люди увидели в сером тумане провала металлические конструкции, вырастающие из неведомой глубины.

Бритоголовый спрыгнул вниз, вся чудовищная конструкция качнулась, как лодка. Снизу смутно белело его запрокинутое лицо. Он махал рукой. Каждый из стоявших на берегу содрогнулся, почувствовав себя зажатым между необходимостью и невозможностью.

— Манекен! — позвал Бритоголовый, и тот послушно подошел к самому краю. Ступни его в холщевых мешках вспотели и словно окаменели. Казалось, не было такой силы, которая могла бы его заставить последовать за Бритоголовым. Но такая сила была: на большом отдалении возник почти не различимый ухом звук, предвещающий нестерпимый полет черных стрел. И Манекен не прыгнул, он рухнул вниз головой обреченно, как самоубийца, и исчез в тумане.

Конструкция снова качнулась. Одновременно Новенькая почувствовала, что песок под ее ногами заколебался и потек. Песчаная почва позади сбившейся горстки растерянных людей стала оседать, таять, и за их спинами начался сыпучий обвал. Он рос, расширялся, целая песчаная Ниагара хлестала за их спинами...

Следующим нырнул Длинноволосый. Потом парочка, скованная цепочкой, — сначала метнулась Длинная, следом за ней с визгливым воплем провалилась вниз Карлица. Бывший Хромой подошел к краю с большим достоинством, присел и опустился вниз, как опускаются в бассейн или в ванну. Воин. Собака. Еще одна женщина в спортивном костюме. Человек с портфелем. Странное Животное. Девочка с завязанными глазами. Новенькая шагнула вниз одной из последних...

Никто из них не летел камнем — все опускались замедленно. То ли воздушный поток мощно поднимался кверху и поддерживал их, то ли сила тяжести здесь ослабевала. Внизу дул сильный ветер. Их отнесло довольно далеко друг от друга. Кто-то опустился на большие переходные площадки, другим, как Длинноволосому, повезло меньше. Он стоял на перекрещении тонких труб, а ближайшая к нему вертикаль находилась на приличном расстоянии — рукой не дотянешься. Он слегка покачивался, балансируя. Футляр ему мешал.

Хуже всех пришлось Манекену. Он лежал, крепко уцепившись за широкий рельс на уровне его груди, согнутыми ступнями упираясь в шаткую вертикаль, а все его громоздкое туловище было распластано в пустоте...

Неравномерное раскачивание общей конструкции, вызванное их падением, стало замедляться, но в этот момент раздался хриплый вопль: страх песчаного одиночества пересилил все остальное, и Профессор ринулся в серый провал. Мостовая конструкция сильно качнулась — ступни Манекена соскользнули с ненадежной вертикали, и он повис на руках...

Ветер то затихал, то вырывался из провала с бешеной силой. Конструкция вздрагивала, неравномерно раскачивалась и отзывалась, как живая, на каждое прикосновение. Туман понемногу стал рассеиваться, и люди смогли рассмотреть хитроумный стальной лабиринт, построенный не то сумасшедшим троллем, не то безумным художником. Новенькая рассматривала эту конструкцию с интересом профессионала — она не взялась бы за рабочий чертеж этого сооружения, в котором, она видела, были странные разрывы и выворачивания, как будто изнанку и лицо произвольно перемешали.

«Фиктивное пространство, — пришло ей в голову, — этого в природе быть не может. А если оно фиктивное, значит ли это, что невозможно упасть? Тогда падение тоже будет фиктивным... Но я-то не фиктивная...»

Бритоголовый проявлял цирковое проворство, перепрыгивая с трубы на трубу, меняя уровни. Он подбирался к каждому, слегка касался руки, головы, плеча. Что-то говорил, объяснял, упрашивал. Был ласков и убедителен:

— Надо двигаться. Мы должны перебраться на другой берег. Не торопитесь, пусть медленно. Пусть по сантиметру. Никто из вас не пропадет. Мы все туда переправимся. Только не бойтесь. Страх мешает двигаться...

Слова его обладали повышенной действенностью, и люди, сперва замершие в тех нелепых позах, в которых поймала их конструкция, понемногу зашевелились.

Манекен пытался подтянуть ноги и лечь своим громоздким телом на рельс, за который держался окаменевшими пальцами, но не хватило сил, и руки, устав от напряжения, разгибались, грудь ползла вниз, и он повис на одних напряженных кистях. Пальцы под тяжестью его каменной туши медленно сползали с рельса, и он равнодушно ожидал мгновения, когда пальцы минуют ребро рельса и соскользнут с боковой поверхности.

В смутном его сознании ворочалась тяжелая, как невзошедшее тесто, мысль: упаду, разобьюсь, все кончится, и стрелы-пули-осы не будут больше жалить в голову и в живот...

В последнюю минуту он поискал Бритоголового: его видно не было, только качался вдалеке Длинноволосый с черным предметом в обнимку... Манекен разжал пальцы и полетел вниз. Не как камень, не как птица — как мятый лист газеты, несомый мусорным ветром...

Несмотря на легкость и медлительность падения, удар был сокрушительным. Разбитый на куски, он лежал в каменном русле давно иссохшей реки, между остатками древних лодок, окаменевшими раковинами и двумя непарными кроссовками. Вокруг его треснувшего во всех направлениях тела собирались небольшие, побольше белки, поменьше зайца, не вполне твердые существа, а может, сущности... те самые, которые снятся во сне, а потом, при пробуждении, оставляют от себя не зрительный образ, а лишь душевный след — теплоту, нежность, близость родства...

Они собрались толпой — как обитатели пустыни или тундры возле разбившегося самолета. Одни, самые чувствительные, плакали, другие качали головами и сокрушались. Потом кто-то из них сказал:

— Надо Доктора.

Ему возражали:

— Не надо Доктора, это труп.

— Нет, нет, не труп, — говорили другие.

А кто-то молодым голосом с задором пропищал:

— Ну и что, труп! Можно и труп оживить!

Началось что-то вроде разноголосого собрания.

Потом прикатили самого большого и старого, на колесиках. Он был такой ветхий, что местами просвечивал. Он подкатил вплотную, даже случайно въехал передними колесами на разбитые пальцы Манекена. Немного повздыхал и объявил:

— Труп. Нулевое состояние.

Собрание забеспокоилось, зажурчало, зашелестело:

— Нельзя ли для него что-нибудь сделать?

— Ничего не поделаешь, — мелко затряс головой Доктор. — Только сдача крови.

Все замолчали. Потом круглобровый, глазастенький сказал:

— Нас много. Мы соберем.

Встрял длинноносый:

— А кровезаменители? Есть же кровезаменители!

Но Доктор даже не посмотрел в ту сторону:

— Шесть литров живой крови, никак не меньше. Иначе нам его не поднять.

— Соберем, соберем, — зашелестело собрание.

Доктор на колясочке как будто рассердился:

— Ну как вы соберете? У каждого из вас шесть миллилитров. Больше половины сдавать нельзя. Вы же знаете, я сдал пять миллилитров, и ноги так и не восстановились.

Снова забеспокоились, заурчали белки-зайчики:

— Если его оживить, человек будет... красивый... умный... у них дети бывают... и может строить и рисовать... пусть будет живой...

— Хорошо, — согласился Доктор. — Но я должен вам напомнить следующее: перед вами остатки тела преступника. Убийцы. Очень жестокого и безжалостного. И глупого.

Все испугались и затихли. Потом один кудрявый, с негритянскими веселыми волосами, сказал тихонько:

— Так тем более надо. О чем говорить? Ему надо дать шанс.

— Не спорю, — улыбнулся Доктор. — Просто хочу напомнить, что по закону Большой Лестницы, жертвуя свою кровь, вы опускаетесь вниз, теряете часть своей подвижности, а он поднимается вверх и обретает качества, которые вы ему жертвуете...

— Да, да... мы знаем... мы хотим... согласны... согласны...

И они окружили разбитого Манекена, и откуда-то взялась белая простыня, и заработала таинственная медицина...

Та часть лабиринта, куда попала Новенькая, представляла собой хаотическое скопление небольших площадок, отстоящих друг от друга на расстоянии хорошего прыжка, в то время как вертикали находились под площадками и спуститься по ним было невозможно. Новенькая довольно успешно продвигалась вперед, пока не достигла площадки, с которой можно было только повернуть обратно: до следующей допрыгнуть мог разве что очень хороший спортсмен.

Она села в растерянности. Смотреть вниз было страшно. Она подняла голову и посмотрела наверх. Поверху шла почти параллельная цепь площадок, их несущие опоры оказались довольно близко, и она решила, что, отдохнув немного, попробует сменить маршрут. Правда, создавалось впечатление, что эта верхняя дорога идет несколько вбок. Но, кажется, другого выхода не было. Изумляясь легкости и послушности своего тела, она обхватила шершавый металлический шест и, прижимаясь к нему всем телом, полезла вверх. Холщовые чулки и рукавицы защищали ее от прикосновения холодного металла. Но, что самое удивительное, занятие это оказалось увлекательным и все тело ее радовалось. Чему радовалось? Может быть, тому, как легко оно обучается сжиматься пружиной, выстреливать, группироваться на лету и чуть-чуть расслабляться перед самым приземлением. И каждый следующий прыжок все легче и свободнее, и она уже напрочь забыла о чувстве скованности и опасности...

В этом, наверное, и заключается прелесть спорта — догадалась она, подтягиваясь на верхнюю площадку. Здесь было светлее, и противоположный берег не казался отсюда таким уж мутным...

По кривой скользкой трубе Профессор добрался до скошенной тумбы и сел на нее. Два ржавых рельса висели в воздухе правее, метрах в двух, но прыгать туда он не решался. Он мрачно сидел, напряженно пытаясь понять, как же его угораздило попасть в это нелепое, совершенно фантастическое положение. Ветер дул откуда-то снизу, тумбу качало, все обволакивал гнусный, влажный и душный холод.

«Может быть, все-таки сон?» — в который уже раз вернулся Профессор к этой спасительной мысли. Провел кончиками пальцев по собственному лицу, по голове. Языком тронул десны — зубных протезов не было! Как это он раньше не заметил? Куда могли деться прекрасные зубные протезы, изготовленные в стоматологической лаборатории Четвертого управления?

Он сидел в странном и неудобном положении, в своем лучшем костюме со знаками отличия, но без единого документа, и зубные протезы потерял. Или кто-то вынул их у него изо рта? Ужасно... Ужасно...

«Неужели я умер?» — вертлявый его ум, старательно бегающий от этого слова, уперся в него с разбегу...

В тусклом тумане, левее Профессора, мелькнула знакомая лысина.

— Послушайте! Уважаемый! — закричал Профессор, и Бритоголовый немедленно двинулся в его сторону.

— Теперь надо собраться с силами и, не торопясь... — начал было Бритоголовый всегдашним своим вкрадчивым голосом, но Профессор, схватив его за рукав белой рубахи, завопил:

— Скажите наконец, я что — умер?

Бритоголовый долгим взглядом уперся в съежившегося Профессора и сказал то самое, чего не хотел услышать от него Профессор:

— Да, Профессор. Не могу от вас более скрывать: вы умерли.

Профессор содрогнулся, ощутил жгучую, такую знакомую по сердечным приступам пустоту в груди. Руки и ноги похолодели. Все эти ощущения были явными знаками жизни, и это его успокоило, он засмеялся, приложив руку к области сердца:

— Вы шутите. А я вот действительно могу умереть от подобных сообщений!

— Никаких шуток. Но если вам приятнее другая формулировка, можете считать, что земная жизнь окончена.

— Таким образом, я в аду? — Профессор заерзал на тумбе. — Имейте в виду, я ни во что такое... не верю!

— Да я, собственно, тоже ни в какой ад не верю. Но на время вам придется смириться с существующим положением вещей. И сейчас очень важно, чтобы мы переправились на тот берег...

Бритоголовый сделал два крупных шага в сторону ржавых рельсов, легонько толкнул их ногой, и они медленно переместились вплотную к тумбе. После чего Бритоголовый пошел прочь.

Профессор ошеломленно замолк — дело было в том, что Бритоголовый шел своими широкими ступнями в холщовых бахилах прямо по воздуху. Он ставил ноги твердо и прочно, и казалось, что белесый туман чуть прогибается под ним, а сам он покачивается, как циркач, идущий по слабо натянутому канату. А может, там и был канат?

Профессор с опаской ступил на зыбкие рельсы...

А Длинноволосый все качался и качался, и некуда ему было перебраться — до ближайшей площадки метров десять. В движении труб, на которых он стоял, был какой-то сложный ритмический рисунок, но уловить его он никак не мог, несмотря на всю чуткость музыкального уха. Он знал почему-то, что сможет управлять движением, как только поймет числовую формулу. Он вслушивался ступнями, берцовыми и бедренными костями, тридцатью двумя позвонками — проводниками, и резонатором черепа. Что-то улавливал... почти политемпия... наложение... Есть пять к трем... Определенно есть. Тело отозвалось, настроилось. Он попал в ритм и, попав, почувствовал, что качели под его ногами стали до какой-то степени управляемыми. Амплитуда движения вдоль оси возрастала. Но движение это было направлено параллельно ближайшей площадке и никак его к ней не приближало. К тому же мешал второй ритм, все более узнаваемый... Попал: семь восьмых! И тут же появилась вторая ось движения...

Его сильно качнуло — он едва не выронил футляр. Удержал. Прижал к груди. Погладил. Холщовая рукавица мешала хорошему прикосновению, ему захотелось снять ее. Раскачиваясь по нервной ломаной траектории, он пытался развязать тесемки на левой руке. Узел был крепкий и запутанный, он вцепился в него зубами... И почувствовал неожиданную помощь прямо из воздуха. Так и есть. Вокруг него снова вился знакомый смерч, но теперь в нем ощущались пальцы, губы, даже женские распущенные волосы, завивающиеся под собственным ветром. Воздушная эта воронка изнутри оказалась женщиной.

Узел ослаб, развязался. Длинноволосый опустил левую руку вниз, сбросил рукавицу и почувствовал, что и на правой узел ослаб.

— Скорее же, раскрывай, раскрывай, — пел живой жгут одушевленного воздуха. Он был теплый, даже горячий, ластился, ласкал, приникал, торопил...

Движение само собой выправлялось, определялось и мало-помалу приближало его к площадке. Длинноволосый нажал на скобу, замок щелкнул, вихрь вытянул из футляра чудесную вещь и сунул в руки Длинноволосому:

— Играй же...

В руках его был инструмент. Инструмент для... С помощью которого... Это было самое важное для него, но он не знал, как... Правая рука сама легла куда надо: пальцы пришлись по месту, узнали клапы. Левая искала... Но дальше — одно глубокое мучительное недоумение.

Горячие пальцы пробежали по шее, по подбородку, тронули губы:

— Ну играй же, пожалуйста. Еще можно вернуться.

К его губам приник деревянный мундштук...

А качели все носили его туда-сюда, и ритм их движения пронизывал тело и настойчиво требовал соучастия. Полного соучастия. Он набрал воздуха через нос, до отказу опустив диафрагму — полные легкие.

Смерч замер, завис. Длинноволосый сжимал губами деревянный мундштук — это было обещание наслаждения, но уже и самая тонкая его часть. Нижняя губа приникла к деревянному стеблю, язык тронул пластмассовую трость. Все вместе это было как недостающая часть его тела, собственного органа, с которым он был разлучен. Его распирало изнутри — он должен был наполнить собой, своим дыханием это диковинное создание из металла и дерева, принадлежащее ему в той же мере, что легкие, гортань и губы... И он выдохнул — осторожно, чтобы не спугнуть возникающее чудо... Звук был и музыкой, и осмысленным словом, и живым голосом одновременно. От этого звука сладко заныло в середине костей, словно костный мозг радостно отзывался...

Бедный человек, голова — два уха! Молоточек — наковальня... Стремечко — уздечка... Улитка о трех витках, среднее ухо, забитое серными пробками, и евстахиева труба с чешуей отмершей кожи внутри... Десять корявых пальцев и грубый насос легких... Какая там музыка! Тень тени... Подобие подобия... Намек, повисающий в темноте...

Самые чуткие смазывают слезу, распластанную по нижнему веку... Тоска по музыке... Страдания по музыке...

Бог и господь, явися нам! Явился. И стоит за непроницаемой стеной нашей земной музыки...

Профессор услышал — и заплакал. Рассеялись последние надежды: он действительно умер — на земле такого не бывает. Он всегда гордился хорошим слухом, пел под гитару верным голосом, мог и на аккордеоне подобрать, хоть и неученый, и даже оболтусу-сыну передались от него музыкальные способности... Но теперь это была другая музыка. Она говорила отчетливо и внятно о бессмысленности и необходимости красоты и сама была красотой — непререкаемой, ниспосланной, беспечной, ни к чему не пригодной — как птичье перо, мыльный пузырь или собранное из бархатных лепестков лиловое лицо анютиных глазок... И еще говорила такое, от чего Профессору делалось мучительно стыдно за бесцельно прожитые годы... Нет, не так, это кто-то другой говорил: Профессору делалось мучительно стыдно за всего себя, от рождения до смерти, с ног до головы, с утра до вечера...

И всякое движение, карабканье, цепляенье остановилось. Все затихли, замерли. Даже маленькие существа, хлопочущие на дне провала над распластанным Манекеном, подняли свои глазастые головки и заслушались...

А Длинноволосого почти и не было. Он весь был растворен в музыке, он сам был музыкой, и от всего его существа остался лишь единственный кристалл, пригодный только для того, чтобы осознавать совершающееся чудо, оставалась лишь одна точка — острого наслаждения, перед которым все яркие земные радости оказались даже не прообразом совершенного счастья, а похабным обманом, вроде надувной женщины с пахнущим резиной отверстием...

Он не заметил, как ласковый смерч поднял его вверх, над зыбкими конструкциями, а потом еще выше, так высоко, что не было вокруг ничего, кроме белесого тумана. Музыка же все росла, и заполняла собой мир, и была самим миром, и точка, остававшаяся где-то на ее краю, делалась все меньше и меньше, пока совершенно не исчезла. Одновременно он уперся всем своим существом в упругую мембрану, с некоторым напряжением пробил ее и вышел наружу, храня в себе отзвук лопнувшей пленки...

13

На берегу происходило утро. Оно было крепким, как неразведенный спирт, голым, как свежеснесенное куриное яйцо, безукоризненным, как алфавит. За спиной Новенькой дымился провал, и она ощущала его как грубый шов разносортных материй. К тому же он не представлял теперь ни малейшего интереса. Мир, разворачивающийся перед ее глазами, был похож на все лучшее, что она видела в своей жизни. Она помнила теперь все свое прошлое, от самого раннего детства, от печки, обжигающей детские ладони, до последней страницы школьной тетради, в которой хромающими мучительными буквами был исписан десяток последних страниц...

Свет двух прожекторов — воскресшего во всех деталях прошлого и совершенного утра, освещал это мгновение. Долгая мука неразрешимых вопросов — где я? кто я? зачем? — окончилась в одно мгновение. Это была она, Елена Георгиевна Кукоцкая, но совсем новая, да, Новенькая, но теперь ей хотелось собрать воедино все то, что она знала когда-то и забыла, то, чего никогда не знала, но как будто вспомнила.

Она сделала несколько шагов по траве и удивилась богатству впечатлений, полученных через прикосновение голой стопы к земле: чувствовала каждую травинку, взаимное расположение стеблей, и даже влагалищные соединения узких листьев. Как будто слепая подошва прозрела. Нечто подобное происходило и со зрением, слухом, обонянием. Елена села на бугре между двух кустов. Один, собравшийся зацвесть, был жасмином, с простым и сильным запахом, второй — незнакомый, с плотными листьями, обведенными по краю светлой каймой. Запах его, кисловатый и холодный, был диковинным. От земли поднималось множество запахов — влажная земляная прель, сок раздавленного травяного стебля, земляничный лист, воск, горькая ромашка... И даже запах недавно здесь проходившего человека... Она мгновенно узнала, какого именно человека...

«Звериное чутье, вот оно что», — отметила Елена. Звуков тоже было слишком много для такого тихого утра — громко шелестели травы, и в шелесте различалась их фактура: жесткие травы звучали более шероховато, мягкие издавали скользящие звуки. Листья кустарника терлись друг о друга с бархатным шуршанием, и слышно было тугое кряхтение, с которым разворачивался бутон. Вспорхнувшая с дерева синица с помощью крыл и хвоста произвела трезвучие, оставившее за собой легкий искривленный свист воздуха, обтекающего расправляемые в полете крылья. И при этом видно было то, чего Елена прежде никогда не замечала: хвостовое оперение пролетевшей птицы встало почти вертикально, а заостренные концы крыльев опускались книзу, спичечные темно-серые ножки плотно прижались к серому брюшку... Она скользнула вниз, потом как будто раздумала, повернула хвостик, опустила кончики крыльев — и взмыла... И геометрия, и аэродинамика полета — хоть в школе изучай... «Как это я никогда раньше этого не замечала», — удивилась Елена.

Она сидела на бугре, вдыхала, смотрела и слушала — привыкала к новой земле и к самой себе, тоже новой. Она никуда не торопилась. Вскоре она почувствовала, что устала от непривычной силы звуков и запахов, вытянулась во весь рост на траве и закрыла глаза.

Глупо спать, когда так хорошо... Но, может, сон приснится? И она заснула на голой земле, даже не заметив, что и сама голая...

Бритоголовый, как капитан корабля, сошел на берег последним. Что куда двигалось, было совершенно неясно — то ли провал уходил от берега, то ли сама земля дрейфовала в неизвестном направлении. Похоже, ветер тянул конструкции вдоль берега... Все, кому он помогал выбраться, перекидывая алюминиевую, заляпанную краской стремянку между последней площадкой и краем обрыва, куда-то исчезали. Последней, скользя лапами по металлическим перекладинам, выбралась на берег большая овчарка. Собаку встречали — целая бригада маленьких, в белых коконах фигур, человекообразных, но немного и птичьих. Они взяли ее на руки и потащили в большому, обгоревшему с одной стороны дереву. Площадку, на которой стоял Бритоголовый, качнуло и отнесло от берега. Он едва не уронил стремянку. Неведомая тяга поволокла его вперед по течению воздуха, потом качнула, развернула и прибила его площадку к краю обрыва.

Бритоголовый ступил на землю. Первое, что он заметил, были кости его собственной плюсны, все двадцать девять, как на рентгене. Или двадцать восемь? Они ненавязчиво просвечивали через кожные покровы. Неприятная деформация — Бритоголовый заметил увеличенные суставы сочленения между Os metatarsi и костью большого пальца. И обратился к тому, кого привык называть «внутривидением»:

— Что ж, спасибо, что ты меня не оставляешь...

Место это было прекрасным, хотя бы по одному тому, что солнце стояло в зените, указывая на полуденный час, и Бритоголовый обрадовался, что снова оказался там, где есть запад и восток, север и юг и, в конце концов, верх и низ. Он оглянулся и обнаружил, что провал исчез, затянулся, как будто его и не было. Бритоголовый улыбнулся, покачал головой — не больно и нужно...

Мир, в котором он пребывал, вызывал полное доверие, но требовал отказа от прежних навыков мышления, и он, по своей давней способности к ученичеству, был к этому готов. Все вокруг было зелено, мирно и тепло. Ветер принес запах костра и какой-то пищи. Он пошел на восток, куда его позвал ветер.

Полуобгоревшее дерево осталось позади, и он так и не увидел, как лежащую на земле собаку накрыли большим одеялом и прочертили сверху какие-то линии и формулы.

— Все в порядке? Правильно отобразилось? — нетерпеливо спросил самый маленький.

— По-моему, правильно. Насколько можно судить по поверхности, — ответил ему самый крупный. — Хорошая будет женщина. Красивая.

— А веселая? — полюбопытствовал маленький.

— Этого можно ожидать... В задатках... Все качества должны трансформироваться: верность, способность к служению, прямодушие... В данном случае, природная веселость...

— А почему нельзя сразу поставить на сворачивание и на запуск? — Малыш прямо-таки засыпал старшего вопросами, но тот был терпелив:

— Ну что ты, как можно? Как раз наоборот, она должна здесь подольше побыть. Чтобы нижние слои заполнились. Если сразу на запуск, подумай, что ей будет сниться? Это же ужас! Как попрут животные инстинкты... Это же Canis lupus familiaris, все-таки хищник... Ты должен знать, кто из недодержанных получается... Ну? — старший ожидал ответа. Маленький растерялся:

— Мы этого еще не проходили, я на третий уровень только что перешел...

— Ладно, ладно. Не проходили, так пройдете... А ты уже из практики будешь знать — оборотни, вервольфы, маньяки, убийцы всех сортов, от сериальных до генштабовских... Понял? — Он с удовольствием давал пояснения.

— Ого! — изумился маленький. — Да чтобы все нижние слои заполнить, это ж какая работа!

— А ты думал, у нас работа легкая? — старший приподнял край одеяла. Под одеялом лежала крупная женщина, с курносым носом и покатым лбом. — Но если мы сейчас хорошо поработаем, это будет очень хорошая женщина, верный друг и преданная жена. Ну, давай, — пригласил он младшего, положил свои острые лапки на покатый лоб и начал легкие массажные движения...

14

Тропинка теперь поднималась в гору. Когда он оказался на вершине холма, увидел сверху неширокую петлистую речку. В песчаной бухточке на берегу реки горел почти невидимый в солнечных лучах костер, над которым висел закопченный котелок. Возле костра, спиной к Бритоголовому, сидел сутулый старик с остатками седых волос под блестящей лысиной. Бритоголовый подошел, поздоровался.

— Чай готов. Рыба испеклась, — улыбнулся старик и ковырнул палочкой лежавшую на плоском камне в тлеющих углях рыбу. — Готова.

— В здешней речушке выловили? — спросил Бритоголовый, усаживаясь и принимая в руки уложенную на листья горячую рыбу.

— Рыбаки принесли. Я с молодости это занятие оставил — охоту, ужение рыбы. Я, признаться, и от употребления животной пищи отказался. Из нравственных побуждений.

Печеная рыба была вкусной, хотя и костистой. Видом напоминала не то крупного ерша, не то морского бычка с шипами вдоль спинного плавника... Потом старик разлил чай из котелка в две алюминиевые кружки, достал из холщовой сумки маленький сверток, развернул. В нем был кусок сотового меда...

Лицо старика было знакомым, но ни с каким именем не вязалось. Он оказался довольно болтливым — рассказывал о детях, внуках, поминал маленького Ванечку, о котором так убивался, и совершенно напрасно... Ругал какого-то Николая Михайловича, сокрушался о его глупости:

— Я прежде думал, глупость не грех, а несчастье. Теперь переменил мысли. Глупость — большой грех, потому что содержит в себе самоуверенность, то есть гордыню.

Старик вытянутыми губами отхлебнул мутного, но очень вкусного чаю, потом поставил кружку на плоский камешек и вздохнул:

— Конечно, меня никак не оправдывает эта похабная людская молва, и хвалебная даже, любовь человеков, которой мы в молодости так ждем. Она настигла меня уже после «Севастопольских рассказов», голову мне вскружила, дала пищу для самоуверенности. Она-то и была основанием моей глупости, превышающей все прочие дарования, доставшиеся мне от Творца задаром... Но глупость-то, глупость была моя собственная...

«Ну конечно, как я сразу не догадался? Вот оно, знакомое-то лицо... Лоб в сократовских морщинах, маленькие глазки под лохматыми бровями, широкий русский нос уточкой, всемирно известная борода...»

Бритоголовый не без некоторого лукавства поддакнул старцу:

— Вы правы, правы. Жена моя была из толстовцев, всю жизнь вас цитировала, а я все над ней посмеивался, поддразнивал: Леночка, говорил, а гений-то твой глуповат был... Она обижалась.

Старик насупил брови, потер бороду большими, плоскими пальцами:

— Так и говорили? А ведь это мало кто понимал...

— Это в ваше время... Теперь многие додумались...

Старик кашлянул, взялся за сумочку:

— Пройдемтесь недалеко, я вам кабинет свой покажу... Я, знаете, теперь естествознанием увлекся... Теоретизирую...

Бритоголовый с сожалением встал. Его уже тянул на берег тот голос, с которым он привык считаться, но Бритоголовый понял, что обидел старика и отказываться было бы уж совсем невежливо...

Домик упрятан был в старой дубраве. Небольшой, в три окна, почти совсем закрытый сиреневыми кустами.

«Соцветия уже выкинулись, расцветут дней через пять», — обратил внимание Бритоголовый. Крыльцо в три ступени. В сенях ведро. Старик открыл дверь — довольно большая комната, по стенам книжные шкафы. На столе микроскоп. Второй стол, у стены, вроде лабораторного, там посуда химическая, какие-то реактивы... Чудеса...

— Вот здесь, в креслах, вам будет покойнее, пожалуйста... Мне давно уже хотелось поговорить с ученым человеком, с современным ученым. Дворянское образование, сами знаете... Естественные науки не изучал в молодости. Гёте, обращаю ваше внимание, блестящее образование получил. Минералогию знал, теорию цвета изобрел, очень глубоко в естествознание вник... Мы же в основном домашнее образование получали... Недоросли, в некотором роде...

То ли старик юродствовал, то ли над ним, Бритоголовым, издевался... Непонятно... Потом достал очешник, вынул их него пенсне на черной ленточке, нацепил на переносье и сказал строго, даже с мученьем в голосе:

— Пятьдесят лет я размышляю над этими вопросами. Здешние обитатели существа высшие, простодушия очень большого, и я не все могу с ними обсуждать. К тому же в земных наших трагедиях разобраться им трудно, невозможно даже, поскольку они хоть и не вполне бесплотны, но плоть их отличается от нашей земной и по организации структуры, и по самому химическому составу. Слишком тонкая плоть... Вы для меня долгожданный собеседник, какого я не имею многие уже годы...

Старец говорил, а тем временем раскатывал в трубку закрученные листы и разглаживал рукой их задирающиеся вверх стороны, прижал одну сторону стопки двумя толстыми томами, на другую поставил мраморное пресс-папье:

— Открытие мое касается любви. На ее клеточном, так сказать, химическом, уровне. Кое-какие соображения я и хотел вам, Павел Алексеевич, изложить.

Этого земного имени Бритоголовый давно уже не слышал и поразился гораздо более не содержанию торжественной речи величественного, но с несколько суетливыми глазками старца, а самому звуку возвращенного ему имени... Восстановилась нарушенная связь...

— Любовь, как я теперь понимаю, следует рассматривать в ряду других природных явлений, как силу тяжести или как закон химических пристрастий, открытый Дмитрием Ивановичем Менделеевым. Или закон... забыл, как этого итальянца фамилия... по которому жидкость в разных трубочках на одном уровне устанавливается...

«В гимназии не учился... Яснополянское образование, вот оно что... — развеселился в душе Павел Алексеевич. — Похоже, на него произвели большое впечатление учебники шестого класса средней школы...»

— Наес ego fingebam, — возгласил Лев Николаевич, — плотская любовь разрешена человекам! Я заблуждался вместе со всем нашим так называемым христианством. Все страдали, огнем горели от ложного понимания любви, от разделения ее на плотскую, низкую, и умозрительную какую-то, философскую, возвышенную, от стыда за родное, невинное, богом данное тело, которому соединяться с другим безвинно, и блаженно, и благостно!

— Так и сомнения в этом нет никакого, Лев Николаевич, — тихо вставил Павел Алексеевич, заглядывая через плечо в схему, нарисованную красным и синим карандашом. Там была грубо изображена яйцеклетка и сперматозоид.

— Влечение это лежит в основе мироздания, и греки, и индусы, и китайцы это постигли. Мы же, русские, ничего не поняли. Один только Василий Васильевич, несимпатичный, в сущности, господин, что-то прозрел. Воспитание наше, болезни времени, большая ложь, идущая от древних еще монахов-жизнененавистников привели к тому, что мы не постигли любви. А кто не постиг любви к жизни, не может постигнуть и любви к богу, — он замолчал, понурился. — Любовь осуществляется на клеточном уровне — вот суть моего открытия. В ней все законы сосредоточены — и закон сохранения энергии, и закон сохранения материи. И химия, и физика, и математика. Молекулы тяготеют друг друга в силу химического сродства, которое определяется любовью. Даже страстью, если хотите. Металл в присутствии кислорода страстно желает быть окисленным. И заметьте главное, эта химическая любовь доходит до самоотречения! Отдаваясь друг другу, каждый перестает быть самим собой, металл делается окислом, а кислород и вовсе перестает быть газом. То есть самую свою природную сущность отдает из любви... А стихии? Как стремится вода к земле, заполняя каждую луночку, растворяясь в каждой земной трещинке, как облизывает берег морской волна! Любовь, в своем совершенном действии, и обозначает отказ от себя самого, от своей самости, во имя того, что есть предмет любви... — Старик сморщил сухие губы. — Я, Павел Алексеевич, ото всего отказался, что написал. Заблуждение. Одно заблуждение... Вот, сижу здесь, читаю, размышляю. И плачу, знаете... Сколько глупостей наговорил, скольким людям жизнь замутил, а истинных слов — нет, не нашел... Главного о главном не написал. В любви ничего не понял...

— Помилуйте, Лев Николаевич! А рассказ про того молодого крестьянина, что с крыши упал и убился, разве же не про любовь? Да это лучшее, что я про любовь читал во всей моей жизни, — возразил Павел Алексеевич.

Лев Николаевич встрепенулся:

— Погодите, какой рассказ? Не помню.

— «Алеша Горшок» называется.

— Да, да... Был такой, — Лев Николаевич задумался. — А может, вы и правы. Один рассказ я, может, и написал.

— А «Казаки»? А «Хаджи-Мурат»? Нет, нет, никак не могу с вами согласиться, Лев Николаевич. Разве само слово не есть стихия и в ней не происходит тот самый процесс, о котором вы упоминали? А если речь наша есть стихия, пусть не высшая, то, согласитесь, довольно высоко организованная, то тогда получится, что вы, Лев Николаевич, магистр любви, не меньше...

Старик встал — он был роста небольшого, кривоног, но широкоплеч и осанист. Подошел к книжному шкафу — там стояло его первое посмертное собрание сочинений, в потрепанных бумажных переплетах. Лев Николаевич искал рассказ, вынимал том за томом. Потом раскрыл на нужной странице. Павел Алексеевич с нежностью смотрел через плечо старика на пожелтевшие страницы — точно такое издание сохранилось у Леночки еще с Трехпрудного.

— Значит, вы полагаете, этот рассказ хорош?

— Шедевр, — коротко отозвался Павел Алексеевич.

— Я перечту его непременно. Совсем про него забыл. Может, действительно, я что-то толковое и написал... — бормотал он, заглядывая через пенсне в пожелтевшие страницы.

Солнце уже шло на закат. Павел Алексеевич встал, попрощался, обещал прийти еще раз, если получится. Лев Николаевич, пригласивший его для беседы о естествознании, похоже, мало интересовался теперь его мнением. Ему хотелось скорее перечитать свой старый рассказ. Как и всем старикам, собственное мнение ему было важнее чьего бы то ни было...

Старик вышел вместе с Павлом Алексеевичем на крыльцо, даже расцеловался на прощанье. Павел Алексеевич заспешил туда, где еще недавно был берег.

15

Тропинка петляла, то поднималась в гору, то спускалась вниз, и Павел Алексеевич дивился тому, что перспектива здешняя построена была планами, слоилась, как в театре, и дальнее дерево было видно ничуть не хуже травы по обочине тропы. На каждом повороте открывались новые подробности здешнего мироустройства: оказалось, что ложе ручья возвышено, и вода течет густо и медленно. Большая розовая рыба стояла в воде и смотрела на Павла Алексеевича нерыбьим глазом — доброжелательно и с интересом.

За новым поворотом открылся низкорослый кудрявый сад. В саду стояла белая скамья, сбитая из планок. Со скамьи встала высокая женщина и, постукивая перед собой раскрашенной полосами палкой, вышла к нему навстречу. Это была Василиса, никто другой. Глаза ее покрывала белая повязка, как у детей, играющих в жмурки. Но было еще что-то странное в ее лице. Когда она подошла поближе, он разглядел поверх повязки, в самой середине лба страшно неуместный, размера не человеческого, а скорей коровьего, в густых девичьих ресницах, ярко-синий глаз.

— Павел Алексеевич, я заждалась вас. Сижу, сижу, а вы

все не идете, — обрадовалась Василиса. Они уже поравнялись, и он обнял ее:

— Здравствуй, Василиса, голубушка.

— Встретились, слава господу, — шмыгнула она носом.

Павел Алексеевич кивнул. Слезных мешков было два, так что глаз был не правым, не левым, очень симметрично вписан в самую середину лба. «Старые глаза забрали, а новый дали?» — подумал он, но оказалось, что сказал это вслух. Василиса засмеялась. Павел Алексеевич понял, что никогда прежде не слышал ее смеха.

— Не забрали. Прооперировали. Эти, маленькие. И сказали, что повязку только вы снять можете. После того, как я вам что-то скажу. Хитрые, не сказали, чего говорить-то. Вот я здесь на лавочке сидела и все думала, что же вам сказать.

— Ну? — полюбопытствовал он. — И что же?

— Простите меня, Павел Алексеевич, — сказала она простодушно, и Павел Алексеевич несказанно удивился: что за детский сад — на лавку посадили, наказали, велели прощения просить...

— Глупости все. Не имеет значения, — отмахнулся он.

— Как это? Я вас к злодеям причла. Простите. И снимите теперь повязку. Пожалуйста.

Они вернулись к скамье. Василиса шарила палкой, Павел Алексеевич поддерживал ее под локоть. Странное дело, этот красивый коровий глаз ничего не видел?

Повязка была положена грамотно, бинт прекрасного качества, видимо, заграничный. Он снял повязку, открепил защитный колпачок с одного глаза. Под ним была еще марлевая прокладка. Осторожно ее отклеил. Все швы были внутренние. Глаз отекший, веки чуть слипшиеся.

— Ну, открывай глаз, Василиса.

Она медлила. Потом открыла. Второй она загородила ладонью. Посмотрела на него одним глазом:

— Ты нисколько не изменился, Павел Алексеевич.

— А второй? — спросил он.

— Нет, я со вторым пока погожу. Мне так привычней. Так ты меня простил, что ли?

— Да я на тебя, дуру, и не сердился.

Она снова засмеялась. Смех у нее был девичий, застенчивый. Он решительно повернул к себе ее покрытую коврового рисунка платком голову, распечатал второй глаз. Она ойкнула совсем уж по-детски. Потом закрыла рот рукой и сказала просительно:

— Ладно, ты иди теперь. Еще, бог даст, свидимся. Делов-то много...

Он встал со скамьи, вздохнул и задал-таки вопрос, который ему с самого начала хотелось задать:

— Слушай, Василиса, а почему ты с палочкой ходила? Разве третий глаз не видит?

— Он никудышный. Ничего не видит.

— Совсем ничего?

— Не совсем. Вот тебя издали увидела, какой ты взаправду.

— Какой?

— Да так не скажешь... В образе и подобии ты...

Он махнул рукой и пошел.

16

Сон ей действительно приснился. Очень простой сон — вода. Она плескалась у щиколоток, потом поднялась выше. Сначал этот подъем воды был медленным, потом вода стала хлестать сбоку и сверху, и она уже не стояла на дне водоема, а плыла. Вода же все прибывала, лила на голову, заливала нос и рот, и дышать стало трудно. Невозможно.

«Теперь я утону, — поняла она в тот момент, когда погрузилась в воду с головой. Задержала выдох, потом медленно через нос выпустила последние остатки теплого воздуха и увидела, как они гроздью пузырьков ушли вверх. — Как же глупо тонуть, когда все так хорошо кончилось...»

Когда задерживать вдох стало невозможно, она открыла рот и впустила в себя воду. Но то ли вода была не совсем водой, то ли она — не совсем собой, только ничего страшного не произошло, она не захлебнулась, хотя и ощутила сначала в горле, а потом в груди прохладное течение.

Она нырнула — и поплыла. Вода проникала сквозь

тело, и это было так же естественно, как если бы это был воздух. Ее обтекали плавучие острова водорослей и стаи разноцветных мелких рыб. Над головой слои воды были бледные, цвета северного неба, внизу — густо-синие, до черноты, и никакого дна видно не было. Зато, приглядевшись, можно было различить тонкое мерцание звезд. Более теплые струи мешались с холодными, возникало скользящее движение, вроде ветра.

Тело ее слушалось, но она не могла вспомнить, когда ее научили плавать. Кажется, прежде плавать она не умела. Она свела руки над головой, соединила кончики пальцев, быстро пошла наверх и вынырнула на воздух. Тут и проснулась.

Сделала выдох — из ноздрей и изо рта вылилось немного воды. Вокруг колена запуталась скользкая гирлянда водорослей. С волос текло. Она отжала их двумя руками, как отжимают белье, и отошла от куста на солнечное место. Волосы на солнце сохли быстро, но сразу же начинали кудрявиться на висках и надо лбом, чего она не любила. Расправив пряди волос, стала пропускать их через пальцы, как через грубый гребень.

— Елена, — услышала она свое родное имя и обернулась. Перед ней стоял ее муж Павел — не старый и не молодой, а ровно такой, с каким она познакомилась — сорокатрехлетний.

— Пашенька, наконец-то, — и она уткнулась лицом в самое родное место, где сходятся ключицы.

Он ощущал, как очертания ее влажного худого тела точнейшим образом соответствуют пробитой в нем самом бреши, как затягивается пожизненная рана, которую нес он в себе от рождения, мучился и страдал тоской и неудовлетворенностью, даже не догадываясь, в какой дыре они гнездились.

Елене же, всему ее существу, того только и хотелось, чтобы укрыться в нем целиком, уйти в него навсегда, отдав ему и свою ущербную память, и бледное, ни в чем не уверенное «я», блуждающее в расщепленных снах и постоянно теряющее свои неопределенные границы.

Это не он по-супружески входил в нее, заполняя узкий,

никуда не ведущий проем, входила она и заполняла полое ядро, неизвестную ему самому сердцевину, которую он неожиданно в себе обнаружил.

— Душа моей души, — шепнул он в мокрые завитки над ее ухом и крепко прижал ее к себе.

Там, где кожа соприкасалась, она плавилась от счастья. Это было достижение того недостижимого, что заставляет любящих соединяться вновь и вновь в брачных объятиях, годами, десятилетиями, в неосознанном стремлении достичь освобождения от телесной зависимости, но бедное человеческое совокупление оканчивается неизбежным оргазмом, дальше которого в телесной близости пройти нельзя. Потому что самими же телами и положен предел...

С ними же происходило небывалое. Но из того, что было еще в пределах человеческого разумения, оставалось чувствование тел, своего и чужого, однако то, что в земной жизни называлось взаимопроникновением, в здешнем мире расширилось необозримо. В этой заново образующейся цельности, совместном выходе на орбиту иного мира, открывалась новая стереоскопичность, способность видеть сразу многое и думать одновременно многие мысли. И все эти картины, и мысли, и ощущения представали им теперь в таком ракурсе, что лишь улыбку вызывал прежний страх Елены пропасть, заблудиться в пространствах, растянутых между неизвестными системами координат, и потерять ту ось, которую она однажды действительно потеряла, — ось времени...

При последнем всплеске внутривидения замечено было, что две извилистые веточки яичников укромно лежат на положенных местах, изъятая в сорок третьем году матка находится на прежнем месте, а от шва поперек живота не осталось и следа.

Но это вовсе не значит, что бывшее сделалось небывшим, — догадались они, мужчина и женщина. Это значит, что преображению подлежит все: мысли и чувства, тела и души. И также те маленькие, почти никто, прозрачные проекты несостоявшихся тел, волею тяжелых обстоятельств корявой и кровавой жизни прервавших земное путешествие...

Когда они расположились друг в друге вольно и счастливо, душа в душу, рука к руке, буква к букве, оказалось, что между ними есть Третий. Женщина узнала его первой. Мужчина — мгновение спустя.

— Так это был Ты? — спросил он.

— Я, — последовал ответ.

— Боже милостивый, какой же я был идиот... — застонал мужчина.

— Ничего страшного, — успокоил его знакомый с юности голос.

Страшного не было ничего...

главе Девочки должны кончаться в
"А", после "ГЕКАТОМБЫ", идет долго
рассуждает о грядущих перемен
агента не постановление.

ЧАСТЬ ТРЕТЬЯ

1

Проснулась Елена в своей постели, в своей комнате, но в несколько странном, «не своем» состоянии: голова была пустой и гулкой, и, когда она приподнялась с подушки, все запрокинулось вбок... Справившись с неприятным ощущением, она спустила ноги на пол и попыталась собраться с мыслями: последнее, что она ясно помнила — как вышла из церкви в Обыденском переулке и остановилась на паперти. Дальше был провал. Тогда она направила ход своих мыслей в обратную сторону: церковная паперть, на которой она стоит, до этого тягостный разговор со священником, еще прежде, с вечера — объяснение с Таней. Таня сообщила ей с неожиданно грубым вызовом, что ушла с работы и собирается бросать университет.

До того, накануне, Таня поссорилась с отцом — Василиса доложила. Еще Василиса донесла, что из кабинета Павла Алексеевича опять вынесла три пустые бутылки. В доме идет все наперекосяк — вот и голова разваливается.

Елена снова попыталась встать, но все опять поплыло. Попросила Василису вызвать врача.

Участковый врач, хлопотливая и бессмысленная тетка, пришла к вечеру. Измерила давление. Нормальное. Однако поставила предположительный диагноз — транзиторная форма гипертонической болезни, выписала бюллетень и обещала еще прислать на дом невропатолога. Лекарств никаких не назначила. Побоялась. Для нее ходить по вызовам в этот медицинский дом было сущим наказанием. Василиса весь день ухаживала как могла — подносила чай с лимоном, все пыталась накормить. Но есть Елене не хотелось.

Вечером, довольно поздно, пришел Павел Алексеевич. Встревожился. Зашел к Елене в спальню, сел на кровать, дохнул водкой:

— Что случилось?

— Ничего особенного. Голова кружится. — Говорить о провале в памяти не захотела. И страшно было произнести...

Он прижал твердый большой палец к запястью. Послушал: пульс нормальный, хорошее наполнение. Перебоев нет.

— Ты устала. Расстроена. Может, просто отдохнуть надо. Взять тебе путевку в санаторий в Академии? — спросил Павел Алексеевич.

— Нет, Паша. Видишь, с Таней что происходит. Как я могу сейчас ее оставить?

«Раньше непременно бы сказал «путевки», — отметила про себя Елена. — Восемь лет никуда вместе не ездили...»

Поговорили о Тане. Павел Алексеевич считал, что перемелется:

— Юношеский кризис. Я думаю, надо дать ей возможность самой принять какое-то решение.

Елена вяло согласилась. На самом деле она надеялась, что муж сможет быстро и умно сделать что-то такое, что снимет все Танины неприятности и все станет на правильные, хорошие места. Но Павел Алексеевич только спросил, не привезти ли хорошего невропатолога — Елена отказалась: завтра из поликлиники придет.

«Напрасно не предложил вдвоем поехать в санаторий», — выходя из комнаты, укорил себя Павел Алексеевич.

Все у них не сходилось на волосок.

У каждого было свое особое мнение о крутом развороте Таниной жизни. Самым суровым судьей оказалась, как ни странно, Тома. Восемь лет девочки прожили в одной комнате. Теперь Тома уже не бессловесным и гибким детским чувством, а разумом взрослеющего человека понимала, какой счастливый билет ей выпал в день смерти ее матери...

Предоставленные ей вполне буржуазные ценности — сперва в виде чистого белья и хорошей еды на тарелке, а потом и более тонкие вещи, интеллигентского обихода:

доброжелательность и сдержанность, чистоплотность не только внешняя, но и внутренняя, называемая порядочностью, и домашнее чувство юмора, смягчающее все ситуации, в которых другие, знакомые Томе люди, начинали ссориться, кричать, даже драться, — все эти ценности физические и духовные Таня теперь предавала, заявив своим новым поведением: плевать я хотела на все ваше мироустройство!

Плевок этот Тому одновременно и поразил, и возмутил. Семейные уроки она усвоила настолько хорошо, что, замирая от дерзости и боязни потерять из-за этого замечания Танино расположение, как умела, высказалась. Сложные вещи, связанные с устройством жизни и поведением человека, в переводе на ее бедный язык выглядели приблизительно так:

— Для тебя родители столько сделали, а ты, неблагодарная, плюешь на все и еще университет бросила!

Последнее было для Томы чувствительной точкой, поскольку она, второй год работая в озеленительной конторе, лаская отечественные маргаритки и голландские тюльпаны, ощутила в себе некоторое шевеление: впервые в жизни захотелось учиться. Вслух она еще этого никому не высказала, но мысленно прикидывала, пойти ли ей поучиться в коммунальный техникум или замахнуться выше — на лесотехнический институт.

Василисина версия странной перемены с Таней была попроще: девка загуляла.

Елена, в сущности, придерживалась Василисиной точки зрения, но в мягких терминах. Причину, так изменившую поведение дочери, она усматривала не в ней самой, не в ее душевной жизни, а в каких-то внешних событиях, во влияниях на нее новых, не известных Елене дурных людей.

Павел Алексеевич полагал, что Таня переживает запоздалый юношеский кризис. Вероятно, он был ближе всех к истине. Пытаясь проанализировать механизм этого слома, он не мог допустить тем не менее, что причиной его был совершенно, с его точки зрения, незначительный эпизод с наливкой тушью мертвого человеческого плода, о котором Таня ему с такой горячностью рассказала. Ему казалось, что истинная причина иная, лежит глубже. К тому же его смутил и телефонный звонок профессора Гансовского, который сначала долго распинался по поводу исключительной научной репутации Павла Алексеевича, потом дал понять, с помощью обобщающего местоимения «мы», что и себя он причисляет к немногим добросовестным исследователям, и, под конец, дав Тане отличную характеристику, предложил ей забрать заявление об уходе, отдохнуть как следует, даже два месяца, а в сентябре, оставив неумные капризы, приняться за работу в качестве *его личного*, а не Марлены Сергеевны, лаборанта. Просил Павла Алексеевича передать Тане, что ждет ее у себя на приеме в ближайший вторник, после двенадцати...

Повесив трубку и поразмышляв над этим разговором, Павел Алексеевич пришел к мысли, что у Тани возник какой-то производственный конфликт с Марленой Сергеевной, которую Таня слишком уж поспешно, с первого дня работы, назначила себе образцом для подражания.

Изловив не без некоторых усилий Таню — теперь расписание ее жизни не совпадало с общесемейным: когда отец возвращался с работы, дома ее уже не было, а заявлялась под утро и спала до полудня, — Павел Алексеевич передал ей содержание телефонного разговора с Гансовским. Таня только плечом дернула:

— А чего ходить? Я туда все равно не вернусь.

— Танюша, это, безусловно, твое право. Но не забывай, что я просил за тебя, сам привел тебя в лабораторию. Не ставь меня в неловкое положение. В конце концов, надо соблюдать приличия, принятые между людьми, — сказал он более чем миролюбиво.

Таня вскинулась:

— Как же я все ваши приличия ненавижу!

Он притянул ее голову, погладил:

— Ты что, малыш, хочешь мир изменить? Это уже было...

— Папа, ты ничего не понимаешь! — выкрикнула она ему в грудь.

И убежала, оставив Павла Алексеевича в огорчении: девочке двадцать лет, а поведение подростковое...

2

Позднее медлительное лето завершилось сильной августовской жарой. Таня второй месяц вела странную ночную жизнь, все более в нее втягиваясь. География одиноких прогулок расширялась. Она исходила старую переулочную Москву, особенно полюбила Замоскворечье с его приземистыми купеческими особняками, палисадниками и неожиданно возникающей чередой деревьев-стариков, приусадебных стражей давно снесенных дворянских гнезд. Часто гуляла возле Патриарших прудов, исследуя головоломную путаницу проходных дворов. Она любила подходить к Трехпрудному переулку, к Волоцким домам, которые когда-то строил ее прадед, со стороны шехтелевского дома, огибать его слева и заканчивать свой поход на прудах, под утро, задремав на любимой лавочке со стороны Большого Патриаршего переулка.

Ночные люди, с которыми она иногда знакомилась, совершенно не походили на дневных, обычных людей, которыми была полна улица в светлое время. Печально трезвеющие пьяницы, неудачливые проститутки, убежавший из дому двенадцатилетний мальчик, бездомные парочки, обживающие в бесприютной любви парадные с широкими подоконниками и незапертые чердаки... Однажды, в верхнем пролете лестницы, ведущей к запертому выходу на крышу, она наткнулась на спящего человека и ужаснулась — не мертвый ли...

Еще ночные люди слоились по часам: до часу встречалось много приличных парочек, возвращающихся домой. Собственно, это были не ночные люди, а просто слегка застрявшие дневные. После часу они сменялись одиночками, по большей части пьяными. Они были неопасны, хотя иногда приставали. Что-нибудь просили — сигарету, спички, двушку для телефонного автомата, — или предлагали — выпивку, любовь... С этими пьяными одиночками она иногда разговаривала... Самые опасные люди водились, как показалось Тане, от трех до половины пятого. Во всяком случае, самые неприятные встречи происходили именно в это время.

Она выплюнула, как сливовую косточку, все свое прежнее знание, ученическое и книжное. Ее интересовал теперь иной опыт, который давал преимущества неожиданного маневра, ловкого движения: она радовалась, обнаружив новый проходной двор между двумя глухими переулками, двустороннее парадное, открытое и с фасада, и с черного хода. Она знала последнюю в Москве, забытую водопроводным начальством и все еще работающую колонку в районе бывшей Божедомки, обнаружила квартиру в полуподвале, где собирались по ночам очень преступного вида люди — воровской притон?

Ночные километры вымощены были и размышлениями: еще недавно жизнь представлялась ей как ровная дорога в гору, постепенное восхождение, целью которого был научный подвиг, соединенный воедино с заслуженным успехом и даже, может быть, славой. А теперь она видела вместо героической картинки ловушку, и наука оказалась идолом точно таким же, как убогий навязываемый социализм, который последние годы все чаще называли по радио «социализьмом» в угоду малограмотному Хрущеву, двух слов свести не умеющему... Когда она была маленькой, естественным было деление на «мир взрослых» и «мир детей», «мир добрых» и «мир злых». Теперь ей открылось иное измерение — «мир послушных» и «мир непослушных». И речь шла не о детях, а о взрослых, умных, просвещенных, талантливых... Таня решительно и радостно перешла во вторую категорию. Пожалуй, неясно было только с отцом — он не укладывался ни в какую категорию. Вроде бы он был общественно-полезным, то есть послушным, однако всегда поступал по-своему, навязать ему чужое мнение, заставить подчиниться было невозможно...

Однажды Таня нашла на садовой скамейке в тупиковом дворе Средне-Кисловского переулка строгого старика, сидящего очень прямо, не касаясь развалистой спинки, опирающегося деревянными руками на деревянную, с могучим полированным набалдашником, барскую трость. Таня села на ту же скамью с краю. Он, не поворачивая к ней большой головы, косо освещенной слабым фонарем, сказал глухим голосом:

— Таня, мне кажется, пора подавать обед.

— Откуда вы меня знаете? — изумилась она, в первую минуту не угадав случайного совпадения.

— Я повторяю, время обедать.

— А где вы живёте? — спросила Таня.

Старик как будто немного смутился, забеспокоился, потом ответил не совсем уверенно:

— Я живу... здесь.

— Где — здесь? — переспросила Таня, уже догадавшись, что старик обеспамятел.

— Город Гадяч Полтавской губернии... — с достоинством ответил он.

— А как вас зовут?

— Пора подавать обед, — он заёрзал на скамейке, пытаясь подняться из её глубины и опираясь на палку. — Пора обедать.

Он осел, так и не сумев поднять своего довольно грузного тела.

Время шло к рассвету. Таня помогла ему выбраться из этого деревянного гамака и сказала:

— Пойдемте. Действительно, пора обедать. Таня ждёт вас с обедом.

И она отвела его в отделение милиции, чтобы там помогли ему разыскать коварную Таню, которая вовремя не подала обед. Уже в милиции, сдавая величественного деда в руки мелкой власти, Таня заметила, что на палке было написано белой краской: Печатников пер., д.7, кв. 2. Лепко Александр Иванович.

— До свидания, Александр Иванович, — попрощалась Таня, жалея, что не заметила раньше сопроводительного письма, написанного на палке.

«Предпоследняя ступень свободы», — прежде такая мысль не пришла бы ей в голову.

Когда она вышла из милиции, уже рассветало. Ночные люди укрылись, а дневные ещё не вылезли из своих нор. Настроение у Тани было прекрасным, и она решила, что, выспавшись, поедет в лабораторию к часу, когда лаборантки собираются в препараторской для общего чая, купит по дороге торт, каких-нибудь конфет, чтобы отметить таким образом своё освобождение...

С чаем получилось неудачно. Из шести лаборанток три были в отпуске, одна больна, а две оставшиеся были как раз наименее симпатичными — пожилая Тася Кухарикова и вороватая Галя Авдюшкина. Съели по два куска торта, остальное положили в холодильник. В лаборатории почти никого не было — кто в отпуске, кто на конференции, у кого библиотечный день. Марлена Сергеевна тоже была в отъезде.

Таня зашла в свою бывшую комнату, вспомнила без всякого сожаления и сентиментальности свой первый день, когда привел ее сюда отец. Все стояло на прежних местах: микроскопы, микротомы, торзионные весы, батареи стеклянных стаканчиков со спиртом и ксилолом, закрытые притертыми крышками. То, что прежде казалось храмом науки, выглядело бедно и обшарпанно. В молекулярном корпусе университета давно уже работал электронный микроскоп, стояло современное оборудование, а не то что здешний музей истории науки, раздел девятнадцатый век. Ничего этого больше не хотелось. Только запах, тяжелый лабораторный запах — спиртовой, формалиновый, с примесью вивария и хлороформа, оставался все-таки волнующим.

Таня вытянула ящик письменного стола, собрала свои личные вещи: деревянный длинный мундштук, пудреницу, перепечатку стихов Мандельштама и неизвестно зачем — тетрадь с прописями... Бросила все в сумку и направилась в кабинет Гансовского. Постучала в старинную, с вставками матового стекла, дверь. Вошла. Гансовский, загорелый, свежевыкрашенный в коричневое, в белом халате, сидел за огромным письменным столом, читал какой-то журнал.

— Заходите, заходите.

На единственном посетительском стуле высилась гора книг. Он указал Тане на складную деревянную лестницу для библиотеки. Книжные шкафы были до самого потолка, с пола не достать. Лестница в сложенном состоянии напоминала высокий стул.

— Садитесь.

Таня взгромоздилась на маленькую верхнюю площадку, это оказалось довольно неудобно. До пола ноги не доставали, она устроила их на нижней ступени. Оранжевая юбка, очень короткая, по последней скандальной моде, задралась почти до трусов, и она заметила, каким мужским цепким взглядом скользнул старый академик по ее голым ногам. Потом Гансовский снял золотые очки, аккуратно сложил их дужка к дужке и посмотрел на Таню весьма сочувственно:

— Ну что же, Татьяна Павловна, мне сказали, что вы собираетесь уходить.

— Да уже ушла, Эдмунд Альгидасович, — Таня была единственной лаборанткой, способной правильно произнести его заковыристое имя, получившееся из польско-литовской и, говорят, еврейской смеси.

— А вы не поторопились, Татьяна Павловна?

Он встал, и Танино положение верхом на лестнице стало еще глупее. Профессор стоял вплотную, и она оказалась зажатой в углу, между шкафом и стулом, заваленным книгами. Таня развернула ноги, чтобы не касаться его бедром.

— Вы так хорошо начали свою работу. Признаться, я уже решил взять вас к себе, дать тему. Это очень важно, когда человек рано начинает научную карьеру. В будущем году вы могли бы уже первую научную статью опубликовать...

Таня не очень хорошо понимала, что он говорит, поскольку ее отвлекало прикосновение прохладного халата к ее голой ноге и неприятное шевеление его руки в кармане, заметное через ткань халата.

— Вы освоили методику экспериментальной гидроцефалии, — продолжал он, — Марлена Сергеевна мне говорила, что может поручить вам любой этап работы. Не знаю, не знаю, зачем вам уходить.

Теперь одной рукой он придерживал боковину лестницы, вторая случайно, но совершенно уверенно лежала на ее бедре. Таня сделала вид, что этого не замечает, — как и полагается воспитанному человеку не замечать промахов в поведении собеседника.

— У вас еще три года учебы, за это время вы не только курсовую и диплом сделаете, успеете и половину диссертации подготовить.

Он смотрел ей в глаза — лицо его было совершенно деловым и даже строгим. Он снял руку с ее бедра, засунул между пуговицами халата, пониже пояса, поворошил там. Краем глаза Таня следила за его манипуляциями.

— Существует такое вещество, ауксин, — он взялся тяжелой рукой за ее тесно сдвинутые колени и резко провел между ног. Таня была почти в обмороке. Не оттого, что рука твердо и точно проникла прямо под трусы и подушечки его коротко остриженных пальцев прижались к такому месту, которого, кроме мыла, никакой посторонний предмет отродясь не касался, а оттого, что прямо перед ней стояло его строгое и деловое лицо и властный голос гипнотизировал ее многозначительным ауксином, который не имел никакого отношению к параллельно происходящему действию:

— Этот ростовой гормон прекрасно стимулирует рост капилляров, и введение, скажем, пяти миллилитров повышает количество растущих капилляров на сто — сто двадцать процентов...

Он расстегнул нижнюю пуговицу халата, и Таня, совершенно одеревеневшая, не способная и головы повернуть, увидела боковым зрением в его веснушчатой широкой руке смугло-розовую луковицу с продольным разрезом посередине. Он уже стоял между ее разведенными коленями, одной рукой готовил вход, а второй подвигал Таню к себе, нажимая ей на поясницу... Столбняк Танин кончился в тот момент, когда он перестал говорить об ауксине, а сказал так же властно и делово:

— Колени разведи пошире и плечами подайся назад.

Таня толкнула его в грудь руками.

— А ну сидеть! — рявкнул он, но она уже вскочила с лесенки, рванулась к двери и дернула за круглую, точь-в-точь как его луковица, ручку. Дверь не открылась.

«Сволочь, запер», — подумала Таня и саданула кулаком со всей силой по стеклянной вставке. Стекло со звоном вылетело, но дверь не открылась.

— Дура, — сказал он спокойно, — ручку поверни.

Он запахнул халат, под которым мелькнула голая грудь и академическая луковица в расстегнутой прорехе светлых брюк...

Таня вылетела пробкой из института и понеслась прочь от храма науки, в котором все было мерзость, грязь, мразь...

Яуза была утешительна, особенно если не смотреть на береговые фабричные застройки, которые чуть ли не с петровских времен отбирали у реки воду и выливали взамен помои... Гончары, кожевенники, мануфактурщики... А река все оставалась невинной, живой...

Таня взошла на горбатый мостик, нависающий над рекой, загляделась в текучую грустно-зеленую воду.

Порезанная рука болела. Кровь уже остановилась, хотя бинты успели промокнуть. Милая тетка попалась в аптеке. Ни слова не говоря, взяла стерильные подушечки, бинт, наложила грамотную повязку. Средний и безымянный пальцы склеила пластырем. Самый сильный порез был как раз между пальцами, на том самом месте, где у мамы шрам от рыболовного крючка, — не забавно ли?

Денег у Тани не было — сумку оставила в кабинете Гансовского, висит на спинке стула, заваленного медицинскими книгами, которые Таня никогда в жизни не будет читать. Хорошо бы сказать отцу, чтобы он сумочку ее у Гансовского забрал. Так и сказать: хотел меня трахнуть, но я убежала. И спросить, что он думает насчет приличий и всей бодяги, которую так уважает. Впрочем, говорить ему ничего нельзя — он, хотя человек воспитанный по части вилок и ножей, «спасибо» и «до свидания», но если рассказать ему об этой истории, он Гансовского просто убьет. Нет, не убьет. Изобьет. Изметелит. И Таня засмеялась, представив себе, как отец, загнав Гансовского в угол кабинета, где Таня сидела на дурацкой лесенке, обрушивает на его крашеную башку увесистые кулаки...

— Бедная Лиза! — сказала она вслух, заглянув в последний раз в яузскую воду. — Топиться не будем.

Ее уже перестало колотить от возбуждения и захотелось немедленно кому-нибудь рассказать об этом приключении. Но рассказать было некому. Подруг, известное дело, было множество, но самая задушевная, одноклассница, сразу после школы вышла замуж, скоро родила и теперь сидела на даче с ребенком. Дачного адреса Таня не знала. Две наиболее симпатичные сокурсницы укатили в отпуск на Кавказ. Тома для этого случая полностью отпадала. Да и не была она Тане подругой. Обсуждать это приключение с молодыми людьми, во множестве около Тани крутившимися, было и неинтересно, и невозможно. К тому же, несмотря на всю мерзость происшествия, почему-то оно дико волновало. Да, луковица эта произвела впечатление...

Кажется, я задержалась... Гнусный старик, но почему-то пробрало... Пора... Чепуха какая-то — никто не нравится, никого не люблю... Подружки все уже при любовниках... Хорошо бы посоветоваться с взрослой умной женщиной — но таких в окружении не было...

Она и не заметила, как свернула с набережной на благообразную, совершенно не московскую по виду улицу, обсаженную старыми, регулярно расставленными липами. Какие-то госпитали, желтые старинные и полустаринные строения, не то казармы, не то общежития. Госпитальный Вал называлась улица. Это было Лефортово, и попала сюда Таня впервые.

С утра она ничего не ела, но домой не хотелось. Все деньги остались в сумке.

«Когда денег нет совсем, гораздо лучше, чем когда их мало», — озарило вдруг ее. Странное это было озарение — что-что, а деньги всегда у нее были. Была собственная зарплата, и была жестяная коробка в кухне, из которой брали кому сколько надо, — Василиса постоянно удивлялась, как быстро расходятся деньги, и пыталась навести порядок в расходах... У Тани впервые в жизни не было ни копейки, и ей было от этого забавно и весело. Она прекрасно знала, как добраться до дому зайцем, на троллейбусах и трамваях, или просто взять такси, а дома расплатиться... Ключей, впрочем, тоже не было — в сумке остались. Всем была хороша новая юбка — итальянская, цвета рыжего апельсина, с кнопками-клепками, но без карманов. Никогда ничего не буду покупать без карманов... И быть голодной сегодня ей тоже нравилось — легкость и свобода... Вот-вот, что-то важное наконец пришло в голову — про свободу. С чего, например, она решила, что хочет заниматься биологией? В детстве рисовала — хвалили, потом музыкой занималась — хвалили. Книжки отцовские стала читать — опять хвалили. А ей только того и надо было — чтоб хвалили... И старалась, училась, сидела над тетрадями — чтоб отец похвалил. Купилась на похвалу — хорошая девочка... И хватит. И достаточно. Теперь мои поступки не будут зависеть от того, нравятся они отцу, маме, Василисе, кому бы то ни было. Только мне. Я — единственный себе судья. Свобода от чужого мнения. Интересно спросить у отца, значит ли для него что-нибудь мнение Гансовского? Конечно, значит. Они все хотят друг другу нравиться. То есть не все — всем. Круги. Касты. Закрытые общества... Крысоубийцы. Послушные. Мы, интеллигентные люди... Пошлость какая... Не хочу...

Ей в голову не приходило, что вся студенческая молодежь в ту пору, в шестидесятых, в Париже и в Лондоне, в Нью-Йорке и в Риме думала приблизительно так же. Но она-то дошла до этого своим умом, без подсказок и шпаргалок. Самостоятельно...

Она шла вдоль высокой кладбищенской ограды, за которой стояли рослые деревья, а под ними — рослые памятники. Остановилась у ворот — «Введенское кладбище». Точно. Это было бывшее Немецкое, где все Кукоцкие похоронены, догадалась Таня и вошла.

Аллея пересекала кладбище поперек, от одних ворот до других, а вокруг простирались могилы и памятники. Старинные, с немецкими готическими надписями, просто старинные и без латиницы. Часовни, мраморные ангелы, гипсовые вазоны, кресты и звезды, звезды и кресты... Как это ни удивительно, несмотря на свои двадцать, Таня никогда не бывала на кладбище. Да и на похоронах-то она не была ни разу, если не считать похорон Сталина. В крематории оказалась раза два, но даже толком не поняла, что там происходит. А здесь было красиво и печально — запущенность шла этому месту. Она прошла по старой части кладбища, разглядывая надписи на памятниках: где-то здесь должны быть и Кукоцкие. Но они не встретились.

Снова оказалась у ограды, но теперь с другой стороны кладбища. Двое мужиков сидели у только что вырытой могилы. С одной стороны высилась куча вынутой земли, с другой — в мелких кусточках, принадлежащих другому участку, сидели двое рабочих. Перед ними на газете лежала немудрящая еда: круглый обдирный хлеб, бледная колбаса, пожелтевший зеленый лук. Бутылка водки прислонена к двум кирпичам — для устойчивости.

Один мужик был пожилой, в кепке, второй, помоложе, лысый, в шапке из газетного листа. На Таню они и не взглянули. Свобода, сегодня ее осенившая, велела ей просить у них хлеба.

Пожилой, едва глянув, буркнул:

— Бери.

Тот, что помоложе, засуетился:

— А отработать?

— Да руку порезала, — Таня доверчиво подняла вверх ладонь с потемневшей от крови сбоку и снизу повязкой.

— Так не руками же, — игриво отозвался парень.

— Бери и проваливай, — пожилой смотрел недовольным глазом и на Таню, и на своего напарника, и даже на початую бутылку.

Но младший не унимался:

— Может, тебе налить?

— Нет, спасибо, — она взяла большой ломоть хлеба и маленький колбасы, надкусила и, жуя, сказала:

— Дед у меня тут похоронен, Кукоцкий фамилия. Могилу не могу найти.

— Сходи в контору, там скажут, — более уважительно, чем прежде, отозвался пожилой: девка хоть и проститутка, но все ж свой брат, клиент...

Поблагодарив, Таня ушла, оставив их втроем с бутылкой.

— Удивляюсь на тебя, Сенька, — задумчиво сказал пожилой, — вроде ты и женатый, и баба хорошая, и пацан. Ну на что тебе такая жердина? Тьфу ты!

Сенька заржал:

— Ну, дядь Федь, а чего плохого-то? Я бы тут на могилке ее и выдрал бы. Поди плохо?

Таня прошла мимо конторы, тропинка вывела ее к другим воротам, на дрянненькую улицу, к иссохшему пруду или котловану, над которым возвышался разляпистый Дом некоторой культуры, к трамвайным рельсам. Трамвай — хороший вид транспорта, для безбилетников годится. Уже вечерело, но со временем была непонятица — слишком уж длинный день выдался. Посмотрела на часы, отцовский подарок, они показывали половину третьего. То есть стояли.

Подъехал совершенно пустой трамвай, пятидесятый номер. Куда идет, она не успела посмотреть. Скорее всего к какому-нибудь метро. Трамвай долго вез ее одну, потом вошла еще пожилая пара. Переехали через Яузу. Конечная оказалась «Бауманское» метро. Было около десяти, но домой идти не хотелось... Таня обошла большой храм и оказалась на Ольховке. Дворы на этой почти сплошь одноэтажной улице были хорошие, земляные, с палисадниками и скамейками, детскими песочницами и качелями. Новых домов вообще не было, старье, мещанская застройка. Один только был пятиэтажный, начала века, «модерн». Таня почувствовала себя усталой, зашла в первый попавшийся двор, а в нем — дощатая беседка, как подарок. Внутри стоял грубый стол и две лавки, врытые в землю. Доминошное хозяйство.

Таня легла на узкую лавку, повернула голову так, чтобы видеть кусок неба с густыми звездами. Откуда-то неслась радиомузыка вперемежку со звуками пролетарской ссоры.

«Я очень, очень свободный человек», — сказала себе Таня, залюбовалась этой фразой и незаметно уснула. Проснулась от холода. Неизвестно, сколько проспала. Кажется, совсем недолго. За это время вышла луна, залила все своим искусственным светом. Домой все еще не хотелось, но, пожалуй, пора... На завалинке совсем уж деревенского дома в глубине двора сидел паренек. Он сосредоточенно колдовал над своим запястьем.

Таня подошла поближе. Он услышал ее шаги, обернулся и замер, зажав правой рукой запястье левой.

— Пошла отсюда, — грубо сказал мальчишка.

Но Таня стояла, не двигаясь. Половина бритвенного лезвия поблескивала в сильном лунном свете. Она сметливо сказала ему:

— Так ничего не получится...

— Почему это? — он поднял голову, и она увидела бледное, как будто заплаканное лицо и свежий синяк, набухающий на скуле.

— Надо в ванной, в теплой воде... — сочувственно сказала она. — Так не получится.

— Откуда ты знаешь? — хмуро поинтересовался парень.

— Я по венам специалист. Два года с венами занималась. Немного потечет и спадется. Лучше с крыши — шарах, и конец!

— Да мне этого не надо, — усмехнулся парень. — Мне машина нужна. У меня, понимаешь, машины нет. А если разрез пошире, ампулу прокапать можно... Если ты такой специалист, может, у тебя и машина при себе?

Теперь его не понимала Таня:

— Какая машина?

— Ну, шприц. Дура, — объяснил он.

— А, шприц. Дома есть. — Вот чудеса, всю жизнь прожила как умная, а сегодня весь день в дурах...

— А далеко живешь? — зажегся интересом парень.

— Далеко.

— А чего ты здесь вообще делаешь?

— Гуляю. Я люблю в это время гулять, — она села с ним рядом и заметила, что ему больше лет, чем ей сначала показалось. — Пошли, погуляем. Я в окна люблю смотреть...

Она потянула его за рукав клетчатой рубашки, он послушался. Завернул лезвие в бумажку, сунул в карман ковбойки и оторопело пошел за ней. Она вывела его на улицу, потом свернула уверенно в проулок между двумя домами в еле видный проход — на освещенное окно. Грязная, в побелке лампочка голо болталась на шнуре. Стул стоял на столе, торчали козлы. В комнате шел ремонт. Видно, забыли погасить свет. Окно было открыто. Этаж первый.

— Влезем, — предложила Таня.

— Нет, я уже свой ларек взял. Мне хватит, — шмыгнул паренек. — Может, к тебе пойдем?

— Да я ключи потеряла... И вообще... — Таня растерялась. Все было немного наперекосяк.

— Ладно, пошли, — великодушно предложил парень, и они пошли блуждать дальше.

Они шли обнявшись, потом в каком-то дворе поцеловались, потом еще немного побродили, а потом оказалось, что они стоят в просторном парадном, тесно обнявшись, прижимаясь друг к другу ногами, и впалыми животами, и руками, липкими от той малости крови, которая успела вылиться через маленький разрез поперек вены.

Они поднялись на последний этаж того самого дома

«модерн», который Таня заметила в начале своего ольховского путешествия. Свет горел на четвертом, дальше была загадочная тьма. Там, пролетом выше последнего этажа, возле запертого на висячий замок выхода на чердак, было небольшое полукруглое окно с плавными переплетами, от которого шел загадочный, расчерченный изогнутыми тенями, свет. Они еще немного поцеловались, стоя у широкого подоконника. А потом она села на подоконник и проделала все то, чего хотел от нее Гансовский.

«А лесенку-то Гансовский специально для этого дела заказывал», — догадалась Таня, когда мальчишка потянул ее на себя.

Без всякого волнения и вдохновения она рассталась с бессмысленной девственностью, не придавая этому ровно никакого значения. Мальчик принял этот дар нежданный с полным недоумением:

— Ты что, целка? Первая у меня. А у меня знаешь, сколько баб было?

Таня засмеялась дворовому слову, покачала свою перевязанную руку и сказала:

— Какой у меня сегодня день кровавый... Да и у тебя...

Потом он сел с ней рядом на подоконник. Подоконник, хоть и был широкий, но слишком короток, чтобы лечь.

Спустя десять минут он рассказывал ей о какой-то Наташке, которая вертела им два года, как хотела, потому что все бабы суки; что у него отсрочка; что в армию он пойдет в осенний набор, в пограничники; и еще какую-то совсем уж галиматью про настоящих мужчин... Тане это было совершенно неинтересно. Она спрыгнула с подоконника, помахала дурачку рукой:

— Я пошла!

И понеслась вниз по лестнице, отчетливо стуча пятками плоских туфель.

Пока он медленно соображал, что же произошло, она уже спустилась на два этажа.

— Ты куда? — крикнул он ей вслед.

— Домой! — отозвалась она, не сбавляя хода.

— Погоди! Погоди! — закричал он, помчавшись вдогонку.

Но ее и след простыл.

3

Павел Алексеевич скорее чувствовал, чем знал — звезды звездами, но было нечто руководящее человеческой жизнью вне самого человека. Более всего убеждали его в этом «Авраамовы детки», вызванные к существованию именно его, Павла Алексеевича, догадкой о связи космического времени и сокровенной клетки, ответственной за производство потомства... Он допускал, что и на другие моменты человеческой жизни могут влиять космические часы, что взрывы творческой энергии, как и спады, регулируются этим механизмом. Детерминизм, столь очевидный в процессе развития, скажем, зародыша из оплодотворенной яйцеклетки, его вполне устраивал, более того, он рассматривал его как капитальный закон жизни, но распространить это строго предопределенное движение за пределы физического хода онтогенеза он не мог. Свободолюбивый его дух протестовал. Однако человек складывался не из одних только более или менее известных физиологических процессов, вмешивались многие другие, совершенно хаотические факторы, и в результате из одинаковых трехкилограммовых сосунков развивались столь разнообразно устроенные в духовном отношении люди, совершали кто подвиги, кто преступления, и умирали один во младенчестве от скарлатины, другой на поле битвы... На каждого из бесчисленных миллионов был заранее составлен проект? Или судьба — песчинка на морском берегу? По какому неизвестному закону из трех русских солдат во время войны двое попадали под пули, из тех, что остались, часть погибла в лагерях, часть спилась... И оставался в живых один из десяти... Этот механизм кто регулировал?

Про себя Павел Алексеевич знал, что судьба его пошла под горку. Он все еще работал, преподавал и оперировал, но исчезло из его жизни острое наслаждение пребывающей минутой, чувство слияния с временем, в котором он существовал долгие годы. И домашняя жизнь сохраняла лишь общую формулу, пустой панцирь былого семейного счастья... Не того, настигшего их в середине войны, в эвакуции, длившегося целое десятилетие, до самого пятьдесят третьего года, которое, как затонувший корабль с награбленным золотом, погрузилось на дно памяти, а последовавшего за ним другого, монашеского и немногословного, без прикосновений, почти на одних только понимающих взглядах построенного союза... С Еленой что-то происходило: глаза покрылись тонкой пленкой льда, и, если что и выражали, то озабоченное и напряженное недоумение, какое бывает у совсем маленьких, еще не умеющих говорить детей перед тем, как они начинают плакать по необъяснимой причине.

Разваливались отношения с Таней. Она, как и прежде, мало бывала дома, но раньше ее отсутствие означало накопительную деятельность, питательное обучение, а теперь, когда она все бросила, Павел Алексеевич недоумевал, какими же занятиями наполняет она свои дневные, вечерние и нередко ночные часы, которые проводит вне дома. Он огорчался пустой, как он подозревал, трате времени главным образом из-за того, что ценил особое качество индивидуального времени каждой юности, когда смертельный автоматизм еще не установился и каждая молодая минута, мускулистая и объемная, эквивалентна и познанию, и опыту в их чистом виде... В отличие от его собственного, старческого времени, скользящего, невесомого и все менее ценного...

То, что прежде было горячим содержанием жизни — прозрачные, как аквариумные рыбки-гуппи, роженицы с их патологиями и осложнениями, преподавание, в котором Павел Алексеевич умел передавать своим ученикам помимо технических приемов ту маленькую неназываемую словами штучку, которая составляет сердцевину любой профессии, — становилось все более автоматическим и теряло ценность если не для окружающих, то для самого Павла Алексеевича.

«Удельный вес времени к старости уменьшается», — ставил диагноз Павел Алексеевич.

Усталый, возвращался он с работы, первым делом направлялся в кабинет, выпивал там три четверти стакана водки, после чего выходил к ужину. Появлялась из своей комнаты и ожидающая его Елена. Садилась за накрытый Василисой стол, укладывала вдоль столовых приборов худые кисти рук с увеличенными суставами и сидела, опустив голову, пока Василиса читала положенную молитву — про себя, от себя и за всех присутствующих, повторяя ее столько раз, сколько народу сидело за столом. Павел Алексеевич, не знавший об этом ее обыкновении, тоже медлил, ожидая, пока алкогольная волна разойдется по телу, и, почувствовав тепло, говорил привычно «приятного аппетита» и принимался за Василисин жидкий суп. Таня редко ужинала дома. Тома, поступив учиться, четыре раза в неделю приходила после одиннадцати, а если и ужинала с семьей, то тоже больше помалкивала. Говорили слова самые незначительные и лишь необходимые: передай соль, спасибо, очень вкусно...

Потом Павел Алексеевич уходил к себе, допивал в течение вечера бутылку, оставляя на два пальца от дна утреннюю дозу. Это была теперь его форма борьбы со временем — печальная попытка его уничтожения.

А вот Илья Иосифович, напротив, вступил в самую счастливую полосу. В начале шестидесятых годов произошел в его жизни перелом: ему дали лабораторию, существующую на правах отдельного научно-исследовательского института, в лаборатории собралось несколько преданных науке до последних потрохов молодых людей; за монографию, посвященную природе гениальности, ему была присуждена без защиты степень доктора биологических наук. Правда, много лет спустя сам Илья Иосифович признавал, что те две диссертации, которые он не смог защитить из-за очередных арестов, гораздо более соответствовали докторскому званию. Но в ту пору он был в восторге от своей работы, он еще не пересмотрел своих малогениальных достижений в области исследования гениальности. Илья Иосифович пребывал в эйфории: генетика была разрешена, с Лысенко было покончено, и те самые люди, которые прежде на порог не пускали, теперь льстиво жали руки, фальшиво улыбались бывшему фронтовику, который нежданно-негаданно вышел в герои.

Главное же событие в жизни Ильи Иосифовича, долго укрываемое ото всех, называлось Валентиной Второй. Аспирантка из Новосибирска, Валентина Моисеевна Грызкина, девушка спортивного типа, полнейшая противоположность покойной Валентине, влюбилась в своего научного руководителя с целеустремленностью нападающей баскетболистки. Она и впрямь была лучшим бомбардиром университетской женской команды по баскетболу, и ее спортивный напор подкрепляла внутренняя твердость староверов — она происходила из раскольничьей семьи. Один из ее предков сопровождал протопопа Аввакума в знаменитом его путешествии, с тех пор семья осела в Сибири и более двухсот лет, принимая всяческие гонения, упорствовала в своей вере и производила сильное и многочисленное потомство. И вот таким людям, закаленным в вековой войне, Валентина объявила классе в шестом, что человек произошел от обезьяны. Для начала родители вздули ее со всей патриархальной жестокостью и запретили ходить в школу. Но девочка оказалась достойна своих родителей: нашла коса на камень. Вера на веру... После двух лет сокрушительной борьбы за достоинство человека, произошедшего от обезьяны, Валентина ушла из дому, унося на вполне уже развернувшихся плечах проклятие деда. Далее последовал интернат, вечерняя школа, университет — неизвестно на какие шиши, без всякой материальной поддержки, на одной грошовой стипендии. На последнем курсе она прочитала в журнале «Генетика» несколько статей Гольдберга и выбрала его в учителя. Приехала в Москву с направлением в аспирантуру — красный диплом все-таки! — разыскала Илью Иосифовича и сдала экзамены.

К чести Гольдберга, он долго не замечал любовного напряжения, исходящего от новой аспирантки. Однако отметил ее дисциплинированность, сметливость и хорошую рабочую хватку — ловко орудовала с тяжеленными ящиками, полными пробирок, быстро научилась всем приемам работы с мухами, основным объектом лабораторных исследований.

Главное, Валентина и не догадывалась, что Илья Иосифович оценивал женскую привлекательность по одному-единственному показателю: насколько рассматриваемый предмет приближался к образу его покойной жены. При этом надо заметить, что при жизни Валентина Первая вовсе не казалась ему эталоном, но после ее смерти, по мере течения лет, она становилась в его памяти все более идеальной.

Широкоплечая и сухая аспирантка, с двумя острыми шишечками под свитером вместо полагающихся на этом просторном месте обширных мягких холмов, в мужских ботинках и синем рабочем халате, никак не располагала Илью Иосифовича к мыслям о своем застарелом одиночестве, о холостяцкой неустроенности жизни или — менее всего — о молодом празднестве влюбленности или о сексуальном пиршестве...

Валентина терпела, терпела — и открылась в своем чувстве. Илья Иосифович был смущен и польщен, но с онегинским лукавством пробормотал нечто соответствующее классическому объяснению на фоне девичьих хоров: «Когда б мне быть отцом, супругом приятный жребий повелел...»

После чего оба задумались. Валентина — о переводе обратно в Новосибирск, Илья Иосифович — о милой девице, свалившейся, как сибирский снег, на его лысую голову... И чем больше он думал, тем больше она ему нравилась. Возникли первые симптомы любовного недомогания, одновременно с которыми явилась и возбуждающая мысль о непристойности отношений а) с аспиранткой вообще и б) с аспиранткой, на сорок почти лет его младшей...

Гансовский бы, конечно, только ухмыльнулся и загнал бы нахалку в книжный уголок, на специально изготовленный станок... Но зато Гансовскому никогда не дано было испытать и тени того счастья, которое досталось Гольдбергу после полугода полулюбовного волнения, когда, выехав на очередную биологическую школу в полусекретный город Обнинск, после долгой лыжной прогулки, осталась с ним Валентина в холодном гостиничном номере... Стоило Валентине стать на лыжи, как от неуклюжести ее не осталось и следа, она показалась ему изумительной молнией на своих беговых лыжах, в темно-синем олимпийском костюме и натянутой до самых сияющих глаз лыжной шапочке клином к переносице. По лыжам, как и по баскетболу, у нее был разряд... И радостному этому изумлению суждена была долгая жизнь, первые несколько лет в великой, плохо скрываемой тайне...

Павел Алексеевич, если б знал, мог бы порассуждать о гормональной природе творческого вдохновения. Он виделся с другом не очень часто, но и не реже раза в месяц. Обычно Гольдберг приезжал на Новослободскую часов в десять вечера, Павел Алексеевич доставал бутылку водки, и они до поздней ночи вели чисто мужской разговор. Не о войне, лошадях и питейных подвигах — о генетике популяций, о генофонде, о дрейфе генов и о тех проблемах, которые Илья Иосифович через некоторое время назовет прежде неизвестным словом «социогенетика»... Хотя Гольдберг и любил отвлеченные, философско-биологические разговоры, он умел грамотно и остроумно построить эксперимент, наиболее экономным образом вырвать прямой ответ на точно поставленный вопрос. Работали его ученики результативно, на самом современном уровне, и многие статьи печатали в международных журналах. Известное дело — русские всегда хорошо шли в тех областях науки, где все можно сделать в уме, на пальцах, без серьезного финансирования.

При всех разногласиях, постоянно вылезающих, как шилья, из бездонного мешка их многолетних разговоров, в одном Павел Алексеевич и Илья Иосифович безусловно совпадали — в ясном ощущении иерархичности знания, где в самом низу, но и в самой основе, лежала конкретика: вес, форма, цвет, количество хромосом, или ножек, или жилок на крыле. В той, древней и описательной науке, не допускалась приблизительность, и ответ обязан быть недвусмысленным — да или нет... Спекуляции теоретического характера — о космических часах или об эволюции биологического вида — должны были опираться именно на это надежное, измеренное сантиметром, градусником и ареометром, знание... Так, гениальность на основании вычислений и умозрений Гольдберга определялась уровнем мочевой кислоты в крови. Новые идеи Гольдберга казались Павлу Алексеевичу интересными, но совершенно не обоснованными. Гольдберг утверждал, что построение модели процесса во многих случаях тоже является доказательством. Павел Алексеевич об этом и слышать не хотел.

Последняя идея Гольдберга, утратившего после трех лагерных сроков врожденное интеллигентское чувство вины перед народом, обществом, родной советской властью, заключалась в том, что та социогенетическая единица, которая прежде, до революции, называлась «русским народом», за пятьдесят почти лет советской власти перестала существовать как реальность, а нынешнее население Советского Союза, носящее гордое название «советского народа», и в самом деле является новой социогенетической единицей, глубоко отличающейся от исходной по множеству параметров — физических, психофизических и нравственных...

— Хорошо, Илья, я готов согласиться, что физический облик действительно сильно изменился: голод, войны, огромные перемещения народов, смешанные браки... В конце концов, можно антропометрическое обследование провести. Но как ты можешь измерить нравственные качества? Нет, глупость какая-то. Прости, непрофессионально...

— Уверяю тебя, есть способы. Они косвенные пока, но есть, — защищал свою теорию Илья Иосифович. — Предположим, геном человека состоит из ста тысяч генов, это правдоподобная цифра. Они распределены в двадцати трех парах хромосом, не так ли? И хотя мы знаем многое о различных механизмах внутрихромосомных обменов, у нас все же есть основания делить все гены на двадцать три группы, по принадлежности к хромосоме. Ну, разумеется, сегодня это невозможно, но через сто лет — уверяю, это будет сделано. И вот, представь себе, ген, ответственный, например, за голубую окраску радужной оболочки, находится непосредственно рядом с геном, обуславливающим трусость или мужество! Есть много шансов, что они будут и наследоваться совместно.

— Один ген — один признак, кажется? — возразил Павел Алексеевич. — Сомнительным мне кажется, что столь сильное и разнообразное качество как мужество определяется одним геном.

— Да какая разница, хоть десять! Не в этом дело! Просто цвет глаз может оказаться сцепленным с другим геном. Грубо говоря: у голубоглазого больше шансов оказаться мужественным, — Илья Иосифович поднял вверх указательный палец.

— Хорошая мысль, Илья, — хмыкнул Павел Алексеевич. — Голубоглазый блондин мужествен, а черноглазый брюнет трус. А если у черноглазого еще и нос крючком, то он уж точно Иуда. Генетически...

— Ты типичный провокатор, Паша! — завопил Илья Иосифович. — Я совершенно иное имел в виду. Вот послушай! Из России в восемнадцатом году ушла белая армия, около трехсот тысяч молодых здоровых мужчин репродуктивного возраста. Дворянская, отборная часть общества: наиболее образованные, наиболее честные, не желающие идти на компромисс с большевистской властью!

— Куда загнул! Илюша, этого тебе на четвертый срок хватит!

— Не перебивай! — отмахнулся Илья Иосифович. — Двадцать второй год — высылка профессуры. Не так много, человек шестьсот, кажется. Но опять — отборные! Лучшие из лучших! И с семьями! Интеллектуальный потенциал. Дальше: раскулачивание уносит миллионы крестьян — тоже лучших, самых работящих. И их детей. И их неродившихся детей тоже. Люди уходят и уносят с собой гены. Изымают из генофонда. Репрессии партийные выбивают кого? Имеющих смелость высказать собственное мнение, возражать, отстаивать свою точку зрения! То есть — честных! Наиболее честных! Священники — истреблялись планомерно на протяжении всего периода... Носители нравственных ценностей, учителя и просветители...

— Илья! Но одновременно с этим — наиболее консервативные люди, не так ли?

— Не стану отрицать. Но обращаю твое внимание, что в современных российских условиях консервативный, то есть традиционный способ мышления не представляет такой опасности, как революционный, — с высокомерной улыбкой заметил Гольдберг. — Пойдем дальше: Вторая мировая. Броня, то есть освобождение от армейской службы, предоставляется людям старшего возраста и больным. Именно они получают дополнительный шанс на выживание. Тюрьмы и лагеря принимают большую часть мужской популяции, лишают их шанса оставить потомство. Деформацию ощущаешь? И к этому добавим знаменитый русский алкоголизм. Но это еще не все. Есть еще один чрезвычайно важный момент. Вот мы постоянно обсуждаем: является ли эволюция направленным процессом, имеет ли она цели в самой себе? В данном отрезке, и очень коротком, с точки зрения эволюции, мы можем наблюдать действие исключительно эффективно направленной эволюции. Поскольку эволюция вида направлена на выживание, мы вправе поставить вопрос так: какие качества давали индивиду большие шансы на выживание? Ум? Талант? Честь? Чувство собственного достоинства? Моральная твёрдость? Нет! Все эти качества выживанию препятствовали. Носители этих качеств либо покинули страну, либо планомерно уничтожались. А какие качества выживанию способствовали? Осторожность. Скрытность. Способность к лицемерию. Моральная гибкость. Отсутствие чувства собственного достоинства. Вообще, любое яркое качество делало человека заметным и сразу ставило его под удар. Серый, средний, троечник, так сказать, оказывался в преимущественном положении. Возьми гауссовское распределение. Из него вырезается центральная часть. Наиболее сильные носители любого признака. А теперь, учитывая все эти факторы, можно строить карту генофонда имеющего место быть советского народа. Ну, что скажешь?

— Принимая во внимание общую атмосферу — от пяти до семи, — прокомментировал Павел Алексеевич.

Илья Иосифович захохотал:

— Так я же и говорю: народ стал поплоше — и труба пониже, и дым пожиже... Раньше от десяти до пятнадцати оценили бы...

Павлу Алексеевичу всегда нравилась острота и бесстрашие мысли его друга, хотя очень часто он внутренне не соглашался с результатами этой напряжённой умственной работы. И теперь жестокая картина вырождения народа, которую нарисовал Илья Иосифович, требовала проверки. Павел Алексеевич прекрасно помнил среду общения своего отца, в последние предреволюционные годы. В некотором смысле, Илья прав: медики высшего ранга, университетские профессора, ведущие клиницисты того времени были людьми европейского образования, с широкими интересами, выходящими за рамки профессиональных. Среди людей, посещавших их дом, были и военные, и юристы, и писатели... Надо отдать должное: людей такого умственного уровня Павел Алексеевич давно уже не встречал... Но ведь это не значило, что их не было... Они могли существовать — потаенно, себя не провозглашая... «Нет, нет, тогда ерунда получается», — сам себя оборвал Павел Алексеевич. Это как раз будет в поддержку Илюшиной идеи: не провозглашать, засесть в углу — это и означает отказ от собственной личности... Серьезное возражение заключается в чем-то другом. Конечно же, в детях. В новорожденных детях. Каждый из них прекрасен и непостижим, как запечатанная книга. Все-таки идеи Гольдберга слишком механистичны. Выходит, если из этих ста тысяч генов-букв вычесть десятка два, то новые дети, сыновья и дочери стукачей, убийц, воров и клятвопреступников, несущие исключительно качества родителей, населят мир... Чепуха! Каждый младенец содержит в себе весь огромный потенциал, он представитель всего рода человеческого. В конце концов, сам же Гольдберг целую книгу написал о гениальности и мог бы заметить, что гений, редкость и чудо, может родиться у рыбака, часовщика, хоть у посудомойки...

Великая природа гор и океанов со всем содержимым, рыбами, птицами, грибами и людьми, стоит выше Илюшиных рассуждений, и мудрость мира превосходит любые, даже самые выдающиеся человеческие открытия. Потеешь, пыхтишь, становишься на цыпочки, напрягаешься до предела — и улавливаешь только отблеск истинного закона. И конечно же, эти сто тысяч генов — великая догадка. Но в ней не вся истина, а лишь незначительная часть ее. А полнота ее — в скользком от внутриутробной смазки новорожденном ребенке, и пусть каждый из них содержит все сто тысяч задатков, но не может, не должно быть так, чтобы природа планировала массовое уродство, и целый народ превратился бы в экспериментальное стадо...

Нечто в этом духе, кратко, высказал Павел Алексеевич Гольдбергу, но тот дал сильный отпор:

— Павел, да человек давно вышел из-под законов природы. Давно вышел! Уже сегодня некоторые природные процессы регулируются человеком, а через сто лет, уверяю, научатся менять климат, управлять наследственностью, новые виды энергии откроют... И советского человека перекроят, введут в него утраченные гены. И вообще, представь: собралась молодая пара ребенка завести — это уже по твоей части, — и заранее планируют, какие родительские качества в наилучшей комбинации им желательны, и какой еще ген, из отсутствующих у родителей, надо ввести в геном будущего ребенка!

— А у ребенка неплохо бы спросить, — морщился Павел Алексеевич.

Илья Иосифович сердился: почему не понимает старый гинеколог простых вещей, не радуется вместе с ним неизбежной красоте будущего мира, исправленного по науке, с точным расчетом, без досадных искривлений прекрасного замысла?

— А мертвым воскресать не прикажешь? — язвил Павел Алексеевич.

— Пока нет, но продолжительность жизни увеличится по меньшей мере вдвое. И люди будут вдвое счастливее, — с преувеличенным задором утверждал Илья Иосифович. Все его открытия и соображения нуждались в споре, без полемики в них чего-то недоставало...

— А может, вдвое несчастней? Нет, нет, такой мир меня не устраивает. Я тогда, как Иван Карамазов, свой билет верну...

Не так уж далеко они ушли друг от друга, отец и дочь, отчим и падчерица.

4

ВТОРАЯ ТЕТРАДЬ ЕЛЕНЫ

Записывать надо каждый день, в одно и то же время, и надо Василисе сказать, чтобы она мне напоминала. Когда-то я уже вела такую тетрадь, но не помню, куда она подевалась. Совершенно определенно, что я ее спрятала, но не помню, куда. Попыталась искать — нигде нет. Очень хорошо помню, как она выглядела: начатая Танечкой общая школьная тетрадь по какому-то предмету и потом брошенная. Голубого цвета.

Сегодня у меня ясная голова и прямолинейное движение мыслей. Иногда выпадают такие дни, что ни одна мысль не додумывается до конца, теряется. Или слова вылетают, и все в черных дырках. Беда.

Сначала врачи считали, что у меня какое-то заболевание сосудов головного мозга. Потом ПА отвез меня в институт Бурденко, они меня обследовали на всех приборах. ПА от меня не отходил, и лицо у него было такое растерянное. Он такой хороший, что просто нет слов. Там, в Бурденко, сказали, что сосуды неважнецкие, но ничего страшного с ними не происходит. Оказалось, что на самом деле искали опухоль мозга, и обрадовались, что не нашли. Конечно, ее и не должно было быть. Я совершенно уверена, что в моей голове ничего лишнего нет, а, напротив того, что-то необходимое отсутствует. Еще осматривал меня психиатр. И тоже не нашел никакого заболевания. Тем не менее я просидела на бюллетене полтора месяца, потом вышла на работу. Все мне очень обрадовались, и Галя, и Анна Аркадьевна. Галя всю мою работу делала и говорит, что ей было трудно. Козлов принес свои чертежи и попросил сделать начисто. Как всегда, обнаружила у него много ошибок. Удивительное дело, такой способный инженер, а пространственное воображение полностью отсутствует.

Лучше всего я чувствую себя за кульманом: ничего не забываю, работа меня, как всегда, утешает.

Танечка стала в последнее время поласковей. Хотя в основном все то же — на работу не устраивается, университет бросила. ПА говорит, чтобы я к ней с этим не приставала. Она, мол, умная девочка и мы должны ей доверять. Вчера (или позавчера?) Таня зашла вечером, я уже лежала. Поцеловала, села на постель и спросила, помню ли я, как мы с отцом в Тимирязевку ездили на лошадях кататься. Долго вместе вспоминали один такой зимний день. Во всех деталях помню, и как у ПА все время из носу капало — он платок забыл и все просил отвернуться, и по-солдатски сморкался с помощью пальцев. С трубным звуком. Какие же мы были тогда счастливые. Я все детали того дня отлично помню, и на какой машине туда ехали, и какая на Тане шуба была, даже вспомнила ту знаменитую породистую черную лошадь с маленькой головкой. Только имени ее вспомнить не могла, а Таня подсказала: Араб ее звали. Не помню, почему ПА был в тот день такой веселый. Он тогда еще не пил.

А вот это не так. Ошибаюсь: в тот год он как раз и начал пить. Он все беспокоится о моем здоровье, а ему бы о своем подумать. Нельзя в таком возрасте столько пить. Но сказать я ему ничего не могу. Он все равно лучший из всех людей. Несмотря на то, что мы десять лет как в разводе. Или не в разводе?

Опять случилось выпадение памяти. На этот раз на работе. В обеденный перерыв я была в буфете. Ела какой-то винегрет, и вдруг перестала понимать, что передо мной такое — какие-то красные штучки, и непонятно, что с ними делать... В себя пришла, как в прошлый раз, уже дома, в постели, на другой день. Потом приехала Анна Аркадьевна и рассказала, что со мной произошло. Я просидела в буфете перед своим винегретом до закрытия, потом буфетчица сказала, что пора закрывать, а я ей ничего не ответила. Она испугалась даже. Ну и так далее. Анна Аркадьевна не стала вызывать «Скорую», а взяла такси и меня домой отвезла. Говорит, что я была очень послушная, но на вопросы не отвечала.

ПА уволил меня с работы. Очень ласково со мной разговаривает, но неестественно, как с малым ребенком. Я пытаюсь ему объяснить, что я совершенно здорова, что выпадают какие-то куски, но в остальном все то же. Я не сумасшедшая, я прекрасно понимаю, что со мной происходит. Действительно, я не могу ходить на работу в таком состоянии, но я хотела бы получать из института надомную работу. У нас есть ставка для надомников. Иначе мне будет скучно. Не станем же мы один суп вдвоем с Василисой варить. Так и договорились.

Томочка вчера сказала, что собирается поступать в техникум. Молодец девочка. Она тоже очень ласкова со мной.

Утром пила чай, съела бутерброд с сыром, а потом забыла, и еще раз пришла на кухню завтракать. Василиса меня отругала, что я ей мешаю обед готовить. Я сказала, что хотела позавтракать. Она сказала, что я уже завтракала. Какой кошмар! Так я превращусь в старушку, которая не отходит от холодильника, как безумная свекровь Анны Аркадьевны. Придется записывать, что я уже сделала, а что нет.

Позавтракала. Пообедала. Работала после обеда. Приходила врачиха из поликлиники. В комнате холодно.

Позавтракала (или вчера?). Приходил ПА, ругал, что я таблеток не принимаю. Теперь Василиса будет мне давать таблетки три раза в день, поскольку я забываю. Это очень смешно. Менее подходящего человека для этой цели трудно найти. Сегодня разбудила меня в шесть утра — пить лекарство. Голубушка, да зачем же так рано? — я ее спрашиваю. А я, говорит, потом за делами забуду! Смех и грех! Не семья, а сумасшедший дом. Бедный ПА, что с ним-то будет, если я совсем память потеряю.

Завтракала. Не могла вспомнить, умывалась ли. Пошла умываться, а мое полотенце мокрое. Значит, уже умывалась. Был обед — овощной суп и курица на второе. А вчера тоже была курица? И позавчера?

Привезли кульман с работы. Он занимает полкомнаты. Я спросила, нельзя ли его переставить. Оказалось, что привезли его еще на прошлой неделе. Я удивилась. Самое ужасное я им не сказала — оказывается, я уже работала, что-то чертила, но совершенно об этом не помню. Спросить неудобно. Я очень стараюсь правильно себя вести. Из-за того, что я боюсь постоянно обнаружить мои провалы в памяти, я почти перестала с домашними разговаривать, стараюсь отвечать лаконично. Больше смотрю телевизор. Чтение не доставляет удовольствия. Взяла своего старенького Толстого. Пожалуй, это единственное чтение, которое не огорчает меня. Я так хорошо его знаю, что не надо напрягаться.

Сегодня исключительно ясная голова. Велела Василисе поменять белье. Это ее всегдашняя нелюбовь к перемене постельного белья. Если ей не напомнить, никогда сама не сделает. Приняла ванну, вымыла голову. Пока сидела в ванной, вспомнила какой-то недавний сон, с большим количеством воды. И вдруг поняла, что мне сны не перестали сниться, я просто перестала их запоминать. Надо стараться все записывать.

ПА долго сидел у меня в комнате. С ним так хорошо. Просто сел рядом в кресле и молчал. А потом взял меня за руку и долго пальцы перебирал. Я очень его люблю. Наверное, он знает.

Завтракла. Принимла таблетки. Обедала. У Козл. в чертежах две ошибки. Насколько приятней работь для конструкторов. У них граздо более грамотные сотрудники.

Оказывается, уже май. Непременно надо писать даты. А то время совершенно, как каша. ПА сказал, что хочет снять дачу. Мне кажется это излишним. Как он представляет себе — мы с Василсой переедем, он будет приезжать на субботу — воскресенье, девочки вообщ неизвестно, приедут ли хоть раз за весь сезо. И кто будет в Моксве весь дом вести. И Василис тоже против. Она тут уезжала на богомолье на на насколько дней, так дом просто рассыпался. Только вечером ПА приходил, тогда и жизнь наначиналась. Я даже один день из постели не вствала. На кухне все переставлено, не знаю, где кастрюли, где что... А, может, я просто забыла?

ЗАВТРАКАЛА. И ТАК ДАЛЕЕ.

Василиса скзала, что уедет на Петра и Павла. Двнадцатого июля?

Чужие люди. Много чужх людей. Зачем прихоят много чужих людей.

кто-то умер УМЕР

Я не могу понять, но и спросить неудобно — кажется, мы переехали на новую квартру. Все стало не так. Длинный кордор.

Сегодня приходила Таня. Или Тома. Все-таки Тан. Красивая.

Никого нет. Вчера нет. ТАНЯ ПА

Василиса дала чай

ЗАВТРАК ОБЕД УЖИН

ПА сказал вчера, что уезжет в командровку. Три дня. Василиса не дает мне завтрк.

ЗАВТРАКАЛА У меня ничего не болит. Не болид болит. УМЕР кто

ТАНЯ ТАНЯ ТАНЯ ТАНЯ
БОЛЬНИЦА ЗАВТРАК НЕ НАДО

ПАВЕП А ПВ ПА
БЕЛОЕ звтрак
Поисходт ужасное спрость ПА ГДЕ
СПЕГ СНЕГ СГЕ НЕГСНЕГ СН
Я Елена Гргоева Н Кукц 1915 ПА кто урмр ум тня

5

Работа у Ильи Иосифовича росла как дерево: у корней старая, у ветвей — молодая. И новых живых побегов было множество. Антропология, эволюционная генетика, демография, статистика, даже история — все прибиралось к его рукам, все выстраивалось и шло в дело. Илья Иосифович был и пахарем, и певцом. Иногда по вечерам, просидев десять часов кряду за письменным столом, он чувствовал приятную мышечную усталость, какая бывает после горной или лыжной прогулки. Кроме шестнадцати сотрудников лаборатории, был еще целый отряд добровольцев — студентов, библиотекарш, пенсионеров, — помогавших ему в сборе огромной информации, которую он обобщал и выстраивал в систему, подобную периодической системе Менделеева, но объясняющую не строение и свойства элементов, а строение и свойства народов.

Сети свои он раскинул так широко, что шла туда самая разнообразная рыба — от Брокгауза и Эфрона до «Архипелага ГУЛАГ», от Анаксимандра Милетского до Феодосия Добжанского. Грандиозность замыслов кружила его лысую голову, он постоянно выступал в научных обществах, в учебных заведениях, в домашних семинарах, которые в те времена расцвели по недосмотру, а отчасти и под присмотром слегка обмякшей от случившейся оттепели госбезопасности. Вот тут-то он и выступал как вдохновенный певец в романтическом смысле этого слова. Павел Алексеевич, присутствовавший как-то на его выступлении, дал ему довольно резкий отзыв:

— Илья, ты, возможно, говоришь дельные вещи, но слишком уж впадаешь в раж, прямо Гаррик какой-то...

Гольдберг свой пыл умерить не мог — он совершил потрясающее открытие и спешил им поделиться с современниками: политический фактор необходимо рассматривать как важнейший компонент эволюционного процесса. В изученном им отрезке времени, от семнадцатого до пятьдесят шестого, в конкретном месте — на территории СССР — этот фактор оказывал отрицательное давление на эволюционный процесс. Гольдберг, как убежденный дарвинист, рассматривал эволюцию как явление, имеющее нравственный аспект: положительная эволюция, по его мнению, была направлена на сохранение, совершенствование и расширение области обитания вида, а отрицательная — на ослабление и вырождение. Советская власть, в основе своей, по убеждению Гольдберга, прогрессивная, в конкретной исторической обстановке работала как отрицательный фактор...

Фундаментальная книга, нечто вроде «Политико-генетические основы теории популяций», еще не была написана, но «Очерки по геноэтнографии советского народа» уже существовали на бумаге.

Существовали также и другие бумаги, собранные в аккуратную зеленую папку с двойным номером, пронумерованные, подшитые листы с отчетами штатных и внештатных сотрудников, копии читательских бланков из Ленинки и Библиотеки иностранной литературы, а также магнитофонные записи пламенных докладов Гольдберга. Под отдельным номером значилась и машинопись «Очерков по геноэтнографии» с собственноручными пометками автора, потерянная по чистой случайности вместе с портфелем одним из особо одаренных сотрудников его лаборатории в автобусе сто десятого маршрута... Вероятно, по той же случайности присутствовал в толстой папке и отчет Валентины Второй, который она делала после поездки в Новосибирск. Аспирантка рассказывала о работах новосибирского генетика Б. по «одомашниванию» чернобурых лис, животных агрессивных и опасных. Оказалось, что при последовательном отборе наиболее послушных животных и скрещивании их между собой в энном поколении качество шерсти у них резко ухудшилось, а сами лисицы, ставшие послушными и доверчивыми, залаяли по-собачьи. Таким образом, на воротники для генеральских жен годились лишь те лисицы, которые на хорошие отношения с человеком никак не соглашались. Лисицы с плохим поведением. Те, что научились лизать руку, дающую корм, ни на что другое не годились.

Капитан Сеславин, производящий обстоятельные изыскания, касающиеся поведения самого Гольдберга, был человеком со стороны — после окончания Ветеринарного института, уже специалистом, он был приглашен на службу в органы, в отдел, курирующий науки. Работа новосибирского ученого оказалась вполне доступна его восприятию, хотя был в ней какой-то подвох.

Сам по себе этот забавный факт из жизни животных, возможно, не привлек бы внимания бдительного Сеславина, но в прилагающемся протоколе выступлений записаны были слова Гольдберга: «Прошу обратить внимание — налицо обратная корреляция между послушанием и качеством шерсти. Что мы и наблюдаем в нашем обществе: чем более послушен человек, тем менее ценна его личность...»

Этот еврей с тремя посадками Сеславину не нравился. В его ветеринарном институте тоже были в свое время вейсманисты-морганисты, и с ними по заслугам разделались, и учили студентов биологии марксистско-ленинской, с травопольной системой, и безо всякой буржуазной наследственности. Потому что бытие, как сказано, определяет сознание. Была бы его, Сеславина, воля, укатал бы он эту ценную личность по четвертому разу в лагерное бытие для поправки кривого сознания. Но распоряжения сверху на этот счет не было... Илья Иосифович увлеченно собирал свое досье на советский народ, а капитан Сеславин по долгу службы, тщательно и разносторонне, — на самого Гольдберга.

Оба оказались трудолюбивы и последовательны, и обоим хотелось достичь результата. По этой причине Илья Иосифович передал рукопись своих «Очерков» заезжему американскому ученому, исхитрившись провести ее по длинной цепочке друзей, знакомых и сочувствующих непосредственно к «Лебединому озеру», где под музыку Чайковского и дружное движение мускулистых ног лучшего в мире кордебалета и состоялась ее передача — для дальнейшего напечатания в научном журнале.

Капитан Сеславин, ничего не зная об этой идеологической диверсии, чуял сердцем зловредность своего подопечного, и, желая, как и Илья Иосифович, достичь эффектных результатов, вышел к начальству с рапортом о неправильном направлении мыслей и общей неблагонадежности этого хренового мыслителя. Начальство почесало в своей коллективной голове и обещало подумать. Первое, что надумало начальство, было приглашение Ильи Иосифовича на беседу, провести которую предоставили Сеславину. Илья Иосифович, как опытный человек, должен был бы проявить большую сдержанность в общении с капитаном. Но его обуял бес научной болтливости, и он почти без перерыва проговорил два с половиной часа. Под напором гольдберговского красноречия Сеславин едва мог вставить вопрос. Гольдберг был чрезвычайно собой доволен, ему показалось, что он сумел заинтересовать следователя своими идеями и теперь, как хитроумный Одиссей, уже планировал, как было бы удачно привлечь эту могущественную организацию на свою сторону... Ничему, ну совершенно ничему не научили Илью Иосифовича три его срока.

В половине десятого вечера Сеславин неожиданно грубо прервал Гольдберга, и, вопреки первоначальному впечатлению, оказалось, что нового союзника Гольдберг не приобрел. Напротив, Сеславин перестал вдруг понимающе кивать головой, а ощерился:

— Значит, так. С мухами вы можете работать, сколько вам угодно — это не наше дело. А вот все ваши соображения о народонаселении вы принесете сюда, — он постучал по столу, — а не то у вас будут большие неприятности... Вам с нами лучше не ссориться, Илья Иосифович...

Пока Гольдберг раздумывал, как правильнее поступить в создавшейся непредсказуемой ситуации, в квартире его заканчивался тайный шмон и явная кража. Приехав к двенадцати ночи в новую квартиру на Профсоюзной улице, полученную от Академии наук в прошлом году, он нашел дверь взломанной, а в самой квартире — следы грубой кражи: отсутствие телевизора, магнитофона и кофейной мельницы и хамского хулиганства в виде кучи говна посреди комнаты...

Было похоже, что Гольдберг, по своему врожденному безудержному оптимизму, сильно переоценил температуру оттепели. Но, поскольку он уже получил известие о том, что очерки его будут изданы в знаменитом американском издательстве, он позвонил на следующий же день Сеславину, встретился с ним около клуба КГБ на Дзержинке и передал ему из рук в руки предпоследний из оставшихся экземпляров «Очерков». Собственно «Очерки» никого не интересовали, они уже были зарегистрированы под номером, важна была послушность, и Гольдберг ее проявил: принес что велели.

Теперь наступление на Гольдберга повели с неожиданной стороны — объявлена была проверка хозяйственной деятельности лаборатории, приобретшей за два года существования немалое количество оборудования и всякого прочего материально-технического ассортимента, включая, например, изюм для приготовления корма мухам, спирт для гистологических работ, бумагу для написания зловредных очерков, стеклопосуды, химреактивов и прочая, прочая... Гольдберг числился заведующим лабораторией и, экономя ставки для научных сотрудников, поручил снабжение опытной пожилой лаборантке Наталье Ивановне, а сам был материально-ответственным лицом... Ревизия из Академии не вызывала никакого иного чувства, кроме раздражения: пришли двое бездельников и раскапывают никчемные бумажки, мешая работать. Две недели эта парочка — толстая бухгалтерша и худой, с военной выправкой помощник — рыли бумаги. И нарыли смехотворное обвинение в хищении. Испуганная Наталья Ивановна быстренько подала заявление об уходе, и след ее простыл. Пока сотрудники вместе с Ильей Иосифовичем балагурили по этому поводу, дело передали в прокуратуру. Илье Иосифовичу, с богатым его прошлым, пора было бы задуматься, но беспечность его была столь велика, что спохватился он только в день суда, когда обнаружил утром в почтовом ящике с опозданием пришедшее извещение. И тут он еще не понял, какая угроза нависла. Суд был назначен на три часа, но единственное, что успел Илья Иосифович в быстротекущее дообеденное время — поговорить по телефону со знаменитым адвокатом, только-только приобретающим репутацию правозащитника. Тот всполошился, по некоторым деталям определив почерк врага.

— Ни в коем случае не ходите сегодня на суд, — порекомендовал проницательный адвокат. — Лучше всего пойдите в поликлинику и возьмите бюллетень, а потом подумаем. Они должны судебное заседание перенести...

На суд Илья Иосифович не пошел, но в поликлинику тоже не собрался: неудобно здоровому человеку брать бюллетень. Однако на следующий день утром, в девять часов, ждал его в лаборатории исключительно лягавого вида посетитель, который представился следователем. Дело о хищении закрутилось по новому витку, нанятый адвокат, быстро превратившийся в приятеля, сначала посмеялся, потом задумался и наконец, после длительного мозгового усилия, решил, что наилучшей стратегией будет скрупулезная защита по каждому из восемнадцати пунктов финансовых нарушений, обнаруженных за Гольдбергом, а какая-нибудь незначительная финансовая провинность, вроде незаприходованного чека, останется для приличия, то есть для общественного порицания...

Схема была остроумной, но не сработала. Бледная и заплаканная Наталья Ивановна дала фантастические показания, и Илья Иосифович получил, в соответствии с тяжестью финансового преступления, полноценных три года исправительно-трудовых лагерей. Под стражу его взяли прямо в зале суда, на глазах потрясенных и возмущенных сотрудников.

Книга Гольдберга была уже в наборе, но ни сам автор, ни сеславинское ведомство об этом пока ничего не знали. Гольдбергу, в который уже раз перехитрившему судьбу, предстояла поездка в известном северном направлении...

6

Уже два года, как Таня ушла из дому и жила по разным местам, у новых приятелей, — то в мастерской знакомого художника на Шаболовке, то на пустующей зимней даче чьих-то родственников под Звенигородом, то в служебной квартире подружки, работавшей техником-смотрителем на Молчановке...

Последние полгода ее приютила ювелирша Вика-Коза, здоровенная некрасивая женщина с аристократической фамилией и простонародными повадками. Она была славная тетка, и Таня жила у нее вроде как в учениках. Как полагается ученику, была и на хозяйстве, и на посылках. Мастерская Козы была на Воровского, в полуподвале, квартира же — в новостройках. Их семью старых москвичей бог знает в каком поколении переселили со Знаменки в Черемушки, и Вика, перевезя мать, двух бабок и сына, все не могла оторваться от привычного района, приезжала в новую квартиру только ночевать, да и то не каждый день. Таня же привольно расположилась в угловой комнатушке мастерской, прежде заваленной обломками драгоценной мебели с местных помоек.

Были у Козы стальные руки, нежная душа и бешеный нрав правдолюбца. Окончила она в свое время радиотехнический техникум, научилась ловко попадать паяльником в нужную точку на плате, и из этого малоинтересного умения благодаря случайным починкам старинных колечек и сережек знакомым арбатским старушкам, подружкам своих двух бабок, образовалась у нее новая профессия. Работы было навалом — то починка, то кастик под камень сделать, то простенькие сережки... Через некоторое время обнаружила, что починка и переделка требуют изощренного чутья и большего опыта, чем работа наново. Пошла подучиться к известному ювелиру, художнику, и по стечению разных странных обстоятельств, в том числе и жилищных, вышла за него замуж. Через несколько лет он ушел от нее, беременной, но оставил компенсацию — свою мастерскую. Вместе с мастерской Коза унаследовала чудесную богемную жизнь, с пьянками, гулянками, интересными людьми из всех слоев общества: чистенькие заказчицы, разнообразные любители поторчать, домодельные музыканты и поэты, сбившиеся с марксистско-ленинского пути философы, просто симпатичные бездельники и, наконец, те ночные люди, которых Таня наблюдала в своих приключениях первого года свободы — отрешенные, никому не принадлежащие, как странные животные, живущие только по ночам, а на день исчезающие неизвестно куда. Впрочем, теперь Таня узнала, где проводили они дневное, опасное для них время — в таких вот щелях, полуподвалах, в убежищах вроде Викиной мастерской... Таня полюбила посетителей Викиной мастерской всех вместе, скопом, почти не делая между ними различий и не вглядываясь в отдельности в их лица, ощущая остро их отличие от тех людей, что встречались ей в университете и в лаборатории, в магазине и в консерватории. Она и в толпе научилась распознавать тех, кто мог бы прийти в Викину мастерскую.

«Наш человек», — с усмешкой говорила Вика, и не требовалось никаких по этому поводу разъяснений. Что же именно включало в себя это притяжательное местоимение? Не социальное происхождение и не национальную принадлежность, не профессию и не образовательный уровень — нечто неуловимое, отчасти связанное с неприятием советской власти, однако этим не исчерпанное. Чтобы быть «нашим», надо было еще испытывать неопределенное беспокойство, неудовлетворенность всем тем, что предлагаемо и доступно, недовольство существующим миром в целом, от алфавита до погоды, вплоть до господа бога, который все так паршиво устроил... Словом, чувство русской метафизической тоски, которая пробилась, как травка на весенней помойке, после разрешительного Двадцатого съезда... Те, кто исследовал свойства растущих капилляров мозга, правила китайской грамматики или электроискровые методы обработки металлов, не имели шансов попасть в категорию «наших». Хотя среди них тоже находились тайные нелюбители советской власти, но они соблюдали правила маскировки — повязывали по утрам галстуки, делали парикмахерские прически, а главное, восемь служебных часов в день держали лояльное выражение лица, и именно по этой причине они оставались в категории «заказчиков».

А «наш» человек, нечесаный и неопрятный, приходил к Вике в мастерскую ближе к полуночи, с бутылкой водки, с гитарой, начиненной «нашими» песнями, с новым стихотворением Бродского или своим собственным, или со щепоткой анаши, и оставался ночевать — с Козой или с Таней, как карта ляжет. «Нашесть» была превыше личного полового влечения. Иногда произрастали и легкие романы, в своем кругу, с выполнением определенных неписаных уставов. Сама Коза была деловым человеком, презирала «страсти-мордасти» и, обжегшись в юности, искоренила из своей жизни всякие сантименты, чему и Таню успешно обучала. Тане понравились эти правила, согласно которым ухаживания вроде тех, что гольдберговские мальчики ухитрились развести на целую пятилетку, полностью упразднялись, и дело решалось в краткий срок вечернего застолья, а к утру отношения исчерпывались либо продолжались, не накладывая решительно никаких обязательств ни на одну из резвящихся сторон...

Вообще, Танино ученичество было исключительно успешно — ее дисциплинированные руки легко и радостно принимали новые навыки и приемы. Слиток серебра, бывшую чайную ложку, вынимала из мыльной изложницы, проковывала молотком, нагревала на горелке до вишневого цвета, отпускала, прогоняла через вальцы. Потом протягивала через волочильный станок, и из последнего ручья выходила новая тонкая проволока... Дело было нехитрое, но Коза оказалась строгой учительницей, следила за Таниной работой, чтобы все было по правилам — так ее учил когда-то бывший муж, педант и зануда. Таня работала с азартом и довольно быстро перевела все Викины серебряные запасы в миллиметровую проволоку. Теперь Вике ничего не оставалось, как обучить Таню следующему важнейшему ювелирному ремеслу, пайке. Здесь Вика-Коза была профессором. И хотя секретов своего ремесла она не хранила, щедро делилась всеми тайнами мягкого и жесткого припоя, малейших цветовых различий, по которым определяется температура расплавленного припоя, Таня так никогда и не достигла Викиного уровня... Зато с горелкой Таня освоилась прекрасно: легким движением левой руки молниеносно уводила гибкое пламя к плечу и закрепляла, не глядя, в штатив. Даже не обожглась ни разу. Прошло какое-то время, и Таня начала осваивать монтировочную работу. Сбила себе надфилем большой палец чуть не до кости, прежде чем научилась доводить изделие до продажной готовности. Тане нравилось, что руки ее, за которыми она прежде следила, растила длинные ногти и делала маникюр, покрывались ссадинами и шрамами разной свежести, как у мальчика-подростка... Она душой и телом повернулась в мужскую сторону — постриглась коротко, влезла в свои первые джинсы, которые стали теперь ее единственной одеждой, купила в «Детском мире» две клетчатые мальчиковые рубашки, выбросила лифчики, подарила Томочке блузки с круглыми воротничками и кружевными прошивками, сшитыми во вкусе матери... Китайская бесполая пехора на грубом собачьем меху, синяя, как все рабоче-китайское, да кроличья шапка-ушанка дополнили новую картину, и теперь на улице к ней обращались «молодой человек», и ей это тоже нравилось. Даже походка у Тани изменилась — появилась мальчишеская раскачка в плечах, резкость...

Ей уже исполнилось двадцать два, а она как будто заново переживала переходный возраст. Хотя ночные ее вылазки почти прекратились, она по-прежнему более всего ценила ночные часы, особенно те одинокие ночи, когда Вика с вечера уезжала в Черемушки, притаскивала своим старухам две сумки продуктов из кулинарии «Праги», обцеловывала и задаривала подарками своего Мишку, ругалась с матерью, мирилась с одной из бабок, ссорилась с другой. Отношения в их семье всегда были бурными — без слез, ругани и страстных поцелуев не могли они прожить ни дня. Возвратившись из Черемушек, Коза всегда была бодра и слегка воинственна, как будто семейные встряски открывали в ней дополнительные источники энергии.

Таня своих домашних навещала нечасто. Приходила она обыкновенно под вечер. Квартира, прежде очень светлая, теперь в любое время дня казалась сумрачной. Томочкины тропические заросли поедали свет. Было пыльно и блекло, только отсвечивали восковым блеском вечнозеленые листья, которые Тома не ленилась протирать влажной губкой. Мать, сидя в обмятом по ее легкому телу кресле, шуршала шерстяными нитками, которые она то вязала, ритмично звякая спицами, то распускала с тихим электрическим треском. Клубки старой шерсти, поросшие узелками и хвостами завязок, мягко катались под ногами. Две полосатые Мурки, мать и дочь, лениво трогали лапами шевелящиеся серые шары, собирающие на себя пряди их вылинявшей шерсти и пылевые хлопья с плохо выметенного пола.

Таня садилась на крутящийся фортепьянный стульчик рядом с матерью. Елена Георгиевна счастливо улыбалась при виде Тани.

— Доченька, я хотела... — начинала Елена говорить, но не заканчивала фразы.

— Что, мамочка?

И Елена замолкала, потеряв нить мелькнувшего желания. В отличие от рвущихся ниток, концы которых она подхватывала и связывала узлом, ни мысли, ни предложения она не могла соединить в местах обрыва и, страдая, пыталась кое-как скрыть от окружающих это ужасное состояние.

— Хочешь, принесу тебе чаю? — предлагала Таня первое попавшееся.

— Не надо чаю... Скажи мне... — и снова замолкала.

— Что ты вяжешь? — делала новую попытку общения Таня.

— Вот... Я вяжу для тебя... — смущенно отвечала Елена и виновато улыбалась. — Я немного распустила...

Елена не знала, что она вязала. Когда работа ее превращалась в прямоугольник и надо было либо петли спускать, либо горловину вывязывать, она терялась, распускала все и заново набирала петли... Таня быстро уставала от тягости разговора, от невозможности общения: мать, конечно, больна, но болезнь какая-то странная... Тихое разрушение...

— Хочешь, погуляем? — предлагала Таня.

Елена смотрела на нее испуганно:

— На улице?

После ужасных ее выпадений из жизни, случившихся с ней вне дома, она совершенно перестала выходить на улицу. Ей было трудно покинуть даже собственную комнату. Когда ей надо было дойти до уборной или кухни, она брала на руки кошку, потому что кошачье тепло давало ощущение равновесия. Мысль о мире, простиравшемся за пределами квартиры, вызывала дикий страх. И этого страха она стеснялась и пыталась его скрыть.

— Сегодня не надо, — говорила она по-детски и искала глазами какую-нибудь из Мурок. От этой беспомощной и почти младенческой интонации, от судорожного поиска кошки Таня и сама терялась.

— Расскажи мне... — просила Елена неопределенно.

— О чем? — укрывалась Таня за пустыми словами, потому что рассказывать о своей теперешней жизни было невозможно.

Елена жалко улыбалась:

— О чем-нибудь...

Их пустой разговор тянулся полчаса, потом Таня шла на кухню, ставила чайник, отмечала про себя разруху и запустение домашнего быта, невычищенные кастрюли и плохо вымытые чашки... Но еда какая-то в доме была — Тома приносила вечером то, что успевала прихватить в перерыве между концом рабочего дня и началом учебного вечера.

Потом приходил отец, и от него тоже, вместо прежней крепости и власти, несло старением и упадком... Его силовое поле, когда-то столь мощное и притягательное, истощилось, и Тане неловко было на него смотреть: казалось, он совершил дурной поступок и хочет его скрыть.

Павел Алексеевич весь уменьшился и похудел, плечи его обвисли, лоб и щеки пошли глубокими бороздами, как будто кожа стала на размер больше. Он радовался Тане, поначалу расцветал всеми собачьими складками боксерского лица, но быстро сникал, видя Танину тоску и плохо скрытую жалость. Он страдал, как покинутый любовник, но из гордости никогда не начинал первым разговора — их прежнего, легкого, с любой точки возникающего счастливого общения понимающих друг друга людей больше не случалось...

Появлялась из каморки окончательно ослепшая Василиса. На кухне она чувствовала себя так уверенно, что слепота ее была незаметна. Она накрывала на стол, грела Павлу Алексеевичу суп, даже ставила рядом с тарелкой мутный стограммовый стаканчик... По квартире она ходила, придерживаясь рукой стены, так что вычертила на обоях шарящими пальцами траекторию своего движения — темную полосу на голубом и желтом. Двигалась она беззвучно, на подшитых подошвах старых валенок, и удивительно было, как стойко сохранялся ее деревенский запах — кислого молока, сенной трухи и даже как будто печного угара...

Родительский дом удручал Таню и наводил тоску. С Томой она теперь встречалась редко, но всякий раз, забегая домой, оставляла ей подарок — колечко с сердоликом, подвеску или пачку дешевого печенья.

В конце февраля случилась у Тани первая продажа — она получила настоящие деньги за настоящую работу. Пятьдесят рублей за серебряное кольцо с прозрачно-черным раух-топазом, овальным ласковым камнем, с которым она провозилась два дня. Когда-то лаборантская ее зарплата составляла тридцать семь рублей пятьдесят копеек, так что эти ювелирные деньги показались ей легкими и шальными, и она решила накупить на них всем подарков.

Одолжила у Козы хозяйственную сумку и поступила, как ее мастер: нагрузила сумку арбатским породистым товаром — чай индийский, пирожные, печенье. Почему-то выкинули в тот день в продажу английскую косметику и немецкие сигареты. Тоже купила. Отцу — бутылку армянского коньяку, хотя знала, что он предпочитает водку. Зато было шикарно.

Встретил ее Павел Алексеевич, к этому времени уже принявший свою вечернюю дозу. Он прижал порывисто ее голову в сером кролике к груди, сморщил лицо:

— Танька, беда такая... Виталика Гольдберга избили. Генка приехал из Обнинска, позвонил. Я только что из Склифосовского. Он в тяжелом состоянии. Я с врачом говорил. Травма черепа. Сломана рука, нос. В сознание пока не пришел... Книжка-то Илюшина в Америке вышла... Такие дела...

Таня даже не поставила тяжелую сумку на пол, так и стояла возле дверей, ошарашенная сообщением. Мальчики Гольдберги, хоть в последнее время она с ними почти не общалась, приходились ей не друзьями, скорее родственниками.

Таня опустила сумку на пол и заплакала. Павел Алексеевич стащил с дочери мокрого кролика и тяжелую пехору.

— Это КГБ? — трезво вдруг спросила Таня.

— Похоже. Молотили профессионалы. Убивать не хотели. Хотели бы, так убили.

Василиса стояла на своем обычном месте, в коридоре, у поворота, между кухней и прихожей и как будто смотрела в их сторону:

— Таня, ты, что ли?

— Я, я, Вася. Подарки принесла.

— К чему подарки-то? — удивилась Василиса. Время было непраздничное, великопостное.

— Я тебе коньяку армянского купила, — улыбнулась Таня мокрыми глазами, и Павел Алексеевич обрадовался — не коньяку, конечно, который и по сей день несли ему пациенты в количествах, превышающих возможности человеческого потребления, а Таниной улыбке, которая была прежняя, всегдашняя, и как будто не было между ними этих последних лет отчуждения.

— Идем, к маме зайдем, а потом выпьем с тобой твоего коньяку. Хорошо? — предложил Павел Алексеевич и подтолкнул Таню к материнской комнате.

— Ты ей про Виталика сказал? — шепотом спросила Таня.

Павел Алексеевич покачал головой:

— Не надо.

Они сидели втроем, впервые за несколько лет. Елена в кресле, Таня на ее кровати, от которой пахло не то кошками, не то старой мочой. Павел Алексеевич придвинулся поближе вместе с круглым табуретом...

— А не выпить ли нам немного, девочки? — спросил он бодро, но тут же и осекся: Елена смотрела на него с ужасом.

— Выпить, выпить, мамочка, — закричала неожиданно Таня и принесла мгновенно из коридора свой коньяк.

Павел Алексеевич пошел за рюмками.

— Ты думаешь, что... Не правда ли... Павел Алексеевич говорит... — проговорила Елена неуверенно и бессвязно, но с несомненным протестом.

— Ну что ты, мам, одна рюмочка...

Павел Алексеевич стоял в дверях с тремя разномастными рюмками. Оказывается, Леночка не все на свете забыла — вот вспомнила же сейчас, что муж у нее алкоголик. Встревожилась за него при виде бутылки...

— А тебе полезно, Леночка. Для сосудов хорошо, — улыбнулся Павел Алексеевич.

Елена неуверенно протянула руку, взяла неловко в горсть зеленую мокрую рюмку. Вязанье соскользнуло с колен, упало на пол. Младшая Мурка тут же тронула его лапой. Елена забеспокоилась, рюмка покривилась, немного коньяку пролилось:

— Смотри, Таня... Упало все... как это... мокро...

Поставить рюмку и поднять вязанье она не могла, это было слишком сложной последовательностью движений...

Павел Алексеевич поднял вязанье, положил на кровать. Налил себе и Тане:

— За твое здоровье, мамочка.

Елена слегка водила рюмкой перед собой, Таня прислонила рюмку к ее рту, и она выпила. Они просидели вместе почти час, молча и улыбаясь. Пили медленно коньяк, ели пирожные. Потом вдруг Елена сказала совершенно внятно и определенно, как давно уже не говорила:

— Какой хороший вечер сегодня, Танечка. Как хорошо, что ты приехала домой. Пашенька, помнишь Карантинную улицу?

— Какую Карантинную? — удивился Павел Алексеевич.

Елена улыбнулась, как взрослые улыбаются несмышленым детям:

— В Сибири, ты помнишь? Ты нас оттуда в госпиталь забрал... Мы там хорошо жили. В госпитале.

— Так ведь мы и теперь неплохо живем, Леночка, — он положил руку ей на голову, провел по щеке — она поймала его руку и поцеловала...

Вот ведь какие странности — не помнил Павел Алексеевич никакой Карантинной улицы. А Елена помнила. Что за прихоти памяти? Совместная двадцатилетняя жизнь, в которой один помнит одно, другой — другое... В какой же мере была она совместной, если воспоминания об одном и том же так различаются?

Вскоре приехал Гена Гольдберг. Рассказал то немногое, что узнал о вчерашнем происшествии. Брат поздно возвращался домой и избит был в своем парадном. Нашел его только ранним утром сосед, помешанный на оздоровительном беге, который вышел в седьмом часу совершать свои спортивные подвиги. Сослуживцы Виталия сказали, что несколько раз в течение последней недели ему звонили, угрожали.

— А тебе не звонили? — поинтересовалась Таня.

— А мне-то чего звонить, я-то в стороне от этого, — как будто оправдывался Гена.

Дело, по-видимому, было в том, что Виталий только что вернулся из Якутии, где собирал антропологические данные по северным народам. Его вызвали в первый отдел и предложили сдать все материалы по командировке на том основании, что тему его решили засекретить. Он отказался. В чем заключался секрет, давно уже знал весь мир: северные народы спивались и вымирали, население якутов и других племен сократилось за последние двадцать лет вчетверо. Все это входило логичнейшим образом в теорию Ильи Гольдберга о генетическом вырождении советского народа, но не согласовывалось с концепцией золоченого чуда на ВСХВ под названием «Фонтан Дружбы народов».

Немного позже пришла Тома. Ее пригласили выпить вместе со всеми последнее, уже с донышка. Она с этой рюмки опьянела и стала громко смеяться. Вечер нарушился. Таня поцеловала мать, отца, надела китайское пальто и, вспомнив о Василисе, пошла уже одетая с ней проститься. Вошла в темную камору, щелкнула выключателем. Лампочка давно перегорела, но этого Василиса и не знала. Она повернула голову на щелчок:

— Таня?

Таня поцеловала Василису в темечко, покрытое черным платком:

— Скажи, чего тебе принести?

— Ничего не надо. Сама-то приходи, — неприветливо ответила Василиса.

— Я прихожу...

Таня вышла вместе с Геной на улицу. Он взялся ее провожать.

Тома повела Елену в ванную сменить многослойные тряпки, уложенные мягким валиком в старые купальные трусы, натянутые под более просторные панталоны, на сухую прокладку. Тома не обращала ни малейшего внимания на ее стыдливое сопротивление, она делала это каждый вечер и каждый вечер приговаривала скороговоркой, без всякого укора:

— Да вы стойте, стойте, мамочка, поменять надо мокрое... Вы же мне мешаете...

Потом она подмывала и вытирала бедную Елену, делала все это ловко и грубовато, как делают дешевые няньки в больницах. Елене было так стыдно, что она закрывала глаза и выключалась. Такое маленькое и легкое движение делала, оно называлось «меняздесьнет». Потом Тома толкала Елену перед собой, вела ее в спальню и укладывала. После чего звала Василису, и та садилась в ногах и принималась бормотать свое вечернее славословие — длинную скомканную молитву, слепленную из обрывков молитвенных формул, псалмов и собственных восклицаний, среди которых чаще всего поминалась «христианская кончина, мирная, безболезненная и непостыдная»...

Елена смотрела светлеющими от года к году ясными глазами, которые когда-то были синими, а теперь дымчато-серыми, из одной темноты в другую...

7

Про свои взаимоотношения с братьями Гольдбергами Таня могла сказать только одно: так получилось. Оба они были с детства влюблены в нее и мучительно соперничали. Таня оказалась тяжелым испытанием, которому подверглась их близнецовая связь — самые тесные кровные узы, возможные для людей: даже мать со своим ребенком в человеческом мире, где бессеменное зачатие приписывают лишь одной Марии из Назарета, по своему телесному составу не достигают такой близости, как однояйцевые близнецы. Об этом же говорила и Гольдбергова точная наука генетика.

Испытание братья Гольдберги с честью выдержали: по бессловесному соглашению в дом Кукоцких приходили они всегда вдвоем, звоня по телефону, объявляли: это мы, Гольдберги, хотя по техническим возможностям телефонии всегда говорил только один из них. Если звали Таню в театр или в кино, то непременно тащились вчетвером, с бесцветной Томой в виде принудительного приложения к Таниному убойному обаянию. О Тане они никогда между собой не говорили, разве что информативно или косвенно:

— В субботу пойдем к Кукоцким...

— Я билеты в театр купил на следующее воскресенье...
Тем и исчерпывалось все обсуждение.

Каждый из мальчиков в отдельности имел все основания быть нестерпимым ребенком с повышенным интеллектом и эгоцентрическим искривлением личности, но присутствие в их жизни Тани странным образом уравновешивало то опасное обстоятельство, что были они без пяти минут еврейскими вундеркиндами, с неистребимым и почти законным чувством превосходства над окружающими. Это «почти» несло в себе огромное содержание, в котором им и в горькие годы отрочества, и в более поздние годы предстояло разбираться. Таня им в этом здорово помогла. Кудрявая, веселая, совершенно не озабоченная тем, как относятся к ней окружающие, — вероятно потому, что имела множество доказательств любви к себе со всех сторон, — Таня была вне конкуренции, хотя бы по той причине, что училась двумя классами младше. Между ними было два года разницы в возрасте, и, помимо всего, она принадлежала иному, женскому миру, и хотя до пятнадцати лет была их выше, возможно, что и сильней, — и в голову не приходило мериться с ней в силе, — оба они готовы были подчиниться ей, служить и доставлять всяческие удовольствия, соответствующие возрасту... Мимоходом, махнув косым подолом клетчатой юбки, она, сама того не зная, упразднила строгую иерархию интеллекта, в которой верховное место занимал пока еще не развенчанный Илья Иосифович, потом братья, нос в нос, пристраивались ему в затылок, а все остальные особи располагались уже за ними. Только не Таня... Она была вне... справа или слева. Ее игра была, в сущности, не совсем честной, как если бы, играя в шахматы, она, не оповестив противника, меняла на ходу правила игры и выигрывала, сбросив чужие фигуры с поля звонким щелчком большого и среднего пальцев... Именно это больше всего восхищало в Тане братьев Гольдбергов — вовсе не русые кудряшки и бодрое бомканье на пианино... Иерархия интеллекта оказалась, таким образом, не единственной шкалой, по которой распределялись ценности...

Вкусы и предпочтения братьев были с раннего возраста схожими, но их мать знала чуть ли не с самого рождения, что один из них, Гена, родившийся двадцатью минутами позже, то есть, младший, посильнее плачет и погромче смеется. Желания его были более яркими и страхи более определенными. Во всяком случае, именно пятилетний Виталик, относительно старший, спрашивал у Гены:

— А какую кашу мы больше любим?

И Гена решал, что гречневую...

Поклонение Тане избавляло их до некоторой степени от комической роли вундеркиндов — высшее положение в иерархии они добровольно, но не вполне корректно, предоставили Тане. Школа в Малаховке не умела оценить дарований мальчиков — отличники и отличники. Простодушная Валентина, работавшая лаборанткой вплоть до пятьдесят третьего года, когда ее в пылу борьбы с космополитизмом сократили, за тяготами послевоенного существования, до самой своей ранней смерти так и не успела разглядеть талантов своих детей, а эгоцентрический отец сам происходил из породы вундеркиндов и потому рассматривал редкие способности мальчиков как нечто само собой разумеющееся. К тому же братья составляли друг для друга здоровую конкуренцию не только в отношении Тани, но также в физике, химии и математике. Тане, пожалуй, было интереснее общаться с Виталиком, поскольку он склонялся к медицине и у них было больше общих тем, но, по правде говоря, в качестве кавалеров ее гораздо больше устраивали посторонние мальчики, не обладающие столь исключительными знаниями в области естественных наук, зато умеющие ловко колотить ногами, отплясывая просочившийся сквозь поры «железного занавеса» рок-н-ролл...

Теперь, когда Илью Гольдберга арестовали, и он, в отличие от прежних лет, выглядел невинно пострадавшим героем — середина шестидесятых! — его сыновья засветили отраженным отцовским светом. Особенно после ночного избиения Витальки в подъезде...

Таня с Геной вышли из квартиры Кукоцких в начале двенадцатого. Гена знал, что Таня не живет дома, и в последний год они не встречались и даже не перезванивались. Таня бурлила состраданием к Витальке и желала немедленно принять участие в больничных бдениях. Гена впервые за многие годы оказался с Таней наедине, и неожиданно возникла какая-то совершенно новая конфигурация, в которой Виталька существовал отдельно, а они с Таней — вдвоем, в полном единении сочувствия и сострадания. Пока Виталька, опутанный трубками, с чисто наложенными вдоль скулы и на переносье швами, с капельницей и в гипсе, полудремал за стеклянной перегородкой бокса, Гена, ухватив за рукав синюю пехору, вел Таню к метро, уговаривая ехать ночевать на Профсоюзную, чтобы поутру, не теряя времени, сразу же и помчаться в Склиф...

Таня немного колебалась: обыкновенно она заранее предупреждала Козу, если собиралась ночевать не в мастерской. Телефона там не было. Таня мялась, Гена был настроен решительно... Вообще говоря, расставаться не хотелось, и Таня поехала на Профсоюзную, где прежде никогда не бывала...

Двухкомнатная квартира в блочной хрущевской пятиэтажке имела такой вид, как будто обыск закончился два часа тому назад. Приученная скорее к порядку, чем к чистоте, против негнущейся логики порядка, в сущности, и восставшая, два года мотающаяся по случайным домам и нашедшая себе приют в конце концов в мастерской, среди мелких железок, старых подрамников и груды поломанной мебели, Таня остолбенела перед вольной стихией исписанной бумаги, разлившейся по столам, стульям, спустившейся широкими волнами на пол... Среди бумаги были вытоптаны тропки, водопойная и пищевая, к столу и к ванной, на газетных листах, уложенных поверх исписанной бумаги, образованы были чайные поляны с компаниями бурых от заварки изнутри и грязных снаружи разновидных чашек. Мирные стада откормленных тараканов паслись на этих научных пажитях.

— Как же вы здесь живете? — изумилась ко всему привычная Таня.

— Нормально. Я-то в Обнинске по большей части. А отец с Виталькой здесь. Но в дом никого не пускаем, чтоб не пугались, — он сверкнул крупными, как белые фасолины, зубами. — В Малаховке еще хуже. А при жизни мамы был какой-то порядок. Как она его держала, не понимаю...

— Нет, нет, это невозможно, — Таня, еще не сняв пальто, прикидывала, с какого боку приниматься за уборку. — Начинаем с кухни, — объявила она.

Решение оказалось правильным. На кухне бумаг было поменьше, а обычная хозяйственная грязь не требовала такого пристального внимания, как мусор бумажный. Многослойные отложения с плиты откалывалась пластами, линолеум был помоечно-серого цвета, легко отмывался, благо что пачка стирального порошка нашлась в ванной. В комнатах дело пошло медленней — бумага желала быть прочитанной, и время от времени они застревали над каким-нибудь затейливым листом. Подвиг был посильней Гераклова: конский навоз можно было выбрасывать не глядя.

С двенадцати до половины пятого утра в четыре руки они весело убирались. Болтали, хохотали, вспоминали о каких-то детских тайнах, все было легко, и грязь стекала в канализацию, а бумаги укладывались по ящикам, и это тоже было довольно смешно — ящики письменного стола были совершенно пустыми. Делавшие замаскированный под грабеж обыск забрали только то, что было в столе, прочие бумаги, более позднего времени, мощными пластами лежащие на всех рабочих и нерабочих поверхностях, оставлены были нетронутыми...

— Странный характер у твоего братца, — объявила под конец Таня, — Илья Иосифович уже полгода как сидит, а он ни разу квартиру не убрал.

— Ты не понимаешь, это мемориальный уголок, квартира-музей...

В половине пятого из-под многослойной бумажной залежи обнажилась кушетка, покрытая пыльной попоной. Таня рухнула на нее, выбив собой облако пыли.

— Все. Спать, — скомандовала Таня, и Гена, превозмогавший в себе несколько часов разнообразные желания, от умильной нежности до самой скотской охоты, не заставил себя ждать...

Отдав весь боезапас молодого бойца, он, двое суток не спавший, провалился в сон, продолжая изумляться состоянию острой нежности и столь же острого скотства...

«Да откуда это чувство свинства, какой-то вины?» — успел подумать он, засыпая. И голос изнутри самого себя ответил ему строго:

— Так сестра же...

Таня ни о чем таком не думала: тот, с которым она спала в последнее время, был матерый геолог, неразборчивый до святости, с несметным количеством детей от буфетчиц и академических жен, был не хуже и не лучше этого милого, с детства любимого дружка. В самом постельном развлечении Таня особой прелести не видела и всегда удивлялась своим старшим подругам, чего они так из-за мужиков беснуются — в постели все равны... Она в ту пору еще не знала, что это не совсем так.

В Склиф они приехали не к девяти, как собирались, а к двенадцати. Сначала не смогли проснуться, потом Гена утверждал свои свежие права. Витальку к этому времени перевели из реанимации в общую палату — положение его улучшилось, он пришел в себя и умирать больше не собирался.

8

Прошел уже год с тех пор, как мутная пленка окончательно заволокла единственный Василисин глаз и сомкнулась тьма. Слепота, несчастье и ужасная угроза пожилых людей стала для нее освобождением от непрерывного труда.

Наступил законный отпуск, за которым ослепшая Василиса прозревала окончательное бессрочное и бескрайнее отдохновение. Ее постоянная деятельность, направленная вовне, обернулась теперь вовнутрь. Прежде она молилась на иконы. Их было несколько: темная Казанская, беглого ходеповского трехцветного письма, Илья Пророк, разрубленный глупым топором и склеенный грубо из двух половин, так что лик Пророка сохранился, а плащ, свисающий с колесницы, большей своей частью упал не в протянутые руки Елисея, а в виде щепы остался в деревенском храме и сгорел вместе с храмом. Был еще Серафим с плюшевым безухим мишкой и утопающий Петр в сдвинутом набок нимбе, протягивающий руку к идущему мимо и совсем в другую сторону Спасителю. И всех этих покровителей она теперь как будто лишилась. Она стояла на коленях на всегдашнем месте, на ковровой лысине, выбитой ее коленями, и пыталась восстановить их в памяти, но не могла. Темнота, обступившая ее, стояла равномерной стеной, вовсе без оттенков и без просветов. Так длилось довольно долго, и Василиса горевала — ей казалось, что молитва ее висит в душном воздухе около ее головы и не поднимается ни к господу, ни к божьей Матери, ни к святым божиим угодникам. Потом как будто стало прорезаться какое-то подобие шевелящегося свечного пламени. Оно было таким слабым и зыбким, что Василиса пугалась, не прелесть ли это ее воображения. Но она была так притягательна, эта светлая точка, так радовала, что Василиса звала ее внутренне и старалась подольше удерживать этот световой образ. И зыбкий свет рос, укреплялся, сиял, никому не видимый, в ее личной тьме, побуждая ее к непрестанной и почти бессловесной молитве. Молитва теперь была только о том, чтобы «пламечко», как она его называла, никуда от нее не отходило. Даже во сне молитва ее не покидала, а как будто дремала рядом, как старая Мурка, давно уже избравшая себе ночлег возле ее тощих холодных ног.

Василиса совсем уж было определила для себя новый, облегченный образ жизни, без обычных нескончаемых обязанностей — без закупок излишних, по ее пониманию, продуктов, без больших стирок почти что и не грязного белья, без корабельных больших уборок, а сохранила за собой одни только почти ритуальные обязанности утреннего умывания Елены и встречи с работы Павла Алексеевича. Большую часть дня проводила она в своем чулане, совершая тонкую медитативную работу, понятную одним лишь восточным монахам... Смесь молитвенного созерцания, спиритуального общения с настоятельницей, матушкой Анатолией, с которой она сблизилась последнее время благодаря слепоте больше, чем когда бы то ни было, и любовного воспоминания о всех живых и мертвых, близких и дальних, начиная от собственных родителей, приснопамятного Варсонофия, и кончая безымянными лицами давно умерших монахинь из Н-ского монастыря, — при свете маленького пламени, которое она научилась в себе раздувать, как уголь в печи...

Каждый день, принимая из Василисиных рук бедняцкий обед, совершенно не отличимый от того больничного, который приносила ему санитарка на работе, Павел Алексеевич укорял себя, что не может пересилить Василисиного упрямства — он был уверен, что у нее банальная катаракта, которую можно снять и хотя бы частично восстановить утраченное зрение. Он не был абстрактным профессором, не умеющим зажечь газовой горелки. Он мог сам подогреть обед, мог его и приготовить, но отказать Василисе Гавриловне в выполнении ее обязанностей он не мог, а принимать обслуживание слепой прислуги тоже было невозможно...

Он снова и снова говорил ей об операции. Однако Василиса об этом и слышать не хотела, ссылаясь на божью волю, которая все так ей определила... Павел Алексеевич сердился, не мог ее понять, пытался, пользуясь ее же логикой, убедить ее, что божья воля в том и заключается, чтобы врач, на то и призванный, чтобы оперировать ослепших, произвел над ней операцию и она снова бы увидела свет — пусть хоть во славу божью... Она мотала головой, и тогда он сердился еще более, обвинял ее в трусости, безграмотности и юродстве...

Всякий раз, выпив чуть больше обыкновенного, Павел Алексеевич заново приступал к Василисе. Но никакие доводы разума до нее не доходили. Как-то раз Тома, вовсе не сговариваясь с Павлом Алексеевичем, а просто-напросто втащив на пятый этаж (лифт в тот день не работал) огромный тюк постельного белья из прачечной и обессилев, случайно обронила единственно убедительные слова:

— Ты, тетя Вася, смотри, какая здоровенная, на тебе хоть воду вози, а все молишься... Сходила бы что ли со мной вместе...

Тома, несмотря на мизерность своего сложения, на самом деле тоже была из породы выносливых — целыми днями возилась со своими зелеными детками, упершись носом в землю, копала, полола без устали. Крестьянская кровь все-таки заговорила в ней: то, чего она не хотела делать для пошлой свеклы и моркови, делала с нежностью и страстью для рододендронов и шуазий.

Домашнюю работу, которой ей теперь приходилось заниматься все больше и больше, она никогда не любила, а теперь она еще и училась в вечернем техникуме и была действительно очень занята...

Упрек этот, сгоряча высказанный Томой, Василиса носила в себе целые сутки. Думала, как всегда, медленно и настойчиво, призвала мать Анатолию для помощи. Наконец воскресным вечером, после ужина, сообщила Павлу Алексеевичу, что согласна на операцию.

— Ты же не хотела, — удивился Павел Алексеевич. — Надо сначала окулисту тебя показать. Проконсультировать... Может, и не возьмутся...

— А чего не возьмутся? Я согласная. Пусть режут...

Противопоказаний к операции врачи не нашли. Спустя две недели Василису Гавриловну прооперировали в глазном институте на улице Горького. Зрение восстановилось до шестидесяти процентов, и Василиса вернулась к своей прежней хозяйственной жизни — снова ходила по магазинам, стояла в очередях, варила еду и стирала. Только походка ее осталась неуверенной, настороженной, она как будто несла хрупкую драгоценность — свой единственный прозревший глаз. Слова Павла Алексеевича о божьей воле, которая совершается руками врачей, достигли ее сердца. Хотя она прекрасно помнила всю операцию, произведенную под местным наркозом, начиная от первого, остро болезненного укола в самый глаз, до того момента, когда сняли повязку и она увидела людей, смутных и шатких, как деревья под ветром, ей постоянно вспоминался евангельский рассказ об исцелении слепорожденного, и врачебное копошение над ее онемевшим глазом она соединяла с прикосновением Спасителя к мертвому глазу того молодого слепца.

Никто из домашних не догадывался, как изменилось после прозрения отношение Василисы к самой себе — она исполнилась уважения к своему крепкому, навеки девственному телу, к мускулистым мослатым ногам и рукам и, в особенности, к невзрачному слезящемуся глазу, который взял да и прозрел. Тот внутренний свет, что светил ей во времена полной слепоты, ушел, и теперь, в возвращенной ей зрячести, она никак не могла его увидеть. Она тосковала об утраченном «пламечке», но пребывала в крепкой уверенности, что оно снова к ней вернется, когда временно воскресший глаз опять угаснет.

Обретя утраченное зрение, она поняла, в каком напрасном и бесплодном страхе за последний глаз прожила она большую часть своей жизни. Лишь потеряв остатки зрения, она освободилась от этого страха, а теперь, после операции, увидев божий свет заново, с новой и ясной силой уверовала не в бога — вера ее никогда не нуждалась в подтверждении, — а в любовь бога, направленную лично на нее, кривую, глупую и необразованную Василису. И она стала уважать эту самую Василису как объект личной божьей любви... Теперь она знала наверняка, что господь бог отличил ее из огромного людского множества...

Закралась даже совсем новая, диковинная мысль: что бог ее любит даже больше, чем других... Взять Таню — от рождения красивая, богатая, способная, а ведь ушла из дому, живет как бродяжка, по чужим углам, и не из нужды, а по своеволию... Или Павел Алексеевич, уж какой значительный, знаменитый, доктор из докторов, сколько детей извел, не сосчитать, в грехах по маковку. И пьет, как самый завалящий мужик, как брат покойный, царствие небесное... Про Елену и говорить нечего, уж ее-то жизнь как на ладони: и добрая, и тихая, и сердобольная, всех кошек жалела, а про Флотова-то забыла? Не на ее ли совести? За что ее бог так наказывает? Разума лишил, и чувства всякого. Живет, как животная...

Василиса и относилась теперь к Елене снисходительно, как к домашней скотине — покормить, почистить... И разговаривала с ней, как с кошкой — в воздух, невнятными словами одобрения или недовольства... Нет, и говорить тут было нечего — если кого и выделил господь, то именно ее, Василису. Сначала глаз отобрал, а потом вернул... Как еще понимать?

9

Таня ходила в больницу каждый день, помогала Витальке справляться со всеми его нуждами, от мытья до еды. Правая рука его была в гипсе, и с одной левой ему даже книжки читать было сложно — страницы трудно переворачивать... Он несколько преувеличивал свою немощь, позволял себе даже капризничать. Каждый день, с Викиной хозяйственной сумкой, так и не возвращенной, Таня ехала с Профсоюзной в Склифосовского. Друзья Гольдбергов нанесли кучу денег, и Таня переводила их в разные кулинарные изыски. Эти упражнения у плиты заменили ей полностью упражнения ювелирные. В мастерскую к Вике Таня заехала лишь однажды, забрала три пары трусов, шерстяные носки и записную книжку — все наличное имущество.

Каждую субботу приезжал из Обнинска Гена. Ужинали, выпивали бутылку грузинского вина, спали на продавленной костлявым старым Гольдбергом кушетке, ехали вместе в больницу к Витальке. Детская легкость их отношений смущала Гену: как будто они, пятилетние, качались на качелях или играли в жмурки, угадывая в темноте, прикасаясь к лицу и плечам, кто именно попался в случайные объятия... Природа предоставила их друг другу в пользование, и никаких лишних слов между ними не происходило...

Виталик пролежал в больнице полтора месяца. Травмы в конечном счете оказались не столь тяжелыми, сколь сложными. Разбитый нос восстановили, новый сделали ничем не хуже старого, сотрясение мозга тоже не было диковинкой, а вот со сломанным локтем пришлось повозиться. Сделали одну операцию, получилось не лучшим образом, образовался ложный сустав. Пришлось врачам идти на вторую операцию, после которой сустав вообще потерял подвижность. То ли профессионалы заплечных дел действительно знали, как похитрее ломать, то ли сказалась какая-то особая невезучесть Витальки.

Так или иначе, выписали его уже в конце зимы, и Таня торжественно перевезла его домой и даже устроила по этому поводу небольшую вечеринку для близких друзей. В очередную субботу приехал, как обычно, из Обнинска Гена. Виталик уже три дня как был дома. Переступив порог, Гена сразу же почуял, что место его занято. Он дико огорчился, но не удивился. Смотрел на Таню во все глаза — она не испытывала ни малейшего беспокойства. Пообедали втроем. На столе лежал толстый дрожжевой пирог, дыша теплом и домашним покоем. Таня ухаживала за Виталькой, как за ребенком, и Гена понял, что брату, кажется, повезло. Интересно было также, понимает ли он, что увел любовницу...

Между тем Таня вымыла посуду и объявила, что ночует сегодня дома:

— К тому же, вам, наверное, есть о чем поговорить и без меня...

Братьям действительно было о чем поговорить. Лабораторию, которой заведовал отец, закрыли, придираясь все к тем же мифическим финансовым нарушениям. Гольдбергу-старшему об этом сообщили в лагерь. Его волновало и будущее лаборатории, и сложности, которые неминуемо возникли у его сотрудников, и, в особенности, судьба Валентины, которую сразу же отчислили из лаборатории, лишили временной прописки в аспирантском общежитии и, протаскав безрезультатно по кабинетам ведомства, отправили обратно в Новосибирск, где места ей никакого уже не предложили. Письмо Гольдберга к сыновьям пришло несколько дней тому назад. Письмо содержало корявое и сильно запоздалое признание в любви к Валентине, жалостные фразы о любви к их покойной матери, а также стыдливо излагалось намерение жениться.

Разумеется, для молодых людей в сообщении этом не было ничего нового — о романе их отца знали все, но отец не считал нужным сообщить им что-либо до самой посадки. Скорее всего он вообще и не собирался на Валентине жениться, и сама эта мысль пришла ему в голову лишь в тюрьме. Свидания давали только женам, и, кажется, существовала юридическая возможность оформить брак в зоне. Именно в связи с этим Гольдберг и просил ребят связаться с адвокатом и узнать, как по-умному подойти к этому делу. Валентине он ничего не сообщает о своем намерении, пока не будет уверен, что этот брак теоретически возможен.

«Я не хотел бы причинять никому лишних беспокойств, но, дорогие мои, прошу вас взять все это выяснение на себя, поскольку В., человек крепкий и исключительно благородный, но все-таки женщина, и я совершенно уверен, что для нее поход к адвокату с этим вопросом будет непереносимо унизительным».

— Наша ровесница? — Виталик показал на письмо, которое Гена читал вслух.

— Кажется, года на два старше. Может, на три.

— Мачеха, — усмехнулся Виталий.

Виталик, еще не вполне освоивший свалившееся на него новое счастье, хотел было сообщить брату, что он и сам готов жениться, но удержал язык. Слишком долго, чуть ли не всю сознательную жизнь, они соперничали из-за Тани, чтобы вот так сразу объявить о своей ослепительной победе, означающей одновременно безусловное поражение другого. Ему даже было больно за брата, почти как за самого себя. Тонкий вопрос, почему это Таня предпочла его, пока что не занимал Виталика. Она оказалась неожиданным призом после всего, что ему пришлось претерпеть. Но, в конце концов, если для того, чтобы завоевать ее, надо было пройти и через большие испытания, он бы без колебаний согласился.

У Гены было преимущество первого, но он молчал. Наверное, Витальку не очень порадовало бы сообщение о том, что шесть субботних ночей, горячих праздничных ночей с субботы на воскресенье, его брат провел здесь с Таней...

О Тане они, как это было между ними принято, не говорили. Зато долго говорили об отце, о его бесконечной и такой старомодной наивности. И о его мужестве. И о его таланте. И о чести. И о том, как им повезло, что у них такой потрясающий отец.

А потом Гена совершил поступок старшего. На ночь глядя, поехал в Обнинск, сказавши брату, что у него на завтра назначена встреча с руководителем.

В одиннадцать часов, когда дверь за братом захлопнулась, Виталик немедленно набрал номер Кукоцких и даже приготовил фразочку из детства:

— Это мы, братья Гольдберги...

Тани, однако, дома не было. В тот вечер ее там и не бывало... Она сидела у Козы и сухо излагала близнецовую историю, которая произошла совершенно случайно и совершенно напрасно... Вика звонко хохотала, поминала Шекспира, Аристофана и Томаса Манна, а Таня, попивая грузинское вино, морщилась...

— Они мне как братья. Мы росли вместе. Я их обоих люблю.

Вика подняла круглое женственное плечо, раздула суховатые губы, вложила мягкие булки грудей, обтянутых розовым трикотажем, в жесткие, железного цвета ладони, покачала их на весу:

— Так обоих и возьми. Только одновременно. Это кайф.

Таня посмотрела на нее серьезно, как на уроке математики:

— Знаешь, это мысль. Собственно, кайф сам по себе меня не особенно интересует. Но по крайней мере никому не будет обидно... И будет честно.

Вика зашлась от смеха.

В следующую субботу Гена из Обнинска не приехал. Таня с трудом дозвонилась до него. Он суховато сообщил ей, что сильно занят и в ближайшее время приехать не сможет. Она быстро собралась и поехала в Обнинск. Стояли последние мартовские морозы, и Таня окоченела еще в электричке. Она долго искала общежитие и нашла его уже к вечеру. Гену она застала в постели — он был сильно простужен и отлеживался, укрытый двумя одеялами и чьим-то старым пальто. В комнате было отчаянно холодно, на подоконнике пролитая вода свернулась ледовой коркой.

— Бедные, бедные мои мальчики, — бормотала Таня, отогревая руки у Гены на груди. Температура у него была под тридцать девять, и Тане казалось, что руки ее лежат на сковородке.

— Ты промерзла до самой середины, — засмеялся Гена, достигнув границ возможного.

— Да, — согласилась Таня. — Насквозь. Но ты очень горячий.

Постепенно их температура сравнялась.

Гена пошел в общественную кухню ставить чайник. Кипятильник у него был, но из-за большой нагрузки пробки вышибало. Все общежитие обогревалось плитками и рефлекторами.

Выпили чаю. Еды никакой не было, и купить ее было негде. Полупустые магазины давно были закрыты. Они еще раз погрелись друг о друга. Под утро Гена спросил Таню, не хочет ли она сделать выбор.

— Я уже сделала, — серьезно ответила Таня, — я выбрала братьев Гольдбергов.

— Нас двое.

— Это я знаю.

— Ну и что?

— Ничего. Я не вижу никакой разницы. Мне что ты, что Виталька... — Таня развела руками. — Вообще-то я и отца вашего тоже очень люблю.

Гена привстал с подушки:

— Отца можешь оставить в покое. Он у нас жених.

— Да я ни на кого не претендую... Это же ты пристаешь с выбором. Впрочем, у тебя есть ход: можешь меня прогнать, — засмеялась Таня.

Он прижал ее голову к своему костлявому плечу, вспушил коротко стриженный затылок:

— Помнишь, как мы к вам в Звенигород приезжали? На речку ходили... На лодке катались... В бадминтон играли... А ты выросла и стала сучкой.

— Почему? — удивилась Таня. — Почему сучкой?

— Потому что тебе совершенно все равно, с кем трахаться.

Таня трепыхнулась, устраиваясь поудобнее:

— Мне не все равно. С некоторыми — никогда и ни за что. А с братьями Гольдбергами — пожалуйста.

— Я подумаю. Может, я уступлю тебя Витальке.

— Вот именно за благородство я и люблю братьев Гольдбергов, — хмыкнула Таня и заснула...

Гена еще что-то говорил и был глубоко изумлен, обнаружив, что Таня крепко спит. Простуда его удивительным образом прошла, он чувствовал себя совершенно здоровым и вполне несчастным. Говорить, судя по всему, надо было не с ней, а с братом. Только вот — о чем?

10

В тех же днях на имя Елены Георгиевны пришло странное письмо. Его вынула из почтового ящика Василиса вместе с газетами. Принесла Елене. Та взяла в руки официальный белый конверт со штампом, разбирать который она и не пыталась, и так, с нераспечатанным конвертом в руке просидела до самого вечера, пока не заглянул к ней в комнату Павел Алексеевич. Она протянула ему письмо:

— Вот. Пожалуйста... Конверт... Это Танечке...

Павел Алексеевич взял конверт. На нем стоял штамп «Инюрколлегия». На белесой бумаге бледными буквами было напечатано, что Инюрколлегия извещает о розыске наследников Флотова Антона Ивановича, скончавшегося девятого января шестьдесят третьего года в онкологической клинике города Буэнос-Айреса и завещавшего половину оставшегося после него имущества своей жене Флотовой Елене Георгиевне и дочери Флотовой Татьяне Антоновне. Инюрколлегия сообщает также, что сведения о перемене фамилии и удочерении получены из загса города В., и вызывает Елену Георгиевну на переговоры по поводу оформления наследства, а также для уточнения статуса наследника для ее дочери Татьяны Павловны Кукоцкой...

Павел Алексеевич положил письмо на стол и вышел. Известие было ошеломляющим. Судя по этому официальному, казенным слогом написанному письму, Антон Иванович Флотов вовсе не погиб во время войны, а неизвестным образом попал в Южную Америку и умер там спустя двадцать лет. Взволновала Павла Алексеевича не смерть этого неизвестного, имеющего к нему лишь косвенное отношение человека и тем более не сообщение о каком-то мифическом наследстве... Необходимость рассказать Тане о том, что ее родным отцом был другой человек, и рассказать именно теперь, когда их отношения и без того расклеились, тяжко навалилась на него.

В кабинете он сел за свой рабочий стол, позабыв на минуту, зачем пришел сюда. Пошарил автоматически руками на полке возле стола: руки лучше головы помнили о его нуждах, вытащил полбутылки водки и небольшой, «ваккуратный», как любил говорить, стакан и выпил. Через минуту пришла ясность. Сейчас он расскажет все Елене, а потом вызовет Таню, откроет ей тайну отцовства, и пусть она тогда решает, что ей делать с этим наследством. О Василисе, единственном, кроме Елены, человеке, который знал Флотова, он и не вспомнил. Отцовство его, когда-то такое счастливое, оканчивалось скучным и пошлым образом: нашелся настоящий отец, впрочем, мертвый, и опрокинул все это ложное положение. Сердце защемило, как палец в двери. Он поморщился и допил остатки.

Вернулся в спальню. Елена сидела в кресле, молодая Мурка урчала у нее на коленях, как приближающаяся электричка, и казалось, вот-вот загудит. При виде Павла Алексеевича Мурка замолчала и подвернула под себя распушенный хвост.

— Знаешь, Леночка, в этом письме содержится сообщение о смерти твоего первого мужа, Антона Ивановича Флотова. Судя по этому письму, он не погиб на фронте, а, видимо, попал в плен и потом оказался в Южной Америке... А умер он всего несколько месяцев тому назад...

Елена отозвалась живо и неожиданно:

— Да, да, конечно, эти огромные кактусы, эти колючки... я так и думала. Они опунции, да?

— Какие опунции? — насторожился Павел Алексеевич.

Елена рассеянно повела рукой, смутилась:

— Ты ведь никому не скажешь?

— О чем?

Она улыбнулась нестерпимо жалкой улыбкой и схватилась за кошку, как ребенок хватается за руку няньки:

— Они огромные, с колючками, на красноватой земле... И был всадник, то есть сначала он был без лошади... Теперь я думаю, что это был он...

— Это тебе не приснилось?

Она улыбнулась снисходительной улыбкой, как взрослый ребенку:

— Что ты, Пашенька! Уж скорее ты мне снишься.

Елена давно не называла его «Пашенькой». Елена давно не говорила таким уверенным тоном. С тех пор, как случился с ней ее последний приступ, несомненный и долговременный абсанс, выключение сознания, отмеченное и ею самой, и окружающими, голос ее звучал нетвердо, интонация речи вопросительно-сомневающаяся. Значит, эти ее выпадения сопровождаются ощущением дереализации... Что это? Ложные воспоминания? Гипнагогические галлюцинации?

Он взял ее за руку:

— А где ты видела эти кактусы?

Она смутилась, встревожилась:

— Не знаю. Может быть, у Томочки...

Павел Алексеевич взял в руки письмо, еще раз пробежал его глазами. Почему при упоминании о смерти первого мужа она заговорила о кактусах? Никакой связи. Разве что упоминание о Буэнос-Айресе... Такой прихотливый ассоциативный ряд? И теперь она пытается скрыть это движение мысли, выставив на поверхность ложный аргумент? Хитрость сумасшедшего?

— Леночка, Тома терпеть не может кактусов. У нее нет ни одного кактуса. Где ты видела кактусы? Может, все-таки приснились?

Она еще ниже опустила голову, почти уткнулась в кошку, и он увидел, что она плачет.

— Деточка, деточка, ну что ты? Ты о Флотове плачешь? Это все было так давно. И это ведь хорошо, хорошо, что он не был убит... Перестань же плакать, прошу тебя...

— Колючки... вот они, колючки... Нет, не во сне... Совсем не во сне... По-другому... Не могу сказать где...

Онейроидное помрачение сознания, может быть? Сновидный онейроид, так, кажется, называется это болезненное состояние? Надо уточнить в книгах по психиатрии. Самая зыбкая, самая расплывчатая из медицинских наук, психиатрия... Павел Алексеевич терялся перед болезнью своей жены, потому что не понимал ее. Расстройство самосознания... Какая-то особо злостная форма раннего склероза? Болезнь Альцгеймера? Пресенильная деменция? Где пределы этого заболевания... Но, так или иначе, сегодняшний день был из хороших: она реагировала, отвечала на вопросы. Почти полноценное общение.

— Вероятно, Флотов попал в плен и стал перемещенным лицом, тысячи русских солдат не вернулись на родину, ты же знаешь. Может, все это к лучшему. Если б вернулся, посадили бы... — говорил Павел Алексеевич незначащие слова только для того, чтобы речь ее не замкнулась, как это часто с ней бывало.

— Ах, нет, ты не понимаешь... Флотов был остзейский немец. Прадед его был из Кенигсберга, фон Флотов, у него много родни там оставалось. Скрывал он...

— Да что ты говоришь, Леночка? Это просто поразительно... Значит, и он был из виноватых? Во времена моей молодости все, кто меня окружал, ну, может, кроме нескольких идиотов или мерзавцев, знали, что за ними какая-то вина, и скрывались...

— Да, конечно. Я помню, как я впервые почувствовала это. Когда меня забрали родители от бабушки, из Москвы перевезли в колонию, под Сочи, весной двадцатого года. Я тогда увидела южную природу... И тогда же поняла, что мы, колонисты, каким-то плохим образом отличаемся от всех других людей... В общей столовой висел портрет Льва Николаевича. Маслом написанный, очень нескладный портрет, блестел голый лоб и развевалась борода, и рамка была кривая, меня это раздражало. И никто этого не замечал...

Павел Алексеевич слушал рассказ жены — связный подробный рассказ, с точными деталями. С анализом ситуации, критикой и способностью к осмыслению. Ни тени маразма. Ни о какой деменции и речи быть не может... Но почему два часа тому назад она сидела с кошкой и нераспечатанным конвертом, отвечала невпопад, миморечью, свойственной сумасшедшим, не контролировала самых простых движений, временами забывая, как держать ложку. Нет, не совсем забывала, но испытывала видимые затруднения в обращении с простейшими вещами. Не помнила, что ела на завтрак. И вообще, завтракала ли... Скорее эта картина напоминает псевдодеменцию. Мнимую утрату простейших навыков. Своеобразную игру сознания в прятки с самим собой... Нет, этой задачи мне никогда не разрешить. Может, Фрейда почитать. Покойная мать ездила году в двенадцатом в Вену, на психоаналитические сеансы к одному из учеников Фрейда. Как жаль, что я совершенно ничего об этом не знаю. Кажется, был у матери какой-то вид истерии... Павел Алексеевич поморщился: дура Василиса — настоящий его грех не в абортированных младенцах, двадцатиграммовых сгустках богатого потенциями белка, а в тупой непреклонности, с которой он отверг второй брак матери, вместе с нею самой, белесой красавицей, благородно старевшей и умершей в Ташкенте в сорок третьем году от глупой дизентерии.

Елена, с чуткостью нервнобольной заметив молниеносную нахмуренность Павла Алексеевича, замолчала.

— Да, да, Леночка. Рамка была кривая... Ну, рассказывай же дальше...

Но она замолкла, как будто выключили ток. Снова погрузила пальцы в Муркину шкуру, заряженную живым, чуть потрескивающим электричеством, и полностью оторвалась от беседы, от письма, послужившего косвенной причиной разговора, от Павла Алексеевича, которого только что называла «Пашенькой»... Снова на лице ее явственно проступило выражение лица «меняздесьнет».

Павел Алексеевич знал, что вернуть ее обратно он не сможет никакими силами. Она проснется к общению через неделю, через месяц, через год. Иногда такие просветы длятся часы, иногда — дни. И эти временные просветления совершенно выбивают его из колеи, потому что Елена становится самой собой и даже напоминает себя самое в те мифические времена, когда супружество их было полным и счастливым.

Так же было и в прошлый раз, три месяца тому назад, когда она с ним разговаривала о Тане, как будто проснувшись от болезни, и говорила горько, почти с отчаянием об отчуждении и потере, о пустоте и о мучительном бесчувствии, на нее нападающем, о неописуемой растерянности от неузнавания мира... а потом речь ее прервалась на полуслове, и она уткнулась в кошку.

«Всегда кошка, — пришло в голову Павлу Алексеевичу. — В следущий раз, когда она снова заговорит, выгоню кошку в коридор... Как странно, кошка как проводник в безумие...»

— Леночка, так мы с тобой говорили о Флотове...

— Да, большое спасибо... Мне ничего не надо... Да, все в полном порядке, прошу вас, не беспокойтесь... — лепетала Елена, обращаясь не то к Мурке, не то к кому-то еще, кто мнимо присутствовал в ее пыльной, неопрятной комнате.

11

Веснами Таня, как Александр Сергеевич Пушкин, плохо себя чувствовала: бессилие, усталость, постоянно липнущая простуда. На этот раз к обычному весеннему недомоганию прибавилась непреодолимая сонливость и отвращение к еде.

Жила она теперь на Профсоюзной, в квартире Гольдбергов. Витальку, как только у него закончился бюллетень, немедленно уволили по сокращению штатов. Он перебивался переводами. Как его отец в былые времена, он брал работу в нескольких реферативных журналах, обычно через подставных лиц, пытался писать статьи в популярные журналы, и дважды его маленькие заметки о новинках западной науки и техники были опубликованы в журнале «Химия и жизнь». Тоже по знакомству.

Таня, едва удерживая тошноту от кухонных запахов, готовила еду и спала по четырнадцать часов кряду. Иногда, восстав от спячки, собиралась в Обнинск — проведать Гену. Он заканчивал свою скоропалительную диссертацию, ждал с минуты на минуту какой-то неприятности от первого отдела, но за него стоял горой научный руководитель, друг старшего Гольдберга, физик и в прошлом, как и Гольдберг, зек. Однако, несмотря на все научные достижения и авторитет, руководитель был не царь и не бог, и до последней минуты неясно было, дадут ли Гене защититься...

Таня гуляла день-другой по апрельскому прозрачному лесу, подсвеченному разноцветными, готовыми раскрыться почками, потом пару раз приезжала уже в мае, посмотреть на юную зелень. От свежего воздуха она быстро уставала, засыпала крепким сном и не придавала особого значения тому, что пришедший из лаборатории Гена ложился с ней рядом. Это дружеское соитие имело не большее значение, чем их совместный завтрак, после которого он провожал ее на автобус и убегал в лабораторию...

Прожив в таком режиме месяца два, Таня спохватилась, произвела кое-какие женские расчеты, до которых никогда прежде не снисходила, и пришла к интересному заключению. Ничего подобного за пять лет постельной практики с ней не случалось, и открытие это поначалу ее ошеломило.

Среди подруг Вики-Козы постоянно обсуждались прикладные гинекологические проблемы, связанные с контрацепцией, абортами и их обезболиванием. Таня хранила при этом выражение такой полной незаинтересованности, словно была девственницей или старухой. Беременность оказалась для нее не радостью, не огорчением — интересным событием. Совершив открытие, она проспала почти сутки, во сне смирилась с этим занятным обстоятельством и объявила Витальке, который как раз попался под руку.

— Ах ты черт, — огорчился он. — Я, конечно, козел, но и ты хороша... Но ребенок, по теперешним обстоятельствам, — это уж слишком.

— Ты думаешь? — неожиданно для самой себя обиделась Таня, которая и сама еще не решила, как ей относиться к возможности появления ребенка. — Мне что, аборт делать?

Виталик молчал. Слишком долго.

— Кажется, я не хочу. — Виталькина долгая пауза оказалась решающей, потому что за минуту до этого Таня совершенно не знала, чего она хочет. — Да не нужен нам ребенок, — довольно решительно объявил Виталик. — И рука не совсем еще разгибается...

И тут Таня смертельно обиделась за своего будущего ребенка, вскинула свои рисунчатые брови и усмехнулась:

— Надо у Генки спросить. Может, он хочет?

Виталик, полагавший в глубине души, что Таня принадлежит главным образом ему, а Гену навещает по сложившейся традиции и по его, Виталика, молчаливому на это согласию — нечто вроде сексуальной благотворительности в пользу брата, — посмотрел на Таню обалделым взглядом: такого поворота он не ожидал. Ему как-то и в голову сначала не пришло, что предполагаемый ребенок может оказаться ему племянником...

— Послушай, а кто отец ребенка?

Взявшая себе за правило не скрывать мыслей и говорить правду, Таня улыбнулась чуть шире, чем обычно:

— Братья Гольдберги, Виталик. Братья Гольдберги. По теперешним обстоятельствам, мне кажется, вдвоем вам будет не так тяжело управиться.

Таня тут же, слова не сказав, начала собирать сумку. Виталик, так же слова не сказав, проводил ее на автобус, которым она обычно ездила в Обнинск.

Гена повел себя взвешанней и взрослей.

— Я полностью в твоем распоряжении, Танька. Единственное, что я не могу сейчас сделать, это уехать из Обнинска до конца этой чертовой работы. Во всем остальном — как тебе удобнее. Если хочешь, можешь сюда переехать, хотя бы до осени. Если хочешь расписаться, то сделаем это здесь, не в Москве.

— А почему не в Москве? — спросила Таня, ожидавшая какого-то подвоха.

— Два дня потеряю для работы. Я же говорю тебе, большая горячка.

— А-а, — удовлетворенно кивнула Таня.

О Витальке Гена не упомянул. И Тане это понравилось. Она была готова выйти замуж за одного из братьев Гольдбергов, и теперь выбор для Тани определился — Генка...

Однако все произошло не по-задуманному. Когда Таня через три дня вернулась из Обнинска, Виталик был озабочен новой обрушившейся на него проблемой: пришла повестка из военкомата... Ясно было, что наказывали таким образом Гольдберга-старшего.

Решение напрашивалось само собой — отсрочка от призыва лежала непосредственно в Танином животе. Надо было только поскорей расписаться и взять в консультации справку о беременности.

— Надо так надо. Какой разговор, Виталик? Только имей в виду, что в мужья я все-таки выбираю Генку.

Виталик улыбнулся криво:

— Ты хочешь сказать, что у нас с тобой будет фиктивный брак?

— Я так вопрос не ставлю. Но, если хочешь, назовем так.

Весь вечер они соревновались в остроумии, кто кому кем будет приходиться в результате этой матримониальной операции. Таня назначила Виталика отглагольным прилагательным, будущего ребенка полуплемянником, а их брак — Тройственным Союзом.

Нахохотавшись и поужинав, они легли спать все на той же выпирающей железными ребрами многострадальной кушетке и уснули в тесном объятии, совершенно не озабоченные некоторым нравственным неблагополучием, заметным взгляду стороннего наблюдателя, но никак не членам этой своеобразной семьи.

Назавтра сбегали в загс и подали заявление. Бракосочетание назначили на начало июля. В военкомат Виталик не пошел. Из соображений предосторожности решено было, что он уедет на время из Москвы. Он быстро собрался, набил сумку словарями и, прихватив половину немецкого учебника по клинической биохимии — один из сотрудников отца поделился с ним лакомым переводом, — уехал в Полтаву к тетке по материнской линии. Без звонка и предупреждения...

Рассчитано все оказалось безукоризненно. Через два дня после отъезда Виталика пришла еще одна повестка, а на следующий день, в семь часов утра загрохотали в дверь. Таня впустила в квартиру трех мужиков — двух военных и одного милиционера. Пришли забирать Витальку в армию.

— Хозяин в отъезде. Ничего не знаю. Кажется, на Урал уехал работу искать... — это было все, что им удалось извлечь из Тани.

После отъезда Виталика Таня полюбила свою беременность. Даже не ребенка, который должен был родиться, а именно это состояние наполненности, содержательности в буквальном смысле этого слова. Обычно невнимательная к своему здоровью, теперь она прислушивалась к малейшим пожеланиям организма, постановила себя баловать, делая все приятное и полезное. Пила по утрам сок, не магазинный, а собственноручно изготовленный, завела на окне производство кефира из какого-то особо целебного молочного грибка, несколько дней в неделю проводила в Обнинске, у Гены. Там она часами гуляла по лесу, нагуливая себе румяный загар, гемоглобин и приятную усталость. Сонливость сменилась токсикозом. По утрам она сосала кислую карамель, во второй половине дня тошнота обычно отпускала. Живот, к Таниному огорчению, совершенно не рос, хотя она постоянно испытывала тугую наполненность изнутри, не имеющую ничего общего с вульгарным состоянием человека, съевшего два обеда враз. Зато грудь заметно увеличилась, соски выпятились, как кнопки дверного звонка, и из розовых стали коричневыми. Таня терла их жесткой мочалкой — где-то вычитала, что именно так надо готовить грудь к будущему кормлению. Гена присасывался к потемневшему соску. Ему нравилось, как твердел сосок от его прикосновения. Тане тоже нравилось это совершенно новое ощущение.

На имя Виталия пришли еще две повестки из военкомата. Звонил какой-то капитан, пугал и грозил. Таня строила из себя дурочку.

Изредка Таня навещала домашних. Объявила, что беременна и собирается замуж. Но Елена никак не отреагировала на это сообщение. Тане показалось, что мать ее не услышала. Но это было не совсем так, потому что вечером того же дня Елена сказала мужу, что Таня родит Танечку. Привыкший к известному хаосу в ее сознании, Павел Алексеевич не придал особого значения этому смутному сообщению, про себя подумав, какие сложные процессы проходят в сознании жены: видимо, сообщение о Флотове зацепилось в каких-то глубоких слоях коры и теперь она вспомнила о том времени, когда ждала дочку. Себя же идентифицирует с выросшей Таней.

Письмо из Инюрколлегии все еще оставалось без ответа. Елена была не в состоянии не то что отвечать, но даже высказать свое отношение к наследству. А Тане Павел Алексеевич так ничего и не сообщил: никак не мог подобрать подходящий момент. Для него-то речь шла не о наследстве, а о гораздо более важной вещи.

В один из поздних светлых вечеров в начале июля, когда Таня, застав отца дома в приятно-хмельном состоянии, оповестила его о своем предстоящем замужестве, он решился заговорить с ней об этом злополучном наследстве. Он усадил ее в кабинете, положил перед собой слегка замусоленный конверт и прежде, чем отдать его, рассказал, как познакомился с ее матерью, как оперировал ее и женился вскоре после ее выздоровления.

— Переехали вы ко мне, Таня, в тот самый день, когда пришла повестка о смерти человека, который прежде меня был мужем твоей мамы.

У Тани глаза полезли на лоб: она и не предполагала, что мать была за кем-то замужем до Павла Алексеевича.

— Тебе, Танечка, было в то время два года. Родным твоим отцом был Антон Иванович Флотов. Я же тебя удочерил сразу же после того, как мы поженились. Наверное, я должен был сказать тебе об этом раньше...

— Папочка, да какое же это имеет значение? — она увидела волнение Павла Алексеевича, и вся ее детская любовь к нему, как солнышко в небо, взошла в ней в эту минуту...

Она обхватила его лысую круглую голову, поцеловала в мохнатые брови, в нос. Вдохнула его родной запах, который всегда ей так нравился, — смесь медицины, войны и алкоголя, зажмурилась, зашептала:

— Какой еще Флотов, какой еще Пароходов... Ты с ума сошел... Ты мой самый настоящий, самый любимый слон, папка, дурак старый... Мы с тобой похожи ужасно, ты мое самое во мне лучшее... Прости, что я вас бросила... я люблю тебя ужасно и маму люблю. Я только жить с вами не могу... Папка, я беременна, я рожу скоро тебе внука... Здорово, да?

У него никогда не было своих детей. Об этой минуте он знал понаслышке, хотя много раз жаждущие детей мужчины узнавали об этом событии от него и именно благодаря его полубожественному участию и становились отцами. Его приемная дочь сообщила ему, что родит, и грудь его наполнилась горячим воздухом счастья, а будущий ребенок оказался в единый миг и желанным, и долгожданным.

— Доченька моя, неужели вот до чего мы дожили... Неужели я приму внука? — старческим, расслабленным голосом сказал Павел Алексеевич, и Таня вдруг увидела, как он сдал за последние годы, и, окончательно расчувствовавшись и тут же на себя за это рассердившись, вздернулась:

— А почему ты не спросил, за кого я выхожу? Я выхожу за братьев Гольдбергов.

— Да какая разница? Пусть за Гольдбергов. Главное, чтобы ты была счастлива, — он действительно с трудом различал братьев и всегда подшучивал, что один из братьев немного умнее, а другой немного красивее, но он всегда забывает, кто именно...

Никакого подвоха в этом сообщении он не почувствовал. После многих лет жизни под горку, вниз — и дома, и на службе, — он впервые ощутил подъем радости: Таня от него не отказалась, и обещано было обновление всей жизни через ребенка, который будет его и Илюшиным внуком. Не чудо ли?

— Да, вот тебе извещение о наследстве, — он протянул ей конверт. — Твой отец Флотов, как выяснилось недавно, не погиб тогда на фронте, а попал каким-то образом в Аргентину и умер сравнительно недавно. Наследников разыскивают.

— Он что, только после смерти обо мне вспомнил? А раньше? Нет, пап, я не хочу ничего. Мне не нужно, — она отодвинула от себя конверт и никогда в жизни об этом не вспомнила...

12

В середине июля Гольдберги женились: Виталька в московском Дворце бракосочетаний расписался с Таней, Илья Иосифович в мордовской зоне зарегистрировал брак с Валентиной.

В лагере обошлось без декоративных свидетелей — только начальник по режиму и приехавший из Москвы адвокат, который и добился разрешения на тюремный брак. Брак Виталика и Тани был засвидетельствован Геной и Томой. Невестой выглядела Тома — в розовом платье и белых туфлях на трудных каблуках. Таня и не думала принаряжаться, но нельзя сказать, что она полностью проигнорировала особенность момента — отметила покупкой трех совершенно одинаковых мужских рубашек в желто-белую полоску, и выглядели они в этих рубашках как детдомовские: коротко стриженные, худые, одинаково одетые и одного роста — сто семьдесят сантиметров.

Тома была разочарована — ни свадьбы, ни подарков, ни веселья. Ей хотелось богатой торжественности и большого гулянья, но именно этого как раз и не выносила Таня. Единственный свадебный подарок, апельсиново-розовая орхидея, за которой Тома ездила накануне к знакомой в Ботанический сад, заменила архаический флердоранж. Этот несделанный фотоснимок — братья Гольдберги и Таня между ними с вялой нетвердой веткой, склонившей три больших цветка, львиные головы с гривами, пастями и лопастями более светлого нимба, редкость из редкостей, — сохранился на всю жизнь в Томиной памяти.

Впрочем, еще один подарок получил Виталик. Когда новобрачным выписали на радужной бумаге свидетельство о браке, Таня достала из кармана желто-белой рубашки сложенную вдвое справку из женской консультации — о беременности сроком в восемнадцать недель. Два эти документа в совокупности давали право на отсрочку от прохождения армейской службы.

Отвергнув решительно и последовательно все казенные услуги, от марша Мендельсона до дорогостоящего шампанского и ограничившись лишь напыщенным поздравлением мордюковообразной сотрудницы под красным знаменем, в красном же костюме и с красной атласной лентой через жирное тулово, ребята вышли на парадные ступени Дворца, присели и выпили из горлышка бутылку рублевой кислятины «Ркацители», после чего Гена проголосовал проезжающему мимо такси, они с Таней сели в него и уехали.

Ошеломленная Тома, не осведомленная об истинном положении дел, спросила у меланхоличного молодого мужа:

— Куда это они?

— Да в Обнинск. Она там собиралась недельку пожить...

В Обнинске Таня прожила не недельку, а целых две. Вернулась в Москву, сразу же поехала домой. Соскучилась.

Елену нашла все в прежнем состоянии, но очень бледной и вялой, и даже попыталась уговорить ее выйти на улицу, погулять. Елена этого предложения так испугалась, что начавшийся было связный разговор сразу застопорился, и она залепетала жалкие нескладные слова:

— Если вас не затруднит... Нельзя ли мне туда... Надо спросить у ПА. Не правда ли?

Таня ужаснулась — болезнь матери была какая-то особая, ни на что не похожая, и привыкнуть к этому было невозможно.

Потом пришел Павел Алексеевич, обрадовался отдельно Тане, отдельно ее тронувшемуся в рост животу:

— Идем, расскажу тебе про нашего мальчика.

Оба они ни на минуту не сомневались, что родится у Тани именно мальчик, и Таня всякий раз, когда они встречались, просила отца рассказывать ей, как ребенок должен сейчас выглядеть

Она уселась на кушетку, поджав ноги и расстегнув пуговицу джинсов. Он сел на круглый табурет рядом с Таней.

— Ну, расскажи, — попросила она.

— Значит, так. Во-первых, я уверен, что он уже что-то чувствует. По народным представлениям, душка в него влагается на середине беременности. То есть двигаться и чувствовать он начинает одновременно.

— Ну нет, я гораздо раньше чувствовала, как он пальчиком изнутри по мне водит, — возразила Таня.

— Ну, значит, наш мальчик раннего развития. Я же тебе про средний случай рассказываю. Твой малыш сейчас плавает и понятия не имеет, где верх, где низ. Он вот такой, сантиметров тридцать. Головка большая, покрыта шерсткой, и, если раньше она была белесая, теперь она потемнела. Он довольно рослый, набрал больше половины своего роста, а весу всего фунта полтора. Худенький. И кожа у него сейчас морщинистая, подкожного жира нет. Но ему сейчас не до жиру. Покрыт пушком, и уже образуется смазка. Личико приобрело определенные черты. Он уже похож на тебя, я надеюсь, на тебя. Но самая главная работа происходит сейчас в нервной системе. Чтобы все его органы начали работать, нужна очень сложная программа. Она сейчас образуется. Как — не знаю. И не спрашивай. Никто не знает.

Я очень многого не знаю из того, что там происходит. Но кое-что — знаю. Мне кажется, что он уже обладает самосознанием, именно в эти дни зародилось у него чувство Я. Ощущение отдельности себя от остального мира. А остальной мир — это ты, моя радость. Потому что никакой другой мир ему до рождения не будет ведом. С мужчинами такого не бывает. Мужчина никогда не бывает космосом. А беременная женщина во второй половине беременности, по крайней мере, представляет собой закрытый космос для другого человеческого существа. Знаешь, дорогая моя, мне всегда казалось совершенно естественным существование таких видов животных, у которых самка погибает немедленно после рождения потомства. Космос рождает космос, на что же нужен ущербный мир? Это я так, глупости говорю. Он плавает сейчас, как лодка на привязи, туда-сюда. Подвешен на кордоне, на пупочном канатике, и слушает, наверное, как плотные волны ходят, густая влага обтекает его бока, поджатые ноги. Они у него скрещены, он почти в позе лотоса. И ногти на ногах уже завязываются. Ушная раковина сформировалась, но она еще кожистая, хряща нет. И, знаешь, ушки довольно большие у него. Интересно, слышит ли он то, о чем мы говорим. Знаешь, я этого не исключаю. Твоя мама уверена была, что большая часть того, что она знала, даже про свое черчение, она узнала еще до рождения. Про себя я ничего такого сказать не могу. Но ведь мужчины существа более грубо организованные, чем женщины. В биологическом смысле женщина, как я думаю, существо более совершенное. Я думаю, что наш мальчик уже испытывает смену настроений. Иногда он бывает недоволен, иногда радуется. Например, ты съешь что-нибудь вкусное, и часа через полтора до него доходит вкус клубники или винограда.

— А он уже улыбается? — перебила Таня отца.

— Не думаю. Мимические мышцы начинают работать позже. Вообще, по моему наблюдению, у младенцев мимика довольно бедная и несколько хаотическая. Я хорошо знаю некоторое их общее выражение — сосредоточенности и замкнутости...

— А какое ему можно доставить удовольствие, как ты думаешь? Может, сводить его на концерт?

— Ты доставляй сама себе побольше удовольствий, я думаю, что и ему это будет приятно, — посоветовал Павел Алексеевич дочери. Он и представить себе не мог, в какую сторону уведет Таню его невинная рекомендация.

13

Коза получила наследство от старшей из тетушек и немедленно забодала его. Вернее, забодала она только упаковку, толстую серебряную шкатулку Фаберже, с псевдогреческим женским профилем и тремя желтыми алмазами на крышке. Шкатулка была позднего модерна, вычурная, воплощала собой представление лакея о настоящей роскоши. Зато содержимое шкатулки, прелестные украшения из жемчуга и аметистов, не очень большой ценности, но чудесной работы, имело родословную: свадебный подарок прабабушке от одного из князей Юсуповых.

За шкатулку Козе заплатили большие деньги, приблизительно одну сотую той суммы, за которую она ушла впоследствии на аукционе в Лондоне. Но этого Коза никогда не узнала, а пятьсот рублей были о-го-го какие деньги. Получив их с рук на руки от знакомого директора комиссионного магазина, она взяла такси, поехала на наемную дачу, где маялся с двумя оставшимися тетушками и родной бабушкой, матерью Козы, ее сын Миша, забрала ребенка и, переплатив чуть не вдвое, купила билеты на юг.

Таня пришла к ней на следующий день, утром, соскучившись по ее веселой болтовне. До отъезда оставалось еще часов шесть, и Коза соблазнила Таню ехать вместе.

— Билеты не проблема. В крайнем случае, устроим тебя у проводника, — Коза помахала перед носом Тани толстенькой пачкой денег.

В восьмом часу вечера они сели в поезд, а еще через час, когда мелкие дачные станции, подморгнув поезду, остались позади, они, переворошив весь вагон, уже сменялись в одно купе и расположились в нем со всей возможной роскошью. Среди Козьих дарований была способность мгновенно обживаться, и она, не жалея сил, тащила с собой целый чемодан лишних, с точки зрения Тани, вещей: скатерки-салфетки, домашние чашки, даже медную ручную мельницу для кофе... В Таниной тощей сумке болтался купальник, кое-какое белишко и широченный сарафан с запасом на будущий живот. Даже полотенце она не взяла, намереваясь купить его на месте...

Что это было за место, куда они ехали, тоже было не совсем известно. Заходившая к Козе накануне заказчица-артистка, демонстрируя густой красноватый загар, обливший даже подмышечные ямки и изнанку ляжек, расхваливала Днестровские лиманы, откуда только что приехала. Коза, белокожая и веснушчатая, всю жизнь плохо загоравшая, впала в острую зависть, решилась отведать того же лиманского солнца, и теперь они ехали в те приблизительно места, которые проклинал ссыльный Овидий...

Путь их лежал через Одессу. В Одессе, на перевалочном пункте, их должна была встретить мать одной из Викиных подружек, устроить у себя на ночевку и отправить на следующий день дальше автобусом, через Аккерман на песчаную косу между лиманом и берегом моря...

Приехали в Одессу под вечер. Их встретила огромная, размером с диван, тетка, Зинаида Никифоровна, обитая шелковой цветастой тканью. Грудастая Коза рядом с ней казалась воробышком, и тетка сразу же прониклась к ним снисходительной нежностью. Она поволокла их «на фатеру», в две смежные комнаты коммунальной квартиры, знавшей лучшие времена. Зеркало в золоченой раме занимало простенок между двумя венецианскими окнами и отражало шеренги трехлитровых банок с заживо сваренными нежными фруктами, предназначенными к скоростному хрумкому пожиранию. Дом ломился от еды и питья, и «щирая» хозяйка, не дав умыться, стала метать на стол... Мишка засыпал над тарелкой, и Зинаида Никифоровна, разочарованно махнув на него рукой, велела его укладывать. Как у всех приморских жителей, у нее был запас раскладушек и постельного белья для немереных приезжих родственников. Пока хозяйка стелила Мише на раскладушке в смежной комнате, Коза шепнула Тане:

— Ну, мы попали...

Но они не догадывались, какие приключения их еще ожидали.

Мишка мгновенно уснул. Зинаида Никифоровна объявила им, что все зовут ее просто «мамой Зиной», что сейчас она должна идти на работу и предлагает им пройтись по вечерней Одессе, потому что другого такого города нет на свете...

Они вышли на затопленный людским наводнением бульвар, ощущая избыточную густоту южного вечера, теплый воздух, сплющенный громкими ржущими голосами, волны пищевых и пивных запахов, слегка приправленные блевотиной. Поверх всего этого плыла одесско-советская радиомузыка, блатная, хамская, но не лишенная обаяния.

Дерибасовская толпа почтительно обтекала маму Зину, разбивалась перед ее головогрудью на два рукава, а Таня с Викой, пришвартовавшись к ее мощным бокам справа и слева, изредка переглядывались, еле сдерживая смех. Дело в том, что мама Зина, не закрывая золотозубого рта, говорила о литературной Одессе.

— Возьмем Бабеля и Ильфа—Петрова, и даже возьмем Багрицкого и Катаева, и пусть даже эту Маргариту Алигер и Веру Инбер. И если их вычтем, что у них останется? Нам нужен их Шолохов? Нужен их Фадеев? Бунин здесь жил. Даже Пушкин говорил за Одессу! Вот здесь! — провозгласила она, остановившись перед респектабельным входом гостиницы «Лондонская». — Здесь я работаю. И мы пойдем со служебного входа.

Это был клуб моряков. Интернациональный. Валютный. Ночной... И мама Зина здесь стояла на пиве...

— Эти — со мной, — сказала она, втискиваясь к узкий коридор, белесому сундукообразному мужику, вывернувшемуся из темного угла. Он кивнул. Они вошли в зал. Там было военное затемнение и тихо играл пианист. Несколько моряков, не успевших еще набраться, лениво пили пиво, две крашеные шалавы сидели за угловым столиком и шикарно тянули что-то через соломинки.

Разговаривали тихо, рыбой не воняло. Даже мама Зина как будто частично потерялась за отдельной пивной стойкой. Пиво было отечественное, а деньги самые настоящие, валютные. На такую работу не всякого ставили, только самых доверенных. Мама Зина такой и была — по всем швам прощупанная органами, до самой матки, с довоенных еще времен, партизанка, подпольщица. Она и здесь своим партийным глазом приглядывала за порядком. Что же касается этих девчонок, подружек ее дочери, удравшей в столицу, пусть посидят, поглазеют, с морячками погуляют, потанцуют...

Пианист наигрывал тихонько что-то ненашенское, но по-своему душевное. Раньше Зинаиде Никифоровне не нравилась эта новомодная музыка, а потом стала нравиться. Джаз здесь играл.

Пришел ударник, расставил свои барабаны. Начал пристукивать. Самый заводной был с трубой. Но он запаздывал.

На улице темнело, в клубе же светлело. Прибавилось народу. Много здесь редко бывало.

Таню тянуло в сон. Пианино славно бренчало все одну и ту же мелодию, но с разных боков, музыкально довольно интересно, слегка дурманно, и неохота было вставать. Потом раздался трубный глас. Он прорезал фортепьянное бормотание драматичным и горьким звуком. Таня развернулась к эстраде. Невысокий, худой мальчик держал двумя руками саксофон, и казалось, что инструмент хочет вырваться, а он его от себя не отпускает. Какая это была мучительная музыка... от нее было сладко-больно, солоно-горько, печально-радостно... Это были импровизации по поводу старой пластинки Майлса Дэвиса «Около полуночи», и саксофон шел по драматичному следу Колтрейна, но Таня пока этого не знала.

Музыканты играли как будто немного вразнобой, ударник стоял на месте, пианист то уходил вперед, то призадерживался, а саксофон шел своей отдельной дорогой, и они иногда как будто случайно встречались, переговариваясь в точке встречи, и возникал вопросно-ответный диалог, непонятно о чем, но о важном... Они все играли точно и тонко, но саксофонист был лучше всех... Вокруг него вертелся ветер, развевая его прямые светлые волосы, и Тане все хотелось подставить лицо под звук его саксофона...

Она даже не заметила, как Коза ушла танцевать с иностранным морячком, хлипким и слишком интеллигентным для такой мужественной профессии. К Тане тоже подошел какой-то хмырь, она испуганно дернулась: нет, нет. Тот отошел. Коза все танцевала со своим хлипеньким и даже оживленно говорила что-то на немецко-французской смеси, кое-как совмещающейся с его англо-шведским...

«Зачем я тогда бросила музыку? Прав был отец: сидеть у рояля, она течет с твоих пальцев, а ты только вместилище, передаточный механизм между нотным листом и звуками... Не помню, почему бросила... Из-за Томочки, вот почему... Комсомольское сознание идиотки... Да и музыка была не та. Такую музыку, как эта, не бросила бы... Вот это и вот это, — отмечала она вздохи саксофона и сердцебиение ударника... — Почему меня поволокло в научную сухотку? Занималась бы музыкой... какой выразительный саксофон! Никогда не обращала внимание на то, что у него голосовая интонация. Или музыкант талантливый? Да, скорее всего...»

Швед проводил их до Зинаидиного дома. Они понравились друг другу, но ясно было, что в этот вечер и кончится все то, что не успело начаться. Он подарил Козе подарок, начатую записную книжку, в черной коже, шикарную. Больше у него ничего не было. На первой странице написал свой адрес. Рюне Свенсон. И все. Потому что наутро корабль его уходил бог весть куда и навсегда. Жаль было.

Дверь открыла Зинаидина сестра, которая жила в той же квартире и сторожила Мишкин сон. Когда вернулась мама Зина, работавшая до трех, все спали. Утром она проводила гостей на автобусную станцию, и они уехали по пыльной плоской дороге. Сидя в тряском и жарком автобусе, Таня вспомнила, что ночью ей снился сон со вчерашней музыкой, но крупней размером, и исполнялась она совершенно необычными по звучанию инструментами...

Одесса с пригородами кончилась минут через сорок, началась пыльная ухабистая дорога, поля, убитые жарой, сгоревшая кукуруза и ковыль. Первой растрясло Козу, она накануне увлеклась со шведским товарищем не только танцами, но и экзотического состава коктейлями, которые в ее русском желудке топорщились и без тряской дороги. Потом затошнило Мишку. Таня держалась всех крепче, но на третьем часу болтанки, годной разве что для тренировки космонавтов, а не для нежных существ, отчасти и беременных, и она расклеилась.

Вылезли они из автобуса у ряда беленых халуп, серых от пыли садов и помидорных огородов. Называлось это чудо природы поселок Курортное. Ни о каком «куре» не могло быть и речи. Были все те же пыльные поля, море категорически отсутствовало. Словом, кроме жары и свирепого солнца, не было ничего. У проходящей мимо тетки с ведром, полным помидоров, они спросили, где тут море.

— Да вона, — неопределенно махнула она. — А вы на квартиру?

— На квартиру.

И тетка повела их к себе. Но по дороге встретились еще две. Они остановились, быстро и не совсем понятно трещали на русском, но не вполне узнаваемом языке. После чего первая тетка передала их с рук на руки другой, и другая повела их в новом направлении. Обнаружились чахлые кипарисы, а за ними нечто курортное. Это был дом отдыха, позади которого снова произрастали беленые домики, и в один из них привели приезжих. Сняли отдельный домик в огороде, возле дощатой уборной и с жестяным умывальником, приколоченным огромным ржавым гвоздем к нелепой одинокой стене, оставшейся от разрушенного сарая. Вокруг домика простирались грядки с помидорами редкого сорта «бычье сердце» — лилово-багровыми огромными красавцами, скорее фруктами, чем овощами... Это и была единственная местная достопримечательность, лучший здешний деликатес, он же и почти единственная пища людей, свиней и кур. Из помидоров варили борщ, варенье, выпаривали из них пасту, сушили и гноили. В местном магазинчике, как выяснилось на следующий день, не было хлеба, масла, сыра, молока, творога, мяса и еще много чего, но продавалась низкосортная мука, растительное масло, рыбные консервы и шоколадные конфеты... Пока что, поев дорожных припасов, выданных мамой Зиной, они отправились искать море, которого до сих пор еще не видели и про которое хозяйка, махнув рукой, сказала:

— Да вона!

Они пошли в указанном направлении по выбитой среди ковылей тропинке и дошли до крутого обрыва. Земля кончилась, началось море. Оно невидимо и неслышимо плескалось далеко под ногами и плавно переходило в небо в сером слепом мареве, без намека на линию горизонта.

Вниз шла земляная лестница, кое-где укрепленная шестами. Таня с Козой свели по ней упирающегося Мишку, который был трусоват и довольно неповоротлив. Одолев метров тридцать осыпающихся ступеней, оказались на песчаном берегу, совершенно безлюдном и трогательно-унылом, как берег необитаемого острова.

— Потряс, — сказала Коза.

— Конец света, — подтвердила Таня.

— Здесь ничего нет, — разочарованно заныл Мишка.

— Чего здесь нет? — удивилась Коза.

— Где мороженое продают, и вообще, — объяснил Мишка свое недоумение.

Море было мелкое, теплое, серое... Прикидывалось смирным, ручным, как будто это не оно обрушило здешний берег своими осенними штормами и отъело у здешних мест многие километры бесплодной, но твердой земли...

Они купались, учили Мишку плавать, построили лабиринт из мокрого песка, потом заснули и проснулись под вечер, когда солнце утихомирилось и с моря подул ветерок...

Хозяйка, повариха из местного дома отдыха, оказалась просто клад. Она отвела их вечером на кухню, показала погреб, где на полке стояли в стеклянных банках залитые соленой водой куски сливочного масла и пирамиды из тушенки, насущного хлеба советского человека.

— Берите, потом рассчитаемся. Вы с дитем, — великодушно предложила хозяйка.

Отдых устраивался шикарно: за всю жизнь они не съели такого количества свиной тушенки и сливочного масла, сколько за эти странные две недели южного отдыха. О помидорах и говорить нечего — после этого лета они узнали, что тот продукт, который продают под именем помидоров во всех других местах, не имеет к ним никакого отношения.

Однако главное открытие они сделали еще через три

дня, когда, наглядевшись на печальное, еле живое море, вышли наконец к лиману.

Песчаная коса, местами поросшая тростником и полынью, тянулась на много километров, омываемая с одной стороны все тем же вялым морем, а с другой — стоячей водой лимана, вернее, одной из его длинных стариц, при весеннем многоводье соединяющейся с основным руслом, а на большую часть года отрезанной. Весь здешний край удивительным образом напоминал эту небольшую косу: заброшенный, почти безымянный, отрезанный от собственной истории и чуждый настоящему времени. Это была окраина бессарабских степей, площадка древнего мира, истоптанная скифами, гетами, сарматами и прочими безымянными племенами. Некогда окраина Римской империи, теперь пустошь другой, современной империи. Несчастливая, покинутая всеми богами, родина белесого ковыля и мелкой душной пыли...

Уже покрытые солнечными ожогами, Таня с Викой в длинных сарафанах, накрыв малиновые спины полотенцами, волокли за собой Мишку в пижамных штанах вдоль безлюдного берега, пытаясь найти место, где можно было бы укрыться от прямых солнечных лучей. Округлые, не доросшие до полноценного размера дюны тени не давали. В полдень никто, кроме приезжих, на улицу не выходил — местные люди жили по южным законам, норовили, вне зависимости от расписания работы, устроить в это время сиесту...

Нашли холмик с тремя кустами, под которыми дрожал намек на тень. Легли на горячем песке. В поперечнике коса в этом месте была метров в сто, тропа пролегала ближе к лиману, и, отдышавшись, они искупались в его пресной воде. Вода была мало сказать теплая — горячая. Нашли привязанную в камышах полузатопленную лодку, которая надолго заняла Мишку. Утки с подросшими утятами сновали вдоль берега, привычные к жаре, к теплой воде, к сытости. Мелководье кишело мальками — как в консервной банке с рыбными консервами. Только без томата. Заросли тростника полнились живым шуршанием, кто-то там сновал, шебаршился, издавал звуки. На маленькой песчаной отмели наследили неведомые разнокалиберные лапы, и Мишка склонился над ними, изучая письмена.

Таня сложила руки на животе, постучала пальцем:

— Тебе хорошо? Ты доволен?

И поняла, что да, хорошо...

Запасливая Коза, тащившая с собой, кроме воды и еды, еще и пухлый том, пристроила голову в жидкой тени и раскрыла книгу. Стала читать вслух:

— «Он подумал, что горы и облака имеют совершенно одинаковый вид и что особенная красота снеговых гор, о которой ему толковали, есть такая же выдумка, как музыка Баха и любовь к женщине, в которые он не верил, — и он перестал дожидаться гор. Но на другой день, рано утром, он проснулся от свежести в своей перекладной и равнодушно взглянул направо. Утро было совершенно ясное. Вдруг он увидел — шагах в двадцати от себя, как ему показалось в первую минуту, — чисто-белые громады с их нежными очертаниями и причудливую отчетливую воздушную линию их вершин и далекого неба. И когда он понял всю даль между ним и горами и небом, всю громадность гор, и когда почувствовалась ему вся бесконечность этой красоты, он испугался, что это призрак, сон. Он встряхнулся, чтобы проснуться...»

Таня заглянула через плечо:

— Толстой? Перечитываешь? Зачем?

— Честное слово, не знаю. Тянет. Почти каждый год, обязательно летом. Вот так, на пляже. В поезде... Во саду ли, в огороде... Вроде как родственника навестить. Из чувства долга. Но и по любви тоже. И скучновато. И необходимо.

— Да, да. Знаю. И мама моя вот так же всю жизнь Толстого читала. Ее отец, мой дед, был толстовец или что-то в этом роде. Его расстреляли.

— Да что ты? Толстовцев тоже брали? — удивилась Коза.

— А как же? Обязательно... — она закрыла глаза. Увидела неожиданно яркую картину — чисто-белые громады с их нежными очертаниями и причудливую отчетливую воздушную линию их вершин и далекого неба... — Я не люблю его. Нет, не так. Вот он пишет, что не верит в музыку Баха, в любовь женщин, в красоту гор, и ты с ним готов согласиться. А он — раз! — напишет вдруг три предложения о красоте гор, так что бьет тебе по глазам... И все переворачивается...

Она перекатилась со спины на живот, уперлась локтем в песок:

— Спасибо тебе, что ты меня в эту дыру вытащила. Место, конечно, потрясающее... Безлюдье...

В действительности отдыхающих было довольно много, их можно было наблюдать по утрам на местном базарчике — жители Запорожья, Донецка, Кишинева. Особенно много отдыхающих подъезжало к концу недели. Но все они дружно группировались на двух пляжах — санаторном и, как его называли, общем... Молдаване с вислыми усами, украинские шахтеры, багровым загаром наспех покрывающие затемненные угольной пылью лица, их полнотелые жены и орущие дети раскладывали домашние припасы на прибрежной загаженной полосе, выпивали теплую водку, играли в круговой волейбол, плескались в мелководье и уезжали, оставив после себя смердящие горы отбросов, смываемые очистительными осенне-зимними штормами. Кем бы они себя ни называли, они были истинными потомками исчезнувшего варварского мира.

Ни песчаная коса, ни дикий морской берег под лестницей никого не интересовали. Миновав унавоженный общий пляж, Таня со своими спутниками выходила на косу, и уже через двести метров совершенно исчезали остатки варварской стоянки. А уж если, следуя за изгибом косы, они проходили три-четыре километра, то оказывались в таком отдалении, в такой необитаемости, что и вообразить невозможно...

Во вторую субботу их пребывания на лимане, уже отболев ожогами, они забрались на самую середину косы, где сохранились развалины неопределенного каменного строения. Вероятно, зимние волны достигали этих развалин, а приезжающие народы — нет, и оттого ни битых бутылок, ни консервных банок не водилось в корнях жалких кустиков, выросших под прикрытием нагроможденных камней... Подошли поближе и увидели там укромно между камней натянутый из простыни тент, а под тентом несколько молодых людей.

— Музыканты из клуба, — бросив беглый взгляд в их сторону, тут же узнала Таня.

— Какого клуба? — удивилась Коза.

— Ну, морского, где наша мама Зина...

— Я на них и внимания не обратила. У тебя, Тань, потрясающая зрительная память. Как ты запомнила? — удивилась Коза.

Пианист, самый из них старший, толстоносый и мохноногий, махал им приветливо рукой:

— Welcome, ladies, welcome!

Все звали его Гариком, но имя у него было другое — труднопроизносимое армянское, и когда он выпивал первую рюмку чего угодно, то немедленно переходил на английский, который знал особым джазовым образом: исключительно через музыкальные термины и тексты классических блюзов. Джазисты были сплошь чокнутые люди в те времена, но среди Таниных друзей таковых до сегодняшнего дня не водилось. Саксофонист сидел почти спиной, но Таня узнала его по светлым прямым волосам такой длины, которая в те годы считалась вызовом общественному спокойствию. Он оглянулся, посмотрел на Таню, и она немедленно схватилась за живот — ребенок взбрыкнул с необыкновенной силой.

— Ты чего? — спросила его Таня.

Он бултыхнулся еще раз и затих.

Все в порядке.

Таня с Козой еще раздумывали, стоит ли свернуть в их сторону или сделать вид, что они идут своим путем, но Мишка уже подбежал к музыкантам и сообщил:

— А вы на нашем месте сидите. Мы здесь всегда...

И они не прошли мимо, остановились... Эти десять метров, что отделяли Таню от саксофониста, были как будто сделаны рапидом: он поднял к виску замедленную руку, прядь волос шевельнулась длинным томительным движением. Он коснулся волос, замер, медленно повел шеей, улыбнулся углами губ, и они потекли вверх, и открылись крупные верхние зубы, и мелкие нижние, как у молодого щенка. И это все было крупным кадром, с увеличением. Он улыбался Тане, он смотрел на нее все тем же замедленным взглядом, и Таня уже тогда, кажется, догадалась, что в эту минуту совершается ее судьба.

Музыканты были пьяны, но в меру. Вечером они должны были играть в местном доме отдыха и соблюдали рабочую норму. Они играли вместе уже полгода и отлично знали, до какой поры вино музыку улучшает, а с какого момента разрушает. Попивали кисленькое. Гарик запал на Козу. Ударник стал клеиться к Тане. Таня глаз не сводила с саксофониста. В шесть часов, когда солнечный жар ослабел, все вместе двинулись в сторону дома отдыха. При въезде на косу ребята оставили машину. Коза с Мишкой пошли домой ужинать. Таня втиснулась на заднее сиденье и поехала с музыкантами. Сергей ей ужасно понравился. Как никто и никогда.

Концерт прошел с большим успехом. После концерта долго танцевали, уже под магнитофонную музыку. И все музыканты сильно напились. Сергей не танцевал. Они сидели за самодельной эстрадой и целовались до одури, пока он не сказал ей, что ему отведена здесь какая-то комната, но номера он не помнит. Однако на ключе была приколота клеенчатая бирка с фиолетовой цифрой 16.

14

Таня не проснулась — очнулась: двухместный номер, убогая комната с парой деревянных кроватей и тумбочкой между ними, был наполнен горячим густым светом, как аквариум водой. Никаких мелких движений, легкой дрожи и суетни, какие бывают ранним утром. Было так тихо, как бывает только в полдень, в час, когда солнце в зените. Миг замирания — это был он.

— И я в зените, — улыбнулась Таня, положила ладони на выпуклый живот и погладила его с боков. — Мы в зените!

Вершина жизни, вершина горы и гора ее живота — все это было в родстве между собой.

— Ты чувствуешь? — спросила она у живота. — Ты чувствуешь, мы с тобой влюбились...

Живот почему-то был ее сообщником. Она посмотрела на спящего рядом Сергея. Руки его она разглядела еще с вечера: небольшие, с загибающимися вверх последними фалангами, с увеличенными суставами в поперечных складках кожи, ногти с белыми пятнышками, означающими не то дефицит какого-то витамина, не то нежданный подарок, заготовленный судьбой... Она покосилась — рука эта, доверчиво развернувшись вверх ладонью, лежала на ее плече. В середине мякоти венериного бугра она нашла глубокий шрам. Еще один был на предплечье. Было еще много подробностей у этого мальчишеского тела, которые она не успела заметить с вечера, но заранее полюбила. Большой палец на ноге сильно выдавался вперед, ступня небольшая и узкая, как у женщины. Ворс густых белых волос на голени... лежит на боку, одна нога согнута в колене. В укромной тени, среди светлых завитков, скромное спящее орудие, и совершенно не безликое — прежде Тане казалось, что мужские члены слегка различаются по величине, в остальном же предметы совершенно одинаковые. Этот был с характерным изгибом, повторяющим линию губ, и выражал простодушие и способность к самозабвению... Таня тронула рукой молочно-белую кожу, маленький лоскуток на бедре, не покрытый загаром. Кожа по-женски нежная. Грудь покрыта мягкой порослью, светлой, как выгоревший мох.

Она потрогала шрам на ладони. «Это будет мое любимое место».

Он пошарил второй рукой возле себя, придвинул ее к себе:

— Ты куда? Не уходи...

— Никогда, — засмеялась Таня. — А в уборную можно?

— Ни за что.

Он прижал ее к себе — все сходилось замечательно. Никогда прежде он не испытывал такого совпадения. Не открывая глаз, он спросил ее:

— Ты откуда взялась?

— Да ниоткуда. Я всегда была, — засмеялась Таня.

— Видимо, да, — согласился он, ощупывая руками шею, грудь, живот.

— Открой глаза, — попросила Таня.

— Боюсь, — улыбнулся он, но глаза открыл.

— Ну и как? — Таня приподнялась и слегка отстранилась.

— Отлично, — успокоил он ее, а может, и себя. — Все было отлично, только я совершенно твоего лица не запомнил. У меня, знаешь, однажды на этом месте такая травма была. Проснулся, а рядом...

Таня зажала ему рот рукой:

— Забудь. Все, что было раньше, немедленно забудь. Ты Сергей, я Таня, остальное не имеет значения.

Сергей засмеялся:

— Хорошо. Но вообще-то у меня жена есть.

— А у меня муж. Даже два. И скоро будет ребенок...

— В каком смысле? — Сергей привстал, опершись на локоть.

Таня взяла его руку и положила на живот:

— Месяца через три, три с половиной.

Живот был тугой, наполненный. Сергей отдернул руку, как будто обжегся о чайник:

— Ты даешь... Такого со мной еще не было...

— И со мной, — засмеялась Таня. — Всегда бывает первый раз... Ты у меня в первый раз.

Он встал и пошел в душ. Он постоял под жидкой теплой струей несколько минут. Попил из ладоней противной воды.

«Дурная девка. Сейчас же прогоню», — решил он и вышел из душа. Она уже стояла возле двери и тут же проскользнула внутрь. Фигура у нее была чудесная, и грудь, и талия. Живот был небольшой, но вполне заметный.

Он снова лег в постель. Закурил.

— Одевайся и уходи, — попросил он ее, когда она села рядом с ним на кровати.

Она покачала головой:

— Чего ты испугался? Все в порядке. Никуда я не уйду от тебя.

— Там в тебе ребенок, я же могу ему нарушить что-нибудь. Тебе вообще-то трахаться можно в таком положении?

— А тебе показалось, что нельзя?

— Мне не показалось. Я просто не заметил.

— А я думаю, что очень даже можно. Я вообще и на югто поехала, чтобы ему удовольствие доставить, — она прихватила живот руками.

— В каком это смысле?

Таня засмеялась:

— Поплавать, на солнышке поваляться.

Она нырнула в постель, под простыню, обхватила его за шею:

— Все, что нравится мне, нравится и ему. Честное слово.

Она была чудесная девочка, и испуг его прошел, а желание — осталось.

И даже, пожалуй, была особая привлекательность в этом ее тугом животе, натянутых сосках и усиленной женственности, проистекавшей из ее беременности. Весь день они провели в номере, вышли только один раз за минеральной водой...

Вечером музыканты дали второй концерт, и Таня ни на минуту не отрывалась от Сережиной музыки, которая была продолжением их новенькой любви, потом переночевали, наутро получили очень приличные деньги за выступления и уехали. Таня, забежав на минуту к Козе, прихватила дорожную сумку, коснулась скользящим поцелуем Мишкиной макушки и Викиной щеки и исчезла из поля зрения Козы навсегда.

15

С половины лета до поздней осени длились гастроли джазового трио. Они называли себя ГАЗ — Габриелян, Александров, Зворыкин. Это был их первый совместный год, они учились быть единым организмом, и у них только-только начало получаться. Что ни день, они совершали открытия. Хотя от всегдашней привычки к питью они не отказались, но, в сущности, пьянели не от вина, а от неслыханного кайфа возникающей из-под рук музыки. Старшим — и ведущим мотором всего предприятия — был Гарик Габриелян, единственный из них профессионал, изгнанный из Ленинградской консерватории с последнего курса, совершающий головокружительный побег из замка классической красоты в вольные области джазовой импровизации. Ударник Александров, отставной инженер, сумасшедший с экзотическими идеями, помешанный в то время на левитации, но имеющий также нездоровое влечение к снежному человеку, инопланетянам и внеземным цивилизациям, вовсю выстукивал на четырех гулких барабанах, множестве погремушек и трещоток позывные к неведомым силам. Он убеждал всех, что при правильно поставленной перкуссионной технике полет столь же естественное для человека действие, как, например, плавание. Плавать, кстати, он так и не научился. Семью годами позже он набрел на золотую жилу шаманизма и улетел-таки в запредел прямо с больничной койки занюханной психиатрической больницы на окраине Ленинграда...

Саксофонист Сергей Зворыкин тоже был из породы музыкальных маньяков. Он бросил к этому времени Технологический институт, насмерть разругался с отцом, профессором партийных наук, ушел из дому и женился на сорокалетней отставной балерине, чем вбил последний гвоздь в гроб своей репутации нормального человека. Таков был Танин избранник и его друзья. Оказалось, что они и есть те самые люди, по которым так тосковала Таня: не врачи, вроде отца, самого из всех лучшего, не ученые, вроде Марлены Сергеевны, вооруженные ножничками и пинцетами для ковыряния в глубине беременной крысиной матки, не диссиденты, настырные и вдохновенные, вроде старого Гольдберга и его сыновей, не шумная и бестолковая полубогема Вики-Козы, а именно эти мало и плохо разговаривающие, расплывчато думающие, да и вообще не думающие ни о каких животрепещущих проблемах, моральных, социальных и политических, пришлись Тане по сердцу. Они ничего не делали, ничего не добивались и никуда не стремились — они просто играли свою музыку, играли в свою музыку, доверяли ей говорить за себя и радовались, что у нее, у музыки, так здорово получается...

Таня вслушивалась: не только на репетициях и на концертах, но и во все остальное время, с утра до ночи, с ночи до утра. Оказалось, что музыка звучит непрерывно, а не только в те минуты, когда бьют по клавишам или дудят в трубы.

Она рассказала о своем открытии Сергею. Он только головой покачал:

— Ну конечно. И во сне тоже. Даже особенно...

Таня напрягла память, или воображение, или еще какой-то орган, отвечающий за ночную жизнь сознания, и вспомнила: да, и во сне есть музыка, только ее невозможно упомнить... С того дня, как она это осознала, параллельно действию, в котором она принимала участие, побежала звуковая дорожка, непрерывная и все время меняющаяся, как вид из окна вагона, неотделимый от движения поезда...

Музыка, которую производили джазисты, была лишь составной частью того, что двигалось рядом, жило и пело в шорохах, всплесках, звуках человеческой речи, — но не в плоском смысле слов, а в тембрах голосов, их перекличках, в интонациях и ритмическом рисунке... Механические звуки и природные голоса моря, ветра, дождя, удаляясь и приближаясь, присутствовали то как фоновые шумы, то, набирая силу, вели основную партию... Эта длящаяся музыка не имела задуманного заранее плана, жила вне гармонического квадрата, была полна произвола или случайности, но все же была не звуковым хаосом, а именно музыкой, и, невзирая на свою непрерывность и бесконечность, выходила на каденции, завершаясь в логических точках и снова развиваясь почти от любой случайной ноты...

Когда Таня, лежа на теплом песке грязноватого пляжа, попыталась выразить это ощущение словесно, Сергей сухо кивнул:

— Алеаторика. Это называется алеаторика. В случайности заложено большое богатство возможностей.

— Как стеклышки в калейдоскопе? — оживилась Таня.

— Можно и так. Ты с Гариком поговори, он теорию музыки исключительно сечет, я-то все по дороге хватал.

— Все, ну совершенно все уже открыто, — огорчилась Таня. — Куда ни сунешься, все уже изучено, расписано...

— Дурочка ты, — засмеялся Сергей. Он погладил расплывшуюся горку ее твердого живота. — Ты не перегреешься? Давай-ка в тень, а?

За две недели он привык к Тане и к ее животу так, как будто прожил шесть лет с ней, а не с отставной балериной Эльвирой Полуэктовой, начисто лишенной женских выпуклостей и мягкостей, что, кстати сказать, очень ему нравилось.

Отыграв в Одессе еще две недели, трио собралось на Кавказ.

— Сначала мы посадим тебя в поезд, а потом уж двинем, — объявил Тане Гарик.

Таня попросила не отсылать ее, оставить до конца гастролей. Сергей добавил:

— Ну хоть на недельку, Гарик. В Сочи отработаем и отправим Татьяну уже из Сочи. И с билетами к тому времени будет полегче.

Это была чистая правда — билеты и на поезд, и на самолет в конце августа действительно достать было сложно.

— А пузо? — нахмурился Гарик. У него было двое детей, и он, единственный из всех, знал по собственному отцовскому опыту, что беременность неизменно оканчивается родами.

Таня сложила тонкие руки на животе:

— Гарик, миленький, да мне еще больше двух месяцев ходить... Не прогоняй меня. Я на что-нибудь вам пригожусь...

Гарик отмахнулся:

— Ты прям как Царевна-лягушка... В конце концов, это Серегино дело. Не мое.

Гарик был классическим кавказским бабником — считал своим священным долгом отдолбить всех толстогрудых блондинок и при этом боготворил свою умную и ученую жену, рано постаревшую грузинку с кандидатской степенью и нулевым бюстгальтером. Он готов был одобрить любой Серегин роман, тем более что балерину, манерную и глупую, он терпеть не мог, но Танина беременность ставила Гарика в тупик:

— Ты что, больной, Серега? Танька девчонка хорошая, но как ты ее ебешь с чужой начинкой, не понимаю.

А Сергея Танин живот страшно волновал. Брак его с Полуэктовой, отвлеченно-сексуальной и бесплодной, как камень, был заключен деловито и холодно: поначалу он снимал у нее комнату, потом стал приносить в дом кефир и выгуливать двух ее борзых, очутился как-то случайно в ее постели и женился демонстративно, чтоб доказать миру, а главным образом родителям свою полную ото всех независимость. Балерина на пенсии привлекла его когда-то своей полной непохожестью ни на что ему известное, Таня — полнейшим с ним сходством в восприятии мира, ходами мысли и поворотами чувства, и, главное, протестантской жаждой истины, что в практике жизни оборачивалось протестом к любой форме лжи, казенной или общежитейской.

— У нас с тобой полное совпадение на молекулярном уровне, — констатировала Таня удивительный факт, и Сергей соглашался.

Маленькое в середине Таниного живота совершенно ничему не мешало. Таня же утверждала, что сын ее радуется, потому что она нашла ему правильного отца. Сергей и тут не возражал.

Было и еще одно обстоятельство, глубоко интимное: Таня, несмотря на весь свой дерзкий кураж, с ребеночком, завязавшимся от благотворительного акта, трогательно-бесстыдно рассматривая анатомию мужчины — до чего в прежних своих опытах не снисходила, — простодушно призналась Сергею, что до этого лета не испытывала того нечеловеческого восторга, который испытывает любая живая тварь, от дождевого червя до гиппопотама: непосредственный результат трения слизистых оболочек и последующий мощный разряд центральной нервной системы.

— Это самое существенное различие между мужчиной и женщиной, что у мужчин получается с кем угодно и всегда, — сонно философствовала Таня.

— Ты ошибаешься, я знаю много женщин, у которых тоже получается всегда, — возражал Сергей.

— Но мне почему-то больше не хочется проверять, много ли на свете мужиков, с которыми у меня это получится. Пожалуй, я остановлюсь на тебе.

— Только ты имей в виду, что на мне уже остановились, — смеялся Сергей.

Время от времени Таня звонила в Москву, Витальке и отцу. До Обнинска дозвониться было невозможно: в лаборатории у Гены стоял один городской телефон на весь этаж, в общежитии дежурный по ночам к телефону не подзывал. А поговорить Таня хотела бы именно с Геной, рассказать, что влюбилась до полусмерти и возвращаться в Москву не собирается. Ни отцу, ни Витальке сказать такое она не решилась бы: Виталька слишком самолюбив, отец — логичен и серьезен. Он и так требовал немедленного возвращения, кричал в трубку, что конец седьмого месяца особенно опасен, что она рискует ребенком.

— Ему хорошо, папочка! И мне хорошо! Нам так хорошо! Мы еще немного здесь побудем! — Одной рукой она держала трубку, второй — Сережину руку.

— Выслать денег? — спрашивал Павел Алексеевич.

— Денег не надо. Никаких денег не присылай. Я послезавтра в Сухуми еду! — радостно кричала она, а Павел Алексеевич, окончив разговор, шел в кабинет пропустить успокоительный стаканчик. Он действительно очень тревожился: сложение у Тани было материнское, та же узость малого таза, опасность расхождения тазовых костей. Ей бы на сохранении полежать.

Павлу Алексеевичу и в голову не могло прийти, что она не вернется к родам в Москву, останется рожать в чужом городе, в неизвестные руки.

Но произошло все именно так. Гастроли, удачно начавшиеся в Ялте, с еще большим успехом прошедшие в Одессе, в Сочи достигли пика успеха. В Сухуми их приняли гораздо суше, в Батуми из четырех намеченных концертов они дали только два. Жаркая Аджария встретила их холодно, отчасти из-за начавшегося сбора мандаринов, и они уехали, прервав полулегальный договор. Гарик все порывался отправить ее домой, но она отговаривалась, пока он не махнул рукой.

За последний месяц Таня заметно отяжелела, ребенок то по нескольку дней не давал о себе знать, а то вдруг устраивал внутри такую возню, как будто там была целая детская компания. Ночами Сергей держал руки на ее животе и ощущал ладонью не то пятку, не то кулак, что-то брыкающееся и имеющее вполне ясные очертания.

— А я ведь двойню могу родить, — пугала Таня Сергея, но он был легкомыслен и беспечен:

— А какая разница? Двое так двое. Один серый, другой

белый, два веселых гуся, — хлопал он по вздувшемуся боку, прижимался губами к тонкой коже, растянувшейся изнутри от напора, и влечение его от прикосновения к живому дому будущего ребенка не только не угасало, а, напротив, все возрастало.

— Мне так нравится, мне ужасно нравится. Ты всегда будешь у меня ходить беременная и рожать все время... Как Наталья Николаевна... — Как все петербуржцы, фамилию жены поэта он не употреблял — и так ясно. — Это гадость ужасная аборты. Полуэктова в молодые годы каждые три месяца скреблась как нечего делать. Балетные не рожают. Мы с тобой никогда... никогда... так красиво. Осторожно... очень осторожно... Я не поврежу тебя...

До самого дня родов они не могли друг от друга оторваться.

В Москву Таня так и не вернулась. Прилетела в Питер в конце октября. Жить им было негде. На первое время поселились у Толи Александрова, ударника. Когда-то его семье выделили гостиную с тремя псевдоитальянскими окнами в барской квартире на углу Пестеля и Литейного, но гигантскую комнату давно уже перегородили деревянными стенами на четыре длинных пенала, с тремя четвертями окна в каждом. Правда, на Толю, после смерти матери и бабушки, приходилось целых две комнатушки, в одну из которых он запустил друзей. Деньги, заработанные в гастролях, быстро кончились, и жили они теперь одной бедняцкой семьей с Толей. Таня жарила картошку, стирала, убирала запущенные комнаты и слушала музыку, ту несмолкающую звуковую дорожку, которую научилась слышать во время их поездки...

В середине декабря «Скорая помощь» отвезла Таню в роддом. Ее не хотели принимать без документов из женской консультации. Единственное, что при ней было, паспорт с московской пропиской да родовые схватки. Пока в приемном отделении ее ругали за безответственность, отошли воды, и им ничего не оставалось, как уложить роженицу на каталку и отвезти в родильное отделение. Роды принимала одна из тех акушерок, которых в институте усовершенствования врачей обучал Павел Алексеевич, и, увидев наскоро написанный листок со знаменитой фамилией, акушерка спросила Таню, не родственница ли она доктору Кукоцкому. Узнав, что родная дочь, акушерка больше не отходила от нее ни на шаг и приняла на исходе десятого часа, что для первых родов хороший, и даже быстрый срок, маленькую девочку с довольно длинными черными волосиками.

Узнав, что родилась девочка, Таня горько заплакала. Никогда еще не испытывала она такого глубокого разочарования...

Акушерка, приняв роды, позвонила в Москву, разыскала домашний телефон Павла Алексеевича и поздравила с рождением внучки.

16

Павел Алексеевич положил телефонную трубку. Сердце вдруг опустело, замерло, а потом разразилось барабанной дробью.

«Ого, ударов сто восемьдесят, — прикинул он. — Пароксизмальная тахикардия...»

Потянулся за часами — половина пятого. Ночная девочка. Родилась между полуночью и поздним рассветом. Шестнадцатое декабря. Самые темные дни года. Близко к солнцевороту.

Секундная стрелка старых, с войны еще, швейцарских часов совершала свой мелочной бег, и Павел Алексеевич автоматически считал пульс. Сто девяносто ударов в минуту.

Спустил ноги с кровати. Сухие жилистые палки. Он ткнул пальцем в подъем — ни намека на отек.

«Ладно, слава богу, внучка родилась. Обиду — убрать. Мое огорчение не имеет никакого значения».

Он сидел довольно долго, ждал, пока ритм установится. «Скорее всего синусовая аритмия», — поставил Павел Алексеевич скорый диагноз.

Он встал и совершил ночной обход квартиры, обследовал дом, в котором прожил почти двадцать лет. Крупный, обритый наголо старик в старом солдатском белье, сгорбившись, прошел по коридору и зажег свет в прихожей: все было донельзя обшарпано. Сначала заглянул в девичью — там стояло две кровати. На одной спала Тома, на другой, Таниной, возвышалась гора неглаженого белья. В полутьме комнаты неприятно клубились темные массы листьев, пахло влажной землей...

Он свернул по коридору влево, заглянул в бывшую спальню, Еленину комнату. Сложный запах — больницы, пыли и какой-то горьковатой травы.

Грязно. В доме стало очень грязно. Василиса плохо видит, да и вообще толком убирать никогда не умела. Тома работает, учится, большая нагрузка на девочке. Надо позвать Прасковью, уборщицу из отделения. Впрочем, невозможно — Василиса обидится... Но ребенка в эту комнату не поселишь. Ко мне, в кабинет. Это оптимальный вариант. А у себя я и сам все вычищу. Кроватку посреди комнаты, места много. Пеленальный столик привезу из отделения. И оформлю сразу же пенсию... Как хорошо, что исполнилось уже шестьдесят пять...

Елена не спала. Она смотрела на темный силуэт в дверях. Свет бил из-за его спины, над головой и плечами образовалось подобие нимба.

— Это ты? — спросила Елена.

Павел Алексеевич сел у нее в ногах. Елена всегда любила спать на высоко взбитых подушках. Прежде, когда он спал на этой широкой кровати, ее подушки стояли торчком в левой части постели, а его, маленькая и плоская, лежала справа... Он просунул руку под одеяло, погладил ноги в шелковистых носочках.

— Мне только что позвонили из Ленинграда: Таня родила девочку.

— Нет, нет, — мягко перебила его Елена, — это я родила девочку.

— Таня выросла, вышла замуж и родила дочку, — повторил Павел Алексеевич.

В полумраке светло блеснули Еленины глаза:

— Слишком рано. Слишком темно. Где Танечка?

— В Ленинграде.

— Позови ее, пусть войдет сюда. Я ее давно не вижу... Она в школе?

— Танечка давным-давно школу окончила. Она в Ленинграде, родила дочку, — терпеливо повторял Павел Алексеевич.

— Говори другое, папа, — попросила его Елена. — Этого я не понимаю.

Павел Алексеевич подвинул круглый табурет к изголовью кровати. Молодая Мурка, устроившаяся под Елениной рукой, встрепенулась, открыла один глаз. Павел Алексеевич присел рядом с женой, взял ее за руку. Рука была сухая, прохладная, почти невесомая.

Много лет его звали ПА. На работе произносили «пе-а», потому что была такая мода — звать руководителей по их инициалам. Дома в лучшие их семейные годы его звали «па». Но теперь Павел Алексеевич усомнился, не принимает его Елена за своего отца. Подержал ее за руку, погладил по пушистым нечесаным волосам и решил не выяснять, за кого она его принимает. Не так уж это важно...

— Я поеду сейчас в Ленинград, посмотрю, как там обстоят дела, и постараюсь их привезти, — сообщил он Елене.

— Это хорошо, — вздохнула она. — Пусть Танечка войдет.

Павел Алексеевич продолжал, игнорируя неспособность Елены поддерживать связный диалог:

— Мне кажется, у нее какой-то конфликт с мужем. Может, он ее чем-то обидел, я не знаю. И спрашивать не собираюсь. Виталий звонил последний раз на прошлой неделе, спрашивал о Тане, я сказал, что она в Ленинграде, собирается скоро приехать, но адреса своего она мне не сообщила. А что ты думаешь по этому поводу?

Елена растерялась, забеспокоилась:

— Я не знаю, как ты считаешь... Ты сам... Я не...

— В любом случае, ей с ребенком лучше находиться дома, чем где бы то ни было, не так ли? — задал он вопрос, на который достаточно было и кивка головы.

Но Елена его уже не слышала. Она беспокойно шарила вокруг себя руками, и он догадался, что она искала убежавшую Мурку, в которой нуждалась всякий раз, когда попадала в затруднительное положение. Кошка сидела в кресле, поодаль. Он взял ее и переложил к Елене на кровать. Елена прижала ее обеими руками, улыбнулась. Она коснулась животного и словно покинула пространство спальни — взгляд ее не то чтобы сделался бессмысленным, но он сфокусировался где-то вовне, за пределами здешнего мира...

Павел Алексеевич посидел еще немного, потом вышел в кабинет и позвонил в справочную. Оказалось, что вполне успевает на дневной ленинградский поезд. Взял портфель, положил в него зубную щетку, белый халат и армейскую фляжку с разведенным спиртом, запас которого он всегда держал в доме. Решил никого не предупреждать, просто вечером позвонить из Ленинграда. О ночлеге он не беспокоился: был у него старый друг, у которого всегда мог остановиться, была и академическая гостиница на улице Халтурина, где место ему всегда предоставили бы... Он поехал на вокзал, неожиданно быстро купил билет и успел еще заехать в клинику: была там одна тяжелая женщина, на которую он хотел до отъезда взглянуть и дать относительно нее кое-какие указания лечащему врачу...

Ленинградский дневной шел бестолково долго, а у Павла Алексеевича даже книги с собой не оказалось. Он с любопытством разглядывал своих попутчиков, совсем молодую парочку, украдкой целовавшуюся, и прикидывал, старше ли они Тани... Вероятно, они были даже моложе... Пока не стемнело, смотрел в окно — приятное мелькание отвлекало от тягостных мыслей. В молодости для него было исключительно важным чувство собственной правоты, и многие его поступки определялись именно этим внутренним ощущением. Он был в растерянности: Таня поступила совсем уж никудышно. Надо признаться, что она бросила больную мать — без всяких объяснений. Теперь, с какой-то маниакальной последовательностью, она всех заставляет волноваться — мужа, отца, Василису, в конце концов... Безрассудно и безответственно рожает неизвестно где, неизвестно к кому пойдет с ребенком жить, на что будет его содержать... Девочка была кругом не права.

Он, Павел Алексеевич, как будто ни в чем не мог себя обвинить, но это не имело никакого значения. Он брал ее неправоту на себя и ехал к ней, чтобы исправить то неблагополучие, ту неправильность жизни, которая произошла все-таки по его, Павла Алексеевича, совершенно не определимой вине. Он укорял себя в неумении организовать жизнь: болеет жена, ушла из дому дочь... Всякий раз, когда его круговая тревожная мысль подходила к этому месту, он открывал свой портфель и делал большой глоток из фляги, обтянутой брезентом. Это была автоматическая реакция, образовавшаяся в конце сороковых, когда вызов в министерство или на собрание в Академию обещал неприятности... Гидроксильная группа (— OH) около насыщенного атома углерода, голубушка, привычным образом защищала его от неприятностей внешних и внутренних...

Вечером, когда поезд причалил к Московскому вокзалу, фляга была пустехонька, сердце снова тарахтело с удвоенной скоростью, однако на душе полегчало, потому что за время пути, наблюдая боковым зрением юную парочку, которая все норовила коснуться друг друга плечом, локтем, коленом, в голове у него все сообразилось само собой: единственным правдоподобным объяснением невозможного со всех разумных позиций Таниного поведения был новый роман. Он вспомнил один трагический случай подобного рода, году в сорок шестом или седьмом женщина, помещенная к самом конце беременности на сохранение, Галина Кроль ее звали, красавица, полковничья жена, влюбилась в ассистента кафедры Володю Сапожникова, и произошло это буквально за несколько дней до родов. Роман был столь бурным, что к моменту выписки Галина с ребенком отказалась возвращаться к мужу и переехала к Володе. Ее муж выследил разлучника и разрядил в него пистолет. Бедная женщина осталась и без мужа, и без любовника: один был убит, второго посадили... А лет пять спустя она снова пришла к нему. Когда уже был центр по изучению бесплодия... Галина вышла снова замуж, поменяла фамилию и года три лечилась, прежде чем снова забеременела. И рожать пришла к Павлу Алексеевичу. Со вторым ребенком роды были тяжелые, ягодичное предлежание... Зачемто память держит сотни и сотни случаев...Так Павел Алексеевич готовил себя к встрече с дочерью и утешал себя тем, что Виталик вряд ли станет кого-нибудь преследовать...

От вокзала Павел Алексеевич взял такси и через двадцать минут был в роддоме. Заведующая отделением ждала его: не каждый день академики посещали рядовой роддом. Он вымыл руки и надел халат. Его повели в общую палату, где на второй койке от двери лежала худая, с кругами вокруг глаз и распухшими губами дорогая девочка, похожая на подростка, и даже, может быть, на мальчика-подростка... Он не сразу узнал ее, а она, увидев отца, тихо ойкнула и вылетела из койки прямо к нему на шею.

Они вцепились друг в друга — никакого места для обиды не оказалось.

— Папка, это гениально, что ты приехал... Какой ты все-таки... Вели, чтобы тебе девочку показали. Как там мама? Что Томка?

Он гладил стриженую головку, плечи, рука удивлялась ее худобе и пальцы наслаждались от прикосновения к острым лопаточкам...

— Малышка моя дорогая, глупая, — шептал он.

Соседки по палате смотрели во все глаза — Таня была среди них особой птичкой: хотя она ничего про себя не рассказывала, но за эти сутки составилось общественное если не мнение, то подозрение, что девчонка безмужняя, шальная и что-то с ней не так... Теперь же оказалось, что особенность ее еще и в том, что отец ее кто-то знаменитый...

Потом Тане дали халат, и они вместе пошли в детскую палату. В крошечных кроватях, похожих на кукольные, лежали белые свертки размером чуть больше батона.

— Ищи, показывай, — шепотом сказал Павел Алексеевич.

Местная врачиха из наскоро образовавшейся свиты было ткнулась вперед, но он сделал предупреждающий знак: не надо.

Загадки большой не было, в ногах висели таблички с фамилиями матерей, но Павел Алексеевич вглядывался в каждое из крошечных лиц, желая узнать среди них родное.

— Вот, — указала Таня на младенца. У изножья была написана фиолетовыми буквами их фамилия... Девочка спала. На высокий лоб спадала темная челка, личико желтоватое, нос большой, рот маленький, крепко сжатый. — Красивая? — ревниво спросила Таня.

Павел Алексеевич вынул сверток из постели, сердце заколотило: наш ребенок... Потом подковырнул мизинцем угол пеленки, заправленный внутрь с задней стороны, и положил сверток на пеленальный стол. Девочка с чмоканьем открыла рот и пискнула. Павел Алексеевич выпростал ее из пеленок, сковырнул распашонку... расправил ножки, выровнял их, перевернул на животик тем ловким движением, которым женщины перекидывают блины на сковородке, сравнил складочки под еле намеченными ягодицами, прощупал тазобедренный сустав — он знал это конституционно-слабое место — и приподнял девочку за ноги... Провел пальцем по позвоночнику, ощупал затылок, темя, снова повернул ее на спину. Потом ощупал ее выпуклый живот, нажал пальцем возле перевязанного стебелька пуповины.

— Совсем свеженькая, — пробормотал. — Печень немного увеличена, желтушка новорожденных, нестрашно. Ты не все еще забыла? Понимаешь, что там сейчас происходит? Ювенильный гемоглобин распадается... — положил три толстых пальца на грудь слева. Потом взял крошечную ручку, расправил кулачки и коснулся мягких, загнутых на концах, ногтей.

— Фонендоскоп, — бросил он в пространство, и тут же в руках его, как из воздуха, оказался металлический кружок с наушниками.

Слушал с минуту.

— Нормально. Мне показалось, немного ноготки голубоваты. Нет, сердце в порядке. Порока, во всяком случае, нет.

Девочка уцепилась за его палец, посмотрела на него молочными, как у котенка, глазами и шевельнула верхней губой. Таня смотрела на все эти манипуляции как завороженная: отец с младенцем в руках чем-то напомнил ей Сергея с саксофоном — та же нежность и дерзость в обращении, свобода движения и легкость прикосновения...

— Великолепный ребеночек. Я таких больше всего люблю — маленькая, сухая, хорошая мускулатура... Знаешь, она не в вашу породу. Она в Гольдберга. Отправлю ему в лагерь телеграмму, пусть радуется, — тихо шепнул Тане в ухо. — Поздравляю тебя, девочка... Через денек-другой соберемся и поедем домой.

Таня и не думала ехать в Москву, но в этот момент, то ли от родильной слабости, то ли от отцовской полнейшей уверенности и уместности здесь, возле новорожденной девочки, она легко согласилась:

— Поедем, но ненадолго. Я вообще-то в Питер переезжаю. У меня здесь, — она задумалась на минуту, как объяснить отцу, что именно у нее здесь, — у меня здесь все.

Павел Алексеевич кивнул понимающе:

— Я так и подумал.

17

«Дорогой Сергей! С каким наслаждением пишет рука твое имя! Какое у тебя правильное, даже единственно возможное имя. А ведь мог быть Виталик или Гена... Здравствуй, Сергей! Я поздравляю тебя с собой, а себя — с тобой. Я живу во всем другом, чем вчера. У меня родилась девочка. Похоже, нас ужасно обманули, подсунули ее вместо мальчика. Но она очень красивая, все говорят, похожа на меня. Мне скоро понадобится мальчик, ты это имей в виду. Мальчик, похожий на тебя. То, что девочка не похожа на тебя, и не может быть похожа, делает ее для меня не очень интересным существом. То есть она мне нравится, мне сегодня ее принесли. Она трогательная и прелестная, но каким-то образом — тебе-то могу признаться — она особенно дорога мне как свидетель нашей с тобой любви, как свидетель твоих прикосновений. Даже тайная участница. Я думаю, она будет тебя ужасно любить, с таким оттенком, который будет для меня мучительным.

Я тебя ревную. Ко всей твоей прошлой жизни, ко всем вещам, которые ты трогаешь руками, особенно к инструменту, но также и к полотенцу, которым ты вытираешь лицо, к чашке, которую трогают твои пальцы. Ко всем женщинам, которых ты раньше ласкал.

С тех пор, как ты есть, мир ужасно изменился. Потому что раньше я смотрела на все с одной точки зрения, а теперь с двух, а как бы это было тебе? Целую тебя куда захочу. На этот раз в ямку под шеей и в шрам, который на левой. Маленькая девочка шлет тебе привет. Молока у меня никакого нет, но говорят, что еще может прийти. Принеси кефира и большое полотенце. Было больно, но быстро прошло. Таня».

Сергей прочитал письмо, аккуратно сложил листок по сгибу и сунул во внутренний карман куртки. Он только что передал усатой приемщице в окошко букет чайных роз, кое-какие продукты и записку. Спросил, куда выходят окна Таниной палаты, и долго не мог сообразить, как их найти. Он уже с вечера знал, что Таня родила, пил по этому поводу всю ночь с друзьями, а теперь вдруг почувствовал, что ужасно хочет видеть Таню, и не из окна, а живьем. Он отошел от справочной, направился к служебному входу. Там сидела вахтерша:

— Ты куда?

— Я мастер по починке медоборудования, — сымпровизировал он, — вызвали во второе отделение синхрофазотрон починять. Где раздеваться-то?

Синхрофазотрон, почему-то попавший Сергею на язык, вахтершу вполне удовлетворил.

— Гардеробщик заболел, ты сам разденься да повесь. У нас не крадут, все свои, — пропустила его вахтерша, и он, скинув куртку, снял с общественного гвоздя синий рабочий халат отсутствующего гардеробщика и понесся вверх по лестнице.

Дверь в отделение была закрыта, он позвонил в звонок. Через некоторое время открыла медсестра:

— Вам что?

— Вызывали по поводу ремонта оборудования, — стараясь не дышать в лицо сестре винным паром, ответил Сергей.

— А, это к старшей сестре, в седьмую комнату, — буркнула сестра и растворилась.

Сергей сразу увидел нужную ему дверь — четвертая палата. Таня стояла возле окна, спиной к нему, в синем больничном халате, очень высокая и очень худая.

— Таня, — позвал он ее. Она обернулась. Он никогда еще не видел ее не беременной, и она показалась ему чужой и страшно юной.

Букет лежал на тумбочке, еще не поставленный в воду. Видно, она сразу, получив передачу, кинулась к окну, посмотреть на него.

— Как ты прошел сюда? — спросила Таня, смущенно освобождаясь от его объятия. Тетки со всех коек уставились на них во все глаза.

— Меня вызвали. Синхрофазотрон починять, — он все

еще продолжал игру, и не напрасно, потому что одна, почти пожилая, четвертого родившая, уже собралась жаловаться, потому что вообще-то посещения были запрещены...

— Только что детей унесли. Жаль, если б минут на двадцать раньше, ты бы мог на нее посмотреть, — улыбалась Таня глупейшей улыбкой.

Сергей показался ей в этот миг ослепительно красивым и нестерпимо родным. Она давно и прочно забыла, что ребенок не имеет к нему никакого отношения, и страстно желала похвастать. После того, как вчера вечером Павел Алексеевич похвалил ее дочку, она стала ей гораздо больше нравиться.

— Выйдем куда-нибудь, пока меня отсюда не выгнали...

В отделении в этот час было затишье, они дернули одну дверь, вторую и нашли пустую бельевую, куда Таня его затолкала. Здесь они уткнулись друг в друга, зашептали в уши горячие глупости, вцепились губами и зубами друг в друга и между поцелуями сообщили друг другу множество важных вещей: Таня сказала ему, что они после выписки едут на недолгое время в Москву, он ей — что был у Полуэктовой, сказал, что у него родилась дочка, и что Полуэктову пригласили вести балетный класс в Пермском хореографическом училище и она предложила им пожить в ее квартире...

— У твоей жены? — изумилась Таня.

— А что такого? Это нормально. Будем стеречь ее дом, гулять с ее собаками и кормить старых кошек...

Таня сжала его запястья:

— Ладно, это потом решим, вообще-то здорово, что она такая... великодушная, что ли?

— Нет, ты не понимаешь. Просто ей так удобно. У нее две борзые, с ними совсем не просто... А меня они слушают...

И они снова уткнулись друг в друга, и Таня нащупала языком уплотнение на его губе — от мундштука саксофона... Их не тревожили в бельевой целый час, и они проверили, не изменилось ли чего по той причине, что живота больше на Тане не было... Но все было как надо: горячее — горячим, влажное — влажным, сухое — сухим... И любовь, как выяснилось, нисколько не уменьшилась...

18

Через трое суток после родов Таня почувствовала себя заново рожденной, как будто рождение ее дочери и ей сообщило некое качество новизны. В сущности, так оно и было: она была новорожденной матерью, и, хотя она еще ничего не знала о пожизненном бремени материнства, о неотменимой и часто до болезненности изменяющей психику женщины связи с ребенком, в ней брезжила мысль, которой ей хотелось поделиться в первую очередь с дочерью. Она опускала в деликатно открытый рот ребенка коричневый фасолевидный сосок и старалась внушить тугому свертку, что они любят друг друга, мать и дочь, и будут радоваться друг другу, и друг другу принадлежать, но не безраздельно... что у нее, Тани, будет еще своя отдельная жизнь, но зато и Таня даст ей, когда та подрастет, свободу и право жить по-своему, и что она будет старшая дочь, а потом еще будет мальчик, и еще один мальчик, и девочка... И наша семья совсем не будет походить на другие, где папаши орут на мамаш, ссорятся из-за денег, визжат дети, отнимая друг у друга игрушки... а у нас будет дом в Крыму, и сад, и музыка... Таня, дорисовав картины счастливого будущего, засыпала, пока девочка еще сосала. Удивительная досталась ей девочка: сон от нее шел волнами, как тепло от костра... Такой силы и властности сна Таня никогда не знала. Нянька забирала накормленного ребенка и уносила, а Таня, отмечая какое-то около себя шевеление, не имела воли проснуться...

Спустя неделю Таню выписали, Павел Алексеевич привез ее с ребенком в большой холодный номер дорогой гостиницы. Девочку положили поперек широченной кровати карельской березы, укрыли поверх шерстяного одеяла еще и ватным. Вскоре пришел Сергей — с букетом замерзших роз, шампанским и саксофоном. Он стащил с себя полную сырого мороза куртку и кинулся к ребенку. Присел на кровать, чтобы разглядеть новое лицо среди многослойной упаковки:

— Ой-ей-ей, какая же маленькая. И как от нее сном несет!

— Она ужасно снотворная девица, это точно, — согласилась Таня. — Ее как в палату принесут, я тут же отрубалась.

Вообще-то Таня не собиралась ехать в Москву, но получалось не совсем так, как хотелось: Полуэктова должна была уезжать в Пермь только в конце января, а в квартире у Леши Александрова возник затяжной скандал с соседями, не желающими терпеть малого ребенка за фанерной стеной... Ехать в Москву, к Таниным родителям, Сергей отказался: он своими был сыт по горло. Танин отъезд его огорчил главным образом из-за того, что он сам уже успел раззвонить по всему городу, что у него родилась дочь, выпито было за эту неделю немало водки и сухого вина по этому поводу, а теперь и предъявить было некого.

Таня наскоро познакомила отца с Сергеем и отпросилась погулять. Павел Алексеевич отпустил дочь на три часа, до следующего кормления, и остался с внучкой. Через пять минут после Таниного ухода он, облученный снотворной энергией младенца, уснул крепким сном и проспал до самого Таниного прихода. Ему снилось, что он спит, и во сне этого вторичного сна стояло на дворе лето, шумная детская компания собиралась на пруд. Он был самый старший среди детей, и были еще его младшие сестры, в природе не существовавшие, но очень убедительно представленные Леночкой, исполнявшей роль восьмилетней, и Томой в образе двухлетней. Другие дети были знакомые, но тоже все переделанные из взрослых, с которыми он встречался в более поздние годы своей жизни. Однако двойственность этих детей совершенно не вызывала удивления у Павла Алексеевича, беспокоило скорее то обстоятельство, что один мальчик был неизвестно кто. И только в самом конце сна, когда все гурьбой высыпали за ворота их старой дачи в Мамонтовке, оказалось, что в неизвестном мальчике замаскировался этот Танечкин Сергей, и тогда Павел Алексеевич успокоился и проснулся из более глубого сна в более мелкий, прижал к себе сверток в толстом одеяле, на минуту подумал, хочет ли он идти на пруд с этими ряжеными детьми, но решил больше туда не возвращаться...

На следующий день в четверть девятого утра Павел Алексеевич с дочерью и внучкой были дома, на Новослободской. Тома еще не успела уйти на работу, Василиса вылезла из чулана и стояла со старой Муркой в ногах, в своей встречающей позе, при выходе из кухни в коридор, опершись рукой о стену. Из приоткрытой двери в Еленину комнату сначала высунулась молодая Мурка, а следом за ней Елена в наброшенном на плечи халате.

— Танечка, я тебя так давно жду, — сказала Елена внятно и радостно, и Таня, сунув дочь растерянной Томе, которая все не знала, что говорить и что делать, целовала мать, но та легонько отбивалась и тянулась к свертку:

— Танечка...

— Мамочка, это моя дочка.

— Это моя дочка, — эхом повторила Елена, а на лице ее изобразилось мучительное напряжение.

— Идем, мамочка, сейчас я тебе ее всю покажу...

Таня уложила ребенка на материнскую постель, а Павел Алексеевич порадовался, что Таня правильно себя держит: не отпугивает бедную Елену, а вовлекает в новое событие.

Таня разгребла одежки, выпростала маленькое тело. Девочка открыла глаза и зевнула.

Елена смотрела напряженно и как будто разочарованно.

— Ну, как она тебе? Нравится?

Елена стыдливо опустила голову, отвела глаза:

— Это не Танечка. Это другая девочка.

— Мам, конечно, не Танечка. Мы ее еще никак не назвали. Может, Мария? Маша, а?

— Евгения, — еле слышно прошептала Елена.

Таня не расслышала. Василиса повторила:

— Как еще? Евгения, по бабушке...

Таня склонилась над девочкой, запихивающей кулачок в рот.

— Не знаю... Надо подумать. Евгения?

Пока домашние толпились над ребенком, Таню как будто приливная волна подняла вверх, продержала мгновение и отпустила... И она понеслась по квартире, заглядывая в захламленные углы...

— Папа, делаем ремонт, — сказала она отцу через пятнадцать минут.

— Да, собственно, давно пора, — согласился Павел Алексеевич, — только сейчас, я думаю, не время. Ребенок в доме. Может, летом, когда вы на дачу поедете...

— Нет, нет, я потом в Питер уеду, надо сейчас. Начнем с детской... Потом места общего пользования, кабинет, спальню...

Вечером, когда Тома пришла с работы, половина ее цветов была роздана по соседям, половина выброшена, мебель составлена на середину, все увязано, с малярками договорено... У Павла Алексеевича возникло ощущение, что их ветшающий дом, стоявший, как брошенный корабль на якоре, стронулся с места и куда-то целеустремленно поплыл, сонная команда очнулась, и даже мебель, расслабленная и осевшая, выстроилась и подтянулась... Василиса, никогда и ничего из дома не выбрасывавшая, сдалась под Таниным напором и собственноручно вынесла из своего чулана истлевшее одеяло, подаренное Евгенией Федоровной в девятьсот одиннадцатом году сильно не новым. Но и этого Тане показалось мало, она размашистым веселым движением вынесла на помойку надбитые тарелки, прогоревшие кастрюльки, впрок сохраняемые пустые стеклянные банки, все слежавшееся, нищенски-скопидомское хозяйство Василисы.

Безымянная девочка почти безмолвно присутствовала в этой осмысленной суматохе, ничему не мешая, почти не требуя к себе внимания. Таня поселила ее в бельевой корзине, обшив ее изнутри свежим ситцем, и сначала таскала корзину из комнаты в комнату. Потом Елена попросила оставить девочку около ее постели, и образовался тихий угол, которого Таня пока не трогала. Поразительна была быстрота, с которой преображался дом: бывшая детская была закончена через неделю, и хотя Томины заросли понесли большие потери, оставшиеся в живых растения свежо сверкали на фоне песчано-желтых обоев, напоминающих о тепле африканских пустынь.

Следующая неделя была посвящена кухне и ванной. Домашнее питание отменилось. Таня покупала в кулинарии дешевую еду в несметных количествах, кормила рабочих, домашних и набегавших время от времени знакомых. Виталик позвонил на третий день, и Таня его безразлично-радостно приветствовала. Он сразу же приехал, нахмуренный, с обиженным видом, но она не сочла за труд замечать выражение его лица. Показала дочку с таким видом, как будто это была лично ее вещица. На его предложение переехать на Профсоюзную Таня обидно улыбнулась, но пообещала его навестить, как только управится с домашними делами здесь.

— У нас сейчас Валентина живет, — сообщил Виталик главную новость.

— А что же ты ее не привез? — удивилась Таня.

— Да она придет, она у Павла Алексеевича часто бывает. Знаешь, адвокатские хлопоты... Может, освободят досрочно. Статья, понимаешь, такая, что с ней по двум третям...

«Это мне надо было бы делами Ильи Иосифовича заниматься... Они все-таки все до единого удивительно бестолковые», — думала Таня. Но это было несправедливо: Валентина была вполне толковая, и все, что ни делала, продумывала тщательно, выполняла последовательно...

Спала Таня в кабинете у Павла Алексеевича, между бельевой корзинкой с дочкой и телефоном — Сергей звонил по ночам, они подолгу разговаривали о повседневной чепухе, о девочке, которую еще никак не назвали, о ремонте и о полуэктовских борзых, а потом Сергей ставил магнитофонную запись, чтобы Таня послушала музыку, которую Сергей сегодня играл... А играл он в эту неделю много, почти каждый вечер, поскольку всюду шли новогодние вечера, и было много приглашений — в институты, клубы и кафе... Утром тридцать первого декабря Таня совсем уж было собралась на одну ночь в Питер, хитро разузнала у Сергея, где он будет играть, и даже купила билет на дневной поезд. Но с вечера загнул такой лютый мороз, что Таня, так и не сказав Сергею о своих тайных планах, поездку отменила. Вспомнила, как холодно было в поезде, когда она возвращалась в Москву с новорожденной дочкой. Испугалась, что простудит девочку... Это решение оказалось более чем мудрым, поскольку Сергей, следуя той же логике каприза, или сюрприза, сам приехал на новогоднюю ночь в Москву и пережидал промежуточные несколько часов в ресторане на Ленинградском вокзале...

Ремонт к этому времени уже охватил, как пожар, всю квартиру. В доме пахло краской, клеем и жареным гусем. Стол был накрыт в бывшей детской. Тома, по Таниному приказу, нарядила елочными игрушками двухметровую фатсию, называемую профанами фиговым деревом. Во главе стола сидел Павел Алексеевич, рядом с ним в кресле принаряженная Таней Елена с детски-радостным лицом. Василиса облачилась в ковровый желто-малиновый платок и стеснялась его, как будто вышла с голыми плечами. Зато Тома и впрямь надела платье с глубоким декольте, то самое, сшитое на Танину свадьбу, и устроила на маленькой головке большого барана из начесанных волос. Гостей было трое Гольдбергов, два брата и Валентина, в девичестве Грызкина, молодая мачеха Таниных отставных мужей. Корзина с девочкой стояла поодаль, на Томиной кровати — она-то и была главным действующим лицом, и Павел Алексеевич прекрасно понимал, что, если бы не она, не приехала бы Таня домой и не устроила бы всей этой прекрасной пертурбации.

Без четверти двенадцать раздался звонок, и Таня побежала открывать, заготовив ехидную фразу соседке Розе Самойловне, которая заходила сегодня уже раз пятнадцать и к этому времени уже успела одолжить решительно все, что только в доме было, от соли и табуретки до свечей и салфеток... В легкой суконной куртке и в огромной меховой шапке, с саксофоном и спортивной сумкой в руке в дверях стоял Сергей...

Это был самый странный семейный праздник, который только можно вообразить. Помимо Тани и Сергея, счастливых, не озабоченных ни прошлым, ни будущим, каждый из присутствующих переживал острое отчуждение от всех прочих и глубокое одиночество. Как будто естественные родственные связи разрушились, перемешались и извратились: жена Павла Алексеевича давно уже стала ему ребенком, зато дочь за последние две недели оказалась совершенно неожиданно настоящей главой семьи; Елена, впервые за три года сидевшая за многолюдным столом, испытывала похожее на тошноту беспокойство от множества знакомых, но полностью утративших имена людей. Даже дочь Танечка, в общих чертах очень похожая на себя, слегка двоилась, потому что лежащая в корзинке девочка тоже была Танечкой, но не полностью, а частично, как если бы был проведен разрез, или локальное сечение, и невидимые внутренние очертания предмета, показываемые обычно штриховыми линиями, как раз и были той маленькой девочкой, которые выявил этот разрез... Василиса своим восставшим из тьмы глазом видела на плоской картине световые пятна и цветные контуры тел, и голубое пятно Томочки было единственно успокоительным. Таня серой тонкой птицей порхала вокруг стола, всем раскладывала на тарелки еду, кинула и ей, Василисе, кусок скоромного гуся — и думать забыла про Василисин пост, — и все притулялась на ходу, все трогала рукой молодого длинноволосого в черном — не из духовных ли? — и при муже, все при муже, и Елена в войну вот так же, а у этой муж сидит и смотрит, и хоть что ему, и хорошо ли это... И, исполнившись отвращения к предъявленной ей картине, Василиса взмолилась: господи, помилуй, господи... Утверди, господи, на камени заповедей твоих, погибшее сердце мое, яко един свят еси и господь... Отлетали, опадали слова, забывались и путались и те обрывки псалмов и молитв, которые держала Василиса в слабеющей памяти, и оставалось одно только сокрушение о близких, которые все сплошь плохо жили и дурное делали, и заповедей божьих не соблюдали, и мирские, и духовные, куда ни посмотри... Грехи, грехи наши тяжкие...

Валентина Гольдберг, воспитанная в староверской чистоплотности — от тела, избы и обихода до помыслов и действий, — ни в малой степени от своих предков не уклонившаяся, несмотря на полный и окончательный разрыв с их неумной и отсталой религией, скорбно наблюдала за Таней. С Павлом Алексеевичем она познакомилась уже после ареста Ильи Иосифовича, доверилась ему и полюбила, и теперь никак не могла свести воедино хорошо ей известную от Виталика историю их странного брака, неприличного семейного треугольника, появление этого длинноволосого музыканта, очевидно, Таниного любовника, да и самую Таню, которую она видела в первый раз, заранее невзлюбила, а увидев, испытала к ней почему-то явную симпатию... хотя, кроме протеста и возмущения, что еще может вызывать эта девица, которая ведет себя кое-как, ни о чем не думает, разрушила отношения между братьями... распущенная, распущенная...

Братья — или мужья — Гольдберги держались корректно, но было им не «хоть что», как полагала Василиса. Оба они болезненно отнеслись к появлению самозванца. Впервые за последний год они испытали одновременно одно и то же чувство — состояние, знакомое им с раннего детства, может быть, одно из первых осознанных переживаний — досады и справедливости поражения... Двенадцать часов уже пробило, а с шампанским запоздали. Таня забыла бутылку в холодильнике, пока принесла, пока Павел Алексеевич открыл... Новый год уже начался, и выпили, чтобы все было хорошо, чтобы выпустили Илью Иосифовича, и чтобы были счастливы, здоровы, и особенно новенькая девочка... Все что-то говорили вразнобой, шумно, звенели вилками о тарелки, только Таня с Сергеем сидели молча, смотрели друг на друга, ну просто как две иконы друг на друга уставились. И все видели, что этот музыкант и впрямь очень подходил Тане, и видна была их одноприродность, однопланетность, что ли... то, что в Тане было особенным и слегка озадачивало, на нем было ясным-ясно написано. И братья Гольдберги совершенно здесь были ни при чем и прекрасно это понимали. Особенно когда музыкант расчехлил свой саксофон, велел Тане немного его поддержать, и она немедленно, не ломаясь, сгребла с пианино наваленные на него газеты, предупредила, что более расстроенного инструмента никто сроду не слышал, и села, не чинясь, и он показал ей аккомпанемент левой рукой на басах, и она перехватила. И Павел Алексеевич сразу же догадался, что Таня в последние месяцы поигрывала... А Сергей извлек из своей дудки сначала какие-то поисковые трели, Таня к нему подлаживалась, заходила то справа, то слева, так они потолкались на каком-то неопределенном месте, а потом Сергей спел на своем саксофоне длинную радостную весть, которая окончилась таким счастливым воплем, что братья Гольдберги переглянулись родственно и почувствовали себя во дворе малаховской школы, на большой перемене, среди вражды деревенских, поселковых и интернатских, где им особо доставалось за непринадлежность ни к кому...

Елена при первых же звуках саксофона вцепилась в обшлаг мужниной домашней куртки: она услышала, а вернее сказать, увидела происходящую музыку как множество плавных лекальных кривых, разбегающихся из темной сердцевины металлического горла, и самая главная из них, тугая и матовая, как свежая резина, превращалась в плоскую кривую и раскатывалась стройной спиралью Архимеда, которая все расширялась, заполняла всю комнату и разлетевшимся рукавом выхлестывала в окно... А сам звук, оказывается, был проекцией чего-то неизвестного, неназванного, но производимого с видимым напряжением длинноволосым юношей со знакомым лицом...

Павел Алексеевич удивился, до чего же ловко Таня аккомпанирует, не забыла, видимо, музыкальных уроков, — и порадовался.

Сергей пригасил звук, выдул из саксофона остатки, и Елена увидела, как опали в воздухе кривые, вылиняли и растворились. Лицо у молодого человека было не просто знакомым, а наизусть известным: брови густые, светлые, в одну линию, верхняя губа чуть нависает над нижней... Он положил саксофон рядом с корзинкой, мотнул головой, залез пятерней в волосы, отбросил назад знакомым жестом... Полно песку в волосах — пришло в голову Елене...

А потом Таня унесла корзинку со спящей девочкой в кабинет к Павлу Алексеевичу, и они там закрылись с Сергеем, и гости, проходя по коридору в уборную мимо двери кабинета, слышали, что они смеялись. Часа два болтали и смеялись. А утром Сергей ушел, когда все спали. Павел Алексеевич уложил спать Елену и прилег в спальне, на своем прежнем месте, и, не раздеваясь, проспал до позднего часа — с вечера он выпил изрядно. Елена же почти не спала, лежала с открытыми глазами и вспоминала, откуда знаком ей музыкант, и, кажется, вспомнила...

К концу января ремонт был закончен. Дом обновился, Василиса теперь ничего не могла найти — и кастрюли, и тарелки, и постное масло, все стояло на новых местах, и она от постоянных поисков так уставала, что в конце концов унесла в свой чулан хлеб, завернула его в полотенце и держала теперь его в своей тумбочке. Хозяйство Таня передала Томе, сделала запас крупы и макарон, сахара и муки. Повесила новые занавески и купила стиральную машину... Потом объявила Павлу Алексеевичу, что уезжает.

— Мама к ней привыкла, оставь ее у нас. Наладишь в Ленинграде жизнь, заберешь, — просил ее Павел Алексеевич.

За то время, что внучка провела в их доме, он понял, что дожил до такого времени в своей жизни, что эта маленькая девочка способна заменить ему всю его профессиональную деятельность, студентов, учеников и, главное, пациентов, и, что бы ни делал он в отделении — разглядывал ли трясущиеся линии кардиограммы, влезал зрячими пальцами в кровоточащий разрыв матки, пальпировал ли плодоносные животы, — ни на минуту не забывает он о девочке в плетеной корзине. Он внутренне отмечал ее новорожденное, небогатое время: сейчас она спит, уже просыпается, сосет, срыгивает, тужится и сучит ножками, производит серьезный акт испражнения, и снова засыпает... единственным и постоянным его желанием стало пребывание рядом с этой корзинкой, с девочкой, исходящей младенческим излучением, сладостным сном. В ней было еще мало индивидуального, но прорезалось уже родовое: брови раскинулись длинно, и несколько волоском топорщилось в том месте, где могла прорасти потом фамильная кисточка. Пожалуй, она напоминала ежонка: длинный носик, слипшиеся иголочками пряди волос... Но лоб, высокий лоб Гольдберга...

Тане было уже два года, когда она появилась в жизни Павла Алексеевича, и была она красивым и ласковым ребенком, доброжелательным и доверчивым, а эта крошка была почти совсем никакая, она не завоевывала сердца деда, ей просто-напросто от самого рождения дана была власть над Павлом Алексеевичем, и он наслаждался, сидя рядом с ее корзинкой, помогая Тане купать ее, касаясь красных нехоженых ножек... Это было чисто природное чувство, не нуждающееся ни в оправдании, ни в объяснении: так лев любит львенка, волк — волчонка, орел — орленка... И в этой точке открывалось, что любая педагогика есть бред и холодный рационализм, и когда начинается педагогика, отступает природное чувство, глубокое, животное чувство любви к детенышу... Самое низкое из всех высоких чувств...

— Я говорю это совершенно серьезно. Донорское молоко подберем. Я завтра же подам заявление об уходе...

— Пап, ну что ты говоришь? — Таня смотрела в морщинистое лицо отца, ловила совершенно прежде неизвестное в нем выражение — просьбы... И от этого ей становилось не по себе, и она возмущалась. — Да что ты в самом деле? Не представляю тебя на пенсии! Кашу ты ей варить будешь, что ли? С коляской гулять?

Он кивал:

— Угу. С удовольствием. Я, Таня, мало семьей занимался. А сейчас самое время. Будем с мамой коляску прогуливать.

— Мама в полном отсутствии, — хмуро замечала Таня.

— Не знаю. Не уверен...

Таня обняла его за шею, пощекотала за ушами:

— Папка, ты чудной, ей-богу. Я привезу тебе девочку, обязательно. Я, знаешь, хочу много детей. Девочек и мальчиков, штук пять.

Павел Алексеевич взял в горсть Танины руки, траченные стиркой и ремонтом, поцеловал и пошел на кухню выпить совершенно необходимую дозу — три четверти небольшого, в крупную грань, стакана. Что-то перекраивалось в его стареющей голове: почему среди десятков тысяч детей, принятых на свет, спасенных, даже спроектированных его интуицией, эта девочка и другие двое или трое, которые могут появиться от Тани, так драгоценны? Ведь я даже не могу сказать КРОВЬ... Никакой крови, никакого родства, ничего, кроме иррационального, необъяснимого, капризного и никчемного выбора сердца...

Таня торопилась. У нее был целый список дел, которые она одно за другим вычеркивала — невыветрившаяся привычка человека ответственного и организованного... Самым дорогостоящим и трудоемким делом была замена всей сантехники, включая и ванну, которой в последнее время стало невозможно пользоваться из-за постоянной течи; самым деликатным — крещение дочки. Для проведения этого благочестивого мероприятия в качестве эксперта была привлечена Василиса, в качестве крестной — Тома. Для начала Василиса наотрез отказалась идти в ближайшую к дому Пименовскую церковь, запятнавшую себя, по Василисиному пониманию, былой принадлежностью к «обновленчеству», и предложила ехать в какой-то деревенский храм в дальнем Подмосковье, где служил «правильный» священник. Но Таня удивительно легко расправилась с Василисиными принципами, сказавши, что в такую даль она ни за что не поедет, поскольку и сама-то она точно не знает, с чего это ей взбрело в голову крестить ребенка, и если уж возникают такие трудности, она готова и отказаться от этой блажи. На этом Василиса поджала губы и стала менять домашние, подрезанные валенки на уличные, с калошами... Таинство крещения совершили в Пименовском храме. С того дня девочка окончательно определилась Евгенией, и Таня вычеркнула тонкий крестик из делового списка. Оставалось последнее — искупать Елену в новой ванне. Уже больше года ванной не пользовались, вставали под душ и, не затыкая ванны затычкой, наскоро споласкивались, чтобы не залить соседей.

Теперь Таня наполнила ванну. Елена прижимала к себе локти, слабо сопротивлялась.

— Надо раздеться. Смотри, мамочка, водичку уже набрали... — уговаривала ее Таня, и она неохотно подчинилась.

Худоба матери была болезненной, и дело было не в низком весе — сама Таня до пятидесяти килограммов недотягивала, — с плеч и предплечий Елены свисали пустые складки кожи, и Тане пришло в голову при виде материнской наготы, что скелет человеческий уныл и беспол, и только куски пронизанного жиром мяса создают и женскую прелесть, и мужскую крепость, и даже само различие между мужчиной и женщиной... От материнской былой женственности остались лишь бледные груди и смутная тень почти безволосого лобка.

Наконец Таня усадила мать в теплую воду. Елена легла, вытянув ноги:

— Как хорошо...

«Я как Хам», — усмехнулась Таня и намылила мочалку. Смотреть было неприлично, а мыть, подстригать, вытирать — пожалуйста...

— Подожди, Танечка. Я полежу немного. Такое блаженство... Что, ванна прежде была испорчена? — спросила Елена очень здравым голосом.

— Да. Теперь починили.

Елена прикрыла глаза. Волосы сползли в воду, намокли. Таня отвела их в сторону.

— В воде все меняется. У меня голова в теплой воде намного лучше делается. Я не хочу, чтобы ты жила дома. Я не хочу, чтобы ты жила со мной. Я все забываю, и мне кажется, что я сейчас забыла гораздо больше, чем помню. Но скоро я забуду и то, как много я забыла. Ты не пугайся, я не имею в виду ничего страшного, я просто умираю таким необыкновенным способом, из середины головы. Мне сейчас очень хорошо. Мне давно так хорошо не было, и я хочу с тобой попрощаться. Меня съедает дыра. Почему-то происходящее со мной очень стыдно. И я не знаю, останется ли что-нибудь в самом конце. Скажи, сколько мне лет?

— Тебе скоро исполнится пятьдесят два...

— А тебе?

— Мне двадцать три.

— Хорошо. Вода остыла. Добавь еще горячей... Я ни в чем и ни в ком не уверена. Иногда приходят чужие люди, а иногда знакомые... А бывает так, что Василиса, а в ней еще кто-то... Я и в себе не уверена... Ты про это знаешь.

— Нет, мамочка. Я ничего про это не знаю...

— Ладно, бог с ними. Я хотела тебе сказать, что сию минуту я — я, а ты — ты, и я тебя очень люблю. И я сейчас с тобой попрощаюсь. А потом ты меня намыль... А потом уезжай...

Таня хотела что-то возразить, но язык не повернулся, потому что все, что бы она ни сказала, было бы жалкими, ничего не значащими словами. Она намылила волосы матери, слегка запрокинув ей голову, чтобы мыло не стекало в глаза, потерла кожу головы, направила струю из душа, чтобы смыть пену... Промыла все обвисшие складки узкого тела, протерла насухо, смазала детским кремом. Потом надела длинную байковую рубаху и отвела в постель. Было около девяти часов вечера. Вскоре пришел Павел Алексеевич — в тот день он читал вечерние лекции в институте усовершенствования врачей. У Тани уже все было собрано. Они поужинали вместе, и он проводил девочек на вокзал. Московский период в жизни Тани окончился.

19

Свое последнее заключение счастливчик Гольдберг ни дня не провел на общих работах — сразу взяли санитаром в больничку. Заведующая, пожилая и разленившаяся до кучи, прости господи, говна тетка сонно перевалила на него половину своей работы. Несмотря на всю свою гнилость, двадцать лет оттрубив в лагерной медицине, меньше всякой другой области медицины имеющей право на это название, заведующая вяло отстаивала Илью Иосифовича перед начальством, и по меньшей мере два раза ей удалось избавить его от перевода на общие работы...

Будь на ее месте врач-мужчина, Илья Иосифович не стерпел бы, несмотря на покровительство, ее сонного равнодушия к больным, вороватости и мелкой подлости, но примиряло его с заведующей его собственное сострадание, превосходящее все его принципы: при ней постоянно паслась двадцатилетняя дочь-дебилка, которую она боялась оставлять одну дома, и биография — горькая, советская и неизбывная, как непогребенный покойник, шла за ней по следу...

Гольдберга публичное правдолюбие, неприличное, как заплата на заднице, молчало, может быть, впервые в жизни. За те два с лишним года, что он тянул лямку санитара по должности и помощника заведующей по службе, он ни разу не устроил ей бурного обсуждения, не обличил, не швырнул кружкой, не рявкнул... При прощании она сказала Гольдбергу слова, его удивившие и даже устыдившие: она оказалась и умней, и лучше, чем он думал. А, может быть, дело именно в том и состояло, что от присутствия Ильи Иосифовича с его старорежимным великодушием и смехотворным благородством, обычно принимаемым за непроходимую глупость, он поднял врачиху на короткий миг на свой уровень, и она коряво произнесла неказистые слова, достойные предсмертной исповеди, а потом спросила, чем может быть ему полезна... После чего села толстой задницей на свой обитый красным плюшем стул и выполняла еще целых двадцать лет свою скучную службу, потому что надо было кормить дочь-дебилку и посылать кое-что вдовой многодетной сестре, муж которой давным-давно пропал в родной системе...

Словом, распрощался Илья Иосифович с Елизаветой Георгиевной Витте (вот он, покойничек-то!) и шагнул за ворота. Они закрылись за ним, и он зашагал на станцию с малой толикой денег и справкой об освобождении... Местный поезд останавливался на этой не значащейся на картах станции поздним вечером, а вернее сказать, даже не останавливался окончательно, а притормаживал, и в момент, когда, казалось, остановится, уже и трогался... Сюда, в дощатый павильон почти не существующей станции, за час до прихода поезда заглянула Елизавета Георгиевна Витте, «куча», как привык называть ее про себя Гольдберг, и сунула Илье Иосифовичу сверток с едой. Тетрадь, сшитая из листов, всунута была между буханкой хлеба и двумя банками тушенки...

— Нравственные основы подорваны, Паша. Нравственные основы жизни, нравственные основы науки... Но жив человек, — Гольдберг держал костлявую ладонь на тетрадке, сшитой из листов, которые прежде хранились порознь, а вместе собрались лишь накануне освобождения.

Снова, спустя три года, они сидели в кабинете Павла Алексеевича, друзья, теперь сроднившиеся по прихоти детей, у которых ничего не разберешь, кроме того, что девочка Евгения, их общая внучка, жива-здорова, проживает в Ленинграде с Таней и длинноволосым джазистом, принявшим на себя с большим удовольствием немалые заботы отцовства... Выпивали старики сначала с тостами, потом просто приподнимая стакан повыше носа и останавливая на мгновение руку...

— Здоров...

— Дыра из дыр, Паша, дыра из дыр... Однако заведующая мне из Новосибирского университета журналы выписывала. Американские, немецкие, французские... С тридцатых годов начиная. Вот, Паша, я одну брешь вроде прикрыл, которая после закрытия Медико-генетического института образовалась. Эта книга не столько для ученых, сколько для врачей такой специализации, которой пока еще нет... Учебник — не учебник... Так, введение в медицинскую генетику...

Павел Алексеевич взялся за бутылку, она уже была легонькой... Как же я одряб, однако... Илюша каков богатырь: худ, шея как у ощипанного петуха, даже лысина стала морщинистой, и откуда берутся силы, энергия...

Прошло чуть больше двух недель с тех пор, как Гольдберг объявился в Москве. За это время он успел встретиться с десятком коллег, вник в научный процесс и порадовался серьезному уровню мышления — хотя больших достижений не обнаружил, — побывал в двух издательствах, представил проект написанной уже книги и понял, что на скорую публикацию рассчитывать не приходится. Падение Хрущева, происшедшее, пока Гольдберг отбывал свой последний срок, только тем и было для него интересно, что оно означало окончательное крушение Лысенко с его приспешниками. Самым существенным событием за время его отсутствия представлялась организация Института генетики. Естественно, он первым делом помчался к новому его директору, знакомому с довоенных лет, хорошей выучки генетику, известному в молодые годы по прозвищу Боня, произведенному от Бонапарта...

Первые сорок минут встречи Гольдберг разливался соловьем, щедро сыпал свой цветной бисер отнюдь не перед свиньей... Зверь, который перед ним сидел, смотрел на него жесткими голубыми глазами, обладал стальными челюстями, железной хваткой и алмазной крепости честолюбием, соответствующим юношескому прозвищу... Но у них было и много общего: великие учителя, дефектная родословная — если еврейский лесоторговец может сравниться с сибирским заводчиком, — лагерный опыт и первосортные мозги... Директор слушал в высшей степени внимательно, но ни словом, ни движением брови не обнаруживал своего отношения.

Только через сорок минут Гольдберг почувствовал мировое оледенение, доползшее до него по длинному, буквой Т, столу от лысого коротышки, в буддийской неподвижности восседавшего во главе письменного стола, в центре большого кабинета, в самом средоточии обновленной генетической науки.

Гольдберг замолк, пораженный недобрым предчувствием. Молчал и директор. Он умел держать паузу. Гольдберг — нет.

Илья Иосифович остановил поток своих излияний, все по поводу медицинской генетики, от самых общих организационных соображений, связанных еще с проектом Павла Алексеевича по созданию генетико-консультационных центров, до самых отвлеченных идей, для реализации которых понадобится лет тридцать... Перебив сам себя, резко спросил:

— Коля, ты дашь мне лабораторию?

Директор лицом смахивал несколько на Наполеона: мелкие черты лица, пухлый подбородок мягко переплывал в короткую массивную шею. Исключительной значительности незначительное лицо... Мозги его напряженно работали, но никакого выражения на лице не наблюдалось. Отказать волоком, предоставить этому вострому дураку самому сообразить с течением времени, что «да» в некоторых случаях означает всего лишь разновидность «нет», или сразу пырнуть ножичком... Врагами-то они все равно были, и будут еще злейшими, это директор твердо знал. Расчета у него никакого здесь не было, речь шла только о личном удовольствии. Поэтому он подержал еще некоторое время абсолютно неокрашенную паузу — у его аспирантов в такие минуты начинались схватки медвежьей болезни — и, сверкнув в псевдоулыбке новыми чересчур белыми пластмассовыми зубами и перебрав несколько вариантов с оттенками разной степени обидности, ответил:

— Нет, Илья. Ты мне совершенно не нужен...

Все это пересказал Илья Иосифович своему другу.

— Оказалось, Пашенька, что ему не нужен ни я, ни Сидоров, ни Соколов, ни Сахаров. Шурочка Прокофьева ему не нужна, Бельговский, Раппопорт. Тимофеев-Ресовский особенно не нужен. А набирает он мелкую сошку, ландскнехтов и романтическую молодежь, которая из яйца вчера вылупилась. И теперь я возвращаюсь, дорогой мой, к началу нашего разговора: нравственные основы подорваны. Безнравственная наука оказывается хуже и опаснее безнравственного невежества...

Тут Павел Алексеевич оживился:

— Вот-вот, Илья, всегдашняя твоя тенденция, все в одну кучу валишь. Путаешься в понятиях. Нравственного невежества быть не может. Нравственным может быть малограмотный. И вовсе безграмотный человек, как наша Василиса, может быть нравственным. Из твоих слов следует, что наука антитеза невежеству. Это ошибочно. Наука — это способ организации знания, невежество — отказ от познания. Невежество — не малознание, а установка. Парацельс, к примеру, об устройстве человеческого тела знал меньше, чем сегодня рядовой врач, но невежей его никак не назовешь. Он знал об относительности познания. Невежество ничего не предполагает, кроме своего собственного уровня, именно поэтому нравственного невежества не бывает. Невежество ненавидит все, что ему недоступно. Отрицает все, что требует напряжения, усилия, изменения точки зрения. Да, впрочем, что касается науки, я не думаю, что и у науки есть нравственное измерение. Познание не имеет нравственного оттенка, только люди могут быть безнравственными, а не физика или химия, а уж тем более математика...

Гольдберг засмеялся, с боков рта выглянули последние невыпавшие премоляры:

— Пашка, ты, может, и прав, но мне такая правота не подходит. Если есть прогресс, благо человечества, значит, та наука, которая направлена на достижение некоторого условного блага, она нравственна, а которая это благо не имеет в виду — пусть провалится. Рака!

— Ну извини, — развел руками Павел Алексеевич. — Если следовать твоей логике, тогда наука может быть марксистско-ленинской, сталинской, буржуазной и даже рабоче-крестьянской! Увольте!

И они завелись на полночи, по косточкам перебирая науку в целом, теорию и практику в частности, недалекое прошлое и светлое будущее. Язвили, ругались, хохотали, допили и вторую бутылку. А под утро Илья Иосифович шлепнул себя по лысине, выругался:

— Старый дурак, я ж Валентине не позвонил.

И он позвонил Валентине, которая сидела все это время на кончике стула, обхватив свой высокий живот, образовавшийся со времени трехдневного свидания с мужем в лагерной зоне, и составила уже точный план своего поведения на завтра, и на послезавтра, и первым делом наметила поехать утром к Павлу Алексеевичу, у которого телефон не отвечал, — значит, обыск, и не дают трубку снять, — потом в районное отделение госбезопасности, потом к адвокату. Или сначала к адвокату... А главное, основную рукопись книги немедленно забрать у машинистки и спрятать в хорошем месте...

Илья Иосифович поднял трубку — гудка не было.

— У тебя телефон сломался, гудка нет. Я поеду. Валентина сходит с ума. Она, знаешь, Паша, на седьмом месяце... — Гольдберг как будто извинялся.

Павел Алексеевич попытался отговорить Илью Иосифовича ехать домой. Было без малого пять утра. И только после того, как несгибаемый товарищ хлопнул дверью, Павел Алексеевич сообразил наконец что милая нескладная Валентина рожает ребенка не от кого другого, а от старого, ссутулившегося и высохшего Ильи и что — разговоры разговорами, но вовсе не в науке дело, не в том, нравственна она или не очень, а самое важное заключается в том, что, уткнувшись носом в скрещенные ладони, покрытый пушком, скользкий от смазки, не набравший еще пигмента и оттого желтовато-бесцветный, сосредоточенный и сам в себе совершенный, плавает младенец в тесноте своего первого дома, в Валентининой матке, дитя старости, но и любви, со всеми ее физиологическими неизбежностями — поцелуями, объятиями, эрекцией, фрикцией и эйякуляцией... Павел Алексеевич вздохнул: семенники, кора надпочечников... андрогены, несколько разновидностей стероидов... попробовал вспомнить формулу тестостерона... И по этой самой причине, активности желез внутренней секреции, Илью Иосифовича жжет глобальный интерес к нравственной основе гносеологии, а его, Павла Алексеевича, задавившего свои гормональные всплески, терзает лишь частное беспокойство о Тане, о внучке Жене, о жене Елене, которую он оставит на Тому и Василису в ближайшую субботу, когда отправится в Питер навещать своих дорогих девочек...

20

Ленинградская жизнь сразу же показалась Тане более породистой, с интересным корешком, и как-то лучше обставленной во всех отношениях — и улицы, и вещи, и люди обладали бо́льшим удельным весом, что ли. Прошлое выглядывало из-под каждого куста, и надо было быть полным обормотом, вроде милейшего Толи Александрова, чтобы двадцать лет ставить горячую сковородку на наборный столик и не поинтересоваться, кому раньше он принадлежал. А принадлежал он Зинаиде Гиппиус, которая проживала именно в этой комнате, въехав в нее юной девицей со своим молодым мужем. Город был прекрасен своей неисчезающей историей, но следы от сковородки присутствовали повсеместно, отчего иногда находила тоска. Тосковать, однако, было некогда: маленький ребенок не позволял. Утренняя и дневная жизнь были наполнены хлопотами, а по вечерам начиналась жизнь богемная, артистическая. Нашли тетю Шуру, которая за небольшие деньги оставалась с Женей на вечер, а то и на ночь. Таня же с Сергеем бегали по гостям, по кафешкам, которых возникло немало в те годы, выпивали, покуривали, танцевали. Сергей время от времени выступал. Их трио не только не распалось, а, напротив, делалось все известней в молодежном мире, но, разумеется, известность эта носила характер домашний и полуподпольный.

В свою вторую петербургскую зиму Таня испытала тяжкую сонливость и оцепенение, с которыми боролась безуспешно, и спала с декабря по февраль вместе с Женечкой по двенадцать часов в сутки. Зато когда зимняя тьма несколько отступила, она развела очень целенаправленную деятельность, и уже в феврале ей удалось снять довольно прилично оборудованную мастерскую. Там она собиралась начать производство странных украшений из проволоки и дешевых сибирский камней, добытых на Урале приятелем-геологом.

Дочка Танина была одарена чудесным нравом, сама себя забавляла, никогда не скучала, и довольно было сунуть ей в руки игрушку, ложку, веревочку, и она презабавнейшим образом часами исследовала, пробовала на свежий зуб, заталкивала в карман, крутила и извлекала из любого предмета массу интереса. Сергей девочку полюбил естественнейшим образом, как Павел Алексеевич когда-то саму Таню, так что мало кто из друзей и знал, что девочка вовсе не дочка Сергею, а Таня — не жена. Проблема супружества нисколько не занимала парочку. Собственно говоря, оба они официально были не свободны: Сергей женат на Полуэктовой, Таня замужем за Гольдбергом. Единственная проблема, которая могла возникнуть, это отсутствие у Тани прописки для устройства на работу или при обращении в поликлинику. Но ни на какую службу Таня не собиралась и была вполне здорова. А случись что с дочкой, она немедленно села бы в поезд и наутро вручила бы заболевшего ребенка в лучшие на свете руки... Но ничего такого не случалось, даже насморка.

Вставала Таня рано, как работающая женщина, кормила Женю, собирала ее, уже тяжеленькую в шубке, шапке и всей начинке, которую полагалось надевать на детей в ту пору, когда не научились еще делать пуховые комбинезоны и гигроскопические памперсы, и, погрузив в коляску, в любую погоду ехала с левого берега на разночинную Петроградскую сторону, где ухитрилась она снять себе мастерскую на левом берегу малой Невки, рядом с домом художника Матюшина, о котором в то время понятия не имела, но вскоре вникла и в эти странные родники авангардизма, которые всегда пробивались из здешних гнилых болот.

Дорога от дома до мастерской занимала никак не меньше часа, и это была хорошая прогулка, после которой Женя спала часик в ставшей тесной коляске. Таня строила крупные, нарочито грубые украшения с черными гагатами и раухтопазами, моду на которые собиралась внедрить на невском левобережье, среди претенциозных сверстниц, любительниц петербургского джаза. Она с детства знала за собой это особое качество: когда она что-нибудь на себя надевала, все одноклассницы немедленно ей следовали... Поэтому первое, что надо было теперь сделать, — нацепить на себя побольше самодельной красоты, тусоваться и ждать покупателей.

В обед приходил Сергей, управившись с утренними делами — собачьим выгулом и общением с саксофоном, — и приносил какой-нибудь купленной в кулинарии еды и кефир Женьке. Хотя той шел второй год, она любила младенческое питание и явно предпочитала питье еде. Таня ставила чайник на электрическую плитку, Сергей заваривал. Считалось, что он делает это лучше всех. Обедали по-студенчески. Белый хлеб он по-питерски называл булкой, с едой обращался бережно и скупо — блокада поставила свою печать, хотя его, больного мальчонку, вывезли в тот год по льду...

А потом он либо уходил встречаться со своими ребятами, играть, просто трепаться, выпивать, либо они проводили день до вечера, не расставаясь. Тогда он ложился на грязную кушетку, играл с Женей.

Их совместные обеды завершались вредными с точки зрения усвоения пищи послеобеденными играми. Он подбрасывал пляшущую в руках девочку, стараясь уловить ритм ее движений и выделывая губами прерывистый трубный звук, Таня отбивала молоточком свой рабочий бит — металл о металл, а Сергей радовался тому, как ритмически-осмысленно все их существование, все пронизано музыкальным смыслом, а сами они представляют собой такое славное трио, в котором — основа, лидерство, сублидерство, — все как в настоящем джаз-ансамбле, и даже акустическое пространство делится на обособленные ниши, как три мелодических голоса в нью-орлеанских диксилендах...

— У нас потрясающий джем-сешн... — сообщил Сергей Тане, и она, отбив очередной каскад ударов, возразила:

— Нет, у нас отличная семейная музыкальная шкатулка.

— Ты что? В шкатулке мертвая музыка...

— Ты прав, прав, — мгновенно согласилась Таня.

Они не задумывались о счастье, как не размышляла о нем блаженная пара в нескончаемо летнем саду, не озабоченная ни хлебом насущным, ни здоровьем, ни банковским счетом. Даже квартирный вопрос их не беспокоил — они жили бесплатно в богатой буржуазной квартире в обмен на бесплатную же услугу, оказываемую хозяйке: кормили и выгуливали двух глупых борзых красавцев. Это была работа, но Сергей привык к ней, знал, где покупать кости, какое добавлять мясо, у кого доставать витамины. Две огромные кастрюли не сходили с плиты, и случалось, Таня с Сергеем и себе накладывали из собачьей кастрюли, слегка подсолив.

Проблемы, несмотря на неправдоподобную идиллию, конечно, были. Например, климат. Холодный. Или, вот, как достать в ночное время бутылку водки. У таксиста? Махнуть в аэропорт? Или политический строй... Неудобный и отчасти опасный. С другой стороны, всюду есть какой-то строй, а там, где его нет, либо горные кручи, либо дикие звери с ядовитыми змеями. И другие неудобства...

Всем было плохо, а этим ребятам, в шестидесятых, жилось прекрасно.

В это трудно поверить, требуются веские доказательства, опрос свидетелей, показания очевидцев. За давностию лет многое стерлось в памяти, и каждый помнит о своем: Гольдберг — лагерную зону, Павел Алексеевич — медленно уходящую все дальше от живых людей Елену в ее странном промежуточном состоянии, Тома — очереди за продуктами, в которых все равно приходилось стоять, несмотря на кое-какой продуктовый паек, приносимый в дом ПА. Другим запомнился ввод войск в Чехословакию. Обыски и аресты. Подпольщина. Запуск Гагарина в космос. Радиогам и телесвистопляска. Память о тесноте жизни, о страхе, растворенном в воздухе, как сахар в чае.

А этим, играющим, жилось прекрасно. По своему легкомыслию, они не боялись повседневно, а скорее минутами пугались. Но, очнувшись от испуга, брали в руки свою спасительную музыку, которая, мало сказать, делала их свободными, она сама по себе и была свободой. На этом месте проходил невидимый водораздел между Сергеем и его родителями. Вот по этой самой причине и трясло их друг от друга, Сережиного марксистско-ленинского папашу и папашиного музыканствующего хулигана-сына. Были они друг другу серной кислотой... Детская привязанность, родительская любовь, пошипев, изошли едким дымом, и в прожженной дыре ни жалости, ни сострадания не образовалось...

Родители Сергея давно были с ним в полном разрыве. Отец называл сына не иначе как подонком и отщепенцем. И мать не могла простить сыну измены, хотя объяснить, чему именно он изменил и с кем, она бы не смогла. Смешно, но не с музыкой же! От дворовых друзей Сергея мать прослышала, что у него родилась дочка. Она жаждала примирения, но, боясь мужа, не смела сделать первого шага. Сергей испытывал к родителям отвращение, которое было сильнее ненависти. Уже восемь лет, со смерти бабушки, он их не видел, а из дому ушел, едва окончив школу.

— В них нет ничего человеческого. Все, что они думают, говорят, делают, — одно сплошное вранье. Ничего человеческого, — и его передергивало, когда он о них говорил.

Мать подослала к ним в гости бывшую одноклассницу Сергея Нину Костикову, девочку из их двора, влюбленную в него с первого класса. У нее была миссия: устроить семейную встречу.

— А тебе что, трудно, — ходатайствовала Нина за Сережину мать. — Да покажи ты им Женьку.

— А ты скажи ей, что ребенок не мой, она и успокоится, — он взял девочку на руку, прижал ее лобик к своему, прогудел «ууу». Женя запрыгала от радости. — Ты скажи, что мне ее в подоле принесли. В подоле сарафана, — и он захохотал, как будто пошутил бог весть как остроумно.

Таня поднимала бровь кисточкой:

— Чем тебе мой сарафан не нравится? Ладно, следующего я тебе прямо в руки принесу...

О новом ребенке она не забывала. Несколько раз ей казалось, что забеременела, но каждый раз ошибалась. Дочку свою она очень любила, но хотела мальчика, и в этом ее желании была странная настойчивость, как будто она обязана была родить его для каких-то неведомых высших целей. С бытовой стороны второй ребенок был бы безумием. Но не меньшим был и первый. То, что называется материальной базой, полностью отсутствовало. Хотя деньги в дом приходили от Сережиных выступлений, да и Павел Алексеевич, навещавший своих детей раз в месяц-полтора, всегда оставлял деньги. Таня этим слегка тяготилась, но надеялась, что скоро и сама начнет зарабатывать. Однако оба они, и Сергей, и Таня, исключали потную каторгу подневольного труда, считали, что деньги на пропитание должны образовываться сами собой, в процессе их свободной игры...

Таня тем временем все глубже въезжала в музыкальную стихию. Завела даже себе блок-флейту, потихоньку от Сережи с ней слегка беседовала. Инструмент был бедненький, но звук трогательный, ребячий... Таня не пропускала ни одного выступления Сережиного трио, ходила с ним слушать и другие джазовые группы, которых в Питере развелось немало. Стоящих музыкантов было не так уж много, все были на виду. Кумиром Сергея в ту пору был Германн Лукьянов, москвич, музыкант консерваторский, другой социальной природы — сноб во фраке, играющий на многих инструментах, в те годы в основном на флюгельгорне, и был к тому же интересным композитором. Позже Сергей в нем разочаровался, увлекся Чекасиным... Но вообще все сходили с ума от Колтрейна и Коулмена. Каждую новую пластинку праздновали, Сергей даже годовщины первого прослушивания справлял. Обсасывали с Гариком каждую ноту и обсуждали каждый поворот, каждое созвучие, все смещения и сдвиги, разрывы в привычной звуковой логике. Хотя Тане гораздо интереснее было слушать живую музыку, чем ее часовые разборы, она вполне понимала, о чем идет речь: музыкальное образование, хоть и небольшое, у нее было.

Самым счастливым обстоятельством оказалось полное слияние всех компонентов жизни, которые обыкновенно лишь кое-как сосуществуют, а то и раздергивают человека в разные стороны. У Тани любовная, семейная, творческая и рутинно-бытовая линии были слиты воедино, и повседневность проживалась «музыкально», по тем же самым законам, по которым организовывается музыкальное произведение, скажем, симфония. Ее забавляла эта аналогия, и она ранним утром, когда Сергей еще спал, а Женечка уже ворковала в кроватке, отдавалась сонатному allegro, двухтемному взаимодействию, в котором первая тема, Сережина, поначалу была сильней и объемней, а потом сдавалась и уступала детской, лепечущей и радостной. Andante она улавливала на темной улице, катя перед собой коляску, и трехчастная форма его соотносилась с географией улиц, так что последняя часть, кстати сказать, самая невнятная, начиналась на Петроградской стороне.

В мастерской музыка поначалу переставала звучать — она раздевала дочку, поила водой из бутылочки, сажала на горшок и укладывала в коляску на дообеденный сон. После чего Таня выкуривала первую за день сигарету и шла к верстаку. Здесь ее настигало скерцо, и оно забавляло, слегка подстегивало, торопило, и так она доживала до финала, который выходил на рондо, и возникал повтор, нежное сцепление с утренней темой, связанной со спящим Сергеем, который появлялся к обеду. Звонок в дверь, и такой симпатичный повтор материала, abacadae...

Весной начинался музыкальный сезон. Тане хотелось поехать с Сергеем на джазовый фестиваль в Днепропетровск, а потом в Крым. К концу зимы успели надоесть два-три джазовых питерских клуба, к тому же с лучшим из них, с «Квадратом», расстроились отношения. Сергей не страдал честолюбием, был миролюбив и приветлив, а Гарик периодически вступал в глупый конфликт с кем-нибудь из джазовых старейшин города, то с Голоухиным, то с Лисовским. Таня, к тому времени уже разбиравшаяся до некоторой степени в джазовой жизни, познакомившаяся со многими музыкантами, считала, что Сергею надо от Гарика уходить. Играли они отлично, но Гарик не давал Сергею той степени свободы, до которой он уже дорос. Сергей все больше сочинял. Гарик на его упражнения смотрел снисходительно, посмеивался, но как-то, в пьянке, сказал жестко и недвусмысленно:

— Пока ты у меня играешь, мы играем мою музыку...

Сергей огорчился. Таня еще больше. Ей даже показалось, что настал момент, когда ей надо вмешаться и слегка направить ситуацию. Сергея зимой приглашали в «Диксиленд». Да мало ли с кем еще можно играть, не сошлось же все клином на Гарике... Она позвонила отцу, спросила, горит ли он по-прежнему желанием взять Женьку на лето. Если да, то она приедет и поживет немного в Москве, чтобы она ко всем попривыкла...

В середине мая Павел Алексеевич встречал Таню с Женей на Ленинградском вокзале. Все свои служебные дела он плавно заканчивал к концу месяца. Теперь ему хотелось только одного: остаться на даче с внучкой, кормить ее кашей по утрам, водить гулять, разгадывать ее невнятные слова и первые мысли. Женщины его семьи все более выходили из строя: Елена неохотно вставала с кресла, Василиса одряхлела, и зрение ее, несмотря на удачно сделанную операцию, было очень слабым. Тома помогала ему сколько возможно, но ее вечерняя учеба отнимала у нее много времени, и Павел Алексеевич только тихо удивлялся, почему именно Тома, с ее очень средними способностями, так усердствует в науках, в то время как Таня сидит в полуподвале, что-то мастерит ловкими руками и оставляет в полном бездействии свою прекрасно организованную голову...

Внучка, которую он навещал в марте, не забыла его, потянула ручки и подставила щеку для поцелуя. Он поцеловал сливочную кожу и наполнился горячим воздухом, как аэростат...

Неделю прожила Таня дома. Сделала глубокую, с выворачиванием углов, уборку. Вымыла окна. Была очень ласкова с Василисой, отвела ее в баню: другого способа мытья Василиса не признавала, а ходить одна боялась после того, как упала в бане на каменный пол. Тома редко соглашалась ее сопровождать. К тому же, несубботнего мытья Василиса тоже не признавала, а у Томы на субботы обычно были свои планы. Баня была неподалеку, на Селезневке, и Василиса всегда носила с собой свой таз, лыковое мочало — где только она его добывала? — вонючее дегтярное мыло и смену белья. Впервые за всю жизнь Василиса принимала Танину помощь. Сначала Таня помогла ей стащить толстое пальто, запинающееся в рукавах, потом нагнулась и сняла с нее всесезонные валенки. Теперь она и летом, как настоящая деревенская старуха, одевалась по-зимнему. Уже несколько лет, как Василиса перестала носить туфли... Василиса скривила рот и сказала самоосуждающе:

— Ну, барыня, дожила...

Потом Василиса сама проворно расстегнула байковый халат и сняла серое залатанное белье. Нагота ее была такой же нищенской, как одежда. Серое морщинистое тело, узловатые длинные ноги в чернильных венах и красной сыпи мелких сосудов, ссохшаяся, как у паука, грудная клетка с большим крестом чуть ли не на пупке. Смотреть на Василису было неловко, но зрение ее было таким слабым, что она не чувствовала Таниного взгляда, да и при всей своей природной стыдливости в бане Василиса снимала с себя стыд вместе с одеждой. Между ног ее Таня заметила розово-серый, размером с кулак, мешочек довольно отвратительного вида...

— Вася, что у тебя там болтается?

Василиса чуть пригнулась, слегка присела, расставив ноги, и, сделав ловкое движение, заткнула внутрь высунувшийся мешочек.

— Детница, Танечка, оторвалась. В тридцатом году еще, телегу тянули... Да ниче, ниче... Оно не болеет...

Таня усадила ее на лавку, поставила под ноги таз с горячей водой, взяла казенную шайку и стала ее мыть лыковым мочалом. Василиса постанывала, кряхтела, выражала всяческое удовольствие...

Ужас, какой ужас... Всю жизнь она нас обслуживала, таскала сумки, мыла окна, гладила белье неподъемным чугунным утюгом... Вправляла выпадающую матку и лезла на стремянку... В доме у первого в стране гинеколога... Сказать отцу? Ужас, ужас... Таня, стоя во вьетнамских резиновых шлепанцах на скользком полу, натирая костлявую старческую спину, бормотала:

— Господи, ну что с вами делать-то? Васенька, ну что, мне, что ли, домой надо переезжать... Ну что же вы такие старые-то сделались...

Стоял шум голосов, лилась вода, и Василиса ее не слышала.

«Все. Порезвилась. Теперь надо возвращаться домой», — сказала себе Таня. И пришла в отчаяние от ужасной перспективы жизни в своем старом доме, между дряхлеющей Василисой и выжившей из ума матерью, с дочкой, с Сережей... И самое нестерпимое, пробивающийся даже после самой тщательной уборки запах застарелой мочи, кошачьей и человечьей, прокисшей еды, пыли, трухи, умирания... Бедный отец, как он все это вытягивает? И она вспомнила его выстуженный кабинет, постоянную пустую бутылку между двумя тумбами письменного стола... Если бы Тому снять с работы, пусть бы домом занималась — и сразу же поняла, что это стыдно.

Когда Таня довела разомлевшую Василису до дому, усадила на кухне рядом с чайником, решение было принято: она едет сейчас на дачу, готовит ее к летнему сезону, договаривается с какой-нибудь местной теткой, чтобы помогала по хозяйству, перевозит всех и оставляет до осени. А осенью, после возвращения в город, она переедет в Москву... С Сергеем... Последнее было со знаком вопроса... Но, в конце концов, можно и снимать комнату... А джаз всюду играют!

21

Тома не любила детей. Не любила детства, своего собственного и всяческого, и всего, что связано с деторождением. Никакой Фрейд был не нужен, чтобы объяснить ее глубокое отвращение ко всей той сфере жизни, где существует притяжение полов, от невинного лапания в углах до гнусного пыхтения, сопровождающего соитие, которому с детства была она свидетелем. Материнская гнилая постель, на которой происходила любовная мистерия и где настигла дворничиху, имя которой давно уже забылось во дворе, ее малопочтенная смерть, была ночным кошмаром Томы. Всякий раз, когда Тома заболевала и у нее поднималась высокая температура, ей казалось, что лежит она в их семейном логовище. Она открывала глаза: Елена Георгиевна сидела рядом с ее чистой накрахмаленной постелью, вязала толстым крючком что-то серое или бежевое, и, увидев, что Тома проснулась, давала ей теплого чая с лимоном и обтирала мокрый лоб... Вечером заходил Павел Алексеевич и приносил что-нибудь удивительное — однажды стеклянного прозрачного зайца размером с настоящую мышь. Потом она его потеряла на даче, или его украла одна из дачных соседок, и было большое горе. Другой раз Павел Алексеевич принес ей маленькую коробочку с ножницами, пинцетом и острой штучкой неизвестно для чего. Он приносил Томе подарок, целовал сидящую рядом с постелью Елену Георгиевну в голову, и Томе было совершенно очевидно, что между этими чистыми, хорошо пахнущими и красиво одетыми людьми, несмотря на то что были они мужем и женой, не могло происходить той гнусной гадости, от которой померла бедная мамка. Они и спали в разных комнатах.

Многое из того, что видела Тома в доме Кукоцких, она объясняла самым фантастическим образом, но в данном случае она не ошибалась: никакой такой гадости между супругами не происходило, причем именно с момента ее водворения в их доме...

Что же касается маникюрного набора, он сохранился по сей день и не потерял своего значения: когда девочки болели, он приносил маленькие подарки каждый вечер, и эти ежедневные радости примиряли с болезнью. Когда болела Таня, Павел Алексеевич приносил два подарка, обеим девочкам, и больной, и здоровой. Однако, если болела Тома, то Тане он ничего не приносил...

И потому Тома была уверена, что Павел Алексеевич любит ее больше, чем Таню. Понятие справедливости, при которой все отмерялось ровно по весу, по размеру, по количеству, сохранилось у нее от младенчества, хотя отчасти и поколебалось догадкой, что не все так просто. Но Тома сложным вещам всегда предпочитала простые...

В доме у Кукоцких о справедливости как-то речи не было. И поровну ничего не делили. За обедом всем полагалось по две котлеты. Но Таня от второй часто отказывалась. Василиса вообще никогда не ела мяса. Долгое время Тома думала, что ей мяса не дают «по справедливости», то есть потому, что она прислуга. Позже оказалась, что Василиса сама не хочет мяса. Зато, прожив несколько месяцев в доме, Тома разведала, выследила, что у Василисы есть своя особая еда, которую в доме никто другой не ест: в чулане у нее хранился сушеный белый хлеб, нарезанный мелкими кусочками, и Василиса его ела по утрам, от всех втайне. Значит, какая-то справедливость и здесь существовала. Тома как-то влезла в чулан, нашла завернутый в тряпочку хлеб, попробовала кусочек — он был совершенно безвкусный. Ничего в нем особенного не было...

Живя с матерью и братьями, Тома постоянно участвовала в дележке — маленькие братья всегда хватали куски побольше и получше, постоянно ссорились из-за еды. Мать тоже ссорилась со всеми по разным поводам, и ссоры, даже драки, все были из-за несправедливости. У Кукоцких все было вопреки справедливости, и это было удивительно, особенно в первое время. Летом, на даче, Павел Алексеевич сбрасывал со своего блюдца первую клубнику в тарелку Елене Георгиевне, а она, смеясь, пересыпала ягоды Василисе, которая сердилась:

— Не буду я вашу слякоту есть, дитям отдай...

А Таня клубнику, как и котлеты, не любила, и ягоды замыкали застольный круг в Томиной тарелке...

Зато теперь, когда в доме появилась Женя, Тома наконец осознала радость отдавания. Забавно, что почувствовала это Тома впервые на той же даче, с той же первой ягодой клубники, выросшей на «своей» грядке. Их было всего с десяток, первых, уже красных, но не совсем еще дозревших ягод с Василисиной плантации, и Василиса с гордостью поставила их в воскресенье на стол:

— Первины вам...

Павел Алексеевич разделил всем по две ягоды, а последнюю, непарную, положил Жене. И опять, как в детстве, начался застольный передел. Павел Алексеевич положил одну ягоду в рот, вторую сунул Жене. Женя засунула в рот ягоды, смешно скривилась, но зачмокала от удовольствия...

Василиса что-то ворчала, похоже, что на клубнику тоже у нее был пост. И тут, глядя на Женькино гастрономическое наслаждение, написанное на вымазанном соком лице, Тома поняла, что ей вкуснее смотреть, как ест ребенок, чем есть самой...

Так незаметно получилось, что Тома полюбила Женю, племянницу, как она ее определяла...

Девочка жила в доме деда уже второй год. Павел Алексеевич считал, что ребенок должен быть с ними, пока у Тани жизнь не организуется. Так и получилось, что прошлогодний дачный сезон растянулся на целый год. Тане все не удавалось перебраться в Москву. Она довольно часто приезжала на несколько дней, и только теперь, к началу июля, все стало складываться. Павлу Алексеевичу перед самым выходом на пенсию удалось выхлопотать однокомнатную кооперативную квартиру в новом академическом доме — для Томы. Бывшая девичья должна была вернуться в Танино владение, правда, владение это было не единоличным, а семейным, вместе с Сергеем и Женей.

Собственная квартира, добытая хлопотами Павла Алексеевича и построенная на его деньги, представлялась Томе сказочной фантазией. Дом еще не был вполне достроен, но она ездила уже несколько раз на Ленинский проспект, в дальний его конец, ходила вокруг почти законченной стройки и даже постояла возле будущего подъезда. Ей подарено было имение, собственный остров, и в голове ее в связи с этим происходила перестановка всех окружающих по отношению к себе самой — собственная ценность, как ей казалось, неизмеримо возросла... Среди сослуживцев, а тем более сверстниц, она не знала никого, кто обладал бы подобным сокровищем. Сверх того, она еще не могла понять, почему квартиру построили ей, а не Тане, родной дочери, к тому же в некотором роде семейной?

Конечно же, Павлу Алексеевичу прежде Томы пришла в голову эта идея. Более того, он обсуждал ее с дочерью в один из ее приездов в Москву. Он как раз и начал именно с того, что предложил Тане построить двухкомнатную квартиру для ее семьи. Но Таня, ни минуты не колеблясь, отказалась: единственным мотивом ее возвращения в Москву были «наши старушки, которые все более приходят в упадок, и переезжаю я для того, чтоб за ними ухаживать»... Павла Алексеевича неприятно задело, что Таня уравняла снисходительным словом «старушки» Елену и Василису...

С Питером расставаться было трудно: у Сергея произошел какой-то прорыв, он осваивал один за другим новые инструменты, то играл на самодельных сдвоенных дудочках необычное хроматическое двухголосье, то упражнялся на бассет-горне, и, в конце концов, по следам великого Роналда Керка, завелся на совсем уж экзотическое музицирование на двух саксофонах сразу. И все получалось. Музыкальная дорожка крутилась непрестанно, и все чаще Сергей вытаскивал из этого звучащего гула свою собственную музыку. Одну из его композиций, «Черные камни», Гарик, после долгих сомнений, стал играть...

Таня работала много, ее черные камешки входили в моду, чему способствовала приезжавшая на каникулы из Перми Полуэктова. Правда, на время ее приездов Сергею с Таней и Женькой приходилось полностью перебираться в мастерскую, на чем Полуэктова, собственно говоря, не настаивала: ревность была ей незнакома. Таня ей даже нравилась, к тому же ее собственная жизнь в Перми сильно пошла в гору. Ее классы считались лучшими, из репетитора она превращалась в хореографа, а роман с самым талантливым из выпускников училища придал ей бодрости, куража и некоторую дозу совершенно не свойственного ей добродушия... Таня подарила Полуэктовой пару своих изделий, та очень удачно продемонстрировала их в Мариинском театре, где танцевала до пенсии, и весь кордебалет, повинуясь коллективному инстинкту, встал в очередь к Тане за ее украшениями — Таня еле успевала выполнять заказы. Сама Таня тоже вошла в моду: их с Сергеем постоянно приглашали на все тусовки, от театральных премьер до квартирных концертов. Теперь Таня носила короткие черные платья и длинные коричневые волосы, росшие с удивительной скоростью: за два года они укрыли ее острые лопатки. Оттого что она постоянно находилась на берегу музыки, как на берегу моря, тело ее было собранно и даже в полной неподвижности несло в себе заряд скрытого движения. Но главное событие происходило в тайне и в темноте: Таня была беременна, безмерно этому радовалась, но никому, кроме Сергея, об этом пока не говорила, даже Павлу Алексеевичу. Решено было, что она вместе с Сергеем последние два свободных от домашних обязательств месяца проведет в гастрольной поездке по Крыму и Кавказу, после окончания гастролей поедут на международный джазовый фестиваль в Прибалтику, потом, собрав быстренько свое небогатое барахлишко и подведя черту под питерской жизнью, переедут в Москву — рожать сына, воспитывать Женьку и ухаживать за стариками.

То обстоятельство, что трудности обещали быть огромными, Таню только подзадоривало: она была так полна счастьем и силой, так бесстрашна и легкомысленна, что даже немного торопила время. Что нисколько не мешало ежедневному наслаждению...

Начались гастроли, что было особенно восхитительно, с Одессы, с того самого Интернационального клуба моряков, где Таня впервые увидела Сергея. Здесь они и справили условную третью годовщину их союза. В Курортном выступления на этот раз не было, но они наняли на день машину и махнули туда. Там ничего не изменилось — все стояло на своих местах: и пыльные мазанки, и помидорные плантации. Спустились по шаткой лестнице к бесцветному морю, оно за три года еще сильнее подмыло берег, и между нижней частью лестницы и откосом горы зияла опасная дыра.

— Не для пьяненьких, — заметила Таня. Сергей подал ей руку. Она приняла руку, хотя чувствовала себя вполне уверенно.

Искупались и решили взглянуть на дюны. Шофер ждал наверху. Коренной одессит, он был мрачен и молчалив, живое опровержение ходячего мнения об одесситах. Он подбросил их до косы, до того самого места, где три года тому назад застряла Гарикова машина. Таня с Сергеем пошли на косу. День был будний, народу почти не было, возле памятной развалины никто не загорал, только валялись несколько пустых бутылок, наполовину засыпанных песком. Жары, той жгучей и липкой жары, которая стояла тогда, не было. Дул ветерок от моря. Колыхал Танин красный сарафан — она специально надела его, чтобы воспроизвести все как было. Они искупались голышом. Легли на песок, в полутени полуразрушенного строения... Таня обняла Сергея, он немедленно отозвался. Теперь все было по-другому. Они повзрослели и стали осторожны. Младенца, который плавал внутри и уже начал первые разминки, ударяя изнутри то ножкой, то кулаком, они боялись обеспокоить, и любовь их, pianissimo и legato, была совсем иной, чем та, первая, бурная и беспамятная. Но хорошо было и то, и другое...

Уложив руки Сергея на живот, сказала ему в ухо:

— Мальчик будет большой, не то что Женька, мелочь пузатая....

Потом Сергей достал из сумки бутылку вина, два помидора, яйца и зелень. Зеленый лук был пожелтевший, заматерелый. Хлеб раскрошился. Таня пожевала вялое перышко, посолила корку хлеба, откусила. Еда не шла в нее. Выпила два глотка вина, и, собрав остатки, они пошли к машине. Пока шли, у Тани пошла кровь носом. Сергей намочил красный сарафан в воде лимана, приложил довольно теплый компресс. Кровь унялась быстро. Надо было торопиться, вечером было выступление.

Приехали за час до начала. Таню мутило, болел затылок и мышцы ног. Она было надела вечернее платье, зеленое, на бретельках, веселое платьице, которое уже натягивалось на животе, но в последнюю минуту решила остаться в номере. Легла и сразу же заснула. Но очень быстро проснулась от боли. Положила руки на живот, спросила:

— Ну, как ты?

Мальчик не отвечал. Видимо, с ним было все в порядке. Наверное, надо было бы выпить анальгин. Но, во-первых, его не было, во-вторых, Таня не очень хотела принимать таблетки. Незадолго до того, как пришел Сергей, опять пошла кровь носом.

— Может, вызвать врача? — забеспокоился Сергей.

Таня сморщила губы, она не хотела медицины. Во время прошлой беременности она даже не удосужилась завести медицинской карточки, не делала никаких там положенных анализов и даже немного гордилась тем, что избежала всей суеты, которую теперешние женщины разводят вокруг такого естественного и здорового дела, как деторождение...

Чуть позже в номер заглянули Гарик и Толя, уже слегка выпившие, с двумя бутылками, початой вина и закупоренной водки. Толя вина не признавал, а у Гарика было острое чувство стиля: он считал, что летом на юге пить водку может только последний алкоголик. Другое дело — зимой...

— Старуха, ты мне не нравишься, — объявил Гарик с порога. — Не прыгаешь, не скачешь, а горько-горько плачешь... Вы как знаете, а я вызываю «Скорую»...

Он решительно направился к телефону. Телефон не работал.

Таня остановила Гарика:

— Давай до утра подождем... Мне кажется, я бы чаю с лимоном выпила. И, черт с ним, несите анальгин...

Чаю Тане принесли, после приема анальгина стало лучше. Она заснула. Проснулась в четыре часа, со рвотой. На этот раз Сергей ждать не стал, спустился к администратору и вызвал «Скорую помощь».

Пожилая еврейка бегло посмотрела Таню и сказала, что увозит ее немедленно. Говорила она раздраженно, даже угрожающе, страшно не понравилась Тане, но мышцы ломило, тянуло в затылке, и боль разливалась по стенке живота.

Таня пыталась возражать, но врачиха не стала ее слушать, как несмышленого ребенка, и обратилась к Сергею:

— Печень на три пальца висит. Я на себя такую ответственность не беру. Вы зачем меня вызывали, просто поговорить? Если хотите получить медицинскую помощь, срочно госпитализировать. Вы объясните своей жене, что она может ребенка потерять.

Чем-то ей Таня так не глянулась, она в ее сторону даже не смотрела.

Таню увезли, и сразу после этого все пошло кувырком. В клубе прорвало трубу, и его закрыли по техническим причинам. Выступление сорвалось. Весь день они были заняты только переживаниями, и Толя Александров по этому поводу напился, что само по себе было не страшно, но он в какой-то пивной подрался, и ему здорово влепили в глаз. Сергей мотался в больницу по три раза на дню — там ему ничего не сообщали, да еще и лечащего врача он два дня не мог отыскать: то он уже ушел, то еще не пришел. Потом настали выходные, и лечащего уже не было вообще, а был дежурный, которого тоже не удалось отловить: то он обедает, то вызван к тяжелому больному. Все сотрудники прекрасно знали, что он запил и не вышел на работу.

В отделение патологии не пускали: там был карантин. Все зависло и остановилось, и даже испортилась погода, пошел дождь.

Тане становилось все хуже и хуже, и настала минута, когда она испугалась. На левом предплечье она обнаружила синяк, и такой же кровоподтек расплывался на боку. Затылок продолжало ломить. Живот болел непривычной жгучей металлической болью. Приходили медсестры, щупали живот и измеряли давление... Температура была нормальной. Чуствовала себя Таня все хуже, и на третьи сутки она решилась вызвать отца.

Нашла у соседок бумагу и карандаш, написала записку Сергею, чтобы он позвонил отцу в Москву и вызвал его. Записки выбрасывали в окно. Субботним утром Сергей подобрал Танино письмо, кое-как нацарапанное, немногословное и отчаянное. Он тут же поехал на почту и отбил Павлу Алексеевичу телеграмму.

К вечеру Сергей пришел под окно с саксофоном. Обычно посетители выкликали снизу, с пыльного газона, своих Верок и Галек, и те вывешивали с подоконников разбухшие молоком груди и улыбки сообщниц, которым дело удалось. Среди десятка местных новоиспеченных папаш, мореходных, блатных и торговых, Сергей был единственным худым, длинноволосым и трезвым. К тому же он испытывал не коллективную радость деторождения, а персональную тревогу и страх, угнездившийся, видимо, на дне желудка, потому что зарубцевавшаяся давно язва не то чтобы болела, но давала какие-то зловещие сигналы...

Кричать с газона — Таня была на третьем этаже — Сергей не стал. Он вынул инструмент из чехла, приложил трость к губам и тихо сказал:

— Та-ня...

Таня услышала, но не сразу смогла подойти к окну. Когда она оторвалась от подушки, закружилась голова и накатила тошнота. Но желудок давно был пуст, она перетерпела резкую и бесплодную судорогу, дотащилась до окна. Ноги отчаянно ломило при каждом шаге, а живот, казалось, был налит свинцом... Она высунулась в окно, когда Сергей уже в третий раз выводил железным узким горлышком тягучее «Та-ня...».

Он не сразу узнал ее — она собрала волосы кверху, в пучок, как носила всю жизнь ее мать. Да и больнично-арестантский халат делал ее чужой и громоздкой... Она махнула рукой — жест был Танин, невоспроизводимый никем другим. А Таня, глядя на него сверху, узнавала свою любимую минуту: когда он брал в руки инструмент и из миловидно-невзрачного юноши превращался в музыканта по той самой формуле, которая человека и лошадь обращает во всадника, мужчину и оружие в воина: когда сумма человеческого и нечеловеческого превышает значение каждого в отдельности.

Сергей держал саксофон в руках. Правая была снизу, пальцы на клапах, левая вверху, на басах, у поворота металлического корпуса, подбородок был запрокинут, а нижняя губа оттопырена... там, внутри, есть нежный мозоль от трости, его можно потрогать языком... Он держал в руках саксофон, глупое, в общем, животное, выдумка мастера, гибрид дерева и металла с куском пластмассы в придачу, да и по форме не самый совершенный, и клапы у саксофона не очень красиво вырастают из тела, и раструб, наверное, слишком резко вывернут... Мало ли было в семействе духовых красавцев: флейта с ее древней простотой, все ее простодушные родственники от сиринкса до цевницы, кленовый фагот с зачаточным раструбом и клювообразной головкой, аптечный, аскетичный цугтромбон, педантически свернутый латунный корнет с глупым вентильным механизмом, завитая улиткой торжественная валторна... А раструб гобоя? Вывернутая до глубины души воронка трубы? Саксофон, конечно, не был самым совершенным, зато обертона его голоса передавали человеческие оттенки нежности, ликования или печали, и, кроме всего прочего, они были друг для друга резонаторами, Сергей и саксофон. Вдвоем им удавалось произносить такое, что в одиночку Сергею никогда бы не удалось. И он взял трость в напряженные губы, зубы уперлись в натертую с годами складочку в изнанке нижней губы, и бархатно-синее ля сказало: начинаем!

И они, Сергей и его «Selmer», начали легко, непринужденно, совершенно не озабоченные тем, что же такое важное им надо сказать Тане. Это были «Гигантские шаги» Колтрейна, и Таня сразу же узнала эту продвигающуюся по большим терциям напряженную музыку: до — ми — соль диез, и ключ менялся в течение темы трижды, но Сергей не дошел до конца, свернул в свое собственное соло, потом прошел восходящим пассажем на высоту, огляделся и взошел еще раз туда, где саксофонные возможности кончаются, а потом осторожно сошел вниз по блюзовой гамме, и Таня начала узнавать что-то смутно знакомое, много раз слышанное... может, «Always say good-bye» Хейдена... или похожее... или Сережино...

Она вспомнила, как писала ему письмо из родильного дома, три года тому назад, в Питере, когда родила Женьку, и какие высокопарные глупости... как прекрасно обходятся они, Сергей со своим инструментом, без всяких слов, и теперь, если вся эта история хорошо закончится, она никогда больше не будет говорить глупостей, потому что стыдно их говорить, когда есть музыка, которая никогда глупостей не говорит... И сейчас музыка говорила внятно, строго и нисколько не развязно, как могло бы показаться тому, кто не владеет ее ясным и прозрачным языком: прощайтесь, прощайтесь... всегда... навсегда прощайтесь... и маленькие звуки, острые, зазубренные, металлические, были так же безжалостны, как и прекрасны...

Таня держала руками наполненный болью живот. Неужели он погибнет, малыш, со сложенными под подбородком ладонями, с мягкими ушками, запечатанным еще ртом, светленький, на Сережу похожий, с верхней губой, которая чуть нависает над нижней... бедный Павлик... несостоявшийся Павлик...

Сергей больше не увидел Таню живой. Не увидел ее и Павел Алексеевич. Он приехал с дачи и нашел в двери две телеграммы — одну от Сергея, с просьбой о приезде, вторую, отбитую двумя сутками позже, с заверенной подписью главного врача, извещающую о смерти Татьяны Павловны Кукоцкой.

Через сутки Павел Алексеевич стоял возле обитого пятнистой жестью стола, и это была горчайшая минута его жизни. Тонкое пламя жизни, зеленоватые отсветы работающего сердца, сгустки энергии, вырабатываемые отдельными органами, были уже отключены. Она была пластмассово-оливкового цвета, загорелая девочка, с гематомами на предплечьях и на икрах, с прозекторскими швами, обличающими самозваных врачей в тяжком преступлении перед природой. Протокол о вскрытии он уже видел. Историю болезни, заполненную задним числом, ему тоже предъявили. Вся больница, от главврача до последней медсестры, замерла в ужасе — ждали кары. Доктор Кукоцкий увидел с первого взгляда, что диагноз не поставлен, лечения не производилось в первые двое суток после поступления в больницу, что необходимые анализы были сделаны слишком поздно, что беременность усугубила ситуацию... и что вытащил бы он свою девочку, если бы приехал с дачи не во вторник, а в прошлую пятницу...

Сходство Тани с матерью было неправдоподобным и мучительным. Вот так же он стоял четверть века тому назад перед молодой Еленой, приблизившейся вплотную к смерти, и в том же самом ракурсе видел каштановые подобранные волосы, тонкие ноздри и брови с кисточками...

«Никогда. Никогда не узнает об этом Елена», — подумал он и поразился мгновенной догадке: а не для того ли Елена ушла в свой пустой, загадочный и безумный мир, чтобы не узнать о том, что давно прозревало ее вещее сердце...

Он прошел в кабинет главного врача и попросил собрать заведующих отделений. Главврач пытался возражать, но Павел Алексеевич взглянул на него по-генеральски, и тот кинулся звонить секретарше — срочно всех пригласить к нему. Через пять минут в кабинете сидело шесть врачей. Перед Павлом Алексеевичем лежал протокол вскрытия и история болезни.

— Случай требует экстренного разбора, — произнес Павел Алексеевич. Врачи переглянулись. — Количество промахов, ошибок и врачебных преступлений переходит все границы. Инфекционного больного положили в отделение патологии. Ни биохимического анализа крови, ни бактериологического исследования не было произведено. Диагноз не поставлен. Предполагаю, что мы имеем дело с болезнью Вейля, Morbus Weili. Если это лептоспироз, необходимо принимать срочные меры.

Патологоанатом, маленький кривоватый восточный человек с крашеными усами, страшно забеспокоился:

— Позвольте, коллега, у нас нет никаких оснований для таких выводов. Вы видели протокол, вам предоставили возможность осмотреть, — труп? тело? на мгновение замялся усатый, — больную. Какие у вас основания...

— Гнездный распад с геморрагиями в мышцах, петехиальная сыпь. История болезни ничему не соответствует. Была интоксикация. Внутривенные вливания, о которых здесь написано, не производились. Я осмотрел вены... Полагаю, что лечение вообще не производилось. Но сейчас речь не об этом. В вашем роддоме — гепатит.

Павел Алексеевич сделал все то, что сделал бы в любом другом случае: позвонил в горздрав, вызвал заведующего санэпидстанции и главного эпидемиолога. Городскую медицину залихорадило сверху донизу, так что даже уборщицы стали мыть сортиры два раза в день, средний медперсонал не напивался по ночам, а кухня остерегалась с выносом ворованного масла и мяса.

Три дня провел Павел Алексеевич в больнице, а на четвертый, вместе с Сергеем, впавшим в душевный столбняк и полное онемение, сел в поезд. В багажном вагоне стоял цинковый гроб с маленьким прямоугольным окошечком, в котором видна была белая, многократно сложенная марля.

На последние Гариковы деньги — свои Павел Алексеевич истратил, да и Сергей тоже — купили четыре бутылки водки. Эту теплую водку они пили долго, медленно, понемногу, закусывая кусочками раскрошившегося печенья из пачки — ничего другого не было, — в молчании... Потом Сергей лег на нижнюю полку, обнял футляр с упрятанным внутри инструментом и проспал до Москвы. Павел Алексеевич тридцать шесть часов глаз не сомкнул — сидел напротив спящего молодого человека, смотрел на его измученное лицо. Он был белокож, краснота лежала на веках, на ноздрях. Белесая редкая щетина прорывала нежную кожу щек, образуя мельчайшие гнойнички... Подергивались покрытые запекшимися корочками губы. Он погладил во сне кожаный бок футляра и что-то пробормотал. Павел Алексеевич не расслышал. Он думал о том, как изменилась бы их жизнь, когда еще двое мужчин появилось бы в доме, этот молодой, милый, и тот, которому не суждено было... А еще он думал о том, что произошло с его дочерью: от того момента, когда вертлявая спираль с местной гнилой водой попала в желудок, всосалась в слизистую, с кроветоком разошлась по всему телу, угнездилась в хорошо снабжаемых кислородом мышцах и своим ядом отравила кровь так сильно, что бедная печень, и без того нагруженная беременностью, не смогла ее очистить... Никакого вспомогательного ясновидения не нужно было теперь Павлу Алексеевичу: проклятая эта картина, грубая и ясная, как рисунок в букваре, стояла перед его глазами...

Все устроилось. Виталик Гольдберг встретил их на Курском вокзале. На Немецком кладбище уже была открыта фамильная могила — в двух шагах от доктора Гааза. Там лежали дед и прадед Павла Алексеевича. И теперь, нарушая природную очередность, уложена была Таня. Никого, кроме отца, мужа и любовника Тани, не было на этих похоронах.

Сергей хотел сразу же уехать, но Павел Алексеевич попросил его остаться ночевать. И Сергей остался. Квартира была пустая, летняя, пыльная. Павел Алексеевич дал какую-то таблетку. Выпили водки. Потом Сергей лег на Томину кушетку. В эту комнату они с Таней, Женькой и мальчиком должны были въехать через несколько месяцев.

22

В Питере Сергей никому не объявил о своем приезде. Он сразу же поехал в мастерскую. Ключей у него не было: они остались в Одессе среди Таниных вещей. Он легко взломал дверь. Там был беспорядок, оставленный ими при отъезде. В раковине стоял невымытый в спешке кофейник. Из заварного чайника выплескивался таинственный цветок плесени. Черное Танино платье висело на деревянных плечиках на стене. Туфли на высоких шпильках, в которых Таня делалась на полголовы его выше, наступив одна на другую, стояли возле узкой кушетки... Накануне отъезда они ходили на вечеринку к молодому режиссеру, который собирался пригласить его для какой-то неопределенно-привлекательной постановки... Господи, и кушеточка-то была не прибрана, полосатая простыня свисала с изножья, и единственная подушка, которую они во сне тягали каждый в свою сторону, хранила примятость...

Сергей ткнулся лицом в подушку — обожгло запахом. Она еще была здесь. На белой подушке свился спиралью ее темный волос. Под подушкой лежали в комок сбившиеся маленькие черные трусы. Он лег на кушетку одетым и заснул.

Проснулся через неопределенное время, попил из крана воды, помочился в раковину: уборная была на лестничной клетке, одна на все четыре подвальных квартиры, и тоже под замком. Ключ от уборной висел на гвоздике при входе, но Сергей решил почему-то, что он остался в Таниной связке в Одессе.

Он снова лег спать, уже раздевшись. Танин запах обострялся всякий раз, когда он вылезал из постели и возвращался в нее снова. Все, что осталось — запах и комок нейлоновых трусиков. Он хранил их неопределенное количество дней и ночей. Засыпал, просыпался. Пил из крана. Писал в раковину. Есть не хотелось. Некормленный желудок бездействовал.

Наконец он вылез из-под одеяла и сел возле Таниного рабочего стола. Потрогал ее инструменты, заготовки. Металл ничего не говорил ему о Тане. Зато, когда он открыл пеструю жестяную коробку с черными камнями, то долго не мог от них оторваться. Они как будто сохранили прикосновение ее рук — полированный слоистый агат, черно-синий магнетит, шероховатый черный нефрит и самый любимый, прозрачный обсидиан... Он взял два наугад и сунул в карман джинсов. Потом прихватил футляр и вышел из мастерской. Дверь, не запертая изнутри на крюк, болталась в дверном проеме, замок-то был выломан. Он вернулся, нашел плотницкий молоток с гвоздодером, большой гвоздь. Вбил гвоздь снаружи в дверную раму и согнул его ударом молотка так, чтобы дверь казалась запертой. Потом положил молоток под коврик, чтобы было чем выдернуть гвоздь, когда вернется. Мелькнула странная мысль: а вернусь ли сюда?

Полуэктова, которую все считали всемирно известной стервой — но Сергей-то знал, что она, хоть и правда сучка, но все равно человек, — полагала, что он застрял в Москве. Гарик позвонил в Питер еще из Одессы и всех оповестил о смерти Тани. Он же сказал, что Сергей отправился в Москву с гробом. Все Сережины друзья были уверены, что он там и остался.

Ключи от квартиры Полуэктовой Сергей, видимо, потерял, во всяком случае, он позвонил в дверь, совершенно не уверенный в том, что ему откроют. Ему открыла сама хозяйка в лакированной черной прическе с балетным кукишем на макушке и в полном макияже.

— Вам кого? — спросила она и осеклась. Узнала она Сергея не сразу. Он был худ, в длинной щетине или в редкой бородке, бледен желтушным оттенком и вид имел самый невменяемый. Грей рванулся к нему — лизнуть в губы... Он стоял в дверях безучастно, как будто и пришел сюда бессознательно, на автопилоте...

Полуэктова ахнула, заорала некрасивым высоким голосом, засыпала глупой скороречью:

— Ты что, позвонить не мог, да? Я уезжаю сегодня. Черт, как все глупо, глупо. Не смей ничего говорить. Я все знаю. Только не об этом... Собак я забираю. Все. Ты чего не звонил, чучело? Я квартиру сдала. Может, лучше бы тебе оставила? Не смей мне ничего говорить!

Она обняла его за плечи — свой мальчишка, не пойми кто, ученик, старый любовник, племянник, дружочек... Всегда у нее было так, мимо жанра, и никогда не было солидного, положительного, состоятельного... То есть, кажется, именно теперь такой наклевывался... Не сглазить бы. Никакого артистизма, то, что надо. Гремин, Гремин. Настоящий генерал...

Она погладила Сережу по грязным нечесаным патлам, которые он и резиночкой не подхватил, потерялась резиночка, пошлепала по спине, оттолкнула:

— Иди в ванну, я поесть тебе приготовлю.

Он прошел в ванную, пустил пышную, с живым напором рвущуюся из крана струю и сообразил, что не мылся чуть ли не с Одессы... Он лег в горячую воду, еле переносимую, и заплакал...

А стерва Полуэктова звонила в Пермь своему генералу и писклявым, столь не идущим ее могучему воинскому духу, голосом, сообщала о перемене планов: встречать не надо, она сдает билеты и остается по меньшей мере на неделю. Ее бывший муж, только что овдовевший, свалился как снег на голову, и придется с ним повозиться, потому что в таком состоянии она не может его оставить одного...

Сибирский генерал кивал в трубку, говорил сухо «да, да, да» и дивился, какая правильная, сильная, настоящая баба ему досталась, даром что балерина с плоской жесткой грудью и мускулистой, как у новобранца, спиной, и улыбался, и замирал ожившим низом, потому что такой бабы в жизни у него не было, он и не догадывался, что такие бывают...

Полуэктовой недели не хватило. Она провозилась в Сергеем почти месяц, и кормила едой, и таблетками, и ставила его любимую музыку, и заставляла гулять с собаками, — и постепенно он приходил в себя и стал играть. И в тот самый день, когда он снова должен был выступать в клубе после большого перерыва, Полуэктова улетела к своему седовласому любовнику, который, хоть и не совсем вышел ростом, во всех остальных отношениях был самым правильным мужем даже для примы-балерины, и за время сверхпланового ожидания принял окончательное решение покончить со своим затянувшимся вдовством и жениться на исключительной, выдающейся женщине, с прошлым бляди и будущим гранд-дамы региона, равного по площади пятнадцати Бельгиям, восьми Франциям и пяти Германиям вместе взятым...

23

Купчинский житель Семен Курилко, сотрудник милиции, старшина, дежурил в ночь в отделении и изметелил задержанного. Не сверх обычного, в меру, а тот к утру помер.

Музейный оказался работник. И вот, из-за этого узкобрючного пидараса, тощего недоебка, начались у Семена такие неприятности, что вся его жизнь пошла наперекосяк. Выгнали из милиции, еще и говорили: благодари, что срок не повесили... Ушла жена, уехала с дочкой в Карелию; потом померла мать, которая одна только его и поддерживала, не говоря о том, что кормила; после всего этого Семен заболел — раскрошил топором в яростном припадке детскую площадку новую, только что поставленную, с домиком для лазанья, с песочницей и деревянным резным медведем. Прямо у заваленного насмерть медведя его повязали и свезли в психушку. Лечили почти год и выпустили на волю, в родную комнату в Купчине. Пока он болел, соседи его обобрали, унесли одеяла и приемник «Спидолу», от хороших времен оставшуюся.

В милиции Семен прослужил восемь лет, сразу после армии, и никакой другой профессии не имел. Инвалидную пенсию ему дали, но маленькую. Хорошо, что был непьющий, а то и на еду еле хватало. Аппетит был хороший, пенсии не соответствующий. В больнице он сильно растолстел, и ему теперь больше требовалось. Он так понимал, что худому не так много питания надо, как телесному. Он пошел бы работать куда-нибудь, в ВОХР, например, но туда не брали за то, что из милиции отчислен. Пошел было в типографию грузчиком, но и там выгнали, надо сказать, за глупость: курить у них было запрещено, а он все закуривал по привычке. Его раз поймали, другой, третий, и начальник цеха, молодой парень, только после института, такой же узкобрючный поганец, как тот, музейный работник, из-за которого все в милиции так получилось, выгнал его.

И опять остался Семен ни с чем. И вот тут и взяла его большая злость на тощую эту молодежь, на всех умников, которые всю жизнь ему испакостили. И взял тогда Семен заточку. Тонкую, острую, потолще спицы, потоньше напильника. Она у него дома давно хранилась, с милицейских времен, отобрал при задержании у блатного. Зачем притырил, и сам не знал. Сунул в рукав, зацепил острие под ремешок от часов. Часы были сломанные, давно уже не ходили, а тут пригодились. Получилось ловко.

Жил Семен около кладбища имени Жертв Девятого января, на одноименном проспекте, в глубоком дворе, образованном тремя двухэтажными домами-бараками, в двадцати минутах ходьбы от станции. Первого мая тысяча девятьсот шестьдесят первого года, в любимый праздничный день, когда в милиции дел по горло — пьянки, поножовщина, веселая гульба, — он совершил первый свой боевой вылет. Он прошелся пешком до станции, сел в электричку и доехал до Витебского вокзала. Оттуда свернул налево, на Загородный проспект, и, не торопясь, разглядывая прохожих, пошел в сторону Технологического института. Здесь, в проходном дворе, перерытом траншеей и утратившем из-за этого на время свою проходную функцию — люди заглядывали во двор, доходили до траншеи и возвращались обратно в арку, откуда пришли, — он сел на лавочку и сидел до самого вечера, потому что все не складывалось его дело: то народ шел кучно, то одинокий человек был не той породы, которая была ему нужна. И только в девятом часу зашел пидарас тощий, патлатый, в узких брюках, еще и с тонким портфельчиком. К тому же и пьяный. Он не искал прохода на другую улицу, ему нужно было всего лишь укромное место, темный угол, чтобы слить быстротечное пиво. И когда он отжурчал в подходящем месте, Семен подошел к нему сзади и всадил заточку точно куда надо, чуть сбоку и между ребрами. Она поначалу запнулась как будто о плотную пленку, а потом, как по маслу... Туда, и обратно. Парень, даже не обернувшись, охнул, ткнулся носом в стену и осел. Семен на портфель и не взглянул, а заточку аккуратно обтер кухонной тряпкой, предусмотрительно им захваченной из дому, засунул инструмент в рукав, под часовой ремень, и вышел из двора той новой походкой, негнущейся и манекенной, которая образовалась у него после больничного излечения...

Следующий боевой вылет состоялся на Седьмое ноября, и тоже прошел успешно. Теперь он уже знал, что и в будущем году, на Первое мая отметит он свой праздник таким образом, как душа его желает: ткнет заточкой этого поганца, тощего пидараса, жида плюгавого...

Три года подряд он ходил в тот проходной двор. Там траншею давно заделали, люди шли не то что большим потоком, но ручейком. В светлое майское время гуще, в темное, ноябрьское, пожиже. Семену всегда везло — один раз парень был с букетом цветов, другой раз с магнитофоном, третий нес при себе две коробки с тортами, связанные вместе. Некоторых он уже и забыл. Сначала он его выслеживал — сразу узнавал эту породу. Потом догонял на ходу, прилеплялся на мгновение, брал правой рукой за плечо, а левой бил. Семен был левша, в школе переученный, так что писал он правой, а другие дела мог делать обеими, но левой сподручнее.

Уже набралось семеро, когда в очереди в магазине он услышал бабий разговор, что в городе объявился убийца, которого уже десять лет не могут найти, а он, маньяк, убивает только по праздникам, на все красные числа, и что на все праздники мужчин режет, а на Восьмое марта, раз в году, непременно женщину. Семен только сперва удивился, а через несколько дней смекнул, что речь-то о нем шла. Преувеличили, конечно, и насчет лет, и насчет праздников. Но в корне правильно. Спустя недели две, проходя мимо прежней своей работы, увидел на большом листе — «Разыскивается...» Было приклеено три фотографии, двух мужиков и одной бабы-мошенницы, с именами, а вместо четвертой фотографии нарисованная картинка — фоторобот. Всего только было у той картинки с Семеном общего, что крутые надбровные дуги да коротко стриженная голова.

И тут Семен испугался, затаился, из дому неделю не выходил, пока не съел все до последней макаронины. Дело шло уже к ноябрю, и он решил в тот год седьмого из дому не выходить. Этот розыск его не только испугал, еще и раззадорил. Седьмого-восьмого он дома пересидел, еле удержал себя, даже руки тряслись. А девятого вышел. И произвел всю операцию очень хорошо и удачно. В руках у парня ничего такого не было, но зато была на лице его бороденка пижонская, и был он точно пидарас гнойный...

Самочувствие у Семена после боевого вылета всегда поправлялось. Он даже прирабатывал теперь время от времени в мебельном магазине грузчиком. Только перед праздниками он начинал беспокоиться и вспоминать, куда спрятал заточку. Прятал он ее в доме, каждый раз на новом месте, и однажды запамятовал, где схоронил — дом обыскал, пока нашел. А всего-то под клеенку на столе, где стол к стене прислоняется, спрятал... Да и праздничные дни он теперь решил обходить, пару-тройку дней раньше или позже... В милиции-то сплошь дураки сидят, это уж Семен хорошо знал. Им скажут в праздники ловить, они в другой день нипочем не выйдут.

В ноябре шестьдесят шестого пошел черед десятому номеру. Но Семену случилось сильно простудиться к этому времени. Был у него кашель, ломало кости, и он откладывал уже не три дня, а почти целую неделю. Даже подумал, что, может, и вовсе в этот раз пропустит. Но как-то не получилось пропустить. Тянуло на охоту. Только пятнадцатого числа надел он заветные часики, снарядил заточку и вышел из дому в светлое еще время, в начале четвертого. Доехал, как всегда, до Витебского вокзала и пошел по Загородному проспекту. Но свернул не в сторону Технологического, а пошел в другую сторону, по Московскому проспекту...

Он плохо знал Ленинград — родился в Купчине и редко добирался до города. Мать так и говорила всегда: в город поедем... В школьные годы возили несколько раз на экскурсии. Армейская служба выпала тоже в поселке, в Курской области, в колонии, — так что он был житель не городской, не деревенский, пожизненно пригородный: ни лошадь запрячь, ни на стадион пойти... До милицейской службы он и дорогу толком перейти не мог и до сих пор в незнакомых местах легко терялся...

Московский проспект вывел его на площадь. Он посмотрел на крайний дом — на табличке стояло «Площадь Мира». Народ шел довольно густо. Здесь было много магазинов. Площадь была кривая, с многими улочками, на нее выходящими. Он свернул в один переулок поуже и потише и подумал, что напрасно не пошел к Технологическому, там все было знакомо. Однако переулок, по которому он теперь двигался, был, в общем-то, подходящим. Семен заглянул в один двор, в другой — они были здесь колодцами, проходной все не попадался... Тогда он зашел в глубокую подворотню и стал около двери бывшей дворницкой, выходившей в арку. «Скупка вещей у населения» — скромненькая надпись на плотно закрытой двери. Изредка шли прохожие, но обзора не было, разглядеть как следует никого не удавалось. К тому же все больше топали тетки с сумками. Семену пришло в голову, что в праздники на улицах больше молодых мужиков, а по будням сплошь тетки.

Тогда он сделал по-другому: стал ходить по переулку от угла до угла, пока не увидел «своего». Он шел навстречу, и Семен просто задрожал — он был самый-самый... Те девять, которые были до него, просто в счет не шли по сравнению с этим. Парень был в джинсовой куртке, которая была ему велика, тощий и, точно, музейный работник. Светлый, по-бабьи завязанный хвост мотался по спине. И шел он медленно, расхлябанно. Даже ботинки успел заметить Семен — тоже были особенные, не простые ботинки... А в руке он нес чемоданчик, тоже какой-то особенный, не как у людей. У Семена дух зашелся. Это было как любовь с первого взгляда, как пламя узнавания. Такого острого чувства Семен никогда еще не испытывал. И не было в этот момент никакой ненависти, им владел восторг охотника, восхищенного красотой дичи...

Но дичь эта тащилась довольно медленно и все время обтекалась прохожими. Семен шел теперь за ним, в нескольких шагах. Ему захотелось еще раз посмотреть на его лицо, и он перешел на другую сторону переулка, обогнал и зашел на него с фасада. Мордочка у него была с кулачок, лисья, и был он в задумчивости. Пидарас, ну я тебя сейчас сделаю...

Семен опять пристроился сзади. Они миновали одну подворотню, и, пока они подходили к следующей, с дворницкой в арке, Семен все успел сообразить и вытащил конец заточки из-под ремешка часов. Когда они поравнялись с той подворотней, Семен положил правую руку парню на плечо, а левую, с заточкой, пустил в дело. Заминка была самая ничтожная, джинсовка придержала движение острия, но Семен чуткой и опытной уже рукой почувствовал, что входит хорошо, и то обычное сопротивление скрипнувшей под острием межреберной ткани он тоже прошел, и заточка скользнула дальше плавно, мягко, но и упруго...

Парень охнул, дернулся сначала как будто вверх, а потом начал падать вперед, но Семен не дал ему упасть, схватил его двумя руками за плечи и затолкнул в подворотню.

Парень норовил упасть, но Семен волок его в глубь подворотни — хотел оставить его во дворе, чтобы с улицы не было видно лежащего тела. Но тут дверь дворницкой приоткрылась, возник большой, приличного вида мужик и с интересом посмотрел на Семена.

Семен бросил парня и выскочил из подворотни. Он побежал вперед, по обезлюдевшему переулку, без всякого маршрута, и одно только держал в голове: заточку-то он не успел выдернуть...

Два обстоятельства спасли жизнь Сергею. Первое — оставшаяся в сердце заточка. Второе — приличного вида мужик, вышедший из двери — директор скупки, — в прошлом был фельдшером. Удерживая Сергея на весу, он крикнул в раскрытую дверь, чтобы вызвали «Скорую» и срочно дали бы ему пластырь... Впрочем, врачи, выводившие Сергея из клинической смерти, зашивавшие насквозь проколотый перикард, говорили потом Сергею:

— Чудо, Сережа, чудо. Один случай на миллион.

Сергей просил отдать ему заточку, но это было невозможно, она стала «вещдоком», и он ее даже и не видел.

А Семена арестовали на третий день. Он был обвинен в двадцати шести убийствах, из них три с изнасилованиями. Он признал «свои», а остального на себя не брал, отрицал. Но так уж было решено свыше: списать на него все милицейские «висяки». Ему дали высшую меру и привели ее в исполнение спустя полгода. На апелляцию не подавали, психиатрической экспертизы не проводили...

...ание правительние величие и какая чело...

...ие глупость! Какая-то особая еврейская бол...

...го ми? Как история или больше ?ли?

ЧАСТЬ ЧЕТВЕРТАЯ

1

Каждый раз, когда Женя останавливалась перед дверью квартиры, где прошло ее детство, она испытывала сложнейшее чувство: умиление, гнев, тоску и нежность. Дверь была обшарпана, медная табличка с фамилией покойного деда помутнела. Возле двери, к раздражению соседей, второй год стоял сломанный стул, на котором громоздился ворох набитых каким-то Томочкиным дерьмом пакетов. Дух убожества и коммуналки.

Ключей у Жени не было с тех пор, как поменяли старый замок. Так получилось, что ключа ее не лишали, а просто как-то забыли дать новый. Женя спросила раз, но вопроса не заметили... Позвонила. Тома колченого, постукивая палочкой, шла по коридору. У нее, бедняги, опять разыгрался ее артрит.

— Женечка, ты?

Открыла. Заахала:

— Какая ты кругленькая стала!

Из бабушкиной комнаты выглянул Михаил Федорович со своим запахом «Шипра», пота и почему-то старой кожи...

«Как я к ним несправедлива все-таки, — укорила себя Женя. — По воскресеньям они не воняют. Они же по субботам моются».

Женина внутренняя улыбка чуть отразилась на губах:

— Здравствуйте, Михаил Федорович.

Пока служил в армии, он приветствовал первым старших по чину. Теперь, на гражданке, когда подполковников вокруг не было, он сам прихотливо выбирал, с кем ему положено здороваться первым: с директором, заместителем по хозяйственной части (по научной — тот сам первый здоровался), с заведующим поликлиникой, к которой был прикреплен...

Михаил Федорович кивнул с достоинством:

— Здрсс...

Без имени. И остался стоять в дверях. Что было необычно.

Женя сняла поочередно ботинки, склоняясь над своим животом то вправо, то влево. С отвращением надела старые, с грубыми зашивками тапочки и двинулась по коридору в бабушкину комнату. Тома остановила ее:

— Женек, у нас перестановка. Нам Розины большой шкаф книжный отдали. Он там не встал, пришлось его сюда... Михал Федыча коллекция как раз вошла, а бабушку мы переселили в Василисину комнату...

Кровь бросилась Жене в голову. Не мытьем, так катаньем. Выселили-таки бабушку в чулан.

— То есть как? — у Жени от ярости задрожал подбородок. Коллекция Михаила Федоровича была умопомрачительная по идиотизму: вырезки из газет и журналов, касающиеся авиации...

— Да какая ей разница? Она и не заметила. Там тихо, спокойно. Сундук Василисин вынесли, стул ее поставили. Она там и кушать может. Покойная Василиса всегда там ела.

Михаил Федорович все стоял в дверях бабушкиной комнаты в полной готовности вступиться.

Женя ничего не ответила, удержалась. Пошла на кухню, даже не заглянув в комнату, которая на прошлой неделе была бабушкина и всегда была бабушкина...

Прошла через кухню, открыла дверь в чулан. В чулане после Василисиной смерти ничего не меняли. Две большие иконы, с детства знакомые, Казанская и Илья Пророк, не то разбитый красноармейским топором в незапамятные времена, не то от старости треснувший, грубо склеенный шов проходит по летящему вниз красному плащу, отделяя его от смуглой руки... Ну где же вы там, помощники беспомощные?

Бабушка сидела на венском стуле с прорезанным сиденьем, лицом к маленькому окошку, выходящему в глухую кирпичную стену. Под стулом стояло ведро. В чулане пахло мочой и старческой немощью. Одна серая кошка спала на одеяле, покрывающем топчан. Вторая сидела на коленях у Елены Георгиевны, и пальцы с неровно подрезанными ногтями лежали на полосатом боку.

Женя поцеловала редеющие волосы с двумя изгибами на висках, куда молодая Леночка вкалывала невидимки. Старуха погладила кошачий бок.

— Здравствуй, бабуля. Зачем же ты сюда... — начала Женя мучительно, потому что понимала, что лучше бы ей помолчать в этой постыдной, невозможной ситуации. — Сейчас ванну принимать будем...

Старуха молча погладила ее по руке. На кухне лилась вода, стучали ножами. Тома с мужем все делила пополам, и домашнюю работу тоже. Четыре картофелины чистили на пару, две он, две она. Из соображений семейной справедливости.

Женя направилась в ванную. На кухне мимоходом заметила: Тома с Михаилом Федоровичем перебирали гречку — с картошкой уже покончили.

В ванной было всегдашнее, неописуемое. На веревках висело мокрое белье. По субботам у них был банный день. Полдня готовились, полдня мылись. А потом отдыхали — с чаем, конфетами и пряниками. Патриархальный сюжет. Все всерьез. В воскресенье утром, до прихода Жени, производилась недельная стирка в крохотной стиральной машине, которую купил Михаил Федорович для нужд своей маленькой семьи. Бабушкино поганое белье стирать в ней он не разрешал — был брезглив.

Женя вытащила из-под ванны таз. Из цинкового бачка с перекошенной крышкой достала ветхие тряпочки, обрывки простынь, все подмоченное, подпачканное. Памперсы, которые Женя когда-то покупала, в дело не шли: Тома считала, что они синтетические, а синтетики Михаил Федорович не признавал. Женя давно уже перестала приносить в дом что-нибудь для бабушки: Тома все новое немедленно убирала и приговаривала:

— Ой, Женек, до чего рубашечка хороша, прям хоть в гроб клади...

В такие минуты Женя не знала, кого ей следует больше

жалеть: бабушку, обломавшую свою бедную психику, чтобы не замечать того, с чем сражаться невозможно, или тетю Тому, с мышьей мордочкой, с негнущимся от артроза коленом, счастливую своим замужеством, гордую за свое прошлое, настоящее и будущее, к которому она делала медленные и уверенные шаги. Она писала кандидатскую диссертацию о вирусных заболеваниях своих вечнозеленых... и чувствовала себя духовной наследницей своего знаменитого воспитателя, Павла Алексеевича Кукоцкого. Возможно, так оно и было...

Женя разобрала свалку на стульчике-перекладине, куда сажала для мытья бабушку. Старые тазы, один в одном, банки, обтрепанные мочалки. О, скаредность...

Замочила в самом большом тазу, отвернув нос, бабушкины тряпки, затолкала таз под ванну. После мытья — стирка. Вычистила ванну. Краны текли, из-под ванны сочилась вода. Все было ветхим, но изобретательно подчиненным. Михаил Федорович был гений по части подвязывания веревочек, подкручивания проволочек, изобретения затычек и заплаток. Интересно, что он там делал в своей авиации?

Наконец все готово. Вода чуть горячее, чем надо. Остынет, пока она бабушку разберет. Капнула напоследок шампунь в воду. Для пены. Тома никогда ничего не берет из того, что Женя в дом приносит. Они с Михаилом Федоровичем шампунями не пользуются, заграничного не переносят. Патриоты. Ни мыла, ни лекарств, ни одежды. И присказка ко всему — наше, отечественное... О, убожество...

Женя подняла бабушку со стула:

— Пошли, бабуля, все готово.

Елена Георгиевна послушно встала. Спина прямая, ноги сухие, длинные, к старости покривившиеся... Женя обхватила ее за хрупкие плечи, повела. Шла бабушка хорошо, только рваный тапочек мешал, задиралась отклеившаяся подошва. Три пары новых, не меньше, лежало у Томы. О, жадность...

Вошли в ванную. Бабушка указала пальцем на защелку. Женя задвинула. Медленное раздевание. Бабушка как будто хочет Жене помочь, но и сопротивляется одновременно. Теребит петлю халата. Забыла, как пуговица расстегивается. Силится вспомнить. Не может.

Женя помогает раздеться.

Черт ее знает, какие у нее соображения, почему Тома изобрела эти идиотские резинки под коленями? Почему нельзя надеть памперс, подложить пеленку, в конце концов?

Разделись.

— Ну вот, теперь подними ногу. Правую. Держись за меня.

Живот мешает. Очень мешает живот.

— Теперь другую...

Елена Георгиевна легко поднимает свои длинные ноги. Ступня ужасная. Ногти покрыты желто-серым грибком. Косточка выпирает. Откуда могут взяться мозоли у человека, который двадцать лет ничего, кроме домашних тапочек, не носит? Елена Георгиевна стоит в воде по колено и не может сообразить, как сесть. Фигура... Скелет — большой стройности. Тонкая талия, крутые бока. Грудь маленькая, нисколько не обвисшая, со свежим соском. Живот поджатый, пупок укрылся в поперечной складке. Еще одна складка — поперечный шов под пупком. Тело безволосое, белое, все присборенное, как мятая папиросная бумага. И лицо белое. Только волосы на подбородке растут. Раньше Женя их выдергивала пинцетом, а теперь стала ножницами стричь. Времени мало. Очень мало времени. А родится ребенок, вообще непонятно, как буду успевать... Наверное, надо будет забрать ее к себе, на Профсоюзную, как только отец переедет на новую квартиру. В старой отцовской, с двумя смежными комнатами вполне можно всем разместиться. Но Тома еще может заартачиться...

— Садись, дорогая, садись, — подталкивает Женя бабушку легонько в спину. Бабушка опасливо присаживается. Женя направляет на нее струю душа. Бабушка стонет от удовольствия. Сейчас произойдет то, ради чего Женя приезжает сюда уже десять лет. С тех самых пор, как умер дедушка и она переехала к отцу.

— Спасибо, деточка, — говорит Елена Георгиевна.

Тома уверена, что Елена Георгиевна вообще разучилась

говорить. Это не так. Она разговаривает. Но только здесь, в закрытой на защелку ванной, когда Женя усаживает ее в теплую воду. Между ними необъяснимая близость. Женю растил дедушка. Бабушка всегда молчаливо присутствовала, ласково наблюдала за ней. Сколько Женя себя помнит, бабушка всегда была больна. И всегда они любили друг друга, если вообще может существовать бессловесная, бездеятельная, воздушная — ни на что практическое не опирающаяся, — любовь. Женя гладит ее по голове:

— Хорошо?

— Блаженство... Господи, какое блаженство... Мы ходили в Сибири в баню все вместе — Павел Алексеевич, Танечка, Василиса... И веники были... Снегу было много... Ты помнишь, деточка?

«Интересно, за кого она меня принимает?» — думает Женя. Но, в сущности, это не имеет никакого значения. В неделю раз Елена Георгиевна произносит несколько слов. На считанные минуты восстанавливается связь со здешним миром.

— Зачем ты в чулан переселилась? — спросила ее Женя.

— В чулан? Какая разница... Пусть. — И доверительно: — А почему ты Танечку не привела? — Встрепенулась и смутилась.

Больше всего Женя страдала в те минуты, когда чувствовала, что бабушка переживает растерянность и недоумение. Женя намылила губку и провела вдоль выпирающего позвоночника. Что ей ответить? Иногда Жене казалось, что бабушка принимает ее за покойную дочь. Так оно, вероятно, и было, потому что в спутанных речах проскальзывало имя Тани, обращенное к ней... Но случалось, что бабушка называла ее «мамой»...

— Вода хорошая? Не остыла?

— Очень... Спасибо, деточка. — Подумала и сказала шепотом: — Сегодня на меня какой-то мужчина кричал.

— Михаил Федорович? Михаил Федорович кричал?

— Ну что ты, деточка, он себе такого не позволит. Кто-то чужой кричал.

Женя слегка откинула голову, положила руку на лоб:

— Головку помоем. Ты глаза зажмурь, чтоб мыло не попало.

442

Елена Георгиевна послушно закрыла глаза.

Пока Женя мыла ей голову, она набирала в горсти воду и выливала себе на плечи, гоняла пальцами — играла, как играют дети, разве что без плавающих пластмассовых уточек и корабликов... Потом сказала неожиданно:

— На Томочку не сердись. Она сирота.

Женя уже ополоснула вымытую голову, подняла наверх жгут волос и всунула шпильку, чтобы не мешались.

— А я кто? А ты? Мы все сироты. Не понимаю, почему ее надо особенно жалеть?

— Голова — одна сплошная дыра. Трудно, — пожаловалась Елена Георгиевна.

— У меня тоже, — призналась Женя. — Вчера весь дом перерыла, часа три паспорт искала. Не могла вспомнить, куда положила. Вставай, пожалуйста. Из душа тебя окачу, и все...

Женя помогла Елене Георгиевне выйти из ванны, вытерла ее расползающейся от ветхости купальной простыней, смазала детским кремом ноги, паховые складки, опрелости, грозившие со временем превратиться в пролежни, надела чистую рубашку и чистый халат. Повязала тюрбаном полотенце и, протерев рукой запотевшее зеркало, велела бабушке посмотреть на себя:

— Видишь, какая ты красивая.

Елена Георгиевна покачала головой и засмеялась. Там, в зеркале, видела она совсем другую картину...

2

В следующее воскресенье Женя не смогла приехать — накануне муж отвез ее в роддом. В те воскресные послеобеденные часы, когда Женя обычно расчесывала и сушила седые, переставшие с годами виться волосы Елены, уже произошло полное раскрытие маточного зева и началось изгнание плода: головка ребенка вошла в плоскость входа в малый таз. Они все еще составляли единое целое, Женя и ее ребенок. Волны мышечных сокращений и спадов были согласованы, но уже наступал момент, когда он начал совершать первые самостоятельные движения...

Женя кричала, когда терпеть было не под силу, наступало облегчение, потом накатывало снова. «Наверное, если бы дед был жив, он сделал бы что-нибудь, чтоб не так больно...» — думала она в те минуты, когда могла думать. Это была совместная тяжелая работа — ее, ребенка и акушерки, лица которой она совершенно не запомнила. Зато остался в памяти властный и ласковый голос: дыши глубже... руки положи на грудь... считай до десяти... не надо тужиться... а теперь покричи, покричи... хорошо...

Это был самый несовершенный из всех природных механизмов деторождения — человеческие роды. Ни одно из животных так не страдает. Болезненность, длительность, иногда опасность для жизни роженицы — знак особого положения человека в этом мире. Двуногого, с расправленной спиной, впередсмотрящего, свободнорукого... единственного в мире существа, осознающего связь между зачатием и деторождением, плотской любовью и той другой, ведомой одному лишь человеку. Жертва прямохождению — считали некоторые. Плата за первородный грех — утверждали другие.

Ребенок уже пригнул головку, так что малый родничок оказался впереди, чуть повернул ее и, разогнув голову, вошел под лобковую дугу. Боль была такая невыносимая, что в глазах Жени потемнело. Акушерка пошлепала ее по боку:

— Мамочка! Все хорошо... немножко потерпеть осталось. — И заметила кому-то в сторону: — Передний вид затылочного предлежания.

Слезы и пот заливали Женино лицо. Прорезалась головка. Он уже поворачивался плечами, и акушерка, обхватив двумя руками мокрую продолговатую головку, выводила переднее плечико...

3

Елена на своем венском троне с унизительной дырой в сиденье задремала. Ей снился сон: в яркий весенний день, когда листва уже появилась, но каждый отдельный лист еще маленький, бледный и не набрал полноты цвета, она идет по Большой Бронной, сворачивает в Трехпрудный, поднимает голову и видит, что на последнем этаже доме, на полукруглом декоративном балкончике, под полуциркульным окном их старой квартиры, множество людей. Ей хочется разглядеть, кто же там стоит, и она оказывается вровень с балконом, и даже чуть выше балюстрады, и видит, что там на раскладушке лежит ее дед, очень старый, с не совсем живым лицом, рядом с ним — бабушка Евгения Федоровна, Василиса, мама, отец, молодые братья, и все ее ждут, чтобы сообщить что-то важное и радостное. А кроме своих, мякотинских и нечаевских, в уходящей вдаль, расширяющейся клином толпе, она различает рослых лысых Кукоцких с их миловидными женами, Томочкину тверскую родню, бородатых евреев с Торой во лбу, и каких-то вовсе незнакомых, и удивительно было, как столько людей умещается на крохотном балкончике. Их делается все больше, и вдруг посреди всех появляются двое — молодой человек, высокий, густогривый, с не очень чистой кожей и пухлым ртом, и девушка, похожая на Танечку, или на Женю, или на Томочку, с младенцем на руках. Эта пара в самом центре этой геометрически недостоверной композиции, и Павел Алексеевич берет младенца в руки, и поворачивает его к Елене лицом... И в этом младенце сходится вся радость мира, и свет, и смысл. Как будто посреди солнечного дня взошло еще одно солнце... младенец этот принадлежит им всем, а они — ему. И Елена Георгиевна плачет от совершенного счастья и чуть-чуть при этом удивляется, потому что она чувствует одновременно соленую сладость слез и совершенную свою бестелесность...

4

Виталий вечером того же дня поехал на Центральный телеграф: он по каким-то соображениям с домашнего телефона в Америку не звонил. С отцом его соединили очень быстро. Илья Иосифович снял трубку, услышал голос сына — быстрый, деловой, без «здравствуйте, как поживаете».

— Женька сына родила. Поздравляю с правнуком. — Без лишних комментариев.

Уложился в минуту. Зато до Ленинграда он дозванивался минут двадцать. Сказал Сергею, что все в порядке. Родился мальчик, и никаких родовых осложнений.

— Могу я приехать? — спросил Сергей.

— Ты позвони Женьке, когда она из роддома выйдет. И договоришься с ней.

Он не питал особой слабости к этому длинноволосому музыканту и даже несколько ревновал к нему Женю. Что их связывало, совершенно непонятно... Сергей тоже не знал, что связывало его с этой девушкой, несколько лет бывшей его дочерью. Он и не задумывался. Взял инструмент и заиграл свою старую композицию. «Черные камни»...

5

А Илья Иосифович давно уже решил, что поедет в Москву, когда родится правнук. Виза была готова. Валентина сначала была категорически против, но потом сдалась — при условии, что и сама поедет. Оставалось только билеты заказать. Их старшая дочь, родившаяся через четыре месяца после Жени, живет отдельно. Младшую, шестнадцатилетнюю, увезенную из России малышкой, они никогда одну не оставляли: она робкая, довольно странная девочка, любительница кошек и аквариумных рыб. Решили, что ей будет полезно десять дней пожить самостоятельно.

Была некоторая сложность с Валентининой работой. Она преподает в Гарвардском университете и так сразу взять отпуск не может. Но свой курс она заканчивает читать через три недели. Что же касается Ильи Иосифовича, он был давно на пенсии, и хотя состоит почетным членом десятка разнообразных обществ и редколлегий, уехать может в любой момент.

Последние три года он читает Тору по-немецки и по-английски и сетует, что родители не отдали его в детстве в хедер. Учить иврит в восемьдесят шесть лет непросто. С другой стороны, трудности его не пугают. Такого собеседника, каким был Павел Алексеевич, у него нет и никогда не будет. Он часто с ним мысленно беседует и даже ссорится. Хотя надо признать, что сближение между ними происходит: Илья Иосифович склоняется к существованию Мирового Разума и носится с идеей, что Библия представляет собой грандиозную шифровку, космическое послание Мирового Разума к человечеству. Но человечество еще не дозрело, чтобы эту шифровку прочитать. С Генкой, который живет в Нью-Йорке, он постоянно пытается обсуждать богословские проблемы, но тот решительно предпочитает всякую восточную собачатину, начиная от китайской кухни и кончая карате. Узнав, что у Жени родился сын и отец собирается в связи с этим ехать в Москву, он встревожился:

— Что за путешествия в твоем возрасте! Пошли ей лучше денег! Да и я готов...

Но Илья Иосифович сказал твердо:

— Не учите меня жить! У девочки есть дед. У меня есть правнук. Жаль, Пашка не дожил.

Литературно-художественное издание

Людмила Улицкая
КАЗУС КУКОЦКОГО

Редактор *Н. Крылова*
Художественный редактор *А. Сауков*
Художник *С. Митурич*
Технический редактор *Н. Носова*
Компьютерная верстка *В. Шибаев*
Корректор *Н. Самойлова*

Подписано в печать с готовых монтажей 28.11.2002.
Формат 84×108 $^1/_{32}$. Гарнитура «Ньютон».
Печать офсетная. Усл. печ. л. 23,52. Уч.-изд. л. 22,6.
Доп. тираж IX 7100 экз. Заказ 2960

Отпечатано в полном соответствии
с качеством предоставленных диапозитивов
в ОАО «Можайский полиграфический комбинат».
143200, г. Можайск, ул. Мира, 93.

ООО «Издательство «Эксмо».
107078, Москва, Орликов пер., д. 6.
Интернет/Home page — www.eksmo.ru
Электронная почта (E-mail) — info@ eksmo.ru

*По вопросам размещения рекламы в книгах издательства «Эксмо»
обращаться в рекламное агентство «Эксмо». Тел. 234-38-00*

Книга — почтой: Книжный клуб «Эксмо»
101000, Москва, а/я 333. E-mail: bookclub@ eksmo.ru

Оптовая торговля:
109472, Москва, ул. Академика Скрябина, д. 21, этаж 2
Тел./факс: (095) 378-84-74, 378-82-61, 745-89-16
E-mail: reception@eksmo-sale.ru

Мелкооптовая торговля:
117192, Москва, Мичуринский пр-т, д. 12/1.
Тел./факс: (095) 932-74-71

Сеть магазинов «Книжный Клуб СНАРК»
представляет самый широкий ассортимент книг
издательства «Эксмо».
Информация в Санкт-Петербурге по тел. 050.

Книжный магазин издательства «Эксмо»
Москва, ул. Маршала Бирюзова, 17 (рядом с м. «Октябрьское Поле»)

ООО «Медиа группа «ЛОГОС».
103051, Москва, Цветной бульвар, 30, стр. 2
Единая справочная служба: (095) 974-21-31. E-mail: mgl@logosgroup.ru
contact@logosgroup.ru

ООО «КИФ «ДАКС». Губернская книжная ярмарка.
М. о. г. Люберцы, ул. Волковская, 67.
т. 554-51-51 доб. 126, 554-30-02 доб. 126.

ISBN 5-04-005667-2